EL EXPO

LA BIBLIA, LIBRO POR LIBRO

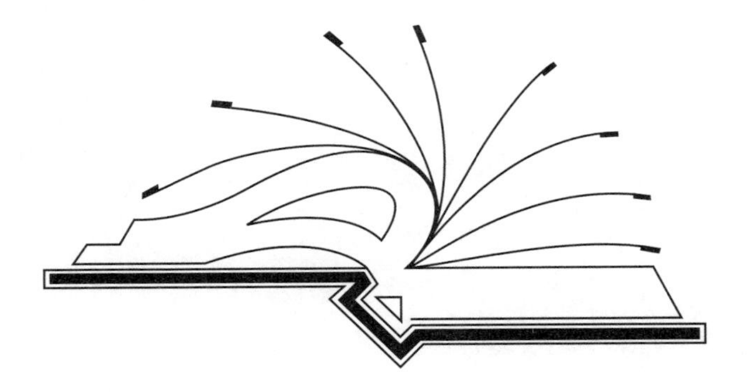

8

Efesios, Filipenses,
Habacuc, Jeremías, Lamentaciones
Marcos, Ezequiel, Daniel

52 Estudios intensivos de la Biblia
para maestros de jóvenes y adultos

CASA BAUTISTA DE PUBLICACIONES

CASA BAUTISTA DE PUBLICACIONES
Apartado Postal 4255, El Paso, TX 79914 EE. UU. de A.
www.casabautista.org

Ediciones: 1998, 2001, 2003
Clasificación Decimal Dewey: 220.6 B471
Temas: 1. Biblia—Estudio
2. Escuelas dominicales—Currículos

ISBN: 0-311-11258-7
C.B.P. Art. No. 11258

3 M 12 03

Impreso en EE. UU. de A.
Printed in U.S.A.

EL EXPOSITOR BÍBLICO

PROGRAMA:
"LA BIBLIA, LIBRO POR LIBRO"
MAESTROS DE
JÓVENES Y ADULTOS

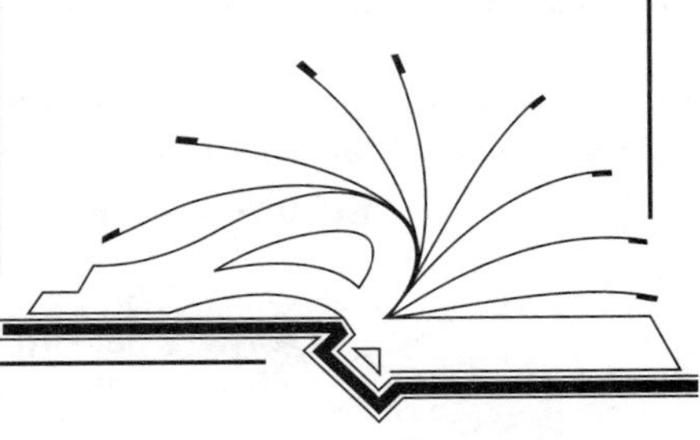

CONTENIDO

Descripción General de La Biblia, Libro por Libro

El objetivo general del programa *La Biblia, Libro por Libro* es facilitar el estudio de todos los libros de la Biblia, durante nueve años, en 52 estudios por año.

El libro del Maestro tiene ocho secciones bien definidas:

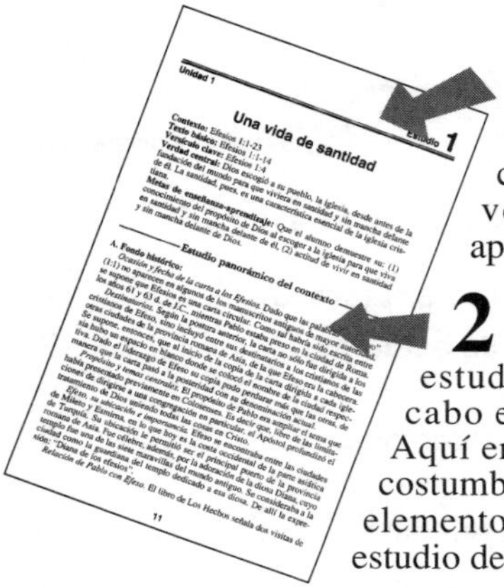

1 Información general. Aquí encuentra el tema-título del estudio, el pasaje que sirve de contexto, el texto básico, el versículo clave, la verdad central y las metas de enseñanza-aprendizaje.

2 Estudio panorámico del contexto. Ubica el estudio en el marco histórico en el cual se llevó a cabo el evento o las enseñanzas del texto básico. Aquí encuentra datos históricos, fechas de eventos, costumbres de la época, información geográfica y otros elementos de interés que enriquecen el estudio de la Biblia.

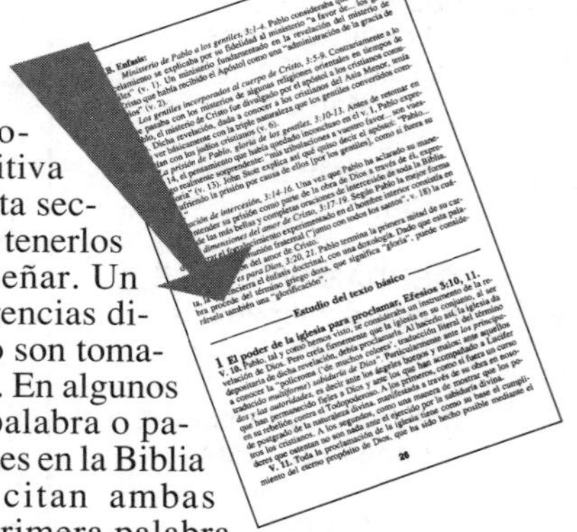

3 Estudio del texto básico. Se emplea el método de interpretación gramático-histórico con la técnica exegético-expositiva del texto. En los libros de los alumnos esta sección tiene varios ejercicios. Le sugerimos tenerlos a la vista al preparar su estudio y al enseñar. Un detalle a tomar en cuenta es que las referencias directas o citas de palabras del texto bíblico son tomadas de la Biblia Reina-Valera Actualizada. En algunos casos, cuando la palabra o palabras son diferentes en la Biblia RVR-1960 se citan ambas versiones. La primera palabra viene de la RVA y la segunda de la RVR-1960 divididas por una línea diagonal. Por ejemplo: *que Dios le dio para mostrar/manifestar...* Así usted puede sentirse cómodo con la Biblia que ya posee.

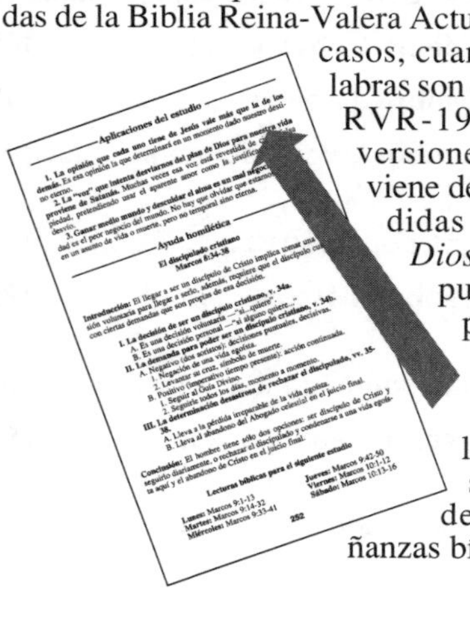

4 Aplicaciones del estudio. Esta sección le guiará a aplicar el estudio de la Biblia a su vida y a la de sus alumnos, para que se decidan a actuar de acuerdo con las enseñanzas bíblicas.

para Maestros de Jóvenes y Adultos

El objetivo educacional del programa *La Biblia, Libro por Libro* es que, como resultado de este estudio el maestro y sus alumnos puedan: (1) conocer los hechos básicos, la historia, la geografía, las costumbres, el mensaje central y las enseñanzas que presentan cada uno de los libros de la Biblia; (2) desarrollar actitudes que demuestren la valorización del mensaje de la Biblia en su vida diaria de tal manera que puedan ser mejores discípulos de Cristo.

5 Prueba. Esta sección sólo aparece en el libro de sus alumnos. Da la oportunidad de demostrar de qué manera se alcanzaron las metas de enseñanza-aprendizaje para el estudio correspondiente. Hay dos actividades, una que "prueba" conocimientos de los hechos presentados, y la otra que "prueba" sentimientos o afectos hacia las verdades encontradas en la Palabra de Dios durante el estudio.

6 Ayuda homilética. Provee un bosquejo que puede ser útil a los maestros que tienen el privilegio de predicar en el templo, misiones o anexos. En algunos casos, el bosquejo también puede ser usado en la clase como otra manera de organizar y presentar el estudio del pasaje.

7 Lecturas bíblicas diarias. Estas lecturas forman el contexto para el siguiente estudio. Si las lee con disciplina, sin duda leerá toda su Biblia por lo menos una vez en nueve años.

8 Agenda de clase. Ofrece los procedimientos y sugerencias didácticas organizadas en un plan de clase práctico con actividades sugeridas para enseñar a los jóvenes y a los adultos. A los maestros se les dicen las respuestas correctas a las preguntas y/o ejercicios que aparecen en los libros de los alumnos.

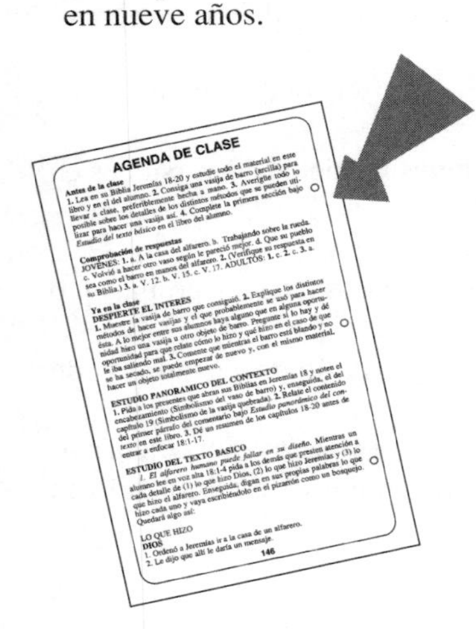
AGENDA DE CLASE

Biblia Online

Este programa, aunque es básicamente en inglés, ofrece lo siguiente en español:
1. Los textos bíblicos de la Biblia RV 1909 y de la Biblia RVA 1989
2. Un menú de trabajo en español con el cual podrá copiar, cortar y pegar el texto bíblico; además de usar muchas otras opciones que el programa tiene.

Aunque el resto del material de ayudas, diccionarios y comentarios están sólo en inglés, su consulta y comprensión es de tan fácil uso, que cualquier usuario con conocimiento básico del idioma inglés podrá aprovechar la increíble cantidad de ayudas que tiene el programa.

Requisitos de Equipo:

- Computadora 386 DX o más nueva con 4 o más megs de memoria RAM.
- 6 megs de espacio libre en el Disco Duro.
- Windows 3.1 (requiere versión de 32 bit) o Windows 95.
- Unidad lectora para Disco Compacto (CD Rom) interna o externa.

Contenido del Programa:

- Textos bíblicos en español de la RV 1909 y de la RVA 1989; con la opción de comparar estos textos entre sí o con cualquier otro idioma.
- Menú de trabajo con estos textos en español.
- Funciones de búsqueda de palabras, combinaciones de palabras y/o frases para cualquier texto.
- Función de búsqueda para los números de Strong (en combinación con un texto en inglés).
- Textos bíblicos de más de 12 versiones en inglés y más de 40 versiones en otros idiomas (francés, alemán, holandés, etc).
- 644,000 referencias cruzadas y léxico hebreo y griego.
- Función de almacenar sus propias notas o comentarios a temas propios y/o a textos específicos de la Escritura.
- Exportar fácilmente textos bíblicos a la mayoría de procesadoras de palabras.
- Comentarios bíblicos varios incluyendo el de Matthew Henry, devocionarios de Spurgeon, material arqueológico y otros materiales de estudio (sólo en inglés).
- 25 mapas a todo color.

PLAN GENERAL DE ESTUDIOS

Libro	Libros con 52 estudios para cada año			
1	Génesis		Mateo	
2	Exodo	Levítico Números	Los Hechos	
3	1, 2 Tesalo- nicenses Gálatas	Josué Jueces	Hebreos Santiago	Rut 1 Samuel
4	Lucas		2 Samuel (1 Crónicas)	1 Reyes (2 Crón. 1-20)
5	1 Corintios	Amós Oseas Jonás	2 Corintios Filemón	2 Reyes (2 Crón. 21-36) Miqueas
6	Romanos	Salmos	Isaías	1, 2 Pedro 1, 2, 3 Juan Judas
7	Deuteronomio	Juan		Job, Proverbios, Eclesiastés Cantares
8	Efesios Filipenses	Habacuc Jeremías Lamentaciones	Marcos	Ezequiel Daniel
9	Esdras Nehemías Ester	Colosenses 1, 2 Timoteo Tito	Joel, Abdías, Nahúm Sofonías, Hageo, Zacarías, Malaquías	Apocalipsis

PLAN DE ESTUDIOS
EFESIOS, FILIPENSES

Escriba antes del número de cada estudio, la fecha en que lo usará.

Fecha **Unidad 1: La nueva vida en Cristo**

_______ 1. Una vida de santidad
_______ 2. Una vida de servicio
_______ 3. Una vida de poder espiritual
_______ 4. La nueva vida en Cristo
_______ 5. Una mente renovada
_______ 6. Una vida llena del Espíritu
_______ 7. Una vida de sumisión
_______ 8. Una vida fortalecida

Unidad 2: Unidad digna del evangelio

_______ 9. Unidos por la fe del evangelio
_______ 10. Unidos, sintiendo una misma cosa
_______ 11. Unidos hacia la meta
_______ 12. Unidos con firmeza
_______ 13. Unidos, apoyando la obra

EFESIOS
Una introducción

Efeso, la ciudad

Ciudad del occidente de Asia Menor, y centro importante en la historia de la iglesia primitiva. Estaba situada en el valle del río Caistro, entre Mileto y Esmirna, a cinco kilómetros del mar Egeo y entre las montañas de Koresos. Su excelente acceso al mar la convirtió en el principal puerto de Asia durante el imperio romano. En esta importante ciudad estaba ubicado el templo de Diana, considerado una de las siete maravillas del mundo. Este templo daba renombre a la ciudad que llegó a ser conocida como la "guardiana del templo de la gran diosa Diana" (Hech. 19:35). Fueron impresionantes la superstición y ocultismo que florecieron a la sombra del culto a esta diosa.

Fecha y ocasión de la carta

Fue escrita mientras Pablo estaba bajo arresto domiciliario en Roma, alrededor del año 62 d. de J.C. En cuatro ocasiones en este mismo escrito, Pablo se refiere a sí mismo como prisionero. Estuvo preso en Cesarea durante dos años. Además, el Apóstol estuvo prisionero dos años en Roma. Pablo mismo, al relatar su sufrimiento por la causa de Cristo, habla de sus muchas prisiones. Es posible que haya sufrido un encarcelamiento durante los casi tres años que sirvió en Efeso en su tercer viaje misionero.

Los destinatarios

La carta a los Efesios fue dirigida probablemente a las iglesias de la provincia romana de Asia. La salutación de la Epístola dice: "a los santos y fieles en Cristo Jesús que están en Efeso". Pero es muy interesante notar que los manuscritos más antiguos de esta Epístola no incluyen las palabras "en Efeso", razón por la cual algunos estudiosos insisten en que se trata más bien de una carta circular dirigida en realidad a otras iglesias además de la de Efeso.

El tema

Nos parece que el tema unificador de la Epístola es: "La gloria de Dios en Cristo y su iglesia". Este tema se encuentra en Efesios 3:21 donde se lee: "A él sea la gloria en la iglesia y en Cristo Jesús, por todas las generaciones de todas las edades, para siempre. Amén."

Este versículo significa que, en la realización del propósito eterno de Dios, la gloria de Dios es demostrada y manifestada en el universo. Aquel propósito eterno de Dios se realiza en Cristo, por la instrumentalidad de su iglesia. En la realización de este propósito en Cristo y en su iglesia, Dios es glorificado. El propósito de Dios es reunir todas las cosas en Cristo, tanto las que están en la tierra como las que están en los cielos. Nuestro estudio girará en torno a este pensamiento: *Unidos en Cristo.*

FILIPENSES

Una introducción

Filipos, la ciudad

La ciudad de Filipos, como la de Tesalónica, formaba parte de la provincia de Macedonia, nombre que Pablo usa para referirse a ambas ciudades como si formaran un conjunto desde su punto de vista como misionero. El nombre de Filipos provenía del padre de Alejandro Magno, el famoso rey macedonio Felipe II. Felipe fundó la ciudad en el sitio de una antigua ciudad llamada Krenides o Las Pequeñas Fuentes con el propósito de trabajar el oro y la plata de las minas.

Escritor

Según el texto de las primeras líneas de esta carta su autor es el apóstol Pablo, quien al momento de escribir estaba acompañado de Timoteo, su discípulo y compañero en la tarea misionera de anunciar el evangelio y establecer iglesias. La mayoría de los estudiosos sostienen que Pablo escribió esta carta desde la prisión en Roma, tomando en cuenta las referencias al *Pretorio* (1:13) y a la *casa del César* (4:22).

Destinatarios

Pablo se dirige a *los santos en Cristo Jesús que están en Filipos, con los obispos y diáconos*. El criterio aceptado por la mayoría de los estudiosos de la Biblia es que esta epístola fue escrita como una carta circular. Similar a la carta a los colosenses, debía ser leída primero en una iglesia y luego en otra. Es muy probable que una copia de este tipo haya sido escrita específicamente para la iglesia de Filipos. El propio Pablo había sido quien predicó por primera vez el evangelio en Filipos (Hech. 16:12-40), y al salir de esa ciudad dejó una iglesia ya formada.

Propósito de la Epístola

La iglesia de Filipos era una de las pocas iglesias que aparentemente no tenía los graves problemas morales o doctrinales que enfrentaban otras comunidades. El tono general de la carta es más bien el de un desafío a que los filipenses siguieran siendo excelentes y crecieran hacia la madurez. Se nota, sin embargo, la exhortación a que se guardaran de los malos obreros. Esa declaración es indicativa de que algo estaba pasando que demandaba poner atención allí.

La clave del contenido de esta carta es la cristología. El propio escritor afirma que su vida giraba alrededor de la lealtad a Cristo, que su anhelo era crecer en semejanza a Cristo y participar, tanto de las victorias, como de los sufrimientos de Cristo.

El escritor de la carta da por sentado que los destinatarios observan una relación particular y personal con Cristo, a la cual podía apelar para pedirles que vivieran conforme a ciertos valores fundamentales.

Unidad 1

Una vida de santidad

Contexto: Efesios 1:1-23
Texto básico: Efesios 1:1-14
Versículo clave: Efesios 1:4
Verdad central: Dios escogió a su pueblo, la iglesia, desde antes de la fundación del mundo para que viviera en santidad y sin mancha delante de él. La santidad, pues, es una característica esencial de la iglesia cristiana.
Metas de enseñanza-aprendizaje: Que el alumno demuestre su: (1) conocimiento del propósito de Dios al escoger a la iglesia para que viva en santidad y sin mancha delante de él, (2) actitud de vivir en santidad y sin mancha delante de Dios.

Estudio panorámico del contexto

A. Fondo histórico:

Ocasión y fecha de la carta a los Efesios. Dado que las palabras "en Efeso" (1:1) no aparecen en algunos de los manuscritos antiguos de mayor autoridad, se supone que Efesios es una carta circular. Como tal habría sido escrita entre los años 61 y 63 d. de J.C., mientras Pablo estaba preso en la ciudad de Roma.

Destinatarios. Según la postura anterior, la carta no sólo fue dirigida a los cristianos de Efeso, sino incluyó entre sus destinatarios a los cristianos de las otras ciudades de la provincia romana de Asia, de la que Efeso era la cabecera. Se supone, entonces, que al inicio de la copia de la carta dirigida a cada iglesia hubo un espacio en blanco donde se colocó el nombre de la ciudad respectiva. Dado el liderazgo de Efeso su copia pudo perdurar más que las otras, de manera que la carta pasó a la posteridad con su denominación actual.

Propósito y temas centrales. El propósito de Pablo era ampliar el tema que había presentado previamente en Colosenses. Es decir que, libre de las limitaciones de dirigirse a una congregación en particular, el Apóstol profundizó el tratamiento de Dios uniendo todas las cosas en Cristo.

Efeso, su ubicación e importancia. Efeso se encontraba entre las ciudades de Mileto y Esmirna, en lo que hoy es la costa occidental de la parte asiática de Turquía. Su ubicación le permitió ser el principal puerto de la provincia romana de Asia. Fue célebre, además, por la adoración de la diosa Diana, cuyo templo fue una de las siete maravillas del mundo antiguo. Se consideraba a la ciudad como la guardiana del templo dedicado a esa diosa. De allí la expresión: "Diana de los efesios".

Relación de Pablo con Efeso. El libro de Los Hechos señala dos visitas de

Pablo a la ciudad de Efeso. La primera, se produjo al finalizar el segundo viaje misionero y fue muy breve (18:19-21). La segunda, se dio durante el tercer viaje misionero (19:1-41) y duró tres años (20:31). En la segunda, Efeso se convirtió en el centro estratégico para la predicación del Apóstol a los habitantes de Asia.

B. Enfasis:

Saludos, 1:1, 2. "Gracia" indica una manera de vivir de acuerdo con el favor inmerecido de Dios, gozándose por su obra. "Paz", una forma de vida confiada en la presencia de Dios por medio de su Espíritu, de modo que se superen los conflictos.

Bendiciones espirituales en Cristo, 1:3-10. Pablo enfatizó al inicio de Efesios el hecho de que Dios ha bendecido a sus hijos abundantemente. Dichas bendiciones incluyen la elección de Dios, su propósito de hacernos distintos y su plan de redención.

Sellados con el Espíritu Santo, 1:11-14. El sello del Espíritu Santo indica que el cristiano es posesión de Dios y que está bajo su protección. Esa presencia tiene que ver con su doble función de anticipo y garantía de las bendiciones futuras.

Acción de gracias, 1:15, 16. Pablo estaba agradecido con Dios por la obra que había realizado en sus destinatarios. Básicamente por su fe y por su amor.

Intercesión, 1:17-23. Pablo intercedió a favor de sus lectores. Su petición fue que tuvieran sabiduría para comprender todas las dimensiones del poder de Dios.

Estudio del texto básico

1 Saludos a los santos, Efesios 1:1, 2.

V. 1. Pablo califica a los destinatarios de su carta como *santos.* Este término fue utilizado por los escritores del Nuevo Testamento para referirse a quienes se habían arrepentido de sus pecados y aceptado a Jesucristo como Señor. En este sentido es interesante que Romanos 1:7 puede ser traducido no sólo "llamados a ser santos", sino también "santos llamados".

La interpretación de "santos" a la que hemos hecho referencia se siguió dando en la iglesia primitiva hasta los tiempos de Ireneo y Tertuliano. Indica básicamente el hecho de haber sido apartados por Dios del dominio del pecado con el propósito de tener una vida consagrada exclusivamente al cumplimiento de la voluntad divina. Esto incluye no sólo el aspecto ético, sino una visión de los valores semejante a la que encarnó Jesús durante su ministerio terrenal.

V. 2. El orden de las dos bendiciones deseadas por Pablo para sus lectores no es casual. La *paz* es la vida abundante que experimenta el cristiano por estar bien relacionado con Dios y con su prójimo. Esta vida se da en el cristiano como consecuencia de que ha sido alcanzado por la "gracia" de Dios. Ya sea que la entendamos como la demostración del inmerecido amor de Dios por nosotros o como la plenitud de bendiciones que resultan de ese amor.

2 Escogidos para ser santos, Efesios 1:3-10.

V. 3. Según Pablo, el cristiano ha sido bendecido por Dios no con una, dos o tres bendiciones. No, ha sido bendecido *con toda bendición espiritual.* Este bendecir total de Dios se da *en Cristo,* una expresión que aparece treinta y cinco veces en Efesios, de las cuales diez figuran en el texto básico del presente estudio. Es decir que la obra del Padre en el creyente se da en total comunión y coordinación con la del Hijo. La expresión *en los lugares celestiales* más que referirse a un espacio físico dado (en griego no aparece el vocablo *lugares*, por lo que la traducción literal sería "en los celestiales") señala el ámbito espiritual, que trasciende a la materia y al tiempo, en el que Dios actúa. Dos de las traducciones alternativas más interesantes son la de Moffat ("la esfera celestial") y la de Goodspeed ("el reino celestial").

V. 4. Según Pablo, Dios nos *escogió* a los cristianos *antes de la fundación del mundo.* Esto conviene relacionarlo con lo expresado por Jesús en cuanto al momento en que fue preparado el reino para los creyentes: "desde la fundación del mundo" (Mat. 25:34). El comentarista Guillermo Hendriksen considera que ambas expresiones, la de Mateo 25:34 y la de Efesios 1:4 deben entenderse en el mismo sentido: "desde la eternidad". Dios no ha improvisado su plan de salvación. Todo lo contrario. El decidió elegirnos a quienes seríamos sus hijos mucho antes que nosotros existiéramos.

Vv. 5, 6. En un contexto dominado por la idea del amor, que inicia ("en amor") y cierra ("Amado") este apartado, Pablo relaciona la predestinación y la adopción. La segunda no se entiende sin la primera. Dios nos ha dado el inmenso privilegio de adoptarnos como sus hijos debido a que ha fijado de antemano nuestro destino. Observemos que el Apóstol insiste en la complacencia con que Dios actuó a nuestro favor: Primero, al indicar que lo hizo *según el beneplácito de su voluntad;* segundo, al insistir en el concepto de la gracia (*la gloria de su gracia...* "gratuitamente").

Vv. 7, 8. Juntamente con la predestinación y con la adopción deben considerarse la redención y el perdón de los pecados. La palabra griega traducida *redención* apuntaba originalmente a la liberación que experimentaba un esclavo cuando alguien pagaba el precio de su libertad. En el caso del cristiano esta liberación ha sido hecha posible mediante el derramamiento de la *sangre* de Jesucristo en la cruz. Ahora bien, tanto la redención como el perdón vienen como resultado de la gracia que Dios ha derramado abundantemente en aquellos que hemos sido hechos sus hijos. Aquí vemos una de las características de Efesios y es la acumulación de términos que se refieren a la obra de Dios. Como si a Pablo no le bastara referirse a las *riquezas* de la gracia divina, a renglón seguido expresa que Dios la hizo *sobreabundar* en los cristianos.

Vv. 9, 10. Una vez que Pablo ha hecho mención a los distintos aspectos presentes en la obra de Dios, señala que El ha dado a conocer el misterio que se había mantenido oculto a lo largo de los siglos. Este misterio tiene que ver con el plan divino de poner toda la creación bajo la autoridad de Cristo como cabeza. Las palabras griegas traducidas *plan* y *tiempos* son más que significativas. La que se traduce "plan" es *oikonomía,* de donde procede nuestro término español "economía" y encierra la idea de la administración de algo. La que se traduce "tiempos" es *kairós* y se distingue de *chronos,* la otra palabra griega que indica temporalidad, en que no señala cualquier momento transcurrido, sino aquellos que resultan cruciales. Westcott define *kairós* como "un espacio de tiempo definido con vista a su extensión y carácter".

3 Santos para la alabanza de su gloria, Efesios 1:11-14.

Vv. 11, 12. La expresión traducida *recibimos herencia* no aparece en ningún otro pasaje del Nuevo Testamento y ello ha determinado cierta dificultad en su interpretación. Algunos piensan que, siguiendo el pensamiento del Antiguo Testamento, sería más apropiado entenderlo en el sentido que los cristianos hemos sido constituidos en "herencia" de Dios. Robinson presenta dicho concepto así: "Hemos sido elegidos como la porción de Dios". Sea que debamos entender el concepto de una forma o de otra lo cierto es que hay dos ideas que figuran con toda claridad. La primera es que a través de esta relación especial con sus hijos Dios cumple su propósito conforme a su voluntad. La segunda es que los cristianos tenemos como fin básico de nuestra vida el ser *para la alabanza de su gloria.* Toda nuestra existencia debe ser un canto de alabanza a Dios.

Vv. 13, 14. Si en los versículos anteriores, Pablo se refiere a la obra del Padre y del Hijo, ahora hace mención explícita a la obra del *Espíritu Santo.* Aquél que sella a los hijos de Dios con base en su decisión de haber creído en el mensaje que han escuchado con anterioridad. Este mensaje es llamado de dos maneras: *la palabra de verdad* y *el evangelio de vuestra salvación.* La primera expresión enfatiza la veracidad del mensaje centrado en Jesucristo, en contraposición a los engaños de Satanás, el "padre de mentira" (Juan 8:44); la segunda, la buena noticia que conduce a la salvación. Acerca de la certeza de dicha salvación, Abbott sostiene que la palabra griega traducida "garantía" señalaba la porción de dinero que se entregaba para ratificar un contrato e indicaba simultáneamente "una prueba del pago total". Al comentar la gloriosa verdad encerrada en los versículos que analizamos, Lighfoot escribió lo siguiente: "La vida espiritual del cristiano es del mismo tipo que su vida futura glorificada." William Barclay, a su vez, nos presenta una idea muy gráfica en relación con el anticipo que constituye la obra del Espíritu Santo: "Es como si Dios nos hubiera dado lo bastante como para estimular nuestro apetito, y lo suficiente para darnos la certidumbre de que un día nos lo dará todo."

Aplicaciones del estudio

1. La santidad y la fidelidad deben caracterizar al cristiano (v. 1). Pablo caracterizó a los destinatarios de Efesios como "santos y fieles". En nuestro tiempo los hijos de Dios debemos dejar que el Espíritu Santo haga de nosotros cristianos santos y fieles. Apartados del dominio del pecado y consagrados al constante cumplimiento de los mandatos divinos.

2. Debemos vivir conforme a la extraordinaria obra de Dios (vv. 4-7). La extraordinaria obra divina en la vida del cristiano, incluye elección, adopción y redención. Esto es una realidad, en la vida de cada creyente. Debemos renovar cada día nuestra convicción de la obra que Cristo ha hecho en nosotros y vivir con gratitud de acuerdo con esta certeza

3. Vivir con confianza porque Cristo es la cabeza (vv. 9, 10). Cristo es el ser más importante del universo. No hay ninguna persona ni organización con el poder suficiente como para oponerse exitosamente a los planes del Señor. Por lo tanto, el pueblo de Dios debe cumplir con su misión sin ningún temor.

4. El Espíritu Santo nos anticipa las bendiciones futuras (vv. 13, 14). El creyente no tiene por qué vivir con amargura o con sensación de derrota. El hecho de que goce ahora mismo la presencia permanente del Espíritu Santo hace que tenga una experiencia de constante gozo y de plenitud espiritual. Esa obra palpable del Espíritu Santo en el presente es para el cristiano una firme garantía de que las bendiciones anunciadas se cumplirán con toda certeza.

Ayuda homilética

Dios nos adoptó como hijos
Efesios 1:5-7

Introducción: Jesús es el único Hijo de Dios por derecho propio. Sin embargo, el Padre en su gracia ha decidido "ampliar" su familia al adoptarnos como hijos suyos a los que hemos creído en Jesús como Señor. En Efesios 1:5-7 encontramos algunos de los aspectos incluidos en la adopción a través de la que Dios nos ha hecho sus hijos.

I. Dios nos predestinó para adoptarnos, v. 5.
- A. Gracias a la obra de Jesús.
- B. Debido a que eso le agradó.

II. Dios nos bendijo al adoptarnos, v. 6.
- A. Su propósito: la alabanza.
- B. Su medio: la gracia.

III. Dios nos perdonó al adoptarnos, v. 7.
- A. Con base en el sacrificio de Cristo.
- B. Con base en la abundancia de su gracia.

Conclusión: Un escultor abandonó un bloque de mármol porque no pudo hacer nada con él. Enterado del asunto, Miguel Angel se lo compró y con aquel mármol desechado hizo una magnífica estatua: el David. Los cristianos antes de convertirnos también éramos material de desecho, pero ahora somos nada menos que hijos de Dios gracias a su adopción.

Lecturas bíblicas para el siguiente estudio

Lunes: Efesios 2:1-3
Martes: Efesios 2:4-7
Miércoles: Efesios 2:8-10
Jueves: Efesios 2:11-13
Viernes: Efesios 2:14-18
Sábado: Efesios 2:19-22

AGENDA DE CLASE

Antes de la clase

1. Lea Efesios 1:1-23. Lea el *Estudio panorámico del contexto* y anote en su cuaderno los datos principales sobre la carta: escritor, posibles destinatarios, ocasión y fecha, énfasis principales, etc. **2.** Prepare un mapa del mundo antiguo en el que pueda ubicarse fácilmente la ciudad de Efeso. **3.** Pida a un alumno que se prepare con anticipación e investigue de acuerdo con el libro de Los Hechos, las dos oportunidades en que Pablo estuvo en la iglesia de Efeso. **4.** Pida a un alumno que trabaje en una oficina, algunas cartas circulares contemporáneas. **5.** Prepare dos tarjetas que usted llevará en su bolsillo; en una estará escrita la palabra "paz" y en la otra "gracia". **6.** Complete la sección *Lea su Biblia y responda,* del libro del alumno.

Comprobación de respuestas

JOVENES. **1.** a. Dios el Padre. b. Nos escogió en Cristo c. Desde antes de la fundación del mundo. d. Para que fuésemos santos y sin mancha delante de él. **2.** v. 7, v. 10, v.11 y v. 13. **3.** Paráfrasis del versículo 5.
ADULTOS. **1.** a. Efesios. b. El apóstol Pablo. c. Gracia a vosotros y paz, de parte de Dios y del Señor Jesucristo. **2.** v. 4: "para que fuésemos santos y sin mancha delante de él"; v. 5: "para adopción como hijos suyos"; v. 6: "para la alabanza de la gloria de su gracia"; vv, 11, 12: "para que nosotros que hemos esperado en Cristo, seamos para la alabanza de su gloria". **3.** a. El Espíritu Santo. b. Después de oír la Palabra de verdad, el evangelio de salvación y creer en él.

Ya en la clase

DESPIERTE EL INTERES

Pida al alumno a quien encargó algunas copias de cartas circulares que las muestre. Observarán que se trata de cartas dirigidas a distintas personas, pero que se personalizan al redactar el encabezado. Dirija el diálogo de modo que los alumnos reconozcan que las llamadas cartas circulares están dirigidas a muchas personas que necesitan la misma información. Exponga la idea de que la carta a los Efesios es una circular a las iglesias de Asia Menor y reflexionen juntos sobre la importancia de su mensaje para todos los creyentes.

ESTUDIO PANORAMICO DEL CONTEXTO

Que un alumno a quien usted le ha pedido que se prepare con anticipación, relate, de acuerdo con el libro de los Hechos, las dos oportunidades en que Pablo estuvo en la iglesia de Efeso. Subraye la importancia religiosa y cultural de la ciudad de Efeso. Use el mapa. Dé oportunidad para que aquellos alumnos que hayan leído el estudio del contexto en sus libros, compartan la información que encontraron. Usted podrá puntualizar luego algunos de los aspectos del contexto del pasaje que aparecen en el libro del maestro.

ESTUDIO DEL TEXTO BASICO

Saludos a los santos. Salude a sus alumnos, agregando delante de sus nombres la palabra "san". Pregúnteles de inmediato si ellos se consideran santos. Invítelos a leer en forma individual Efesios 1:1. Entre todos definan los conceptos de *santos y fieles* usados por Pablo al referirse a los creyentes. Saque de su bolsillo las dos tarjetas ("paz y gracia") que simbolizan dos regalos especiales que ellos pueden demandar de Dios. Pídales que elijan una de las dos tarjetas. Consultando la exégesis en el libro del alumno, podrán determinar la relación entre paz y gracia.

Escogidos para ser santos. Dé tiempo para que sus alumnos completen la sección *Lea su Biblia y responda.* Dé oportunidad para que los alumnos compartan sus respuestas. Guíe la conversación de modo que los alumnos reconozcan que la obra de Dios en sus vidas, tiene un propósito eterno. Lean el *Texto básico.* Un alumno guiará al grupo para que realicen las actividades propuestas en la sección *Lee tu Biblia y responde.*

Lean todos juntos en voz alta, los vv. 5, 6. Analicen los mismos preguntando ¿para qué nos predestinó?, ¿qué hemos llegado a ser?, ¿cuál es el propósito de nuestra adopción? Destaque el amor de Dios el Padre al adoptarnos como hijos, y cómo el Apóstol se refiere a Jesús como el Amado.

Santos para la alabanza de su gloria. Lea los vv. 12, 13 del texto. Pregunte a quiénes se refiere Pablo cuando habla de nosotros y vosotros. Enfatice la idea de que la herencia es para todos los hombres: los que siempre estuvieron en la promesa y los que llegaron tardíamente a creer. Un alumno leerá en voz alta, los vv. 13, 14 en primera persona. Destaque que hemos sido sellados por el Espíritu Santo en el momento de nuestra conversión y que por él tenemos garantía de nuestra redención.

APLICACIONES DEL ESTUDIO

Lea las aplicaciones del estudio que aparecen en el libro del alumno. Piense en ejemplos prácticos de la vida diaria de sus alumnos en que ellos necesitarán aplicar estas enseñanzas. Puede comenzar este momento con un relato breve de una historia cotidiana en la que es necesario recordar nuestro compromiso de santidad y fidelidad. Al concluir, pregunte cuáles son las evidencias prácticas que tiene cada día de que el Espíritu Santo los ha sellado como redimidos.

PRUEBA

1. Los alumnos, en grupos de tres, completarán el ejercicio del primer inciso. Luego compartrirán con el resto de la clase el resultado. Ahora, pídales que en forma individual completen el segundo inciso. Al terminar, dos o tres voluntarios leerán en voz alta sus trabajos.

Una vida de servicio

Contexto: Efesios 2:1-22
Texto básico: Efesios 2:1-10
Versículo clave: Efesios 2:10
Verdad central: Nuestra vida sin Cristo se caracterizaba por ser estéril, pero cuando el Señor nos salvó también preparó buenas obras para que anduviésemos en ellas. De esa manera podemos vivir una vida de servicio fructífero en su nombre.
Metas de enseñanza-aprendizaje: Que el alumno demuestre su: (1) conocimiento de la preparación que Dios hizo de las buenas obras para que sus seguidores anduvieran en ellas, (2) actitud servicial para ser de bendición a otros en el nombre de Cristo.

Estudio panorámico del contexto

A. Fondo histórico:

El príncipe de la potestad del aire. Esta expresión que no aparece en ninguna otra parte del N. T. parece reflejar el pensamiento cosmológico antiguo. Efectivamente, el filósofo griego Pitágoras (580-500 a. de J.C.) sostenía: "Todo el aire está lleno de espíritus". Cinco siglos después, otro filósofo griego, esta vez de origen judío, Filón de Alejandría (20 a. de J.C. a 54 d. de J.C.), afirmaba: "Hay espíritus que vuelan en todas partes por el aire". Se creía que algunos de esos espíritus eran buenos y otros malignos. Por lo tanto, es natural comprender que si Pablo se refiere a un "príncipe" (o gobernante, según el sentido del término griego) que ejerce su "potestad" (o autoridad, según el sentido del término griego) en el "aire" se está refiriendo a Satanás.

Salvación, por gracia o por obras. La idea de que el hombre puede salvarse como resultado de la gracia de Dios ha sido una de las más difíciles de comprender a lo largo de la historia. El ser humano tiende a pensar que debe hacer buenas obras para salvarse. La revelación de Dios transmitida mediante Pablo enseña, en cambio, que las buenas obras son el resultado de la salvación y no lo que la produce. Como planteara Martín Lutero (1483-1546), el padre de la reforma protestante, la salvación se recibe *sola gratia*, es decir exclusivamente por pura gracia de Dios.

Los lugares celestiales. Ya nos hemos referido a esta expresión en la exégesis de Efesios 1:3 incluida en el estudio anterior. Pero dada su importancia, conviene agregar ahora la explicación que ofrece de ella Eugene Nida: "Es el mundo espiritual, el reino atemporal, donde los eventos espirituales toman lugar". Para Nida es claro que "lugares celestiales" no es equivalente a "cielo" o "cielos", por lo que sugiere a los traductores del Nuevo Testamento que utilicen otra palabra o frase para referirse a la misma. La Nueva Versión Internacional traduce así: "los dominios celestiales".

B. Enfasis:

Muertos en vuestros delitos y pecados, 2:1-3. Los términos griegos que se traducen "delitos" y "pecados" expresan dos énfasis diferentes en cuanto a la naturaleza pecaminosa del hombre. La palabra traducida "delitos" señalaba originalmente dar un paso en falso o apartarse de un camino y de allí pasó a significar transgresión. La que se traduce "pecados" indicaba originalmente errar el blanco y de allí pasó a ser una de las palabras preferidas de los escritores del Nuevo Testamento para referirse al "estado de pecado, del cual dimanan las acciones pecaminosas" (William Barclay).

La salvación y las obras, 2:8-10. Más de un estudioso de la Biblia ha creído ver un contraste entre el pensamiento de Efesios 2:8,9 y el de Santiago 2:17: "la fe, si no tiene obras, es muerta en sí misma". Pero esta antítesis queda disuelta cuando se toma en cuenta Efesios 2:10: las buenas obras son indispensables en la vida del cristiano, ya que han sido previstas por Dios para que anduviésemos en ellas.

Sin Dios y sin esperanza, 2:11-13. Pablo enumera en Efesios 2:11,12 varias de nuestras limitaciones antes de ser cristianos. Las dos últimas lo sintetizan todo: estábamos sin esperanza y sin Dios. Pero inmediatamente después indica un profundo contraste con nuestra nueva situación, gracias a la obra de Cristo.

Cristo es nuestra paz, 2:14-18. Cristo mismo es la paz del cristiano, ya que al morir en la cruz no solamente reconcilió al hombre con Dios, sino también a los hombres entre sí.

Miembros de la familia de Dios, 2:19-22. Como resultado de la reconciliación con Dios y con los otros hombres, el cristiano llega a formar parte de la familia de Dios.

Estudio del texto básico

1 La vida estéril, Efesios 2:1-3.

V. 1. Pablo hace una declaración que aclara la verdadera condición de los efesios cuando todavía no conocían a Cristo. La verdadera vida se da cuando una persona nace de nuevo. La condición del hombre sin Cristo se describe con la expresión: *muertos en... delitos y pecados.*

V. 2. Pablo hace ver que la muerte espiritual, como resultado de las transgresiones y los pecados cometidos, es algo propio del pasado del cristiano. Efectivamente, antes de su conversión, el creyente vivía *conforme a la corriente de este mundo.* La palabra griega traducida *corriente* es *aion* que generalmente se traduce "siglo"; pero que en Mateo 28:20 se traduce "mundo", aunque en nuestra versión se aclara en una nota de pie de página que la traducción literal es "edad". Otro aspecto que debe destacarse en el v. 2 es el resultado de la actuación del *príncipe de la potestad del aire,* el que previamente hemos identificado: la desobediencia. Valiéndose de un hebraísmo ("hijos de desobediencia" equivale a desobedientes) Pablo hace ver cómo la obra de Satanás en el hombre no ha cambiado desde la trampa que le tendiera a Adán para conducirlo a la desobediencia (Gén. 3:1 y ss.).

V. 3. Si la vida estéril se muestra en la muerte espiritual y en la desobediencia que viene como resultado de seguir la corriente del mundo, también se observa en el dominio de la carne. Este dominio se manifiesta en las *pasiones,* palabra con que traduce nuestra versión un vocablo griego que indica un intenso deseo, generalmente negativo. También en el hecho de hacer la *voluntad de la carne,* es decir, dejarnos llevar por las tendencias humanas que no están bajo el control del Espíritu Santo. Pero, ¿qué quiere decir en este contexto la palabra carne? Nida aclara que en Efesios 2:3 se refiere a "lo que una persona es, pecadora, mortal, débil, aparte del poder redentor de Dios". Es por eso que Philips la traduce en su paráfrasis como "naturaleza más baja".

2 La vida con propósito, Efesios 2:4-7.

V. 4. Después de haberse referido a la vida estéril antes de Cristo, Pablo se refiere en este nuevo apartado a la vida con propósito. La clave de esta nueva vida se encuentra en la combinación del amor y la misericordia de Dios. La palabra griega que se traduce *amor* es *ágape,* el término que se refiere al amor más sublime, el que, como explica un autor: "fluye del Padre al Hijo y del Hijo a los que Dios le ha dado". El término griego que se traduce *misericordia* es *éleos,* una palabra que se utiliza en la versión griega del Antiguo Testamento para traducir la palabra hebrea *hesed,* que refleja la buena disposición de Dios hacia los hombres. Es decir que la acumulación de *ágape* y de *éleos* nos muestra a Dios profundamente interesado en el bienestar integral del ser humano.

V. 5. Jesucristo resucitó físicamente a por lo menos tres personas durante su ministerio terrenal: la hija de Jairo (Mar. 5:41, 42), el hijo de la viuda de Naín (Luc. 7:14, 15) y Lázaro (Juan 11:43, 44). Ahora, Cristo nos resucita espiritualmente a todos los que depositamos nuestra fe en él. La última expresión de este versículo (*por gracia sois salvos,* o más literalmente "por gracia habéis sido salvados") se distingue de la que aparece en el v. 8, simplemente porque en la segunda ocasión la palabra traducida *gracia* aparece acompañada por el artículo. Blass y Debrunner explican así la diferencia: "en el v. 8 significa la gracia antes mencionada (¿bien conocida?) los ha entregado al camino de la fe."

V. 6. Este versículo nos muestra la profunda comunión de Cristo con el cristiano a través del prefijo griego syn que aparece al inicio de los dos verbos que figuran. Esto ha sido indicado mediante el adverbio español *juntamente.* Dos extraordinarios privilegios: el haber resucitado juntamente con Cristo y el haber podido sentarnos juntamente con él en los lugares celestiales, se señalan de esta manera. En cuanto al segundo, debemos recordar que el sentarse al lado de un gobernante era uno de los mayores privilegios al que podía aspirar un ciudadano en el mundo antiguo. Como ciudadanos del reino de los cielos es nuestro privilegio sentarnos en el mismo ámbito espiritual en el que ejerce su autoridad el Hijo de Dios.

V. 7. Una de las características de Efesios es la utilización de acumulación de términos para lograr aunque sea una aproximación a la grandeza de Dios. En este caso a Pablo no le basta hablar de la gracia de Dios a secas, ni siquiera de la riqueza de la misma. No, el Apóstol quiere dejar en claro la superabundancia de la riqueza referida a dicha gracia. Gracia que es transmitida mediante la bondad divina. El término griego que se traduce *bondad* es *chrestotes*, que aparece traducido *benignidad* en Colosenses 3:12 y en Gálatas 5:22, para distinguirlo de otro vocablo que se refiere a la bondad, *agathosyne*. Lightfoot entiende que la diferencia básica entre *chrestotes* y *agathosyne* es la siguiente: *chrestotes* tiene que ver con la disposición de actuar con bondad hacia los demás y *agathosyne* con las acciones concretas en las que se observa dicha bondad.

3 Vivimos para servir, Efesios 2:8-10.

V. 8. A lo que ya hemos dicho previamente acerca de este versículo sólo queremos agregar lo siguiente: Hay un detalle que debe dilucidarse y es a qué se refiere *esto*. Algunos piensan que se refiere a la fe, dado que está apenas separada de *esto* por la conjunción copulativa ("y"). Sin embargo, tomando en cuenta que la palabra griega que se traduce *fe* (*pístis*) es femenina y la que se traduce *esto* (*touto*) es neutra, esta interpretación no parece ser la mejor fundamentada. Por lo tanto, es más conveniente interpretar que *esto* se refiere a todo lo anterior. Es decir al proceso mediante el cual recibimos salvación, en el que la gracia es la base y la fe es el instrumento.

V. 9. En nuestra versión española no se capta a través de la preposición "por" toda la riqueza de significado que tiene la preposición griega original, *ek*. Dicha preposición señala la dirección desde cuyo interior procede algo. Es decir que una traducción posible sería: "no proveniente de...". O sea que lo que aquí aparece totalmente rechazada es la posibilidad de que las obras constituyan la fuente de la que pueda emanar la salvación.

V. 10. Las "buenas obras" aunque son rechazadas en cuanto a la posibilidad de darnos salvación, son esperadas en la vida del cristiano por cuanto Dios las *preparó de antemano para que anduviésemos en ellas*. Esto es posible porque los hijos de Dios somos confeccionados por Dios. Hay una gran diferencia entre nuestra vida sin Cristo y cuando ya vivimos con él.

Aplicaciones del estudio

1. Nuestra vida antes de Cristo era desastrosa, vv. 1-3. Una de las cosas que contribuye a una vida cristiana consagrada es comprender todo lo mala que era nuestra vida antes de convertirnos. La muerte espiritual en que nos encontrábamos. Si no se parte de esta evaluación, no se puede apreciar en toda su dimensión la grandeza de la gracia de Dios.

2. Nuestra vida fue transformada por el poder de Dios, vv. 4-7. La gracia nos alcanzó con tal fuerza que nos dio una nueva vida, llena de bendiciones y de privilegios espirituales. Una vida con verdadero sentido, con un claro propósito designado por la voluntad de Dios.

3. La gracia divina debe llevarnos a buenas obras, vv. 8-10. Ningún cristiano debe vivir improductivamente. Las "buenas obras" forman parte de su naturaleza. En la vida cristiana no debe existir nada que se parezca a una oposición entre la "fe" y las "buenas obras". Todo lo contrario. Debe haber una total integración entre "gracia" y "buenas obras".

4. Si no vivimos para servir, no servimos para vivir. Nuestra vocación natural como hijos de Dios debe ser hacia el servicio amoroso. No se trata de servicio como "gancho" para preparar el terreno para la evangelización, sino la expresión genuina, por el extraordinario hecho de ser como Cristo, del interés que tenemos por los menos afortunados.

Ayuda homilética

Las carencias del hombre y la respuesta de Dios
Efesios 2:10, 12

Introduccción: Pablo nos muestra en Efesios 2:12 cuatro de las carencias más lamentables en la vida de un ser humano. Pero dos versículos antes nos señalan la gran respuesta de Dios al desastre de la vida del hombre no convertido. Tomemos primero el v. 12 para describir al hombre que no tiene el privilegio de conocer a Cristo. Luego, usando el v. 10 consideraremos lo que Dios hace para responder a la necesidad del hombre perdido.

I. Las carencias del hombre no convertido, v. 12.
- A. Está sin Cristo.
- B. Está sin pacto.
- C. Está sin esperanza.
- D. Está sin Dios.

II. La respuesta de Dios: verdadera solución, v. 10
- A. Al hacer del cristiano su obra maestra.
- B. Al preparar las buenas obras que realizaría.

Conclusión: Un periodista le preguntó al reconocido cardiólogo argentino René Favaloro cómo le gustaría que fuera el corazón de sus compatriotas, figuradamente hablando. Favaloro contestó que en el corazón de sus compatriotas se diera la honestidad, la responsabilidad y la solidaridad.

¡Qué buen deseo! Pero imposible de lograr si no se da previamente la respuesta de Dios a las carencias del hombre no convertido.

Lecturas bíblicas para el siguiente estudio

Lunes: Efesios 3:1-4
Martes: Efesios 3:5-7
Miércoles: Efesios 3:8-11
Jueves: Efesios 3:12, 13
Viernes: Efesios 3:14-19
Sábado: Efesios 3:20, 21

AGENDA DE CLASE

Antes de la clase
1. Estudie el *Texto básico* y el comentario exegético en el libro del maestro y el de alumnos. **2.** Prepare una lámina para usar durante la clase. Divida, con una recta vertical, una hoja de papel afiche en dos campos. En la parte superior, sobre la recta escribirá: GRACIA. A la misma altura, sobre el campo de la izquierda escribirá: ANTES, y sobre el campo de la derecha, escribirá: EN CRISTO. **3.** Complete la sección *Lee tu Biblia y contesta,* en la división *Estudio del texto básico,* del libro del alumno.

Comprobación de respuestas
JOVENES. **1.** Sector izquierdo: estaban muertos en delitos y pecados /andaban en pecados conforme a la corriente de este mundo y al príncipe de la potestad del aire/ vivían en las pasiones de la carne/ hacían la voluntad de la carne y de la mente/ por naturaleza, eran hijos de ira. Sector derecho: tienen vida juntamente con Cristo/ han resucitado con Cristo y se han sentado juntamente con él en los lugares celestiales/ salvos por gracia, para hacer buenas obras. **2.** a. para mostrar en las edades venideras, las superabundantes riquezas de su gracia b. por su bondad hacia nosotros. **3.** Porque por gracia soy salvo por medio de la fe, y esto no de mí mismo, pues es don de Dios. No es por obras, para que yo no me gloríe.
ADULTOS. **1.** Tachar opciones: éramos salvos por nuestras obras/ teníamos vida. **2.** dio vida juntamente con Cristo, v. 5; nos resucitó y nos hizo sentar en los lugares celestiales, v. 6. **3.** a. Dios nos hizo. b. En Cristo, recibimos una nueva creación con el propósito de que hagamos buenas obras. c. Al darnos una nueva naturaleza, Dios nos preparó para que vivamos haciendo buenas obras.

Ya en la clase
DESPIERTE EL INTERES
1. Pregúnteles a los alumnos si han visto algunas de las maneras en que los hombres de distintas culturas y épocas han tratado de ganarse el cielo o el favor de los dioses. Escriba en el pizarrón las respuestas que los alumnos vayan dando. **2.** Repase luego la lista del pizarrón. **3.** Destaque que la Biblia muestra que Dios espera buenas obras de los hombres, pero que señala un camino diferente para llegar a la salvación.

ESTUDIO PANORAMICO DEL CONTEXTO
1. Escriba en un cartel las palabras **delitos y pecados** y reflexione sobre la utilización de estos dos términos en el contexto del estudio. Los alumnos reconocerán que unos y otros fueron una realidad en sus vidas, antes de conocer a Cristo. **2.** Destaque la mención al príncipe de la potestad del aire y pida a un alumno que lea la explicación que aparece en el *Estudio panorámico del contexto,* en el libro del alumno.

3. Recuerde a los alumnos que la carta que se estudia estaba dirigida a una iglesia en Asia Menor y los creyentes eran en su mayoría gentiles. Recuerde a sus alumnos que Pablo se llamaba a sí mismo llamado a ministrar a los gentiles. Le conocemos como el Apóstol a los gentiles.

ESTUDIO DEL TEXTO BASICO

La vida estéril. Lea con voz clara los vv. 1-3, y pida a los alumnos que, por parejas, completen el lado izquierdo del primer ejercicio de la sección *Lea su Biblia y responda.* (JOVENES) del libro del alumno, o el punto 1 de la misma sección (ADULTOS). Cuando hayan concluido, entre todos irán mencionando sus respuestas, y completarán el campo correspondiente en la cartulina. Mientras lo van completando, deténgase para aclarar los puntos más importantes de la exégesis de estos pasajes, de acuerdo con el material que usted tiene en el libro del Maestro.

La vida con propósito. Diga que en los vv. 4-7, se encuentra caracterizada un tipo de vida opuesta a la descrita en los primeros vv. Pida a dos alumnos que los lean al unísono. Destaque que esta vida es posible solamente gracias al amor y la misericordia de Dios. Pida ahora a los alumnos que completen el campo derecho del primer ejercicio de la sección *Lee tu Biblia y responde,* del libro del alumno (Jóvenes), o el punto 2 de la misma sección (Adultos).

Nuevamente, los alumnos compartirán sus respuestas y entre todos se irá completando la cartulina. A medida que vayan mencionando sus respuestas vuelva al v. en que éstas se basan y destaque las verdades fundamentales: la comunión especial del cristiano con Jesucristo, la grandeza de la gracia de Dios y su bondad para con nosotros.

Vivimos para servir. Lea ahora los vv. 8-10, y pida a sus alumnos, que completen toda la actividad de la sección *Lea su Biblia y responda,* del libro del alumno. Refiérase a los comentarios en el libro del maestro y dé oportunidad para que aquellos alumnos que hayan leído el libro del alumno hagan su aporte: Nadie puede enorgullecerse de su salvación, pues ésta no proviene de su esfuerzo, sino que es don de Dios, pero las buenas obras son el fruto natural de la nueva creación de Dios: el redimido.

APLICACIONES DEL ESTUDIO

1. Pregunte: ¿cuál es el milagro más importante que Dios ha hecho en su vida? Después de escuchar algunas respuestas, lean las aplicaciones del estudio en el cuaderno del alumno. **2.** Concluya pidiéndoles que reflexionen en la importancia de saber cuáles son las obras que Dios ha preparado para que anden en ellas.

PRUEBA

Invite a sus alumnos para que realicen la prueba en forma individual. Al finalizar, podrán compartir lo hecho con un compañero y orar juntos poniendo delante de Dios las decisiones tomadas.

Una vida de poder espiritual

Contexto: Efesios 3:1-21
Texto básico: Efesios 3:10-21
Versículo clave: Efesios 3:16
Verdad central: Una de las características sobresalientes de la nueva vida en Cristo es que Dios, por su Espíritu, fortalece con poder al creyente en su ser interno y lo hace apto para comprender las dimensiones del amor de Cristo.
Metas de enseñanza-aprendizaje: Que el alumno demuestre su: (1) conocimiento del poder que el Espíritu de Dios puede dar al creyente para que comprenda las dimensiones del amor de Cristo, (2) actitud de disposición para permitir que Dios le fortalezca con ese poder.

Estudio panorámico del contexto

A. Fondo histórico:

La prisión de Pablo. Como ya hemos dicho en nuestro primer estudio, se supone que la carta a los Efesios fue escrita mientras Pablo estaba preso en Roma. La fecha más probable de esta primera prisión del Apóstol puede ubicarse entre los años 61 y 63 d. de J.C. Como notamos al leer Hechos 28:29, 30 las condiciones de la prisión le permitían al Apóstol reflexionar profundamente sobre los distintos aspectos de la vida cristiana. Efesios es, justamente, uno de los resultados más brillantes de dichas reflexiones.

El evangelio alcanza a los gentiles. Aproximadamente ocho siglos después de que Jonás tomara en Jope un barco para ir a Tarsis, lejos de la misión encomendada por Dios de predicarle a los gentiles, ocurriría algo diametralmente opuesto. Simón Pedro tendría una visión en esa misma ciudad (Hech. 10:9-16) que lo llevaría a presentar el evangelio a un capitán romano y a los familiares y amigos íntimos de éste (Hech. 10:24-48). Es más, gracias al relato de Pedro, los cristianos de Jerusalén admitieron que Dios les había dado a los gentiles "arrepentimiento para vida" (Hech. 11:18).

Pablo, apóstol a los gentiles. Después de la muerte de Esteban, algunos de los que "habían sido esparcidos a causa de la tribulación" (Hech. 11:19b) y que eran de "Chipre y de Cirene... entraron en Antioquía y hablaron a los griegos anunciándoles las buenas nuevas" (Hech. 11:20a). Esto motivó a la iglesia en Jerusalén a que enviara a Bernabé a Antioquía; pero él, consciente de la magnitud del ministerio que le esperaba, recurrió a la ayuda de Saulo de Tarso (Hech. 11:25). Así surgió la oportunidad para que Pablo iniciara la misión a la que había sido llamado (Hech. 9:15) como apóstol de los gentiles.

B. Enfasis:

Ministerio de Pablo a los gentiles, 3:1-4. Pablo consideraba que su encarcelamiento se explicaba por su fidelidad al ministerio "a favor de... los gentiles" (v. 1). Un ministerio fundamentado en la revelación del misterio de Cristo que había recibido el Apóstol como una "administración de la gracia de Dios" (v. 2).

Los gentiles incorporados al cuerpo de Cristo, 3:5-9. Contrariamente a lo que pasaba con los misterios de algunas religiones orientales en tiempos de Pablo, el misterio de Cristo fue divulgado por el apóstol a los cristianos comunes. Dicha revelación, dada a conocer a los cristianos del Asia Menor, tenía que ver básicamente con la triple naturaleza que los gentiles convertidos compartían con los judíos cristianos (v. 6).

La prisión de Pablo, gloria de los gentiles, 3:10-13. Antes de retomar en el v. 14, el pensamiento que había quedado inconcluso en el v. 1, Pablo expresa algo realmente sorprendente: "mis tribulaciones a vuestro favor... son vuestra gloria" (v. 13). John Stott explica así qué quiso decir el apóstol: "Pablo... está sufriendo la prisión por causa de ellos [por los gentiles], como si fuera su héroe."

Oración de intercesión, 3:14-16. Una vez que Pablo ha aclarado su manera de entender su prisión como parte de la obra de Dios a través de él, expresa una de las más bellas y completas oraciones de intercesión de toda la Biblia.

Las dimensiones del amor de Cristo, 3:17-19. Según Pablo la mejor forma de mostrar el fortalecimiento experimentado en el hombre interior consistía en comprender en comunión fraternal ("junto con todos los santos", v. 18) la cuádruple dimensión del amor de Cristo.

La gloria es para Dios, 3:20, 21. Pablo termina la primera mitad de su carta, la que encierra el énfasis doctrinal, con una doxología. Dado que esta palabra procede del término griego doxa, que significa "gloria", puede considerársela también una "glorificación".

Estudio del texto básico

1 El poder de la iglesia para proclamar, Efesios 3:10, 11.

V. 10. Pablo, tal y como hemos visto, se consideraba un instrumento de la revelación de Dios. Pero creía firmemente que la iglesia en su conjunto, al ser depositaria de dicha revelación, debía proclamarla. Al hacerlo así, la iglesia da a conocer la "policroma ('de muchos colores', traducción literal del término traducido *multiforme*) *sabiduría de Dios"*. Particularmente ante *los principados y las autoridades,* es decir ante los ángeles buenos y malos; ante aquellos que han permanecido fieles a Dios y ante los que han acompañado a Lucifer en su rebelión contra el Todopoderoso. A los primeros, como si fuera un curso de postgrado de la naturaleza divina, manifestada a través de su obra en nosotros los cristianos. A los segundos, como una manera de mostrar que los poderes que ostentan no son nada ante el ejercido por la sabiduría divina.

V. 11. Toda la proclamación de la iglesia tiene como su base el cumplimiento del eterno propósito de Dios, que ha sido hecho posible mediante el

Señor Jesucristo. Aquél que no sólo es Señor del universo, en general, sino que lo es particularmente de la iglesia (*nuestro Señor*). ¿Cuál es ese *propósito eterno* de Dios?: Reunir en Cristo todas las cosas.

2 Libre dentro de la cárcel, Efesios 3:12, 13.

V. 12. Pablo estaba prisionero en Roma, pero nadie podía impedirle su acceso a Dios. Es por eso que podemos decir que Pablo estaba libre, a pesar de encontrarse preso. Es importante destacar el significado de los términos griegos traducidos *libertad* y *acceso.* El término traducido "libertad", significa literalmente "hablar todo", por lo que en primera instancia se refiere a la libertad en el uso de la palabra, tal y como aparece en Hechos 4:29. De allí deriva la idea de tener *confianza,* y así se traduce, por ejemplo, en 2 Corintios 3:12 y 7:4. O sea que el uso de esta palabra indica que Pablo podía dirigirse ante Dios con total libertad de palabra, con total confianza.

El término traducido *acceso* significa literalmente "que conduce a", o sea "que lleva ante la presencia de...". En el Nuevo Testamento aparece solamente en tres pasajes (Rom. 5:2 y Ef. 2:18 y 3:12). William Barclay nos informa al respecto que Jenofonte, el historiador griego que fue discípulo de Sócrates, utiliza la palabra para referirse a la audiencia que procuraba tener un personaje de parte de Ciro, el rey persa. O sea que Pablo, a pesar de estar preso, tenía convicción de que tenía asegurada la permanente audiencia ante Dios. La idea del libre acceso tiene su importancia en relación con la gracia. Tenemos libre entrada a la presencia y al reino de Dios en virtud de la gracia salvadora de nuestro Señor Jesucristo.

V. 13. El noble espíritu de Pablo puede captarse en el hecho de que exhortara a sus lectores a que no se desanimaran al pensar en las *tribulaciones* que estaba sufriendo en prisión. Es cierto, él estaba sufriendo presiones muy fuertes sobre sí (tal es el sentido del término original); pero, como ya hemos visto previamente, todo contribuía a la gloria de sus lectores. Pablo era un cristiano coherente y si él les había advertido a los cristianos de Listra, Iconio y Antioquía de Pisidia que era *preciso* para los cristianos pasar por muchas *tribulaciones* (Hech. 14:22), ahora, ¿cómo habría de desesperarse ante las mismas?

3 El poder del Espíritu para capacitar a los creyentes, Efesios 3:14-21.

Vv. 14, 15. Pablo establece en estos versículos una estrecha relación entre Dios como *Padre* y todo lo creado, ya sea que esté ubicado en el cielo o en la tierra, organizado en *familia.* Esta relación se puede captar mejor si se observa la relación entre los términos originales que se traducen *Padre* (*páter*) y *familia* (*patriá*). Por el reconocimiento de todo lo que Dios hace para sus hijos y toda la creación, se motiva una actitud de adoración: *Doblo mis rodillas ante el Padre.*

Vv. 16, 17. El poder del Espíritu Santo actuando en el cristiano hace posible que Cristo pueda habitarlo, hablando en forma figurada, sintiéndose cómodo dentro de él. Y este habitar de Cristo en el interior del cristiano lleva a éste a estar arraigado y fundamentado en amor. Es decir que el amor se convierte en la raíz y el fundamento del hijo de Dios. Este es uno de los temas que tiene un claro paralelo en Colosenses 1:23 y 2:7, tal y como ha señalado Robinson.

Vv. 18, 19. Cuando el amor es la raíz y el fundamento del cristiano éste es capaz de comprender en todas las dimensiones al amor de Cristo. Para Abbott, las cuatro palabras que señalan las cuatro dimensiones del amor de Cristo "parecen indicar no tanto la totalidad de la comprensión como la vastedad de la cosa a ser comprendida". Efectivamente, la vastedad del amor de Cristo es tal que, según Pablo, debe ser comprendido "junto con todos los santos", o sea que no es posible comprenderlo a nivel individual.

El Apóstol insiste, además, en que es un amor que va más allá de la capacidad de comprensión del ser humano. Por lo tanto, sólo es comprensible bajo la guía del Espíritu Santo. Finalmente, puede verse al final del v. 19 que la comprensión del amor de Cristo conduce a la plenitud espiritual. El término griego traducido plenitud es *pléroma*, que ha dejado su huella en el español a través del prefijo *pletor,* o el sufijo *plerosis* que en distintas palabras indican la idea de llenura total, completa..

Con base en esto podemos entender mejor la fuerza de *plenitud* que, como expresa Stott, es "una palabra característica de Efesios". Efectivamente, de las dieciocho veces que aparece *pléroma* en el Nuevo Testamento, trece veces figura en las cartas de Pablo y de ellas cuatro veces aparece en Efesios.

Vv. 20, 21. Ralph Martin se refiere, en el Nuevo Comentario Bíblico, a la doxología que figura en estos versículos diciendo: "celebra la confianza de la iglesia en que Dios es capaz, y está deseoso de hacer lo que Pablo solicita en su oración". De allí que Pablo emplee un término griego que difícilmente pueda llegar a indicar un grado tan superlativo, ya que al hecho de que constituye un adverbio de comparación se suma la idea intensificadora indicada por el prefijo *húper*. Basta observar que se requiere de tres palabras españolas (*mucho más abundantemente*) para traducir el vocablo griego mencionado.

Pablo no duda de la voluntad de Dios ni de su capacidad para colmar a su iglesia de toda bendición espiritual. Como corolario a este reconocimiento de la suficiencia de Dios, se incluye un canto de alabanza que nos muestra el corazón del Apóstol. El entiende qué es la iglesia, cuál es su tarea y quién es su Señor.

¡Qué conlusión tan emocionante para la que viene a ser la primera parte de la epístola! Aquí, Pablo concluye su tesis doctrinal sobre la maravillosa obra redentora de Dios en Cristo y la misión de la iglesia de difundir este mensaje.

Aplicaciones del estudio

1. Dios nos concede el privilegio de libre audiencia (v. 12). Más de uno de los gobernantes de este mundo, al igual que los reyes de la antigüedad, según dijera el Señor Jesucristo, "se enseñorean" (Luc. 22:25) de las naciones que están bajo su autoridad. A tal punto que establecen todo un complicado procedimiento para atender a sus gobernados. Dificultan a través de múltiples y engorrosos trámites el concederles audiencia. En contraste con esto, Dios concede permanente audiencia a sus hijos. ¡Qué privilegio!

2. Las dimensiones del amor de Cristo nos comprometen (vv. 17-19). Aunque creamos que tenemos mucho amor por Cristo, este amor nada es comparado con el que Cristo ha tenido y tiene por nosotros y por toda la humanidad. Esto debe llevarnos a comprometernos cada vez más con el Hijo de Dios.

3. Tengamos confianza, Dios va más allá de nosotros (vv. 20, 21). Como bien indica Isaías 55:8 nuestros pensamientos no son como los de Dios. Como enseñara Jesucristo, en el sermón del Monte, cuando oramos no debemos utilizar vana palabrería, pensando que con eso lograremos las respuestas a nuestras peticiones (Mat. 6:7). No es que debamos convencer a Dios que haga algo a nuestro favor. Más bien, al orar, estamos demostrando nuestra confianza en la buena disposición hacia nosotros de parte del Omnipotente.

Ayuda homilética

El amor de Cristo en el creyente
Efesios 3:17-19

Introducción: "Amor" es una palabra que a veces se usa de modo equivocado. Pero esto no puede suceder cuando nos referimos al amor de Cristo. Las enseñanzas que nos transmite Pablo al respecto contribuyen a nuestro crecimiento espiritual.

I. El conocimiento del amor de Cristo es insuperable, vv. 17a, 18.
- A. Es posible si Cristo habita en nosotros por fe.
- B. Es posible si hay comunión fraternal.

II. El amor debe ser raíz y cimiento del cristiano, v. 17b.
- A. La raíz que garantice la existencia de frutos.
- B. El cimiento que dé solidez espiritual.

III. El amor de Cristo permite plenitud espiritual, v. 19b.
- A. Que sólo Dios puede lograr en nosotros.
- B. Que es producto de un proceso continuo.

Conclusión: Se cuenta que un marqués italiano tenía tan mal carácter que llegó a ofender al mismo rey. Como era muy orgulloso no quiso retractarse públicamente y tuvo que sufrir el destierro. Pasó mucho tiempo, hasta que un día el rey llegó a la fortaleza donde estaba el marqués y le dijo que lo perdonaba sin condiciones. El noble, agradecido por el gesto, decidió pedirle perdón al rey públicamente. El amor engendró amor. ¡Que el amor de Cristo produzca en nosotros una reacción similar!

Lecturas bíblicas para el siguiente estudio

Lunes: Efesios 4:1-3
Martes: Efesios 4:4-6
Miércoles: Efesios 4:7-9
Jueves: Efesios 4:10-12
Viernes: Efesios 4:13-15
Sábado: Efesios 4:16

AGENDA DE CLASE

Antes de la clase
1. Lea detenidamente Efesios 3 y subraye todas las expresiones o palabras que destacan la grandeza del poder y la obra de Dios en el creyente y en la iglesia. Este ejercicio le ayudará a comprender el intento del apóstol Pablo de expresar con palabras la plenitud de la obra de Dios. **2.** Lea el material del libro del maestro y del libro del alumno y seleccione las ideas y la información que usará en su clase. **3.** Dibuje en una hoja de papel un cuerpo geométrico en el que puedan diferenciarse claramente sus dimensiones (altura, anchura, longitud, profundidad). **4.** Consiga una cuerda de aproximadamente 2 m. para llevar a la clase.

Comprobación de respuestas
JOVENES **1.** ...me concedas ...mi hombre interior ...en mi corazón ...yo sea ...yo sea lleno. **2.** a. ser fortalecidos por su Espíritu en el hombre interior, b. que Cristo habite en nuestros corazones por medio de la fe, c. estar arraigados y fundamentados en amor.
ADULTOS **1.** v. 12. la fe en él. **2.** v. 16. que sean fortalecidos por el poder de su Espíritu en el hombre interior. **3.** v. 19. sean llenos de toda la plenitud de Dios

DESPIERTE EL INTERES

Muestre la lámina que ilustra un cuerpo geométrico y pídale a sus alumnos que calculen sus dimensiones. Anote en la lámina las medidas propuestas. Pida luego a un voluntario que calcule las medidas del amor de Dios, su altura, su profundidad, su anchura y su longitud. Seguramente ninguno podrá hacerlo y si alguien lo intentara, no logrará expresarlo con cifras. Lea el versículo 19a. Diga a su clase entonces que, aunque conocer el amor de Dios, sobrepasa todo conocimiento humano, en esa oportunidad podrán estudiar cómo esto es posible para el creyente.

ESTUDIO PANORAMICO DEL CONTEXTO

Hay que recordar que los destinatarios eran gentiles. Por eso Pablo señala que ellos "tenían acceso a Dios con confianza", serían capaces de comprender "junto con todos los santos". Revisen la apertura del evangelio a los gentiles y el llamado de Pablo como apóstol a ellos, para clarificar el contenido del v. 13. Un alumno designado previamente leerá en el libro del alumno el parrafo del *Estudio panorámico del contexto* que explica la forma en que la iglesia extendió su ministerio a los no judíos.

ESTUDIO DEL TEXTO BASICO

Organice su clase para que los alumnos, en grupos de dos trabajen con sus libros realizando las actividades de la sección *Lee tu Biblia y responde.* Mientras los alumnos están completando sus respuestas llame un alumno y sujete con la cuerda fuertemente sus manos y sus pies, de modo que no se pueda mover.

El poder de la iglesia para proclamar. Dígale a su clase, que en los vv. 10, 11 está expresado de una manera diferente la misión de la iglesia en todos los tiempos. Anime a sus alumnos para que expresen esta misión con sus palabras.

Libre dentro de la cárcel. Llame la atención, ahora, sobre el alumno que está atado e inmóvil. No goza de libertad para moverse. Hágale preguntas sugerentes, de modo que él pueda reconocer que, aun cuando ha perdido su libertad de movimiento, conserva otras libertades, como la de hablar, pensar, etc. Pida a sus alumnos que relacionen esta experiencia con el v. 12 que escribiera el prisionero Pablo a los Efesios. Nuestra libertad en Cristo no depende de las circunstancias externas, sino de Dios, que nos ha dado libre acceso a su presencia. Enfatice el privilegio de poder llegar a Dios con confianza. Desate al alumno para que continúe tomando parte en la clase.

Lean en este momento los vv. 14-19 y dé oportunidad para que distintos alumnos vayan compartiendo lo que escribieron en sus libros en la sección. *Lee tu Biblia y responde.* Estimule a los alumnos para que, al leer el pasaje, tomen conciencia de la poderosa obra que el Espíritu Santo puede hacer en su hombre interior, al permitirles conocer el amor de Dios y ser llenos de su plenitud.

Pida a los alumnos que lean en forma silenciosa el v. 20 y vayan respondiendo con él las siguientes preguntas: ¿a quién pedimos?, ¿cómo es?, ¿cómo ha de respondernos?

Lea ahora el párrafo del libro del alumno que se refiere a la doxología final del capítulo y pregunte a sus alumnos si son conscientes de estar dando siempre la gloria a Dios, en la iglesia.

APLICACIONES DEL ESTUDIO

Divida la clase en tantos grupos como aplicaciones del estudio vienen sugeridas en el cuaderno del alumno (4 en la clase de jóvenes y 3 en la de adultos) Encargue a cada grupo que analice una de las aplicaciones que aparecen en el libro del alumno y proponga un caso de la vida real, en que esa aplicación es pertinente. Cuando cada grupo haya concluido su trabajo, podrá exponer y analizar el caso pensado.

PRUEBA

Dé un tiempo para que completen, en forma individual, las dos actividades de la prueba. La primera de ellas, podrá ser puesta en común después, en un momento de evaluación general. Cuando los alumnos concluyan la segunda actividad, motívelos para que hagan suyas aquellas actitudes que darán lugar a Dios para que los fortalezca en su hombre interior. Concluya la clase con una oración intercediendo ante el Padre para que confirme las decisiones de sus alumnos.

Estudio **4**

Unidad 1

La nueva vida en Cristo

Contexto: Efesios 4:1-16
Texto básico: Efesios 4:1-16
Versículos clave: Efesios 4:5, 6
Verdad central: En la gran tarea de la iglesia de proclamar las buenas nuevas de salvación, la unidad, los dones y el crecimiento van íntimamente ligados.
Metas de enseñanza-aprendizaje: Que el alumno demuestre su: (1) conocimiento de cómo la unidad, los dones y el crecimiento de la iglesia están ligados entre sí, (2) actitud de colaboración en la tarea evangelizadora de la iglesia efatizando la unidad.

Estudio panorámico del contexto

A. Fondo histórico:

El contexto de los dones espirituales. Los cuatro textos bíblicos fundamentales en que se desarrolla el tema de los dones espirituales son: Romanos 12: 3-8; 1 Corintios 12; Efesios 4:7-13 y 1 Pedro 4:10, 11. El propósito común de estos pasajes fue dar a conocer a los cristianos del primer siglo la capacitación espiritual con que contaban para servir al Señor. En primer lugar, en el crecimiento hacia adentro, al lograr un buen conocimiento de las Escrituras, elevadas pautas éticas y armonía en las relaciones fraternales. En segundo lugar, en el crecimiento hacia afuera, al lograr la conversión de mayor número de personas. Se entiende, por la evidencia interna de los pasajes referidos, que los cristianos de las iglesias en el tiempo apostólico entendían la realidad de los dones espirituales y tenían las bases para aspirar a formar iglesias locales bien concertadas.

La idea de la iglesia como un cuerpo. El concepto de que la iglesia es un cuerpo, tiene estrecha relación con el énfasis de la palabra griega original (*ekklesía*). De las ciento diez veces que aparece el término en el Nuevo Testamento, noventa y dos se refiere a un grupo local de cristianos. De este énfasis es fácil desprender la idea de cada iglesia cristiana como un cuerpo local de creyentes. De manera que teniendo a Cristo como cabeza, cada miembro de la iglesia juegue un rol similar al que cumplen las distintas partes de un cuerpo. Esta figura comparativa de la iglesia con un cuerpo es muy apropiada para enfatizar los alcances y el potencial que tiene una comunidad de cristianos para alcanzar las metas que se ha propuesto. También, desde el punto de vista negativo, así como el mal funcionamiento de un órgano del cuerpo afecta el resto del organismo, así la mala actuación de un miembro de la iglesia afectará negativamente a los demás miembros y al cuerpo en su totalidad.

Significado de los dones de Efesios 4:11. Los dones mencionados en Efesios 4:11 tienen que ver con los ministerios básicos de la iglesia primitiva. El primero de ellos, el de apóstoles, fue ejercido por los testigos directos de la resurrección de Cristo (Hech. 1:22). El segundo de ellos, el de profetas, tenía que ver con predicciones (Hech. 11:27, 28) o con la presentación vívida de un mensaje de parte de Dios (Hech. 13:1). El tercero de ellos, el de evangelistas, implicaba la presentación fructífera del evangelio ante los inconversos (Hech. 21:8, en comparación con Hech. 8:12, 35). El cuarto de ellos, el de pastores-maestros (la construcción griega original indica que es un don con dos aspectos) fue desarrollado por los encargados del cuidado pastoral y el adoctrinamiento de los creyentes (Hech. 20:28).

B. Enfasis:

Unidad del Espíritu, 4:1-3. La unidad de la iglesia, tan necesaria para el desarrollo de su ministerio, es producto de la obra del Espíritu Santo. El deber de cada cristiano es contribuir a que se mantenga (v. 3). Así como en el tiempo de los apóstoles la unidad de la iglesia era un factor determinante para el crecimiento de la iglesia, hoy en día no es menos importante. El Señor Jesucristo oró al Padre por la unidad de sus discípulos (Juan 17:23).

Un solo cuerpo, 4:4-6. La posibilidad de que el cuerpo de Cristo sea uno se da con base en seis pilares que le dan sustento: las tres manifestaciones de la Trinidad (un Padre, un Señor y un Espíritu) y los tres elementos que le dan cohesión (una fe, una esperanza y un bautismo).

Unidad en la diversidad, 4:7-13. La unidad en el cuerpo de Cristo no se da con base en la uniformidad, sino en la integración en medio de la diversidad. Si cada cristiano ejerce bien su propio don (vv. 7, 11) es posible alcanzar "la unidad de la fe y del conocimiento del Hijo de Dios" (v. 13).

Un cuerpo bien concertado, 4:14-16. Cuando se ejercen los dones en el contexto de la unidad, los dos resultados que se obtiene son: la solidez doctrinal (v. 14) y el crecimiento integral y mancomunado (vv. 15, 16).

Estudio del texto básico

1 Exhortación a la unidad, Efesios 4:1-3.

V. 1. Pablo comienza su exhortación a la unidad, animando a sus lectores a que consideraran el *llamamiento* al que habían sido *llamados,* para que se dispusieran a ser dignos del mismo. William Hendriksen propone la siguiente paráfrasis para captar el sentido de la expresión del Apóstol: "Si vosotros sois creyentes y deseáis ser conocidos como tales, vivid como creyentes". Puede observarse en esto un claro paralelismo con lo que les había escrito Pablo a los colosenses: "que andéis como es digno del Señor" (1:10a).

V. 2. ¿Cómo debe actuar el cristiano para demostrar que es digno de su llamamiento? Pablo contesta esta pregunta al enumerar cuatro indicadores: En primer lugar, la *humildad,* es decir la actitud de aquél que tiene conciencia de que no debe elevarse mucho sobre el suelo (en latín, *humus*). En segundo lugar, la *mansedumbre,* que es la cualidad que consiste en ejercer control sobre la fuerza que se tiene para no reaccionar negativamente contra los demás. En tercer lugar, la *paciencia,* cuyo término original se refiere a mantener distantes los impulsos o deseos que no agradan a Dios; en este caso particular, la violencia. En cuarto lugar, el aguantarse mutuamente (*soportándoos*), este es el sentido de la expresión griega, todo un enfoque realista, que no niega las dificultades en las relaciones humanas.

V. 3. Pablo hace ver en este versículo que la unidad que provee el Espíritu debe ser mantenida por los hijos de Dios. Así lo vemos en el empleo de cuatro palabras que se refieren al ejercicio de la responsabilidad personal: *procurando, diligencia, guardar* y *vínculo.* La Versión Popular refleja bien lo que venimos diciendo, al traducir de esta otra forma: "procuren mantenerse siempre unidos, con la ayuda del Espíritu Santo y por medio de la paz que ya los une". Evidentemente la unidad de los creyentes tiene que contar con la intervención poderosa del Espíritu de Dios. Nuestra tendencia natural es a formar grupos de interés, partidos que nos simpaticen. Es así que nos vemos con frecuencia navegando en las aguas de la división del cuerpo de Cristo, presentando ante el mundo una imagen negativa del mismo.

2 Un solo cuerpo y un solo Espíritu, Efesios 4:4-10.

V. 4. A la idea de un solo cuerpo que domina todo nuestro texto bíblico básico, Pablo añade aquí las de *un solo Espíritu* y *una sola esperanza.* Para Abbott el concepto que plantea el Apóstol aquí tiene que ver con "la unidad de la iglesia misma". Unidad que solamente puede sostenerse en la medida que todos los miembros estén bajo la dirección del mismo espíritu: del Espíritu Santo. Por otro lado, esta unidad sólo puede darse con base en el compartir una misma esperanza. Al explicar esto último, dice William Barclay: "Hay en nuestra vocación una esperanza. Todos marchamos hacia la misma meta."

V. 5. Para Abbott este versículo señala "fuentes e instrumentos de la unidad". Efectivamente, el hecho de aceptar que había *un solo Señor,* Jesucristo, fue uno de los fundamentos del pueblo cristiano.

La declaración básica de la iglesia primitiva fue: "que si confiesas con tu boca que Jesús es el Señor, y si crees en tu corazón que Dios le levantó de entre los muertos, serás salvo." (Rom. 10:9). Al mismo tiempo, la convicción de que había *una sola fe* era imprescindible para mantener la cohesión de la iglesia.

Así lo entendió también Judas quien exhorta en su carta a contender "por la fe que fue entregada una vez a los santos" (v. 3b).

Finalmente, la concepción de *un solo bautismo* es explicada así por Jamieson, Fausset y Brown: "El 'bautismo' se especifica aquí como la ordenanza por la cual somos incorporados en el 'un cuerpo'". Hoke Smith amplía esto de la siguiente forma: "'Un bautismo', un sello visible que declara delante de todos, que hemos experimentado aquella una fe, que hemos recibido aquel un Espíritu y que ahora estamos incorporados a aquel único cuerpo bajo el único Señor Jesucristo." Como puede observarse, hay coincidencia en que la incorporación del cristiano en el cuerpo de Cristo se da únicamente a través del bautismo bíblico, aquella ordenanza que simboliza la muerte al pecado y el nacimiento a una vida bajo el control del Espíritu de Dios (Rom. 6:3-5).

V. 6. Al coronar las siete unidades que se ponen de manifiesto en los vv. 4-6, Pablo hace ver que hay *un solo Dios.* La relación de este único Dios verdadero con los cristianos es definida en los términos de una relación paterno-filial, en la que Dios es un Padre común a todos (es de todos). Además, él ejerce autoridad sobre todos, lo hace a través de todos y debido a que su presencia es permanente en todos. Como indica Robertson cada preposición añade una nueva idea al conjunto.

V. 7. Este versículo es uno de los cinco que enseñan que todo cristiano ha recibido por lo menos un don espiritual. Los otros son Romanos 12:6; 1 Corintios 7:7; 1 Corintios 12:7 y 1 Pedro 4:10. La idea de que el cristiano no recibe su don por mérito propio se enfatiza por la forma pasiva del verbo dar ("fue dada" sería la traducción literal) y por el refuerzo que recibe el término *gracia* mediante el uso de la palabra *dádiva.* Por otro lado, el concepto de la obra distributiva de Cristo se muestra en la versión *El libro del Pueblo de Dios* publicada por Ediciones Paulinas de la siguiente manera: "cada uno de nosotros ha recibido su propio don, en la medida que Cristo los ha distribuido."

Vv. 8-10. Este pasaje nos muestra, partiendo de una cita del Salmo 68:18, según aparece en la versión griega del Antiguo Testamento conocida como Septuaginta, cómo los dones espirituales son el "botín" repartido por el Cristo victorioso.

3 Unidos para crecer, Efesios 4:11-16.

V. 11. Además de lo que ya se ha mencionado previamente, vale la pena añadir dos referencias, provenientes de dos estudiosos de gran prestigio. Según Eugene Nida, "los tres primeros oficios fueron funciones en las iglesias en general, mientras que las últimas dos lo fueron en una iglesia local". Marcos Barth, en un intento de indicar que "pastores y maestros" se refiere a un mismo tipo de ministros, traduce "pastores que enseñan".

Vv. 12, 13. Aquí encontramos la razón de ser de la designación de los distintos ministros que se enumeran en el v. 11. El concepto de finalidad aparece reiteradamente en este pasaje. Esto se nota en el empleo de las preposiciones que encabezan los dos versículos y que se traducen *a fin de* y *hasta que* respectivamente. Y aún más en los cinco usos de la preposición griega *eis,* que se traduce dos veces por *para* en el v. 12, dos veces por *hasta* en el v. 13 y una vez queda sin traducir en este último versículo.

Esta continuidad en la idea de propósito permite que se establezca el siguiente encadenamiento de sentido: los ministros están para capacitar a los demás cristianos; la capacitación debe aplicarse en el servicio; el servicio debe lograr la edificación de la iglesia; la edificación de la iglesia debe apuntar a la unidad doctrinal y vivencial; la unidad del cuerpo de Cristo debe llevar a la plena madurez de sus miembros.

Vv. 14-16. En este pasaje encontramos las consecuencias finales que se experimentan en la iglesia, cuando lo establecido en los vv. 12, 13 es una realidad. En primer lugar, la fijación de una doctrina a prueba de errores (v. 14). En segundo lugar, el crecimiento en el que, partiendo de la verdad y el amor (v. 15) se alcanza una generalizada participación de todos los miembros del cuerpo de Cristo.

Aplicaciones del estudio

1. La unidad debe ser provista por el Espíritu Santo, v. 3. Buscar la unidad de la iglesia fuera de la dirección que debe ejercer el Espíritu Santo en la vida de los creyentes es un disparate. En vez de eso, debemos dejar que el Espíritu de Dios tome más control de nuestra vida y esto nos llevará espontáneamente a la unidad.

2. La unidad debe basarse en los siete fundamentos, vv. 4-6. Toda iglesia debería revisar constantemente si dichos fundamentos están dándose o no en la congregación y proceder a hacer los ajustes necesarios a la luz de la evaluación efectuada.

3. Todo ministerio de la iglesia debe apuntar al crecimiento, vv. 12-16. La iglesia es un organismo vivo y dinámico, donde la participación de cada una de las partes debe apuntar a la integración de los ministerios parciales en favor del ministerio global que lleve al crecimiento integral.

Ayuda homilética

Propósitos del cuidado pastoral y de la enseñanza bíblica
Efesios 4:12-15

Introducción: En Efesios 4:11, Pablo, al enumerar los dones fundamentales en el ministerio de una iglesia neotestamentaria, une en un solo bloque a pastores y maestros. ¿Por qué? Porque todo el que pastorea debe enseñar y todo el que enseña debe pastorear. ¿Con qué propósitos? Con los siguientes:

I. Capacitar al cristiano y edificar al cuerpo, v. 12.
- A. Equipar a todo cristiano como siervo de Cristo.
- B. Impulsar la edificación del cuerpo de Cristo.

II. Lograr la unidad y la inmunidad, vv. 13, 14.
- A. Lograr la unidad conforme se madura en la fe (v. 13).
- B. Lograr la inmunidad contra las falsas doctrinas (v. 14).

III. Alcanzar el verdadero crecimiento, v. 15.
- A. En el que verdad y amor vayan de la mano.
- B. En el que se cubren todos los niveles.

Conclusión: El cuidado pastoral y la enseñanza bíblica tienen propósitos muy elevados y definidos. Oremos porque sean ejercidos conforme al modelo bíblico en cada una de nuestras iglesias.

Lecturas bíblicas para el siguiente estudio

Lunes: Efesios 4:17, 18
Martes: Efesios 4:19-21
Miércoles: Efesios 4:22-24
Jueves: Efesios 4:25-27
Viernes: Efesios 4:28-30
Sábado: Efesios 4:31, 32

AGENDA DE CLASE

Antes de la clase

1. Lea el texto bíblico y busque el mensaje que Dios tiene para usted. **2.** Estudie el pasaje consultando el libro del maestro y el del alumno. Medite en las aplicaciones en la vida de sus alumnos. **3.** Prepare tres hojas de papel afiche, tijeras y los materiales necesarios para que los alumnos puedan realizar la actividad propuesta para el *Estudio panorámico del contexto*. **4.** Complete las actividades propuestas en la sección de *Estudio del texto básico* en el libro del alumno.

Comprobación de respuestas

JOVENES. **1.** a. como es digno del llamamiento; b. Cada uno de nosotros; c. Cristo; d. Capacitar a los santos para la obra del ministerio; e. Un hombre de plena madurez, hasta la medida de la estatura de la plenitud de Cristo. **2.** (las respuestas serán diferentes pues es personal).
ADULTOS. **1.** a. humildad, b. mansedumbre, c. paciencia, soportándoos los unos a los otros, d. procurando con diligencia guardar la unidad del Espíritu en el vínculo de la paz. **2.** a. un solo cuerpo, b. un solo Espíritu, c. una sola esperanza, d. un solo Señor, e. una sola fe, f. un solo bautismo, g. un solo Dios. **3.** La edificación del cuerpo de Cristo. **4.** (personal).

Ya en la clase

DESPIERTE EL INTERÉS

Comience su clase relatando este breve caso: La hija de un importante profesor e investigador, se matricula en la universidad donde su padre es docente. Al comenzar sus estudios, un colega de su padre le dice: "Espero que como alumna, sea digna hija del querido profesor". La joven se pregunta: "¿qué actitudes espera de mí, este docente?" Motive a la clase para que piense cuál sería la forma de actuar de esta joven para ser digna de su padre. Cuando los alumnos se hayan expresado lea Efesios 4:1. Pregunte a sus alumnos, qué actitudes creen ellos que deberían adoptar los cristianos de Efeso para ser dignos del Señor que los había llamado.

ESTUDIO PANORAMICO DEL CONTEXTO

Divida la clase en tres grupos y entregue a cada uno un pliego de papel afiche y materiales para trabajar. Explique que los temas tratados en el estudio de hoy tienen su contexto en otros pasajes escritos por Pablo y por Pedro. Cada grupo tomará uno de ellos y, consultando el libro del alumno, elaborará un gráfico sobre qué dicen en relación con el tema, otros pasajes relacionados. Los temas de los grupos serán: El primero, "La iglesia como cuerpo"; el segundo, "Los dones espirituales"; el tercero, "La función de los ministros constituidos por Cristo". Al finalizar, cada grupo mostrará su trabajo y explicará el contexto que le correspondió en relación con el pasaje en estudio.

ESTUDIO DEL TEXTO BASICO

Dé oportunidad para leer el texto bíblico y realizar la actividad en el libro del alumno.

Pida a un alumno que lea los vv. 1-3. Los alumnos tratarán de expresar en forma práctica el significado de los atributos enumerados como característicos de un andar como es digno de Jesucristo.

Los alumnos leerán en silencio los vv. 4-6 e irán mencionando los siete factores. Dibuje en el pizarrón, la silueta de un templo y vaya escribiendo estos factores a medida que los alumnos los vayan mencionando. Utilice este tiempo también para ir aclarando el sentido en que son mencionados cada uno.

Lean los vv. 7-10. Cada uno de nosotros, ha recibido un don como dádiva de Cristo. Pida a un alumno que lea el salmo 68:18 y explique la interpretación mesiánica que Pablo hace de ese v. "a cada uno le ha sido conferida". Pregunte cuál es la participación del hombre y cuál es la de Cristo. Destaque la forma pasiva del verbo "le ha sido conferida", que indica que el hombre solamente recibe lo que Cristo da.

Pida al grupo que durante el Estudio panorámico del contexto trabajó con el tema de los ministros, que relate los pasajes del libro de Los Hechos en el que podemos ver líderes de la iglesia cumpliendo funciones de apóstoles, profetas y evangelistas.

Los alumnos leerán en silencio los vv. 13, 14. El crecimiento es un desarrollo hacia la plena madurez, que tiene su mayor expresión en la plenitud de Cristo. Crecer, es dejar de ser niño y recibir la guía de Cristo, nuestra cabeza. Entre todos, realizarán una paráfrasis de estos dos vv. utilizando expresiones que sean de total comprensión para los alumnos.

APLICACIONES DEL ESTUDIO

1. Si hay en la clase alumnos que no tienen un compromiso de vida con Jesucristo, será importante enfatizar la necesidad de vivir como es digno del evangelio.Estimule a los alumnos para que expliciten formas prácticas y cotidianas de vivir como es digno del Señor. **2.** Nuestra responsabilidad en guardar la unidad de la iglesia.El texto nos recuerda siete elementos fundamentales que deben mantener unida la iglesia de Jesucristo. Pregunte a los alumnos, si se sienten unidos por un mismo Espíritu, fe bautismo, etc. y recuérdeles que esas cosas deben servirnos para comprender la unidad del cuerpo.

PRUEBA

Los alumnos en forma individual, contestarán la *Prueba.* El inciso dos es personal, e intenta que los alumnos tomen la decisión de reconocer su don y ejercitarlo en benefico de la iglesia. Usted evaluará si es conveniente que los alumnos compartan este momento de oración, o que realicen esta actividad también en forma individual.

Una mente renovada

Contexto: Efesios 4:17-32
Texto básico: Efesios 4:17-32
Versículos clave: Efesios 4:22, 23
Verdad central: Hay un contraste muy marcado entre la antigua manera de vivir y la nueva vida en Cristo. Antes andábamos en la vanidad de nuestra mente ahora el poder de Dios actuando en nosotros ha renovado nuestra manera de pensar.
Metas de enseñanza-aprendizaje: Que el alumno demuestre su: (1) conocimiento del contraste que hay entre nuestra antigua manera de pensar y la renovación de nuestra mente como creyentes en Cristo, (2) actitud de disposición para ser renovado en su mente por el Espíritu de Dios.

Estudio panorámico del contexto

A. Fondo histórico:

Algunas de las prácticas de los gentiles. Pablo deseaba que los cristianos gentiles entendieran las diferencias entre su pasada manera de vivir y lo que debería ser su comportamiento como hijos de Dios. Gracias a la revelación del Antiguo Testamento, los judíos habían estado más distantes de los pecados carnales que cometían habitualmente los gentiles. Entre ellos, la inmoralidad sexual, con todas sus variantes (adulterio, fornicación, homosexualidad, lesbianismo, etc.); el culto a Baco, el dios del vino, que provocaba constantes borracheras y orgías; la pérdida de valores en la familia, que daba pie a los constantes divorcios y desintegración de los vínculos familiares etc. Una de las listas más completas y, posiblemente la más cruda, de todas estas pasiones se encuentra en Romanos 1:18-32; pero también figuras listas similares en 1 Corintios 6:9, 10, en Gálatas 5:19-21 y en Colosenses 3:5-9. Ahora bien, Pablo no estuvo solo en su interés por presentar la vida cristiana como habiendo superado las prácticas gentiles pecaminosas. El apóstol Pedro, en su primera carta, describe a sus lectores cristianos como "rescatados" de una "vana manera de vivir" que habían heredado de sus padres (1:18).

El "viejo hombre". Pablo describe la naturaleza del cristiano antes de su conversión con la expresión "viejo hombre". Además de usarla en Efesios 4:22, la utilizó también en Romanos 6:6 y en Colosenses 3:9. En el caso de Romanos 6:6, hace ver que el viejo hombre ha sido crucificado en el cristiano y que esto se indica simbólicamente a través del bautismo. Por otro lado, en Colosenses 3:9, el Apóstol da como un hecho que el cristiano ya no comete las "prácticas" del viejo hombre, ya que se ha despojado del mismo. La antítesis de este viejo hombre lo constituye el nuevo hombre (2 Cor. 5:17). Hoke Smith explica así la paradoja de la relación entre estas dos realidades, la del viejo hombre y la del cristiano como nueva criatura: "por una parte andamos en los lugares celestiales en Cristo, y por cierto todo ya es nuevo con Cristo en los lugares celestiales, pero también estamos andando en los lugares terrenales, y lo que es una realidad celestial también es una realidad terrenal."

B. Enfasis:

La mente de los gentiles, 4:17-19. Pablo muestra a los gentiles como teniendo dos grandes fallas en su mente: Por un lado, su mente está dominada por lo vano, por lo que no tiene valor. Por otro lado, su entendimiento, al no tener la iluminación del Espíritu Santo, permanece en las tinieblas. De allí que su corazón se endurezca, perdiendo toda sensibilidad espiritual.

La mente de los creyentes, 4:20-24. La mente de los cristianos responde, en cambio, a la transformación de todo su ser. Transformación que señala el apóstol a través de la expresión "nuevo hombre", que "ha sido creado a semejanza de Dios" (v. 24). Con base en esto, podemos entender por qué Pablo afirma en 1 Corintios 2:15 que los cristianos "tenemos la mente de Cristo".

Evidencias de la mente renovada, 4:25-32. La renovación de la mente en el cristiano se debe evidenciar en que sea veraz, templado, no iracundo; trabajador solidario, no ladrón; de palabras que edifican, no que destruyen; de actitud benigna y misericordiosa, no violenta, ni amargada; de espíritu agradecido, que lo lleva a rechazar todo tipo de conversaciones deshonestas.

Estudio del texto básico

1 Evidencias de una mente sin Cristo, Efesios 4:17-19.

V. 17. Pablo retoma en este versículo la exhortación que había hecho al inicio del capítulo y lo hace con una fórmula solemne: *Esto digo e insisto en el Señor.* Para Abbot, el uso del verbo traducido "decir" en combinación con el verbo traducido *insisto* (*martyromai,* cuyo significado primario es "testificar", "conjurar") conlleva "la noción de exhortación y precepto". Por otro lado, Robinson hace hincapié en que el doble uso del verbo que nuestra versión traduce "conducir" tiene como propósito "retrotraernos al inicio del capítulo". Debemos notar también, junto con Meyer y Ellicott, que la expresión *en el Señor* indica que Pablo no va a referirse a algo que tenga que ver con su individualidad, sino que su pensamiento se da en la esfera de dominio del Señor. ¿Qué es eso tan importante a lo que exhorta el apóstol? Que sus lectores no se conduzcan más *en la vanidad de sus mentes.* Según Abbott, el término traducido *vanidad* apunta a "las características intelectuales y morales del paganismo. Comprende tanto lo intelectual como lo práctico". Es decir que, los cristianos del Asia Menor debían evitar el vivir según las pautas del mundo sin Cristo.

V. 18. Para Pablo, la *vanidad de la mente* llevaba a la oscuridad en la comprensión de las cosas (*el entendimiento entenebrecido*). El verbo griego traducido *entenebrecido* tiene solamente tres manifestaciones en el Nuevo Testamento: aquí y en dos pasajes de Apocalipsis donde interviene "el quinto ángel". En Apocalipsis 9:2, se refiere al oscurecimiento del sol como resultado de que suena la quinta trompeta. En Apocalipsis 16:10, donde la Versión Hispanoamericana lo traduce: fue entenebrecido, se refiere al oscurecimiento del reino de la bestia, como resultado de la obra de la quinta copa. Estas referencias nos dan una idea de la profundidad del oscurecimiento de la mente de los inconversos y explican el por qué de *la dureza de su corazón.* Es interesante notar que el término griego traducido *dureza,* que significa primariamente "callosidad" se aplica en Marcos 3:5 para referirse a la falta de sensibilidad de los fariseos y en Romanos 11:25 para explicar el "endurecimiento" de Israel respecto de la fe en Cristo.

V. 19. Siguiendo con el encadenamiento de ideas que viene exponiendo, Pablo indica que *una vez perdida toda sensibilidad, se entregaron a la sensualidad.* El término griego traducido sensualidad fue utilizado originalmente por escritores como Platón para referirse a la insolencia y de allí pasó a significar desenfreno, libertinaje, lascivia. Ahora bien, la sensualidad implica un indebido y exagerado apetito por hacer hacer cosas impuras. Esto se indica mediante el uso del término traducido *ávidamente* y cuyo significado primario es avaricia, codicia.

2 Renovación en el espíritu de nuestra mente, Efesios 4:20-24.

V. 20. Pablo inicia este segundo apartado, que figura en claro contraste con todo lo expresado en los vv. 17-19, con una frase sorprendente: *Pero vosotros no habéis aprendido así a Cristo.* Como bien señala Nida, esto "implica un uso inusual del verbo griego con un objeto directo referido a una persona".

Efectivamente, uno podría haber esperado una expresión como "vosotros no habéis aprendido así de Cristo"; pero no es ésta la frase que aparece en el texto griego. Lo que quiere decir, entonces, la sorprendente expresión del apóstol es que Cristo no solamente es el maestro de los cristianos, sino la materia misma de nuestro aprendizaje espiritual.

V. 21. El *si* condicional con que se inicia este versículo confunde un poco. Pero ayuda el saber que la partícula griega es del tipo que supone lo expresado como cierto. Es decir que podría traducirse "puesto que..." Por eso, la Nueva Versión Internacional la deja de lado y parte directamente de la traducción de la partícula enfática que la acompaña (la que se traduce en nuestra versión "en verdad"): "Ciertamente...". En cambio, Hendriksen propone como traducción "pues ciertamente..." y hace el siguiente comentario: "Los lectores... habían oído de Cristo y habían sido enseñados no solamente acerca de él sino 'en él'; vale decir que toda la atmósfera era cristiana."

V. 22. En este versículo se inicia la propuesta específica de Pablo: que sus lectores se despojen del viejo hombre, dado que *está viciado por los deseos engañosos.* En cuanto al significado de la expresión *viejo hombre* ya nos hemos referido previamente. Así es que nos resta enfatizar que el verbo traducido *despojen* significa literalmente "sacar de uno" y es el mismo que aparece en Hebreos 12:1 para referirse a la necesidad de despojarse de todo peso que obstaculice la participación en la carrera de la fe. Asimismo, debemos considerar que el participio griego traducido *está viciado* tuvo como su sentido original "gastar" y luego pasó a significar algo que sufre los efectos de la corrupción.

Vv. 23, 24. El segundo elemento de la propuesta ética de Pablo tiene que ver con la renovación de la mente y el vestirse del nuevo hombre. Barclay propone esta esclarecedora paráfrasis, que explica el pensamiento de Pablo al respecto: "Despojaos de la pasada manera de vivir así como os despojáis de un vestido viejo; vestíos de una manera nueva; despojaos de vuestros pecados y vestíos de la justicia y santidad que Dios os puede dar."

3 El fruto de una mente renovada, Efesios 4:25-32.

V. 25. El primer resultado de tener una mente renovada es dejar *la mentira* y reemplazarla por *la verdad,* tal y como dice Zacarías 8:16.

Vv. 26, 27. El segundo resultado consiste en poner límites al *enojo,* de manera que el diablo no saque provecho del mismo. El sorprendente uso del imperativo *enojaos* es explicada por Blass y Debrunner al recordar que dicho modo verbal no sólo indica mandamientos, sino también peticiones o concesiones, tal y como es el caso aquí.

V. 28. El tercer resultado tiene que ver con la conducta del cristiano como un trabajador honesto y solidario. Vale la pena destacar en este versículo que el participio traducido robar es aquél del que provienen los términos españoles cleptómano, cleptomanía, que se refieren al acto de robar como una manía. La novedad en este versículo es que el que robaba, ahora trabajará, no solo para satisfacer sus necesidades personales sino que compartirá con otros.

V. 29. El cuarto resultado es el del dominio sobre lo que el cristiano dice, de manera que sus palabras sean *para edificación.* El término traducido *obscena* quiere decir literalmente que ha sufrido los efectos de la corrupción o putrefacción.

V. 30. Después de expresar cuatro resultados concretos de la renovación de la mente en el cristiano, Pablo señala un principio general en el que se sustentan: En el propósito del hijo de Dios de no entristecer al Espíritu Santo. Puede verse, al ubicar esta doctrina en su contexto, que el cristiano contrista o entristece al Espíritu Santo cuando comete pecados de hecho como la mentira, la ira, el robo y las palabras obscenas.

Vv. 31, 32. En estos versículos se enumeran algunas de las cosas que no deben tener cabida en aquel que tiene una mente renovada y aquéllas que constituyen las alternativas posibles en la vida del cristiano. Este tema, que se prolonga en los primeros versículos del capítulo cinco, será retomado en nuestro próximo estudio. La primera parte se presenta desde el punto de vista negativo; deben quitarse de entre los hermanos todas aquellas cosas que hacen daño, no solo a nivel de un solo individuo sino de toa una comunidad. No hay peores males que aquellos que surgen de la amargura, el *enojo,* la *ira, gritos* y *calumnia.* La segunda perte es un llamado a practicar las virtudes de la bondad, la misericordia y el perdón. Todo esto es posible cuando se tiene como modelo a Dios quien nos perdonó a nosotros por gracia.

Aplicaciones del estudio

1. El cristiano debe dominar sus palabras, vv. 25, 29. Los hijos de Dios debemos desechar simultáneamente la mentira y las palabras obscenas. Antes bien, nuestro comportamiento debe caracterizarse por la veracidad y las palabras edificantes. La lengua puede ser de gran bendición si se usa con ese fin, pero puede ser la más grande arma mortal cuando las personas se proponen darle ese uso negativo. Vale la pena aprender a dominar nuestra lengua.

2. El cristiano debe dominar sus emociones, vv. 26, 27. El enojo es algo tan natural al hombre que es prácticamente imposible que los creyentes no nos enojemos. Pero debemos procurar no dar lugar al diablo, prolongando el enojo. El resentimiento que se produce en el interior del hombre que prolonga su enojo envenena su espíritu y lo empobrece. No es malo enojarse; uno tierne derecho a disgustarse por las injusticias.

3. El cristiano debe dominar sus intenciones, v. 28. Los que hemos nacido de nuevo debemos desechar las inclinaciones a tomar lo ajeno.

Ayuda homilética

Qué debemos ser y dejar como cristianos
Efesios 4:31, 32.

Introducción: Más importante que lo que uno haga es lo que uno es; pero, indudablemente que lo que uno es determina lo que hace. Es por eso que, como parte de una lista de principios éticos, Pablo se refiere a las características que el cristiano debe a abandonar y a las cualidades que sí debe poseer.

I. Qué debemos dejar, v. 31.
- A. Debemos dejar toda amargura.
- B. Debemos dejar enojo e ira.
- C. Debemos dejar maledicencia y malicia.

II. Qué debemos ser, v. 32.
- A. Debemos ser benignos.
- B. Debemos ser misericordiosos.
- C. Debemos ser perdonadores.

Conclusión: Si atendemos a nuestro pasaje, no podemos continuar diciendo que ignoramos qué debemos dejar y qué debemos ser para ser dignos hijos de Dios. Ahora sólo falta obedecer. ¿Lo haremos?

Lecturas bíblicas para el siguiente estudio

Lunes: Efesios 5:1, 2
Martes: Efesios 5:3-5
Miércoles: Efesios 5:6-9
Jueves: Efesios 5:10-14
Viernes: Efesios 5:15-17
Sábado: Efesios 5:18-20

AGENDA DE CLASE

Antes de la clase
1. Antes de estudiar el material del libro del maestro y del alumno, lea Efesios 4:17 a 5:5 y los pasajes relacionados: Romanos 6:6 y Colosenses 3:9. **2.** Escoja en revistas de actualidad, tres fotografías que muestren a personas practicando distintos tipos de impurezas, tales como promiscuidad sexual, consumo de drogas, alcohol o tabaco, robo, etc. **3.** Recorte de periódicos tres noticias policiales que narren acciones de personas con la mente entenebrecida por el mal.

Comprobación de respuestas
JOVENES. **1.** vanidad de sus mentes... el entendimiento entenebrecido... de la vida de Dios... ignorancia que hay en ellos... la dureza de su corazón... toda sensibilidad... a la sensualidad... cometer todo tipo de impurezas.

2.	despojaos	del viejo hombre que está.
	renovaos	en el espíritu de vuestra mente
	vestíos	del nuevo hombre que ha sido

3. a. la mentira, robo, palabras obscenas, amargura, enojo, ira, gritos calumnia, maldad. b. verdad, trabajo, misericordia con los que están en necesidad, palabras de edificación, bondad, perdón.
ADULTOS. **1.** Tienen el entendimiento entenebrecido, están alejados de la vida de Dios por la ignorancia y dureza de su corazón, se entregan a la sensualidad para cometer todo tipo de impurezas. **2.** Despojarnos del viejo hombre, renovarnos en el espíritu de nuestra mente, vestirnos del nuevo hombre. **3.** v. h.: comete impurezas, habla mentiras, peca cuando se enoja, roba, dice palabras obscenas, grita, calumnia. h. n: habla verdad, no da lugar al diablo, trabaja esforzadamente, habla para edificación, perdona, tiene misericordia.
4. El Espíritu Santo se entristece.

Ya en la clase
DESPIERTE EL INTERES
Divida la clase en tres grupos y entregue a cada uno una fotografía y una noticia con las caracteristicas señaladas en el punto anterior. Pida a cada grupo que explique las diferencias que encuentran entre sus vidas y las de esas personas. Explique que el presente estudio les ayudará para ver con claridad en qué consiste la renovación que Cristo quiere hacer en sus mentes.

ESTUDIO PANORAMICO DEL CONTEXTO
Entregue a cada uno de los grupos formados un papelito con la cita de un pasaje relacionado con el texto, de los que menciona el *Estudio del contexto* en el libro del maestro. Los alumnos lo buscarán en sus Biblias y lo relacionarán con el capítulo 4 de Efesios. Luego, cada grupo compartirá con la clase su trabajo.

ESTUDIO DEL TEXTO BASICO

Pida a los alumnos que abran sus Biblias en el texto bíblico y completen el ejercicio 1 de la sección *Lea su Biblia y responda.*

Lea los versículos 17-19, y mencione que se trata de un retrato de las personas que viven sin Cristo. Relacione el texto con la actividad realizada en el momento de despertar el interés. Nótese que las malas acciones son sólo la consecuencia de estar alejados de la vida de Dios y haber perdido la sensibilidad espiritual de sus corazones.

Los alumnos en forma individual completarán los ejercicios 2 y 3, de la sección *Lea su Biblia y responda.*

Pida a sus alumnos que, en forma silenciosa, lean los vv. 20-24. Guíe la comprensión del texto con preguntas orientadoras tales como ¿hemos sido enseñados en Cristo?, ¿qué significa despojarse del viejo hombre?, ¿dónde debe darse nuestra renovación?, etc

Pida a un alumno que lea Efesios 4:25-32. Explique que estos consejos, sólo pueden ser llevados a la práctica por una mente renovada. Al leer cada versículo, permita que sus alumnos compartan las experiencias vividas al tratar de obedecer estos consejos.

Las consecuencias de actuar en contra de la voluntad de Dios. Pregunte a sus alumnos cuál es el significado del v. 30. y explique de qué manera ellos pueden entristecer al Espíritu Santo con el que han sido sellados. Si fuera necesario, invítelos a leer en el libro del alumno, el párrafo que comenta este versículo.

Concluya este periodo de la clase elaborando un cuadro del nuevo hombre y contraponiéndolo al cuadro del viejo hombre analizado al comienzo de la clase.

APLICACIONES DEL ESTUDIO

1. Consultando el texto los alumnos irán mencionando cosas prácticas que deben aprender a dominar para no entristecer al Espíritu Santo. **2.** A medida que los alumnos las enumeren escríbalas en el pizarrón confeccionando una lista. **3.** Pídales que consulten las aplicaciones prácticas en sus libros del alumno para completar la lista. **4.** Relacione las actitudes enumeradas, con situaciones que viven a diario sus alumnos, y en las que parece difícil lograr ese dominio. ¿Cómo hacer? Los mismos alumnos harán sugerencias de cómo lograr la victoria.

PRUEBA

Los alumnos realizarán el ejercicio uno de la *Prueba,* al mismo tiempo que un voluntario lo realizará en el pizarrón. Al terminar, cotejarán las respuestas. Estimule la reflexión de sus alumnos compartiendo su experiencia personal sobre este tema. Invite luego a sus alumnos para que contesten la pregunta 2 en forma personal. Manténgase atento para ayudar al alumno que esté tomando decisiones importantes relacionadas con esta pregunta.

Una vida llena del Espíritu

Contexto: Efesios 5:1-20
Texto básico: Efesios 5:6-20
Versículo clave: Efesios 5:18
Verdad central: El estímulo para vivir la nueva vida en Cristo no viene de cosas externas, como las bebidas embriagantes, sino de permitir que el Espíritu Santo tome posesión de todo nuestro corazón. A eso le llamamos una vida llena del Espíritu.
Metas de enseñanza-aprendizaje: Que el alumno demuestre su: (1) conocimiento de exhortación de Pablo de ser llenos del Espíritu de Dios, (2) actitud de disposición para permitir al Espíritu de Dios tomar posesión de su corazón.

Estudio panorámico del contexto

A. Fondo histórico:

El contexto moral. Ya hemos hecho referencia en el estudio anterior a las prácticas inmorales de los gentiles. Para completar lo manifestado, será útil recurrir a un significativo fragmento de un discurso del orador romano Marco Tulio Cicerón (106-43 a. de J.C.), de gran influencia en la sociedad de su tiempo, citado por Barclay. En dicho discurso, titulado Pro Caelio, expresaba Cicerón: “Si alguien piensa que al joven se le ha de prohibir en absoluto el amor a las cortesanas, mantiene una posición en extremo rígida.” Si esta era la visión de uno de los pensadores más notables de su tiempo, y si tenemos en cuenta que la sociedad romana, y bajo su influencia todo el mundo gentil, sufrió un proceso de mayor descomposición social en los años posteriores a la muerte de Cicerón, ya está todo dicho. El contexto moral en que se movían los habitantes del Asia Menor era verdaderamente lamentable.

El peligro de los engañadores. La sociedad de los tiempos de Pablo se parece a la nuestra en cuanto a la habilidad de los engañadores. Así como ahora los comunicadores sociales procuran convencer a sus destinatarios que todo vale en el campo de la ética, más de un orador antiguo hizo lo mismo. Como se observa en Los Hechos 17:21, los atenienses “no pasaban el tiempo en otra cosa que en decir o en oír la última novedad.” Podemos suponer que algo similar sucedía que los habitantes del Asia Menor. Los herederos de los sofistas (aquellos filósofos condenados por Sócrates, porque se valían de complicados razonamientos para hacer parecer lo falso como verdadero) estaban procurando convencer a los del Asia Menor de que se podía caer en lo inmoral gozando de total impunidad.

B. Enfasis:

Imitadores de Dios, 5:1, 2. Pablo fundamenta su propuesta ética en la posibilidad de que el hijo de Dios sea un imitador de su Padre. Particularmente, tomando en cuenta la entrega de Jesús por nosotros, el máximo ejemplo de amor que ha conocido la humanidad.

Desheredados, 5:3-5. Lejos de la laxitud moral de la sociedad pagana de la antigüedad, Pablo sostiene que ni los inmorales, ni los impuros, tendrán herencia en el reino de Dios. Esto debía llevar a los cristianos del Asia Menor a considerar dichos pecados como extraños a su naturaleza transformada de santos. Al mismo tiempo, Pablo condena todo lo que tiene que ver con la impureza en el uso de las palabras.

Hijos de luz, que evidencian la maldad 5:6-14. Pablo hace ver que si sus lectores vivían conforme a la iluminación espiritual que proviene de Dios, no sólo no caerían en ningún tipo de inmoralidad. Estarían en condiciones, además, de poner en evidencia las obras de las tinieblas y aun de reprenderlas.

Llenos del Espíritu Santo, 5:15-20. La principal solución a toda la inmoralidad mencionada por Pablo yace en el hecho de que el cristiano reciba constantemente la llenura del Espíritu Santo. Esto posibilita en él la alabanza constante y la acción de gracias permanente que constituyen las mejores vacunas contra la impureza.

Estudio del texto básico

1 ¡Andad como hijos de luz!, Efesios 5:6-9.

V. 6. Apenas se inicia la lectura de este versículo, surge una pregunta: ¿de qué engañadores está previniendo Pablo a sus lectores? Para Grotius se refiere, por lo menos en parte, a los filósofos paganos. Stott, por su parte, hace notar que en los tiempos de Pablo los gnósticos "argumentaban que los pecados corporales podían cometerse con impunidad y sin dañar el alma." Lo cierto es que las enseñanzas de unos u otros eran, según el significado del término griego traducido *vanas,* huecas, no tendrían un buen resultado, por cuanto estaban vacías de contenidos pertinentes. Lo único que podían dejar como consecuencia era *la ira de Dios* que, como aclara Meyer, no se debe limitar a su expresión en el día del juicio.

V. 7. Con base en lo dicho anteriormente, Pablo exhorta a sus lectores a no ser "copartícipes", tal sería la traducción literal del término griego traducido *partícipes con,* los engañadores mencionados. Algunos comentaristas entienden esta participación conjunta en cuanto a las obras, otros en cuanto a los castigos a los que se han hecho merecedores. Stier opina que se debe considerar una combinación de ambas posibilidades.

V. 8. Aquí encontramos la exhortación que da título a nuestro primer apartado: *¡Andad como hijos de luz!* Un hebraísmo que tiene el sentido de estar dominado plenamente por la luz, que en este caso significa la iluminación espiritual que viene de Dios. Pablo contrasta esto con las tinieblas que dominaban la vida de sus lectores antes de su conversión. Abbott comenta al respecto: "Ellos no sólo habían estado en oscuridad, la oscuridad había estado en ellos.

De igual modo no sólo estaban en la luz, sino que habían sido penetrados por ella."

V. 9. Aunque algunos manuscristos tienen la variante "fruto del Espíritu", tal y como aparece en la Reina-Valera del 60, el texto que tiene mayor respaldo es el que figura en nuestra versión: *fruto de la luz*. Este fruto consta no de nueve virtudes, tal y como sucede con el fruto del Espíritu (Gál. 5: 22, 23), sino de tres: *bondad, justicia y verdad*. Hendriksen ve entre ellas la siguiente relación: "Pablo menciona toda bondad... Tal bondad es la excelencia moral y espiritual de todo tipo creada por el Espíritu Santo. Otra forma de considerar esta bondad es llamándola justicia... aun otra descripción es: verdad."

2 La luz evidencia las tinieblas, Efesios 5:10-17.

V. 10. El participio griego traducido *aprobad* encierra la idea de examinar, tanto en lo que se refiere a la acción propiamente dicha como a los efectos de la misma. Beare hace ver que el adjetivo griego traducido *agradable* se utiliza frecuentemente en un contexto sacrificial, tal y como se observa en Romanos 12:1 y en Filipenses 4:18. Es posible, como señala Nida, que *Señor* se refiera en este caso a Dios el Padre. Es decir que una paráfrasis posible sería esta: "Evalúen constantemente si lo que están haciendo agrada a Dios como acto de sacrificio producto de la verdadera adoración."

V. 11. Con base en lo anterior, Pablo advierte que el cristiano debe rechazar cualquier participación, o comunión, según el significado del verbo original, en las obras de las tinieblas. Su deber es denunciarlas o reprenderlas. El verbo griego que figura en el original es el mismo que utiliza Juan para referirse a la obra de convencimiento de pecado que vendría a realizar el Espíritu Santo (Juan 16:8). Es decir que, según la exhortación del Apóstol, el hijo de Dios debe evidenciar lo infructuosas que son las obras de las tinieblas para que más personas estén en condiciones de rechazarlas.

V. 12. Beare piensa que las cosas hechas *en secreto* hace referencia a los ritos religiosos paganos, tanto secretos como inmorales. Efectivamente, una de las grandes trampas diabólicas ha sido, desde la antigüedad, la de incentivar rituales que permiten el acceso a cosas ocultas a unos pocos "iniciados". Esto se ha dado tanto en el gnosticismo o las religiones de misterio en la antigüedad, como en los movimientos teosóficos o espiritistas en la actualidad. No obstante, lo más importante es que, como señalan Bonnet y Schroeder: "Diciendo que es vergonzoso hasta hablar de ellas el apóstol quiere hacer resaltar la enormidad y odiosidad de esos pecados."

Vv. 13, 14. Para Pablo era evidente que el denunciar las obras de las tinieblas, bajo la luz de Dios, ponía en evidencia la lamentable naturaleza de las mismas. Inspirándose en esta idea hace referencia a lo expresado en dos pasajes de Isaías (26:19 y 60:1) y cuya combinación quizás se utilizara, como piensa Hoke Smith, en los cultos bautismales de la iglesia primitiva.

Jamieson, Fausset y Brown interpretan así el sentido de lo que quiere expresar el Apóstol: "la iglesia y cada individuo son llamados a despertarse. Los creyentes son llamados a despertarse del 'sueño'; los incrédulos a 'levantarse' de entre los muertos". De vez en cuando el gigante del cristianismo se dedica a dormir en menoscabo de la tarea a que ha sido llamado.

V. 15. En este y los dos versículos siguientes, Pablo llega a la aplicación de lo que ha venido diciendo a lo largo de todo este apartado. La primera advertencia tiene que ver con el imperativo ético del cristiano de vivir bajo la prudencia, rechazando toda imprudencia de su vida. El término griego traducido *prudentes* es *sóphoi,* que quiere decir básicamente "sabios". El que se traduce *imprudentes* es *asophoi,* que quiere decir "no sabio", dado que la "a" inicial señala la carencia de lo que el resto del vocablo indica. Una de las características esenciales del cristianos debe ser precisamente la prudencia o sabiduría.

V. 16. La expresión "redimiendo el tiempo" se encuentra también en Colosenses 4:5. Según explica Nida: "El verbo significa literalmente 'comprar, redimir', pero tanto aquí como en Colosenses significa 'hacer buen uso de...'". La razón por la que Pablo recomienda utilizar bien el tiempo: *porque los días son malos* refleja uno de los conceptos que sostenía la iglesia primitiva. Dicho concepto consistía en la contraposición entre la era mala que vivimos actualmente y la era por venir, bajo la dirección de Dios, en la que el cristiano estará libre de toda maldad.

V. 17. La fuerza conclusiva que tiene este versículo está marcada por la expresión con que comienza: *por tanto.* Según Hendriksen tendría el siguiente sentido: "En vista de que el peligro es tan grande, la maldad tan espantosa, la oportunidad tan preciosa, y en vista de la necesidad de una constante vigilancia, de un intenso esfuerzo, de un firme celo, no debéis ser absurdos." ¿Cuál es la conclusión de todo lo manifestado por Pablo? Que en vez de vivir como *insensatos,* los hijos de Dios deben comprender *cuál es la voluntad del Señor.*

3 Sed llenos del Espíritu, Efesios 5:18-20.

V. 18. En este versículo la llenura del Espíritu Santo es presentada como un mandato. El tiempo verbal usado en griego indica que la llenura del Espíritu Santo no es algo de una vez para siempre, sino una acción continua. El empleo del plural indica que es una experiencia para todo cristiano y no para un grupo selecto de creyentes. Desde el punto de vista negativo, el mandato expresa: *No os embriaguéis con vino.* Es la exhortación a vivir una vida que es dirigida desde el interior, donde habita el Espíritu del Señor. Una vida así reflejará el fruto del Espíritu (Gál. 5:22, 23). El vino representa aquellas cosas que buscamos fuera de nosotros para que satisfagan necesidades que no queremos o no sabemos cómo someter a la soberanía de Dios. Dentro de nosotros tenemos todo lo necesario para llenar plenamente nuestra vida, simple y sencillamente allí habita el Espíritu Santo.

Vv. 19, 20. La forma en la que aparecen los cuatro gerundios de estos versículos (*hablando, cantando, alabando, dando gracias*) da a entender, según las reglas de la gramática griega, que todos dependen del imperativo del versículo anterior. Así es que deben considerarse como consecuencias de la llenura del Espíritu Santo. Al mismo tiempo, la estructura de la oración indica que es una acción constante, como un estilo de vida. Todas esas acciones necesariamente están consagradas al reconocimiento de lo que es Dios y lo que él hace. Esa adoración es inclusiva, es decir, inlcuye todos los aspectos de la vida: *dando gracias... por todo.*

Aplicaciones del estudio

1. El cristiano debe actuar siempre como hijo de luz, vv. 8, 9. La bondad, la justicia y la verdad deben observarse como fruto constante de la luz de Dios en nosotros.

2. El cristiano debe denunciar las obras de las tinieblas, v. 11. En un mundo lleno de oscuridad espiritual, todo cristiano tiene el deber de denunciar lo pecaminoso, de modo que sirva de advertencia para los demás.

3. El cristiano debe comprender cuál es la voluntad divina, vv. 15-17. Para sujetarse a ella, para vivir con sabiduría, con sensatez, aprovechando bien el tiempo.

4. El cristiano debe compartir su alabanza con sus hermanos, v. 19. En vez de criticar a los demás o participar de los chismes, cada vez que hay dos cristianos deben unirse en el espíritu de la alabanza.

Ayuda homilética

Seamos llenos del Espíritu Santo
Efesios 5:18-20

Introducción: La llenura del Espíritu Santo no es una experiencia sólo para unos pocos escogidos. Todo lo contrario. Pablo la plantea como un deber de todo cristiano como respuesta a un mandato divino. Veamos qué implica.

I. Obedecer el mandato de Dios, v. 18.
- A. Eliminando de nuestra vida el desenfreno.
- B. Siendo llenos una y otra vez.

II. Alabar a Dios de distintas maneras, v. 19.
- A. Con salmos.
- B. Con himnos.
- C. Con cánticos espirituales.

III. Dar gracias a Dios siempre, v. 20.
- A. Porque él es nuestro Padre.
- B. En el nombre de Jesucristo.

Conclusión: Un joven artista estaba tratando de copiar una de las pinturas de Rafael y al ver que no podía hacerlo exclamó: "¡Quién tuviera el espíritu de Rafael!" Los cristianos tenemos el Espíritu de Cristo y podemos ser más semejantes a él en la medida que nos dejemos llenar por el Espíritu Santo.

Lecturas bíblicas para el siguiente estudio

Lunes: Efesios 5:21-23
Martes: Efesios 5:24-27
Miércoles: Efesios 5:28-30
Jueves: Efesios 5:31-33
Viernes: Efesios 6:1-4
Sábado: Efesios 6:5-9

AGENDA DE CLASE

Antes de la clase

1. Lea Efesios 5:1-20, teniendo en cuenta que es una continuación del texto de la clase anterior. **2.** Repase el contexto y las aplicaciones prácticas del estudio anterior. **3.** Prepare un cartelón con la frase ¡andad como hijos de luz! y otro, del mismo tamaño, que diga: ¡sed llenos del Espíritu! **4.** Estudie el texto usando los libros del maestro y del alumno. **5.** Resuelva los ejercicios de los alumnos.

Comprobación de respuestas

JOVENES. **1.** Nadie os engañe con vanas palabras (v. 6). Ahora sois luz en el Señor (v. 8). Bondad, justicia y verdad. (v. 9). No ser partícipe con ellas y denunciarlas (v. 11). No como imprudentes sino como prudentes (v. 15). **2.** "No te embriagues con vino, pues en esto hay desenfreno, mas bien sé lleno del Espíritu Santo" **3.** Hablando con salmos, himnos y canciones espirituales. Cantando y alabando al Señor en vuestros corazones. Dando gracias siempre por todo a Dios. Sometiéndose unos a otros en el temor de Cristo.
ADULTOS. **1.** a. F; b. V; c. V; d. V; e. V. **2.** Perífrasis personal.

Ya en la clase

DESPIERTE EL INTERES

1. Coloque en un lugar visible los dos cartelones preparados: "¡andad como hijos de luz!", y "¡sed llenos del Espíritu Santo!" **2.** Pregunte a los alumnos qué tienen esos dos cartelones en común. Comenzarán observando que son del mismo tamaño, que ambos contienen un mandato. Analicen el significado de las dos frases. ¿Cuál es la relación entre andar como hijo de luz y ser lleno del Espírirtu Santo? **3.** Escuche las respuestas y escriba en el pizarrón aquellas sobre las que desea volver en la clase. **4.** Dígales que en este estudio, tendrán oportunidad de comprender mejor qué es ser lleno del Espíritu Santo y cómo se manifiesta esa experiencia en la vida de todos los días.

ESTUDIO PANORAMICO DEL CONTEXTO

1. Estudie el contexto del texto básico en este libro. Puede comenzar leyendo en voz alta la cita de Cicerón, que aparece allí, referida a la moral de la juventud en la sociedad romana. **2.** Conduzca una conversación en la que los alumnos puedan compartir lo que saben de la moral social y las prácticas religiosas en el mundo pagano, especialmente en el imperio romano. **3.** Mencione la forma en que filósofos y maestros divulgaban sus ideas. **4.** Pida a algunos alumnos que relacionen la actitud moral de la sociedad en la que estaba inmersa la iglesia de Efeso, y nuestra sociedad contemporánea. La presencia de engañadores, la justificación del pecado por medio de teorías humanas, la exaltación de la sensualidad y el placer, hace pertinente esta lección para nuestra realidad.

ESTUDIO DEL TEXTO BASICO

Vuelva la atención de los alumnos al cartelón que dice: "Andad como Hijos de luz" y a las anotaciones que usted hizo de las opiniones de los alumnos sobre el tema.

Un alumno leerá en voz alta los vv. 6-9 y todos comentarán estos versículos. Guíelos para que relacionen la advertencia sobre los engañadores, con lo estudiado al referirse al contexto.

Explique los trabajos propuestos en la sección Lea su Biblia y responda y pida a sus alumnos que realicen los ejercicios 1 y 2.

Vuelva ahora al primer cartelón y explique el sentido de la expresión "Hijos de luz". Dígales que relacionen el v. 9 con Gálatas 5, 22, 23. Divida el pizarrón en dos partes y escriba a la derecha "fruto del Espíritu" y a la izquierda "fruto de la luz". Debajo de cada título, un alumno escribirá las virtudes que caracterizan a cada uno.

La luz pone de manifiesto las tinieblas. Lea ahora los vv. 10-17. Pida a los alumnos que subrayen en sus Biblias los verbos que aparecen en forma imperativa, indicando un mandato, un consejo o una exhortación. Forme cuatro grupos y asígnele a cada grupo uno de los mandatos: (el primero se encuentra en los vv. 11-14; el segundo en los vv. 15, 16, el tercero en el v. 17 a. y el cuarto en el v. 17 b). Cada grupo analizará el mandato y pensará una forma práctica de ponerlo en práctica.

Indique ahora a la clase que realice los ejercicios del libro del alumno que habían quedado sin completar

Sed llenos del Espíritu Santo. Llame la atención de los alumnos al segundo cartelón y vuelva a hacer la pregunta ¿cuál es la relación entre el significado de los dos mandatos? Reconocerán que podemos vivir como hijos de luz realmente, si somos llenos del Espíritu Santo

Pida ahora a cada alumno que piensen en algún cristiano que conocen, que ellos consideran lleno del Espíritu Santo. ¿Por qué lo consideran así? Invítelos a leer en forma personal los vv. 19-21 y comparen las conductas aquí descritas con las del hermano en quien han pensado. Invite a sus alumnos a buscar con verdadero interés ser llenos del Espíritu Santo.

APLICACIONES DEL ESTUDIO

1. Presente una de las aplicaciones prácticas que aparece en el libro del maestro. **2.** Los alumnos en grupos de dos, comentarán las aplicaciones que aparecen en el libro del alumno. Habrá un momento de puesta en común, en el que cada pareja compartirá lo que reparó.

PRUEBA

1. Dé un tiempo para que cada alumno complete esta sección. **2.** Cuando hayan terminado lea las preguntas del inciso 1 y permita que los alumnos compartan sus respuestas. Reflexione sobre el contenido del inciso 2. Las actitudes que adoptamos hacia Dios y entre hermanos evidencian si estamos siendo llenos del Espíritu Santo.

Una vida de sumisión

Contexto: Efesios 5:21 a 6:9
Texto básico: Efesios 5:21 a 6:4
Versículo clave: Efesios 5:21
Verdad central: El éxito en las relaciones familiares radica en someterse unos a otros en el temor del Señor, en el amor de los cónyuges entre sí y en la obediencia de los hijos.
Metas de enseñanza-aprendizaje: Que el alumno demuestre su: (1) conocimiento de los elementos que ayudan a lograr el éxito en las relaciones familiares, (2) actitud de sumisión, amor y obediencia en sus relaciones familiares.

Estudio panorámico del contexto

A. Fondo histórico:

La posición de la mujer en tiempos de Pablo. Uno de los aspectos fundamentales en la comprensión de la estructura familiar en tiempos de Pablo lo constituye el lugar que se le asignaba a la mujer en esa sociedad. Entre los judíos, la mujer valía tan poco que los varones daban gracias tanto por no ser mujeres como por no ser gentiles. Ellos consideraban prácticamente a la mujer como "propiedad" del padre o del esposo. Entre los griegos y los romanos, existía una clara distinción entre las mujeres honestas, castas, a quienes se les confiaba la conducción de los asuntos familiares, y las mujeres dedicadas a proveerles de placeres en el campo sexual. Según el orador y político ateniense Demóstenes (384-322 a. de J.C.): "Tenemos cortesanas por razón del placer; disponemos de concubinas por razón de la cohabitación diaria; tenemos esposas con el propósito de poseer hijos legítimos y una guardiana fiel para todos nuestros asuntos domésticos."

El concepto de familia en los tiempos de Pablo. Una vez comprendido el papel que jugaba la mujer en las sociedades antes de Cristo, podemos entender mejor su concepto de familia. En cuanto a los judíos, el concepto de familia, con base en las enseñanzas del Antiguo Testamento, fue el más elevado. Sin embargo, la pobre evaluación que se tenía de la mujer llevaba a la escuela de Hillel a sostener que un hombre podía divorciarse de su mujer por cosas tan poco trascendentes como haberle quemado la comida o haberle dejado de gustar. La mujer, en cambio, no tenía ninguna posibilidad de iniciar un trámite de divorcio. En cuanto a los gentiles, las mujeres encargadas de las cosas del hogar no tenían ninguna participación pública, vivían recluidas en sus casas. El filósofo e historiador griego Jenofonte (427-335 a. de J.C.) expresaba que el ideal en cuanto a dichas mujeres era que "vieran tan poco, oyeran tan poco y preguntaran tan poco como fuera posible." Las pobres relaciones entre marido y mujer se repetían en cuanto a las relaciones entre padres e hijos. Entre los judíos, los hijos seguían el oficio del padre, quien se ocupaba de ellos a partir del momento en que podía enseñarles a trabajar. Antes de eso, la madre se encargaba de la crianza tanto de varones como de mujeres y continuaba con la responsabilidad en relación con las últimas. Entre los griegos, los hijos deformes o enfermos eran desechados sin ningún tipo de piedad. Entre los romanos, creadores del concepto de patria potestad, el dominio del padre sobre sus hijos era tal que un hijo romano nunca llegaba a tener lo que hoy llamamos mayoría de edad.

B. Enfasis:

Sumisión mutua, 5:21. El concepto de sumisión mutua es básico en la vida familiar. Sin un sometimiento fundamentado en el "temor de Cristo" las relaciones familiares son un caos. Se trata de un sometimiento mutuo de todos los componentes de la familia.

Esposos y esposas en el Señor, 5:22-33. Cuando las esposas están en el Señor no tienen inconvenientes en sujetarse a sus esposos. Cuando los esposos están en el Señor aman a sus esposas de manera similar a cómo Cristo amó a la iglesia. La voluntad de Dios es que los esposos estén tan unidos que constituyan una sola carne.

Hijos obedientes y padres ecuánimes, 6:1-4. El sometimiento de los hijos cristianos se observa en su obediencia. Dicha obediencia se equilibra con el espíritu ecuánime de sus padres.

Siervos con buena voluntad y amos bondadosos, 6:5-9. El sometimiento de los siervos cristianos se muestra en su voluntad de servir bien aunque nadie los esté vigilando. Dicha actitud se equilibra con la buena disposición de los amos.

Estudio del texto básico

1 Sumisión mutua, Efesios 5:21-30.

V. 21. Este versículo constituye una transición entre el tema de la llenura del Espíritu Santo y el de las relaciones familiares entre cristianos. Desde el punto de vista gramatical, el hecho de que se inicie con un participio (*sometiéndoos,* la *y* aunque implícita no figura en el texto griego) hace que dependa del verbo principal del v. 18. Es decir, el sometimiento mutuo sería una consecuencia más de la llenura del Espíritu Santo. Sin embargo, dado que en el v. 22 no aparece el verbo en el texto griego y hay que suplirlo del anterior, el v. 21 puede relacionarse en cuanto a la temática con el apartado que inicia el v. 22.

V. 22. En el tratamiento de las relaciones abordadas por Pablo, el que ocupa un lugar de sujeción aparece en primer término. Así, el Apóstol habla primero de los deberes de las esposas, de los hijos y de los siervos. En el caso de las esposas, se presenta la idea del sometimiento en forma más amplia, estableciendo claramente el marco en que debe comprenderse y darse. Dado que la expresión *como al Señor* no se interpreta fácilmente, convendrá recurrir a la explicación que nos brinda Nida: "Significa que la actitud de la esposa cristiana hacia su marido refleja la actitud de ambos en relación con Cristo."

V. 23. Pablo eleva el nivel de la vida matrimonial al comparar la relación entre el esposo y la esposa con la que existe entre Cristo y la iglesia. Así como Cristo es cabeza de la iglesia (tema al cual ya nos hemos referido en nuestro primer estudio), el esposo debe ser cabeza de su esposa. Stott comenta al respecto: "La autoridad del hombre (y especialmente del esposo) no es una aplicación cultural de un principio; es el principio primordial. La nueva creación en Cristo nos libera de la distorsión de las relaciones entre los sexos causada por la caída, pero establece la intención original de la creación."

V. 24. En este último versículo referido al papel de las esposas se observa la amplitud con la que deben estar sujetas: *en todo*. Así como ninguna iglesia debería creer que puede estar sujeta a Cristo como cabeza solamente en algunos aspectos, ninguna esposa debería pensar que puede rechazar su sujeción al esposo como cabeza del hogar en aquello que no le agrade. Es obvio que *en todo* no incluye aquello que pueda atentar contra la voluntad de Dios, ya que "Es necesario obedecer a Dios antes que a los hombres" (Hech. 5:29b).

V. 25. A partir de este versículo, Pablo se refiere a los deberes de los esposos. La base: un amor que implica una entrega sacrificial por sus esposas semejante al que tuvo y demostró Cristo por la iglesia. Esta semejanza debe tomarse muy en cuenta, ya que la expresión *así como también* establece un compromiso ético por parte de los esposos.

Vv. 26, 27. Estos versículos constituyen un paréntesis, motivado por la oportunidad que tiene Pablo de referirse a los propósitos de la entrega de Cristo por la iglesia: En primer lugar, observamos el interés de Cristo por santificar a su iglesia. Los comentaristas interpretan de distintas formas la manera en que se relacionan la santificación y la purificación. Para algunos, la purificación es el medio mediante el cual se efectua la santificación. Para otros, ambos conceptos deben considerarse como paralelos. En segundo lugar, Cristo ha querido *presentársela a sí mismo, una iglesia gloriosa, que no tenga mancha ni arruga*. En cuanto a esto debemos considerar que Pablo establece una analogía entre la relación Cristo-iglesia con la de esposo-esposa. Por lo tanto, Cristo desea que su iglesia esté gloriosa el día de su boda con él.

Vv. 28-30. Pablo presenta ahora el tema del amor del esposo por su esposa desde otra perspectiva. El esposo debe amar a su esposa como ama su propio cuerpo. Y, como es obvio, dado que nadie aborrece su propio cuerpo, ningún esposo puede aborrecer a su esposa. Más bien, debe dedicarse a sustentarla y a cuidarla. El verbo traducido *cuida* significa originalmente, según manifiesta Vine: "Calentar, suavizar por calor; luego, mantenerse caliente, como de aves cubriendo a sus polluelos con sus plumas; metafóricamente, cuidar con ternura, alentar con un tierno cuidado."

2 Amor mutuo, Efesios 5:31-33.

V. 31. Pablo cita aquí Génesis 2:24, tal y como ya había hecho Jesús, al ser consultado sobre el tema del divorcio (Mat. 19:5). Marcos Barth, entre tantos otros comentaristas, procura explicar por qué la expresión *por esto,* que indica causalidad, aparece introduciendo el resto de la cita tomada de Génesis. Según él, la relación que existe entre Cristo y su iglesia es del mismo grado de plenitud que lo que Génesis 2:24 considera en relación con la integración conyugal. Robinson estima, por otro lado, que Pablo cita Génesis 2:24 para justificar su declaración de que un hombre que ama a su esposa, se ama a sí mismo.

V. 32. ¿Qué quiso decir Pablo cuando escribió el v. 32? La clave está en la interpretación del término *misterio.* Nida lo entiende de la siguiente manera: "*mysterion* es usado aquí en el sentido de que hay un significado oculto en el texto de Génesis que sólo puede comprenderse cuando el pasaje se interpreta de un modo tipológico o alegórico. En la comprensión del escritor el pasaje en Génesis se refiere a Cristo y a la iglesia; esto es, su significado simbólico es específicamente cristiano".

V. 33. ¿Cuál es el mandato para el esposo en esta síntesis-conclusión? Que *ame a su esposa como a sí mismo.* Hendriksen insiste en la necesidad de una traducción literal: "a su propia esposa", ya que esto hace ver que no hay lugar para amar a cualquier otra mujer que no sea la esposa. ¿Y para la esposa? Que *respete a su esposo.* La traducción literal del verbo griego traducido "respete" (*phobeo,* de cuyo sustantivo, *phobos,* viene la palabra española "fobia") es "tema". Pero debido a la connotación negativa de esta palabra, es mejor la traducción de nuestra versión o como la de la Nueva Biblia Inglesa: "rinda todo respeto a su esposo".

3 Hijos obedientes; padres ecuánimes, Efesios 6:1-4.

V. 1. Pablo establece aquí un principio global en cuanto a la actitud de los hijos hacia sus padres: deben obedecerlos en el Señor. La expresión: *en el Señor* no figura en algunos manuscritos antiguos, tal y como aclara una nota al pie de nuestra versión; pero fue incluida dentro de la misma siguiendo el criterio de los editores del Nuevo Testamento Griego publicado por las Sociedades Bíblicas.

Vv. 2, 3. Estos vv. constituyen, exceptuando el paréntesis, una cita de Exodo 20:12 y Deuteronomio 5:16. Y es justamente en el paréntesis donde ha surgido una polémica en cuanto a qué quiere decir *primer,* ya que algunos comentaristas hacen notar que el segundo mandamiento tiene algo de promesa (véase Exo. 20:6: "muestro misericordia por mil generaciones a los que me aman y guardan mis mandamientos."). En respuesta a esto, Orígenes (185-254 d. de J.C.) había observado ya que la promesa de Exodo 20:6 no se desprende del segundo mandamiento, sino que es una promesa de tipo general. A pesar de su reacción, el problema subsiste. Es por eso que Stier comprende el término griego traducido *primer* (*prote*) en un sentido temporal, como el primero que se aprende.

V. 4. Siguiendo una perspectiva totalmente complementaria, Pablo le solicita dos cosas a los padres en relación con sus hijos: (1) Que no los provoquen a ira. O sea que no los reprendan a tal grado que los hijos reaccionen negativamente. (2) Que los críen *en la disciplina y la instrucción del Señor.* Es decir que se atengan a ciertas normas, a ciertos principios, sustentados en su sometimiento al Señor. Según Nida, la palabra griega *paideia* que nuestra versión traduce *disciplina* puede ser tanto punitiva como formativa.

Aplicaciones del estudio

1. Debemos vivir nuestro matrimonio en sometimiento mutuo, 5:21. Una pareja cristiana debe partir del sometimiento mutuo para lograr solidez en las relaciones matrimoniales. Esta debe ser la realidad presente o futura de todo hijo de Dios. Aquí no hay lugar para movimientos de tipo feminista, ni el consabido machismo. Ambos cónyuges se someten uno al otro.

2. Debemos vivir nuestro matrimonio en total integración, 5:31. La pareja cristiana que quiere vivir conforme al modelo bíblico deberá lograr la integración prevista por Dios desde el momento mismo de la creación del ser humano. Este es un principio que debemos transmitir de generación en generación.

3. Debemos vivir las relaciones paterno-filiales según el equilibrio bíblico, 6:1-4. Los cristianos debemos ser los padres y los hijos que el Señor espera que seamos. Cada uno cumpliendo estrictamente su responsabilidad. Si no, será muy difícil mantener la armonía en el hogar.

Ayuda homilética

La vida matrimonial en Cristo
Efesios 5:21-31

Introducción: La desvalorización del matrimonio en nuestra era es realmente alarmante, por lo que como cristianos debemos entender muy bien en qué consiste la vida matrimonial en Cristo.

I. Es una vida de reverencia a Cristo, v. 21.
- A. Contexto en el que se da el sometimiento mutuo.
- B. Esfera espiritual desde la que se cumplen las respectivas responsabilidades.

II. Es una vida de deberes mutuos y definidos.
- A. La esposa debe estar sujeta al esposo (vv. 22-24; 33b).
- B. El esposo debe amar a su esposa (vv. 25, 28, 29, 33a).

III. Es una vida de total y profunda integración, v. 31.
- A. Que implica independencia del hogar de origen.
- B. Que implica sentirse parte de una nueva unidad.

Conclusión: Este es el ideal de la vida matrimonial en Cristo. No nos conformemos con menos. Oremos porque este modelo sea realidad en nuestro matrimonio y en el de nuestros hermanos en Cristo.

Lecturas bíblicas para el siguiente estudio

Lunes: Efesios 6:10-12
Martes: Efesios 6:13-15
Miércoles: Efesios 6:16
Jueves: Efesios 6:17, 18
Viernes: Efesios 6:19, 20
Sábado: Efesios 6:21-24

AGENDA DE CLASE

Antes de la clase

1. Lea cuidadosamente el texto bíblico y los comentarios en el libro del maestro y del alumno. **2.** Complete la sección *Lea su Biblia y responda.* **3.** Reflexione en las *Metas de enseñanza-aprendizaje* sugeridas y piense en cada uno de sus alumnos. Ellos necesitan alcanzar estas metas. **4.** Consiga en revistas de actualidad, fotografías de parejas jóvenes, matrimonios maduros, padres con sus hijos, etc., y haga un afiche que muestre distintos tipos de relaciones familiares. **5.** Prepare un cartel con titulares que se refieran a conflictos familiares, crisis de parejas, enfrentamientos de padres e hijos, etc. **6.** Dedique un tiempo a orar a favor de las familias de sus alumnos.

Comprobación de respuestas

JOVENES. **1.** Respeto, Esposo, Lavamiento, Amad, Cristo, Iglesia, Obediencia, Nadie, Esposa, Señor. **2.** Sujeción-amor-respeto-obediencia- disciplina e instrucción-obediencia-bondad.
ADULTOS. **1.** Estén sujetas a sus propios esposos como al Señor, v. 22; amad a vuestras esposas, v. 25; respete a su esposo, v. 33; obedeced en el Señor a vuestros padres, 6:1; no provoquéis a ira a vuestros hijos, v. 4. **2.** A la de Cristo con su iglesia. **3.** 31; Génesis 2:24. 2 y 3; Génesis 20:12 y Deuteronomio 5:16.

Ya en la clase
DESPIERTE EL INTERES

1. Coloque en el aula los dos carteles que ha preparado. **2.** Guíe la atención al cartelón que muestra fotografías de miembros de la familia relacionándose. Estimule a sus alumnos para que conversen sobre las relaciones familiares ideales. **3.** (Jóvenes) Pregúnteles cómo se imaginan que serán las relaciones en la familia que un día esperan formar, o que están formando. (Adultos) Pídales que describan cuál sería una familia ideal. **4.** Pida a dos o tres alumnos que elijan uno de los titulares del otro cartel y comenten qué impresión les produce. **5.** Explique que la Biblia ofrece, en el texto de este estudio, instrucciones precisas para lograr relaciones satisfactorias en la familia.

ESTUDIO PANORAMICO DEL CONTEXTO

Pida con anterioridad a una alumna y un alumno que lean el *Estudio panorámico del contexto* en sus libros y preparen un diálogo en que cada uno interprete el papel de hombre y mujer en el tiempo de Pablo. Deberán reflejar cuál era la condición de cada uno y cómo era la estructura familiar. Al concluir el diálogo, la clase sacará sus conclusiones. La condición de la mujer en el mundo antiguo, la valoración que de ella hacía el hombre y la sociedad toda, el estado indefenso de los hijos, permiten comprender mejor el énfasis que hace el Apóstol sobre las actitudes que Dios espera de cada miembro de la familia.

ESTUDIO DEL TEXTO BASICO

Divida la clase en grupos. En cada grupo se leerá el texto básico y se completará en el libro la sección *Lea su Biblia y responda.*

Entregue a cada grupo una tarjeta que diga: "Sumisión mutua". Efesios 5:21-30. (Jóvenes) Los alumnos deberán leer cuidadosamente estos vv. y escribir en la tarjeta cuatro preguntas que se respondan con este pasaje. A una indicación suya, cada grupo entregará su tarjeta a otro que tratará de responderlas. En un momento de puesta en común, se compartirán preguntas y respuestas con toda la clase. (Adultos) Una vez que hayan leído estos pasajes usted guiará el análisis de los mismos. Enfatice la importancia de considerar el v. 21 dentro del párrafo: las buenas relaciones familiares, el sometimiento mutuo en amor, es posible cuando estamos siendo llenos de Espíritu Santo.

Lea los vv. 30-33. Pida a un voluntario que lea Génesis 2:24. Pregunte cuál es el misterio a que se refiere el Apóstol en el v. 32. Analice este v. utilizando el comentario del libro de maestro. Explique qué es una alegoría para que sus alumnos hagan una lectura alegórica de la cita de Génesis.

Lean juntos Efesios 6:1-3 (Jóvenes). La obediencia a los padres debe hacerse en el Señor y con la convicción de que es algo justo. Pida a los alumnos que cotejen el pasaje con la cita de Exodo 20:12. ¿Cuál es la promesa? Destaque la relación entre la obediencia y la honra a los padres. (Adultos) Pregunte a los alumnos de qué manera se provoca a ira a los hijos. Anote en el pizarrón aquellas actitudes de los padres que irritan a los hijos. Trace una línea y explique que la Biblia nos indica un camino distinto. Escriba ahora, "criarlos en la disciplina y la instrucción del Señor". Sea práctico y aporte ejemplos concretos, tanto de actitudes que provocan ira, como de modelos de crianza en disciplina e instrucción del Señor.

APLICACIONES DEL ESTUDIO

1. Una vez concluido el estudio del texto, recuerde a la clase que este fue un texto escrito para orientar la vida práctica de los creyentes de Efeso, y pregunte qué aplicaciones prácticas han descubierto, y en qué v. la han encontrado. **2.** A medida que las vayan mencionando, escríbalas en el pizarrón. **3.** Cuando todos hayan opinado, vuelva a leer lo escrito, eliminando las aplicaciones repetidas.

PRUEBA

La última pregunta de la sección anterior llevará a los alumnos a reflexionar y a apropiarse de las aplicaciones prácticas del estudio. Este será un momento adecuado para que en forma individual, completen en el libro de alumno, las dos actividades de *Prueba* y luego compartan lo escrito con el resto de la clase.

Estudio **8**

Unidad 1

Una vida fortalecida

Contexto: Efesios 6:10-24
Texto básico: Efesios 6:10-20
Versículos clave: Efesios 6:10, 11
Verdad central: Los seguidores de Cristo tenemos una lucha contra el diablo que busca por todos los medios posibles apartarnos del camino recto. Por lo mismo, necesitamos fortalecernos en el Señor para obtener la victoria en esa lucha espiritual.
Metas de enseñanza-aprendizaje: Que el alumno demuestre su: (1) conocimiento de la necesidad que tenemos de fortalecernos para poder vencer al adversario, (2) actitud de consagración a fortalecerse en el Señor.

Estudio panorámico del contexto

A. Fondo histórico:

Las partes de una armadura, su función. En este último estudio sobre Efesios, la descripción de la armadura provista por Dios para el cristiano ocupa un lugar central. Por eso, será conveniente referirnos a las partes de la armadura mencionadas en el *Texto básico* y a la función que cumplía cada una.

El cinturón era una prenda muy necesaria para sujetar las ropas tan sueltas que se usaban en aquella época. Era indispensable en la disposición al combate, ya que en él se colocaba la espada.

La coraza era la parte de la armadura que protegía el tronco del soldado. Se hacía algunas veces de cuero endurecido y otras veces de metal. Los romanos usaban frecuentemente doble coraza, una por atrás y otra por delante.

El calzado que se utilizaba para actividades bélicas dejaba los dedos libres, pero proveía de firmeza en el atado desde la planta del pie hasta la pantorrilla. De este modo facilitaba la libertad de movimientos, pero le confería firmeza al pie.

El escudo constituía una armazón de madera que se recubría con cuero y que, a veces, se reforzaba con discos metálicos. Se llevaba en la mano izquierda y servía de defensa contra los dardos.

El casco, hecho originalmente de cuero y más adelante de bronce y hierro, servía para proteger la cabeza del soldado.

La espada era el arma por excelencia, ya que podía servir tanto para el ataque como para la defensa. Consistía en una hoja de metal con una empuñadura y tenía distintas formas, filo y tamaño.

Principados y otros poderes. Otro de los aspectos que debe clarificarse es el que tiene que ver con las expresiones de Efesios 6:12 referidas a poderes ("principados, gobernantes de estas tinieblas, espíritus de maldad en los lugares celestiales"). Dado el elevado carácter polémico de este tema, recurrimos a la interpretación de un destacado erudito contemporáneo, Marcos Barth expresada en estos dos fragmentos de su obra sobre Efesios. En el primero, Barth se refiere a las fuentes del pensamiento de Pablo sobre los "poderes": "Es probable que Dibelius, Caird, MacGregor, Rupp, Whiteley y otros estén en lo correcto al trazar la emisión de Pablo sobre 'poderes' retrocediendo al Antiguo Testamento (más específicamente a sus últimas porciones apocalípticas), al apocalipticismo judío intertestamentario y a las últimas enseñanzas rabínicas." En el segundo, Barth se refiere a la inclusión de los demonios dentro de los "poderes"; pero también al carácter más amplio de estos últimos: "Es posible que los principados y poderes mencionados en las epístolas paulinas incluyan a los demonios que, de acuerdo con los sinópticos, especialmente en Marcos, fueron expulsados por Jesús. Ellos deben incluir también a los príncipes de las naciones que en el relato de Daniel tendrán que ceder ante el reino de Dios, y los ángeles de las congregaciones, de eventos y elementos, que siguiendo a Apocalipsis llegan a ser testimonio de la victoria de Dios." (*Ephesians,* New York: Doubleday & Company, Inc., 1980), pp. 172, 173.

B. Enfasis:

Armados para vencer la maldad, 6:10-17. Pablo plantea aquí la idea de una guerra espiritual que el cristiano libra contra las fuerzas del mal y para la que ha sido debidamente armado para vencerlas. Tanto a nivel de su actitud ofensiva como también de su actitud defensiva.

La oración constante e intercesora, 6:18-20. La oración complementa las funciones de las partes de la armadura del cristiano. Por eso debe ser constante. Uno de sus aspectos, la intercesión debe darse de modo particular a favor de los que anuncian el evangelio.

Enviado para animar, 6:21-24. Poco sabemos sobre Tíquico, pero indudablemente Pablo confiaba en su idoneidad para animar a los cristianos de Asia Menor.

Estudio del texto básico

1 Fortalecidos para vencer, Efesios 6:10-12.

V. 10. La expresión *por lo demás,* con que comienza este versículo, nos indica que Pablo se propone ir terminando la carta, ya que en su origen señala el resto de algo. De allí que algunos la traduzcan "finalmente", como la Nueva Versión Internacional. La exhortación inicial de este último apartado: *fortaleceos en el Señor y en el poder de su fuerza,* emplea tres términos griegos que están muy vinculados entre sí. El verbo traducido *fortaleceos* es *endynamo,* que está integrado por la preposición *en* y el sustantivo *dynamis,* del que viene nuestra palabra dinamita, que se refiere al concepto del poder en acción. El sustantivo traducido *poder* es *krátos* que se refiere al vigor del que ostenta el poder y que aparece incorporado como sufijo en varias palabras españolas:

democracia, aristocracia, etc. El sustantivo traducido *fuerza* se refiere a la fortaleza que posee el que tiene poder. La Nueva Biblia Española procura hacer ver este juego de conceptos relacionados con el poder así: "dejen que los fortalezca el Señor con su poderosa fuerza".

Vv. 11, 12. Aquí vemos las razones de la exhortación del versículo anterior: una es que la lucha del cristiano es contra los poderes a los que ya nos hemos referido previamente (v. 12). La otra es para que pueda *hacer frente a las intrigas del diablo* (v. 11b). La palabra griega traducida *intrigas* es *methodeia,* compuesta de *methá,* que significa "después de" y *hodos,* que significa "camino". Se refiere, por lo tanto, a algo hecho con astucia, valiéndose del engaño. Estas mismas razones fundamentan otra exhortación del Apóstol: *vestíos de toda la armadura de Dios.* La expresión *toda la armadura* traduce una sola palabra griega, *panoplia,* que viene de *pan* que significa "todo" y *hopla,* que significa "armas". La panoplia era, según Vine, "el equipo completo utilizado por la infantería pesada".

2 Fortalecidos para atacar y defender, Efesios 6:13-18.

V. 13. Pablo vuelve a referirse al hecho de tomar *toda la armadura* y explica por qué esto es necesario. Nida explica que "el día malo" es "el día de combate con las fuerzas espirituales; no es el último día, la batalla final entre las fuerzas de Dios y las fuerzas del mal, sino cualquier día en el que los cristianos tienen que luchar contra las fuerzas del mal." Abbott y Robinson opinan que la expresión traducida "después de haberlo logrado todo" puede entenderse en el sentido de "hacer todos los deberes requeridos" y la Clave lingüística del Nuevo Testamento Griego que la expresión equivale, con base a su empleo en el lenguaje bélico, a "vencer".

V. 14. Es tal la insistencia en el lenguaje militar que utiliza Pablo en este pasaje que la primera palabra de este versículo es la misma que la última del versículo anterior: el verbo que se traduce *permaneced firmes.* A partir de aquí el Apóstol desarrolla una alegoría, o sea que presenta un conjunto de metáforas con un hilo unificador. Como se recordará, una metáfora es una comparación implícita entre dos elementos unidos por cierta similitud. En este caso, Pablo compara algunos de los aspectos de la vida cristiana comprometida con los elementos que integraban una armadura completa de un soldado de su tiempo.

La primera de las metáforas tiene que ver con el hecho de que la verdad debe funcionar en la vida cristiana como el cinturón en el equipo bélico de un soldado. Es decir que teniendo una vida dominada por la verdad el cristiano puede poseer la misma libertad de movimientos que le concedía a un soldado su cinturón. La segunda, muestra a la justicia como el equivalente a la coraza. O sea que cuando el cristiano vive conforme a la justicia de Dios, está protegido contra cualquier ataque como si estuviera cubierto por una coraza.

V. 15. Hay cierta dificultad para interpretar el término griego traducido *preparación.* Para Barth, significa "firmeza, estabilidad". Para Abbott tiene el sentido de "buena disposición de mente", siendo el *evangelio de paz* lo que equipa al cristiano con dicha actitud. Para Westcott y Robinson, se refiere también a disposición; pero en este caso la disposición es lo que posibilita la proclamación del *evangelio de paz*. No el resultado del actuar de este último, como lo entiende Abbott. Si relacionamos entre sí estas posturas podemos llegar a la conclusión de que la buena preparación o disposición para proclamar el evangelio actúa en la vida cristiana de manera similar a cómo funciona el calzado en el pie del soldado.

V. 16. Según Nida el término griego traducido *escudo*, que no figura en ningún otro pasaje del Nuevo Testamento, se refiere al escudo grande que confería protección a todo el cuerpo. Barth nos informa que al empapar con agua este tipo de escudo, dado que estaba formado por dos capas de madera recubiertas con cuero en su parte exterior, se podía estar seguro de que apagaría los *dardos de fuego* lanzados por el enemigo. Lo que hemos dicho nos permite interpretar por qué la fe actúa como el escudo que nos protege del ataque de Satanás.

V. 17. La última parte de la armadura en función defensiva que Pablo menciona es el *casco*. Para el Apóstol la salvación actúa en el cristiano como protección vital similar a la que le ofrecía el casco al soldado. La palabra griega *sotería,* que se traduce *salvación* aparece aquí en su forma neutra, cosa que sólo acontece en otros tres pasajes del Nuevo Testamento escritos por Lucas (2:30 y 3:6 del evangelio y Hech. 28:28). Esto lleva a algunos comentaristas a entenderla en el sentido de "traer salvación". La espada, aunque puede ser utilizada como arma defensiva, es el arma ofensiva por excelencia. Pablo entiende que el equivalente de la espada dentro de la armadura del cristiano es la palabra de Dios.

V. 18. Aunque Pablo no establece una comparación implícita entre la oración y alguno de los elementos de la armadura del cristiano, puede observarse que la presenta en este versículo como su complemento indispensable. La palabra clave aquí es *todo* que aparece cuatro veces: una, en su forma masculina singular; dos, en su forma femenina singular y una, en su forma masculina plural. La oración se debe dar *en todo tiempo.* Se debe dar *con toda oración.* El término griego traducido "oración", *deesis,* señala la necesidad que impulsa a la oración, ya que el verbo *dein* significa "ser necesario". Se debe renovar con *toda perseverancia.* El vocablo traducido perseverancia, *proskarteresis,* integrado por la preposición pros, que significa "a, hacia" y el sustantivo *kratos,* que significa poder, no tiene ninguna ocurrencia en el griego anterior al Nuevo Testamento.

La perseverancia debe entenderse, entonces, como la persistencia que se da en el cristiano como resultado de la acción del poder de Dios. Finalmente, la oración a la que Pablo convoca debe incluir a *todos los santos.* Es decir que debe tener una visión intercesora de alcance universal.

3 Fortalecidos para interceder, Efesios 6:19, 20.

Vv. 19, 20. Pablo, solicita a sus lectores que lo incluyan a él dentro de sus oraciones. No lo hace desde una perspectiva egoísta, para obtener bendiciones netamente personales, sino en cuanto a que él es instrumento de Dios para la difusión del evangelio. Finalmente, Pablo se declara como un *embajador,* el representante de un rey en la corte de otro. El representa a Cristo su Señor.

Aplicaciones del estudio

1. Debemos participar de nuestra lucha espiritual debidamente equipados, 6:10-17. Como hijos de Dios nos enfrentamos a Satanás y para poder vencerlo necesitamos estar provistos de todos los elementos que enumera Pablo en su alegoría de la armadura.

2. Debemos orar siempre y por todos, 6:18. La oración debe ser como el oxígeno del cristiano. Sin ella la vitalidad desaparece en el creyente. Por otro lado, debe ser inclusiva, sin excluir a ningún hermano en la fe.

3. Debemos orar intercesoramente por el ministerio de los predicadores, 6:19, 20. Así como Pablo reconoció con humildad su necesidad de apoyo en oración, todo predicador del evangelio lo requiere. Cada cristiano debe cumplir con su deber de no dejar solos a los ministros del evangelio.

4. Debemos saber cómo usar cada parte de la armadura espiritual. No es simplemente saber que contamos con todos los recursos de parte de Dios, sino que necesitamos ejercitarnos en el uso de los mismos.

Ayuda homilética

El cristiano debe usar bien la armadura de Dios
Efesios 6:13-17

Introducción: Pablo, al estar preso, tenía muy grabada en su mente la imagen de los soldados que lo custodiaban. Es por eso que concibe a todo cristiano como un soldado de Cristo. Como tal, debe echar mano de toda la armadura provista por Dios en su lucha contra las fuerzas del mal.

I. Debe movilizarse con la verdad, v. 14a.
II. Debe protegerse con la justicia, v. 14b.
III. Debe preparse con buena disposición, v. 15.
IV. Debe defenderse con la fe, v. 16.
V. Debe cubrirse con la salvación, v. 17a.
VI. Debe atacar con la Palabra, v. 17b.

Conclusión: ¿Cómo estamos combatiendo contra las fuerzas del mal? Hagámoslo diciendo siempre la verdad, practicando siempre la justicia y teniendo buena disposición en el servicio. Procedamos siempre con base en la seguridad de nuestra salvación y en la solidez de nuestra fe. Finalmente, no seamos pasivos. Ataquemos al maligno, valiéndonos de la presentación de la Palabra.

Lecturas bíblicas para el siguiente estudio

Lunes: Filipenses 1:1-6
Martes: Filipenses 1:7-11
Miércoles: Filipenses 1:12-20
Jueves: Filipenses 1:21-26
Viernes: Filipenses 1:27, 28
Sábado: Filipenses 1:29, 30

AGENDA DE CLASE

Antes de la clase

1. Lea Efesios 6:10-20. **2.** Medite en forma devocional en los vv. 10, 11 que serán clave en este estudio y dedique un tiempo para orar pidiendo al Señor su fortaleza y protección. **3.** Lea el material de estudio en el libro del alumno y complete la sección *Lea su Biblia y responda*. **4.** Lea la sección *Estudio panorámico del estudio* y el comentario del libro del maestro. **5.** Consiga una lámina que ilustre el enfrentamiento de David y Goliat. **6.** Prepare en cartulina una silueta de un hombre de aproximadamente 50 cm. **7.** Investigue en el diccionario bíblico o en otros libros, las partes de la armadura del soldado romano, y prepare las piezas que menciona el texto bíblico del tamaño adecuado para vestir la silueta preparada.

Comprobación de respuestas

JOVENES. **1.** Con la armadura del soldado. **2.** Cota —cubre el tórax-justicia; yelmo —protege la cabeza-salvación; calzado —da firmeza a los pies-evangelio de paz; escudo —pone a salvo de los dardos-la fe; espada —atacar y defender-Palabra de Dios; cinturón —sujeta las ropas al cuerpo-verdad. **3.** Por lo demás, me fortaleceré en el Señor y en el poder de su fuerza. Me vestiré de toda la armadura de Dios, para que pueda hacer frente a todas las intrigas del diablo.
ADULTOS. **1.** Porque tiene lucha contra principados y autoridades de estas tinieblas, contra espíritus de maldad en los lugares celestiales. **2.** (Descripción personal). **3.** El Señor, El poder de su fuerza, Toda la armadura de Dios, Podáis hacer frente, Del diablo. **4.** Orando en todo tiempo, vigilando con toda perseverancia, rogando por todos los santos.

Ya en la clase

DESPIERTE EL INTERES

1. Presente a la clase la lámina de David y Goliat y pida a los alumnos que relaten la conocida historia. **2.** Guíe una descripción de ambos personajes. Los alumnos notarán que Goliat está vestido con su armadura mientras que David tiene ropas de pastor. Pregunte cuál de los dos combatientes contaba con mayor protección. **3.** Explique que en este estudio verán los recursos que Dios da a sus hijos para fortalecerlos en la lucha contra el enemigo.

ESTUDIO PANORAMICO DEL CONTEXTO

Fortalecidos para vencer. Coloque en el pizarrón la silueta del hombre que usted preparó y diga que representa a un cristiano. Pregunte quiénes son sus enemigos y contra quién debe luchar. Lea con voz pausada el v. 12 y explique de qué seres se trata. Indique que el consejo del Apóstol a este cristiano se encuentra en los vv. 10, 11 y pida a la clase que los lean todos juntos en voz alta.

La Biblia da por hecho que el diablo ha de intentar confundirnos con sus intrigas, pero también promete que podremos hacerle frente y resistir. Pida a los alumnos que completen en sus libros la sección *Lea su Biblia y responda.*

Fortalecidos para atacar y defender, Efesios 6:13-17. La alegoría de la armadura le permite al Apóstol destacar los recursos que el cristiano tiene para enfrentar las fuerzas del mal. Cada grupo que trabajó en el comienzo de la clase con una pieza de la armadura deberá buscar ahora en el texto bíblico la mención que se hace de ella y con qué recurso se le compara. El grupo pensará en un ejemplo cotidiano en que ese recurso les ha sido de ayuda para vencer al enemigo.

Cuando los grupos hayan concluido su trabajo, llame la atención de la clase sobre el v. 13 y pregunte a qué se refiere el texto cuando menciona "el día malo", en el que el creyente debe resistir y permanecer firme. Destaque que el cristiano debe recurrir a la armadura de Dios cada vez que se enfrenta a la tentación o al ataque de las fuerzas del mal. Ahora la clase volverá su atención al pizarrón a la silueta del cristiano que se dispone a enfrentar a las fuerzas espirituales de maldad. Por turno, cada grupo irá presentando su trabajo y visitendo la silueta con la pieza que recibió. El grupo deberá, además, relatar el ejemplo cotidiano que elaboró y que mostrará en qué forma esa pieza actúa como una defensa para el creyente.

Fortalecidos para interceder, Efesios 6:18-20. Pida a la clase que lea en silencio el v. 18 y describa la actitud del creyente que se dispone a resistir. ¿Cuándo? ¿A qué hora? ¿Cómo lo hace? ¿Por quién ruega? Diga luego que en el texto hay un versículo que pone en evidencia la necesidad que sienten los siervos de Dios de que los hermanos oren por ellos. Pregunte cuál es ese v. Pida a un alumno que despué de leer el v. 19 exprese con sus palabras la petición de Pablo.

Pida que cada alumno lea en silencio el *Texto básico* y señale en su Biblia el v. en el que se encuentra una aplicación práctica para su vida. Los alumnos compartirían los vv. elegidos y dirán cómo piensan responder a esa aplicación. Motívelos a poner en práctica la enseñanza de orar por los siervos de Dios que nos presiden y dediquen un tiempo a interceder por el pastor o líderes de su iglesia.

PRUEBA

Conceda ahora un tiempo para que cada alumno, en forma personal, complete los ejercicios de la prueba en su libro. Una vez que todos hayan concluido, haga una revisión rápida volviendo sobre la silueta armada. Concluya con palabras que destaquen la confianza que podemos tener en que Dios ha de fortalecernos si buscamos su fuerza. No olvide animar a sus alumnos para que hagan las lecturas bíblicas diarias para que puedan, además de tener el contexto del estudio, leer todos los pasajes correspondientes.

Unidos por la fe del evangelio

Contexto: Filipenses 1:1-30
Texto básico: Filipenses 1:12-20, 27-30
Versículo clave: Filipenses 1:27
Verdad central: El testimonio de Pablo acerca de la iglesia de Filipos nos compromete a unirnos en un mismo espíritu para combatir por la fe del evangelio.
Metas de enseñanza-aprendizaje: Que el alumno demuestre su: (1) conocimiento de la unidad de la iglesia en Filipos para luchar a favor de evangelio, (2) actitud de unidad con los demás miembros de su iglesia para combatir por la fe del evangelio.

Estudio panorámico del contexto

A. Fondo histórico:

Ocasión y fecha de la carta a los filipenses. Filipenses, al igual que Efesios, fue escrita durante el primer encarcelamiento que sufrió Pablo en Roma. Tal y como lo indicamos en el estudio 1, dicha cautividad se dio entre los años 61 y 63 d. de J.C. Dadas las dimensiones del ministerio que el Apóstol relata en 1:12-14, podemos suponer que Filipenses surgió después de una permanencia prolongada en la casa de Roma donde estaba prisionero (Hech. 28: 29, 30). Por lo tanto, podemos deducir que Pablo envió la carta a los Filipenses después de haber puesto en circulación las otras cartas de esta etapa (Colosenses, Filemón y Efesios), aproximadamente en el año 63 d. de J.C.

La relación de Pablo con la iglesia en Filipos. En ninguna de las otras cartas de Pablo se nota una relación tan buena con sus destinatarios como se evidencia en Filipenses. El surgimiento de la iglesia en Filipos se había dado bajo una clarísima dirección del Espíritu Santo, después de un tiempo de confusión en el comienzo del segundo viaje misionero (Hech. 16:6 ss.). La conversión de las dos primeras familias, la de una comerciante de púrpura (Hech. 16: 13 s.) y la de un oficial del ejército romano (Hech. 16:23 ss.), se habían dado de modo providencial.

Una vez que Pablo tuvo que salir de Filipos mantuvo una buena relación con los creyentes de esa ciudad, quienes colaboraron con el ministerio del Apóstol en Tesalónica (Fil. 4:15, 16). Luego, al saber que Pablo estaba prisionero en Roma los filipenses le enviaron una significativa ofrenda con Epafrodito (Fil. 4:18).

Uno de los motivos por los que el Apóstol escribió la carta a los Filipenses fue, precisamente, el agradecer por dicha ofrenda.

B. Enfasis:

Saludos, 1:1, 2. La salutación de Filipenses 1:2 es idéntica a la de Efesios 1:2; pero Pablo se identifica de distinta manera. Mientras en Efesios 1:1 se llama a sí mismo "apóstol" (al igual que en 1 Cor .1:1; 2 Cor. 1:1; Gál. 1:1 y Col. 1:1), en Filipenses 1:1 se define como "siervo". Este cambio puede estar fundamentado en el mayor grado de familiaridad de Pablo con los filipenses y en que los mismos nunca objetaron su apostolado.

Acción de gracias e intercesión, 1:3-11. La acción de gracias de Pablo por los filipenses incluye el pasado (vv. 3-5), el presente (vv. 7, 8) y el futuro (v. 6) de estos cristianos. Su intercesión a favor de los filipenses incluye amor abundante, bien fundamentado y sabio (v. 9) y metas elevadas que conduzcan a plenitud de frutos (vv. 10, 11).

La proclamación motivadora de Pablo, 1:12-20. En vez de lamentarse por su situación de preso, Pablo aprovechó dicha circunstancia para evangelizar a los soldados romanos. Esta actitud provocó que otros creyentes lo imitaran, ya fuera de buena fe o por competir con él.

El sentido de una vida centrada en Cristo, 1:21-26. Pablo no le tenía temor ni a la vida, ni a la muerte. Para él, la vida era Cristo mismo y la muerte era ganancia. Por lo tanto, esperaba ser de bendición durante su vida, hasta el momento hermoso de su encuentro con Cristo mediante la muerte.

La comunión en la firmeza, pese a los sufrimientos, 1:27-30. Pablo exhorta a los filipenses para que, con base en el ejemplo que él les transmite, compartan un mismo espíritu de firmeza en el servicio al Señor. A pesar de los sufrimientos que les ocasione el compromiso con Cristo.

Estudio del texto básico

1 Los beneficios de la cárcel, Filipenses 1:12-14.

V. 12. Después de la acción de gracias e intercesión por sus lectores, Pablo indica a través de la expresión *Quiero que sepáis...* que lo que va a manifestar es de gran importancia. Esto tenía que ver con lo que le había *sucedido* desde la última vez que había estado en Filipos (Hech. 20:6). Básicamente con su llegada a Roma y su experiencia como preso en la capital del Imperio. Contrariamente a lo que podía pensar una persona no consagrada a Cristo, Pablo concluía que su cautiverio había *redundado... para el adelanto del evangelio.* Es interesante que el término griego traducido *adelanto* se refería al avance de un ejército a través de la selva o la montaña. Es como si el Apóstol dijera: "Gracias a Dios, a pesar de las limitaciones de la prisión, he podido avanzar triunfante como un ejército que no se detiene por lo accidentado del terreno."

V. 13. Ahora, Pablo explica el primero de los dos factores que fundamentan su apreciación anterior. Sus *prisiones* habían llegado a conocerse *en todo el Pretorio.* Es decir que él había aprovechado el hecho de ser custodiado por distintos soldados, que iban variando según su turno, para explicarle la razón por la que sufría prisión: su fidelidad al evangelio de Jesucristo. Conforme más soldados tenían la experiencia de vigilar a Pablo más se divulgaba su testimonio de boca en boca. De manera que el Apóstol podía expresar hiperbólicamente que toda la guardia pretoriana, compuesta por diez mil soldados, había recibido el mensaje implícito en su encarcelamiento.

V. 14. El segundo factor consistía en que una buena cantidad de hermanos (*la mayoría,* no la totalidad) habían cobrado ánimo al observar el ejemplo de Pablo. Esto se veía en que se mostraban más osados en su exposición de *la palabra*. Es comprensible que muchos de los cristianos que vivían en Roma tuvieran temor de predicar a Cristo. Pocas tareas podían llegar a ser más peligrosas que predicar a otro Señor que no fuera el César ¡nada menos que en la capital del imperio! Sin embargo, tan elocuente había sido el ejemplo encarnado por Pablo que dichos hermanos también se dispusieron a cumplir con su deber de difundir el evangelio *mucho más* de lo que lo estaban haciendo.

2 Falta de unidad en la proclamación, Filipenses 1:15-20.

V. 15. Lamentablemente, no todos los hermanos que hablaban de Cristo eran guiados por una buena motivación. Pablo distingue a aquellos que predicaban *por envidia o contienda* de aquellos que lo hacían *de buena voluntad.* La palabra griega traducida *envidia* es la misma que utilizan Mateo (27:18) y Marcos (15:10) para señalar la actitud que, según podía discernir Pilato, movía a los que acusaban a Jesús delante de él.

Así como los religiosos judíos vieron en Jesús a alguien cuya popularidad disminuía su lugar en el liderazgo, algunos creyentes romanos quisieron demostrar que ellos eran tan buenos predicadores como Pablo. El término traducido *contienda* se utilizó originalmente para referirse al salario que recibía una persona para conseguir votos y de allí pasó a indicar una actitud de partidismo. La palabra que se traduce *buena voluntad* es la misma que aparece en Efesios 1:5 y 9 para referirse a la buena disposición de Dios hacia sus hijos, tal y como hemos visto en el estudio 1.

V. 16. Pablo menciona en primer lugar a los que habían actuado bien, a aquellos que eran conscientes que él encarnaba una *defensa del evangelio.* El término griego traducido *defensa* es apología cuyo sentido original fue presentar una defensa oral. Pablo había hecho uso de este recurso ante la multitud de judíos en Jerusalén (Hech. 22:1). Festo lo había mencionado respecto del derecho que le asistía al Apóstol frente a las acusaciones que los judíos habían formulado contra él (Hech. 25:16). Pero aquí y en Filipenses 1:7, Pablo emplea el vocablo *defensa* no para señalar una defensa personal, sino más bien para hacer lo que actualmente se entiende por apología del evangelio. Es decir una defensa que conlleva palabras de alabanza a favor de lo defendido.

V. 17. El segundo grupo de los que presentaban el evangelio estaba integrado por los que eran movidos por la *contención,* una palabra que señalaba en el original, avidez por obtener ganancias deshonestas. En este caso, las ganancias buscadas no eran de orden material, sino que tenían que ver con alcanzar prestigio de manera no legítima. Pablo se refiere a ellos como actuando *no sinceramente.* El término traducido *sinceramente* es un adverbio cuya única aparición en el Nuevo Testamento se da en este versículo. El adjetivo del que se deriva, sin embargo, figura varias veces y significa "limpio, puro, casto". En 2 Corintios 11:2, por ejemplo, Pablo expresa a sus lectores que ha procurado presentar a la iglesia que constituyen como "una virgen pura a

Cristo". Es decir que los malos predicadores eran personas que habían procedido con impureza espiritual.

V. 18. Pablo comienza este versículo con una pregunta que consta solamente de dos palabras *¿qué pues?* Es como si el Apóstol dijera "ante esta situación (la de tener 'competidores' en la presentación del evangelio), ¿cuál tendría que ser la actitud a asumir?" Cualquiera podía sentirse desanimado, menos Pablo. El se gozaba porque, de una manera u otra, Cristo era anunciado. Tal era su gozo que no le bastaba expresarlo una sola vez, sino que lo quiso hacer, tanto mediante el empleo del tiempo presente: *me alegro*, como del tiempo futuro: *me alegraré aun más.*

V. 19. En este versículo, Pablo hace ver la certeza (*pues sé*) que tenía de gozar de *liberación* o "salvación", sentido que tiene la mayoría de las veces el término griego *sotería.* Ello se daría con base en la oración intercesora de los filipenses: *vuestra oración* y en *el apoyo del Espíritu.* La palabra griega traducida "apoyo" es *epichoregía* y se refería originalmente a la generosa colaboración con que una persona adinerada sostenía los gastos de un coro. Es decir que Pablo tenía la convicción de que la bendición del Espíritu Santo sobre su vida y ministerio era abundante.

V. 20. ¿Pensaba Pablo evitar el sufrimiento al ser librado de prisión? Más que eso su interés giraba en torno al hecho de que Cristo fuera glorificado en él. Ya fuera que viviera o no. Es decir que aunque la esperanza del Apóstol se nutría de la confianza de que saldría pronto de prisión, aun cuando no fuera así y tuviera que sufrir la muerte, igualmente esperaba exaltar a Cristo en todo. Su actitud nos hace acordar a Sadrac, Mesac y Abed-nego, quienes le aclararon a Nabucodonosor que aun cuando no fueran librados del "horno de fuego" según su esperanza, igual se mantendrían fieles a Dios (Dan. 3:17, 18).

3 Unidos por la fe del evangelio, Filipenses 1:27-30.

Vv. 27, 28. Con base en todo lo expuesto previamente, Pablo exhorta en estos vv. a tener un comportamiento digno del evangelio. Esto incluía, según los vv. 27, 28 el mantener la misma conducta, tanto en presencia o ausencia de Pablo, así como no dejarse intimidar por los enemigos. El término griego traducido *intimidados* se refería originalmente a la conducta de los caballos cuando éstos eran espantados. Mientras Pablo está ausente de Filipos quiere tener buenas noticias de los hermanos. Esas buenas noticias incluyen el que ellos estén en una actitud de combate. La situación ideal sería que todos y cada uno de los miembros de la iglesia estuvieran *combatiendo unánimes por la fe del evangelio.*

Vv. 29, 30. Concluyendo con su exhortación, Pablo hace ver a los filipenses que sufrir por causa de Cristo es un privilegio. El verbo griego traducido *ha concedido* es traducido por Francisco Lacueva como "fue dada la gracia", ya que el sustantivo correspondiente al verbo es *charis* (gracia). Como si lo expresado les pareciera muy raro o teórico a los filipenses, Pablo hace ver que esto tiene que ver con su propia experiencia personal. Los filipenses podrán comprender más ampliamente las pruebas por las que está pasando el Apóstol. Habían oído acerca de los sufrimientos de Pablo, pero ahora estarán experimentando en carne propia el privilegio de sufrir por la causa de Cristo.

Aplicaciones del estudio

1. Nuestras dificultades pueden contribuir al progreso del evangelio, v. 12. En vez de quejarnos amargamente por ellas, debemos ver de qué modo pueden ser instrumentos para la evangelización. Necesitamos retomar la actitud que tenía el apóstol Pablo. Para él las dificultades que enfrentaba a causa de su ministerio eran un privilegio.

2. Debemos gozarnos con toda evangelización, aunque esté mal motivada, v. 19. Dado que el evangelio tiene poder por sí mismo, puede lograr sus propósitos, aunque quien lo presente tenga como motivación la contienda o la vanagloria.

3. Debemos revisar nuestras motivaciones en el ministerio. ¿Qué es lo que nos impulsa a trabajar en nuestra iglesia? Es una buena oportunidad para analizar cuáles son nuestros motivos.

4. Nuestra vida debe exaltar siempre a Cristo, v. 20. Sin que los problemas que enfrentemos, aun cuando nos lleven a la pérdida de nuestra vida, nos condicionen.

Ayuda homilética

Comportándonos como dignos del evangelio
Filipenses 1:27-30

Introduccción. El comportamiento del cristiano no puede ser igual al de aquél que no lo es. Pablo hace ver que debe ser digno del evangelio. Veamos algunas de las implicaciones de que esto sea así.

I. Luchando con firmeza y unanimidad, v. 27.
- A. Como soldados que no retroceden.
- B. Como miembros de un equipo atlético.

II. Actuando con coraje y valentía, v. 28.
- A. No dejándonos intimidar por nuestros enemigos.
- B. Recordando la diferencia de nuestro destino.

III. Aceptando el sufrimiento como privilegio, vv. 29, 30.
- A. Como parte de la gracia de Dios.
- B. Con base en el ejemplo de Pablo.

Conclusión. ¿Queremos vivir como dignos del evangelio? Luchemos con firmeza, actuemos con valentía, aceptemos el sufrimiento como un privilegio.

Lecturas bíblicas para el siguiente estudio

Lunes: Filipenses 2:1-4
Martes: Filipenses 2:5-10
Miércoles: Filipenses 2:11-18
Jueves: Filipenses 2:19-21
Viernes: Filipenses 2:22-26
Sábado: Filipenses 2:27-30

AGENDA DE CLASE

Antes de la clase

1. Por ser el primer estudio sobre Filipenses, es importante que lea toda la carta. Lea después Hechos 16, para recordar las circunstancias en que surgió la iglesia de Filipos y las experiencias que Pablo vivió en esa ciudad. **2.** Lea el *Estudio panorámico del contexto* en el libro del maestro. **3.** Coloque en su clase, un mapa de los viajes misioneros de Pablo en el que se pueda ubicar Macedonia y Filipos. **4.** Prepare un diagrama cronológico de la vida de Pablo en el que destaque los años de su ministerio y los años de prisión en Roma.

Comprobación de respuestas

JOVENES. **1.** V; F; V; F; V; V. **2.** (v. 18); (v. 20); (v. 12). **3.** Que los filipenses estaban firmes en un mismo espíritu, combatiendo juntos y unánimes por la fe del evangelio.

ADULTOS. **1.** adelanto del evangelio; Las prisiones de Pablo por causa de Cristo fueron conocidas por todo el pretorio; La mayoría de los hermanos se atrevía a hablar la palabra sin temor; Cristo era anunciado. **2.** ...resultará en mi liberación; ...avergonzado; ...con toda confianza, tanto ahora como siempre; ...exaltado en mi cuerpo; ...la vida ...la muerte. **3.** No solamente el de creer en él, sino también el de sufrir por su causa.

Ya en la clase

DESPIERTE EL INTERES

1. Entregue a cada alumno un trozo de papel (10 cm x 10 cm) y un lápiz. **2.** Escriba ahora con letras grandes en el pizarrón la palabra UNIDAD y pregúnte qué les sugiere esa palabra, en relación con la iglesia. **3.** Pídales que dibujen en el papel algo que exprese la idea de unidad en la iglesia. **4.** Dé oportunidad, para que algunos alumnos muestren su dibujo y expliquen lo que han querido representar. **5.** Invítelos a participar de un estudio que les ayudará a comprender con mayor profundidad la importancia de la unidad en la iglesia.

ESTUDIO PANORAMICO DEL CONTEXTO

1. Haga una rápida introducción a la carta a los Filipenses. Utilice el mapa de los viajes de Pablo, para ubicar Macedonia y la ciudad de Filipos. **2.** Destaque en la cronología de la vida del apóstol Pablo, el periodo de sus viajes misioneros haciendo especial mención del segundo viaje. **3.** Pida a cada alumno que, con un compañero investiguen en Hechos 16 la llegada del evangelio a Filipos y los hechos milagrosos que acompañaron la fundación de la primera iglesia cristiana en esa ciudad. **4.** Señale en la cronología, el periodo final de la vida de Pablo y dé información sobre las condiciones en que el Apóstol vivió ese tiempo: su prisión, la oportunidad de testificar, la actitud de sus compañeros para con él, etc.

ESTUDIO DEL TEXTO BASICO

Los beneficios de sufrir la prisión. Muestre a los alumnos un sobre cerrado y presente el caso de que ese sobre encerrara la carta de un amigo querido que por alguna razón estuviera preso. ¿Qué desearían leer en la carta? Después de escuchar algunas opiniones lea usted los vv. 12-14, mientras los alumnos siguen la lectura en silencio.

Mediante preguntas guíelos para que descubran que el Apóstol no se propuso contar sus padecimientos, sino los frutos que estos padecimientos han tenido en beneficio de la obra de Cristo.

JOVENES: En grupos de 2, resolverán los ejercicios 1 y 2 de la sección *Lee tu biblia y responde.* ADULTOS: Pida a un adulto que conduzca la resolución del ejercicio 1 del libro del alumno. Realizarán el trabajo entre todos y se irán escribiendo en el pizarrón las respuestas correctas.

Pida a un alumno que lea los vv. 15-20 en voz alta. Pablo se refiere aquí a dos tipos de predicadores. ¿Cómo los describe? Un alumno describirá el primer grupo que menciona el texto y otro se referirá a los otros predicadores. Lea ahora los vv. 18-20 y enfatice la actitud y los sentimientos de Pablo. ¿Cuál era su mayor anhelo y su motivo de gozo? Después de su reflexión será un momento oportuno para que los alumnos, en forma individual, realicen el ejercicio 2 del libro del alumno.

Unidos por la fe del evangelio. Presente en un cartel, o escriba en el pizarrón la frase: "Que vuestra conducta sea digna del evangelio de Cristo". Los alumnos, por grupos deberán encontrar en los vv. 27-30 algunas actitudes que deben tener los creyentes para ser dignos del evangelio. Cuando hayan concluido permita que un grupo enumere las actitudes que encontró y los otros grupos cotejen sus respuestas y hagan su aportación. Destaque las palabras que señalan la necesidad de unión: "un mismo espíritu", "juntos", "unánimes". Dé oportunidad en este momento para que todos concluyan el trabajo propuesto en la sección: *Lea su Biblia y responda,* del libro del alumno.

APLICACIONES DEL ESTUDIO

1. Divida la clase en grupos y pídales que dialoguen sobre las aplicaciones prácticas propuestas en sus libros. Cada grupo deberá pensar en dos ejemplos de la vida cotidiana en que deben aplicar la enseñanza encontrada. **2.** Cuando concluyan, organice un tiempo de puesta en común.

PRUEBA

Reserve este tiempo final de la clase para hacer las dos actividades de *Prueba* que aparecen en el libro del alumno. Explique que al poder hacer el trabajo propuesto estamos descubriendo que hemos alcanzado los objetivos de la clase. Pida que algunos voluntarios compartan sus respuestas.

Estudio **10**

Unidad 2

Unidos, sintiendo una misma cosa

Contexto: Filipenses 2:1-30
Texto básico: Filipenses 2:1-16
Versículo clave: Filipenses 2:2
Verdad central: Sentir una misma cosa como miembros del cuerpo de Cristo es una evidencia de que los miembros de la iglesia están sometiendo su vida a la soberanía de Dios.
Metas de enseñanza-aprendizaje: Que el alumno demuestre su: (1) conocimiento de la necesidad de que los miembros de la iglesia estén unidos en una misma manera de sentir, (2) actitud de disposición a someter su manera de sentir al señorío de Cristo.

Estudio panorámico del contexto

A. Fondo histórico:

Filipenses 2:5-11, un himno con énfasis doctrinal. Con sólo observar el arreglo tipográfico con que aparece este pasaje en nuestra versión se capta que no forma parte de la prosa común de una carta. Efectivamente, hay un acuerdo generalizado entre los eruditos de considerarlo como un himno. Un himno que Pablo compuso antes de escribir la carta a los Filipenses y que decidió incluir por la claridad con que se refiere al ejemplo de Cristo. O que, habiendo sido escrito por otro hermano, quizás desconocido, había tenido tal difusión en la iglesia primitiva, que Pablo consideró oportuno citarlo en su exposición sobre la comunión fraternal. Ya sea de una manera o de otra, lo cierto es que además del valor estético, el himno mencionado tiene un gran valor doctrinal.

B. Enfasis:

Sintiendo una misma cosa, 2:2-4. Basándose en cuatro fundamentos inmejorables (el estímulo encarnado en la persona de Cristo, la incentivación provocada por el amor, el compartir la obra del Espíritu y la ternura de la compasión, v. 1), Pablo plantea tres objetivos en la convivencia fraternal (coincidencia en el pensar, coincidencia en el sentir y coincidencia en los propósitos, v. 2) y a sus aplicaciones en la vida cotidiana: el que cada hermano considere a los demás como superiores a sí mismos (v. 3) y el que cada uno se interese por las cosas de los demás.

Cristo, nuestro ejemplo, 2:5-11. Aunque los otros tres son muy importantes, de los cuatro fundamentos de la comunión fraternal mencionados por Pablo, el que expone de manera más amplia es el primero: el estímulo de Cristo. Esto es comprensible, ya que Cristo es el modelo del nuevo hombre, el ejemplo por excelencia para todo cristiano. Así como el Hijo de Dios se humilló a lo sumo, todo discípulo suyo debe humillarse; así como Cristo fue exaltado, sobre la base de su humillación, el cristiano para ser exaltado debe humillarse primero.

Obedientes siempre, 2:12, 13. Con base en el ejemplo de Cristo, Pablo exhorta a sus lectores a obedecerle en cuanto a asumir su responsabilidad personal en cuanto a la salvación. Aunque, tal y como hemos visto en el estudio 2, la salvación es por gracia, todo cristiano debe cuidar lo que ha recibido de Dios con una actitud de total reverencia.

Motivaciones correctas, 2:14-18. Como una derivación de asumir la responsabilidad personal de la salvación, el cristiano debe: evitar murmuraciones y todo tipo de discusiones (v. 14), resplandecer como luminares, destruyendo la oscuridad circundante (v. 15), asir con firmeza la palabra de Dios (v. 16) y mantener el gozo con toda perseverancia (vv. 17, 18).

Ayudantes ejemplares, 2:19-30. Para mostrar a los filipenses que imitar a Cristo era algo posible, Pablo cita los ejemplos de Timoteo y Epafrodito, dos colaboradores suyos, bien conocidos por los filipenses. En el caso de Timoteo, había servido en Filipos junto con Pablo en la fundación de la iglesia. En cuanto a Epafrodito, era el emisario que ellos mismos habían enviado para ayudar al Apóstol. Ambos habían mostrado en todo momento una actitud de entrega a Cristo y de verdadero interés por los hermanos en la fe. Ellos también, aunque no estaban a la altura de Cristo, eran ejemplos dignos de imitar.

Estudio del texto básico

1 Un mismo sentir, Filipenses 2:1-4.

V. 1. Este versículo comienza en el texto griego con una partícula condicional de primera clase (*ei*), que se repite tres veces más. Este tipo de partícula da por cierto aquello a lo que se refiere. Es decir que para Pablo los fundamentos del altruismo eran totalmente seguros en la vida de todo cristiano. (1) El primero que menciona es el *aliento en Cristo,* donde *aliento* traduce el término griego *paráklesis.* Esta palabra está formada por la preposición *pará,* que significa "al lado de" y el verbo *kaléo,* que significa llamar. De allí que su sentido original es "llamar al lado de" y puede traducirse también, por lo tanto, "consolación, consuelo, estímulo", etc. (2) El segundo fundamento es "el incentivo en el amor", donde "incentivo" traduce otro término griego ligado a la idea de la consolación (*paramythion*), pero de manera más intensa. (3) El tercer fundamento es la *comunión en el Espíritu,* donde "comunión" traduce el término griego *koinonía* que puede traducirse también "participación, compañerismo", etc. (4) El cuarto fundamento tiene que ver con la combinación del *afecto profundo* y de la *compasión.* El término que se traduce *afecto profundo* significa literalmente "entrañas", ya que para los hebreos era allí donde residían los afectos de mayor profundidad.

V. 2. Con base en los fundamentos señalados en el v. 1, Pablo exhorta a los filipenses a que compartan los mismos pensamientos, los mismos sentimientos y los mismos propósitos. Todo ello se podía lograr con base en el hecho de que los filipenses fueran *unánimes,* palabra que traduce el término griego *sympsychoi,* que significa literalmente "de una misma alma".

V. 3. Pablo hace notar que la primera aplicación práctica de los objetivos mencionados en el v. 2 es evitar la *rivalidad* y la *vanagloria* y, por el contrario, considerar a los demás hermanos como superiores a uno mismo. El término griego traducido "rivalidad" es el mismo que se traduce "contención" en 1:17, según hemos visto en el estudio 9. En cuanto al traducido "vanagloria" significa literalmente "gloria vacía".

V. 4. La segunda aplicación práctica de los objetivos a los que hace referencia el v. 2 tiene que ver con interesarse cada uno por las cosas de los demás.

2 El sentimiento de Cristo, Filipenses 2:5-11.

V. 5. La traducción literal de este versículo sería: "Esto pensad en (o entre) vosotros, lo que también [hubo] en Cristo Jesús." Es decir que la primera palabra en el texto griego es un demostrativo neutro (*esto*) que vincula lo que sigue con el tema del altruismo tratado en los versículos anteriores. Seguidamente viene un verbo, *pensar* (que también puede traducirse "sentir", como lo aclara la correspondiente nota de pie de página en nuestra versión), que es la acción a la que Pablo exhorta a sus lectores. La imitación a Cristo viene como resultado de asumirlo como modelo en el modo de pensar o sentir. En tercer lugar viene una preposición que puede traducirse "en" o "entre". Si la entendemos como "en" sería en el sentido de la traducción propuesta por Hendriksen ("en vuestro ser interior"). Si la entendemos como "entre" sería en el sentido propuesto por la Nueva Biblia Española ("entre ustedes...") y se referiría, entonces, a una vivencia comunitaria.

Vv. 6, 7. La primera cosa que debemos tomar en cuenta al considerar el ejemplo de Cristo es la humillación que experimentó al llegar a asumir la naturaleza humana. La diferencia en el sentido que tienen aquí las palabras griegas traducidas *forma* y *condición* nos guían en cuanto a cómo interpretar la encarnación. El término traducido "forma" se refiere a algo permanente, que hace a la esencia del ser. El vocablo traducido "condición", en cambio, se refiere a algo que no forma parte esencial del ser. La enseñanza que se desprende de esta distinción es que Cristo siempre poseyó y poseerá la naturaleza divina; pero que, a partir de un momento determinado ("cuando vino la plenitud del tiempo", Gál. 4:4), asumió también la naturaleza humana. Esto fue posible gracias a que el Hijo de Dios *se despojó a sí mismo* de los privilegios propios de quien solamente poseía naturaleza divina, para enfrentar las limitaciones de compartir dicha naturaleza como Dios con la propia de un ser humano.

V. 8. Como si hubiera estado descendiendo por una escalera de humillación, después de encarnarse, Cristo se sujetó al Padre en total obediencia a él y, finalmente, estuvo dispuesto a morir en una cruz. Al hacerse hombre, el Hijo perdió su independencia de acción y se sometió a la voluntad del Padre como todo ser humano consagrado. El escritor de Hebreos expresa esta situación así: "Aunque era Hijo, aprendió la obediencia" (5:8a). Al morir en la cruz, "Cristo nos redimió de la maldición de la ley al hacerse maldición por nosotros (porque está escrito: Maldito todo el que es colgado en un madero" Gál. 3:13).

Vv. 9-11. Así como decíamos que se dio un descenso en la humillación sufrida por Cristo, también se dio un ascenso en la exaltación experimentada por el Hijo de Dios. Esta incluye, por un lado, el poseer *un nombre que es sobre todo nombre:* el de Señor. En segundo lugar, el hecho de que todo ser creado se someta ante él. Siguiendo la cosmología de su época, Pablo indica esto al referirse a los tres niveles concebidos por los antiguos: el correspondiente a los cielos, el correspondiente a la tierra y el correspondiente a lo que estaba debajo de la tierra. En tercer lugar, tenemos la confesión universal de estos seres en cuanto al señorío de Cristo.

3 Los motivos del creyente, Filipenses 2:12-16.

Vv. 12, 13. Tal y como analizamos en el estudio 2 de esta serie, la salvación es por gracia. El hombre no puede hacer nada para merecerla. Sin embargo, esto no quiere decir que el cristiano quede sin ninguna responsabilidad personal ante su salvación. En Filipenses 2:12 se observa que el hijo de Dios debe "ocuparse" de su salvación. Es más, debe hacerlo *con temor y temblor.* ¿Qué quiso decir Pablo con esto? Como bien señalan Bonnet y Schroeder, el papel que juega el cristiano en cuanto a su salvación debe interpretarse a la luz de lo expresado por el Apóstol en el v. 13. Efectivamente, el creyente debe cuidar de su salvación, pero en dependencia de Dios, quien *produce... tanto el querer como el hacer.* Hendriksen lo entiende de esta manera: "Deben ocuparse en 'su salvación'... llevarla a su fin, comprender plenamente su significado, y aplicarla a su vida día tras día."

V. 14. Como derivación inmediata del ocuparse de la salvación, y esto aclara un poco más la idea de los vv. 12, 13, Pablo exhorta a los filipenses a hacer todo *sin murmuraciones y contiendas.* El término griego traducido "murmuraciones" es una palabra onomatopéyica, o sea que pretende reproducir el sonido de la cosa a la que se refiere. Según Barclay, "describe el murmullo sordo y amenazante del populacho que desconfía de sus líderes y está al borde de una revuelta e insurrección contra ellos". El término griego traducido "contiendas" es *dialogismós,* formado por la preposición *diá,* que significa "a través de" y *logismós,* que significa "razonamiento". Su sentido original es, pues, una opinión; pero luego se refirió a la actitud partidista basada en distintas opiniones.

V. 15. Al eliminar de sus vidas las murmuraciones y las contiendas, los filipenses lograrían: En primer lugar, ser *irreprensibles* y *sencillos,* término que en el original significa sin mezcla y que, por lo tanto, indica integridad. En segundo lugar, podrían librarse de las manchas de una *generación torcida y perversa,* y más bien actuar en ella como *luminares.* En esto puede verse una reminiscencia de la expresión de Jesús "vosotros sois la luz del mundo" (Mat. 5:14).

V. 16. La última consecuencia mencionada por Pablo en cuanto a ocuparse de la salvación es el retener *la palabra de vida.* El verbo griego que se traduce retener conlleva dos ideas: la de agarrase de algo y la de presentarlo como si fuera un estandarte o una antorcha. En vez de optar por alguna de las dos opciones de significado, podemos considerar que el escritor bíblico pudo tener ambas ideas en su mente. Esto nos indicaría que debemos, por un lado, tomarnos firmemente de la palabra de Dios y, por el otro, el presentar su mensaje como portadores del mismo ante los demás.

Aplicaciones del estudio

1. Debemos lograr el altruismo siguiendo el ejemplo de Cristo, v. 5. Si el Hijo de Dios estuvo dispuesto a tanto, humillándose en sumo grado, nosotros debemos imitarlo eliminando de nuestra vida el espíritu egoísta y competitivo.

2. Debemos ocuparnos de nuestra salvación, viviendo plenamente sus implicaciones, v. 12. El más grande tesoro que tiene el cristinao es su salvación. Ella costó la sangre de Cristo en la cruz del Calvario. Asumamos la responsabilidad de ser irreprensibles, sencillos y de un brillo espiritual similar al de las estrellas.

3. Debemos eliminar de nuestra vida las murmuraciones y contiendas, v. 14. El cristiano ha sido llamado a servir dentro de la comunidad cristiana, pero ese servicio debe ser sin motivos secundarios. De los males que estorban el crecimiento y desarrollo de la iglesia con frecuencia encontramos las murmuraciones y las contiendas. Vale la pena eliminar esos motivos de nuestro servicio.

Ayuda homilética

Jesucristo: Siervo y Señor
Filipenses 2:5-11

Introducción: Aparentemente los términos "siervo" y "Señor" son irreconciliables. Sin embargo, ambos pueden aplicarse perfectamente a Cristo. Veamos cómo.

I. Cristo como siervo.
- A. Se hizo hombre y se sujetó al Padre, vv. 6-8a.
- B. Murió en la cruz, v. 8b.

II. Cristo como Señor.
- A. Dios lo exaltó mediante la resurrección, v. 9.
- B. Así será reconocido por toda criatura, vv. 10, 11.

Conclusión: Sigamos el ejemplo de Cristo como siervo, sometámonos a él como Señor.

Lecturas bíblicas para el siguiente estudio

Lunes: Filipenses 3:1, 2
Martes: Filipenses 3:3-6
Miércoles: Filipenses 3:7-9
Jueves: Filipenses 3:10, 11
Viernes: Filipenses 3:12-14
Sábado: Filipenses 3:15, 16

AGENDA DE CLASE

Antes de la clase.

1. Lea el pasaje bíblico del estudio, de manera devocional. **2.** Dedique un tiempo a orar por su iglesia y por usted mismo, pidiendo contribuir a la unidad de los creyentes. **3.** Ore por sus alumnos pidiendo que sean de un mismo sentir y puedan encontrar en este estudio un desafío para buscar la unidad en el Señor. **4.** Prepare una cadena de aspecto fuerte con tres grandes eslabones que digan "los mismos pensamientos", "los mismos sentimientos", "los mismos propósitos".

Comprobación de respuestas

JOVENES. **1.** Pensar de la misma manera; tener el mismo amor; estar unánimes; pensar en una misma cosa. **2.** "Estimad humildemente a los demás como superiores a vosotros mismos"; "considerando cada uno también los intereses de los demás". **3. Jesús:** no consideró el ser igual a Dios como algo a que aferrarse; se despojó de sí mismo; tomó forma de siervo; se hizo semejante a los hombres; se humilló a sí mismo; se hizo obediente hasta la muerte de cruz. **Dios:** exaltó a Cristo hasta lo sumo; le dio un nombre que es sobre todo nombre. **Todo hombre** doble su rodilla en el nombre de Jesus; confiese con su lengua que Jesucristo es el Señor.

ADULTOS. **1.** a. Algún aliento en Cristo. b. algún incentivo en el amor c. alguna comunión en el Espíritu. d. afecto profundo y compasión. **2.** (copiar textualmente el v. 2). **3.** a. Estimad humildemente a los demás como superiores a vosotros mismos. b. considerando cada uno también los intereses de los demás. c. en vuestra salvación, con temor y temblor. d. murmuraciones y contiendas, e. la Palabra de vida.

Ya en la clase

DESPIERTE EL INTERES

1. Comience la clase mostrando la cadena que preparó y pregunte a los alumnos para qué sirve. **2.** Anote en el pizarrón las respuestas. Destaque que en todos los casos mencionados la función de la cadena es unir, mantener junto, sujetar, atar, etc. **3.** Haga circular la cadena entre los alumnos, y pídales que observen las frases escritas en los eslabones. Dígales que por medio de este estudio podrán reconocer la importancia de que los miembros de la iglesia estén unidos.

ESTUDIO PANORAMICO DEL CONTEXTO

1. Haga un breve repaso de la condición de Pablo en Roma: prisionero, abandonado por alguno de sus consiervos, defraudado por aquellos que "buscaban agregar aflicción a sus prisiones", confortado por servidores fieles. El Apóstol experimentó la falta de unidad de los creyentes. **2.** Explique a los alumnos que parte del texto del estudio es un himno. Señale que la alabanza por medio de himnos fue parte de la práctica de adoración de la iglesia primitiva. Dé oportunidad para que ellos recuerden pasajes del Nuevo Testamento en los que se relata que los cristianos entonaron himnos. **3.** Concluya leyendo el consejo del mismo Pablo en Efesios 5:19.

ESTUDIO DEL TEXTO BASICO

Divida la clase en tres grupos y asigne a cada grupo una de las secciones del estudio. Antes de dividirse, cada grupo leerá en voz alta la parte del pasaje que le corresponde: (2:1-4), (2:5-11) y (2:12-16).

Cada grupo procederá, en primer lugar, a completar la sección: Lea su Biblia y responda. Realizarán el trabajo en forma individual y luego lo discutirán y corregirán en el grupo.

Cada grupo estudiará la sección que le corresponde. Podrán usar la Biblia y el libro del alumno. Un secretario anotará las conclusiones y las inquietudes que emanen del grupo.

Concluido el trabajo de los grupos, se pondrán sus resultados en común. El secretario de cada grupo expondrá las conclusiones. Usted podrá presentar, después de cada exposición, los puntos sobresalientes que desee destacar y aquellas verdades que permitirán el logro de las metas de enseñanza-aprendizaje.

Vuelva ahora al estudio del v. 2. Destaque que el cumplimiento de este v. es posible si son reales los fundamentos señalados en el v. 1. Vuelva a mostrar la cadena que utilizó al despertar el interés. Entregue a tres alumnos los eslabones escritos y pídales que expliquen en forma práctica a qué se refiere el Apóstol cuando reclama "los mismos pensamientos", "los mismos sentimientos" y "los mismos propósitos".

Los alumnos relacionarán estas frases con las expresiones del v. 2: que penséis de la misma manera", "teniendo el mismo amor", "Unánimes" "pensando en una misma cosa".

APLICACIONES DEL ESTUDIO

1. Elija una de las aplicaciones del libro del maestro, y preséntela a la clase, dando un ejemplo en que esa aplicación se hace necesaria y evidente. **2.** Pídales luego, que en grupos de tres alumnos elijan una de las aplicaciones del libro del alumno, la discutan y piensen luego en un ejemplo de la vida diaria en que pueden ponerla en práctica. **3.** Como creyentes que hemos sido llamados por el Señor a la unidad, tenemos en Cristo el ejemplo a seguir en nuestro pensar, sentir y desear. ¿Qué nos impide tener el mismo sentir que hubo en Cristo Jesús?

PRUEBA

1. Entréguele a cada alumno una tarjeta con parte de la *Verdad central* copiada: *Sentir una misma cosa, como miembros del cuerpo de Cristo es...* Los alumnos completarán la frase haciendo una síntesis de lo aprendido. **2.** Mencione algunos sentimientos comunes en sus alumnos que no son iguales al sentir que hubo en Cristo Jesús. Invite a los alumnos a colocar esos sentimientos también bajo el señorío de Cristo.

Unidos hacia la meta

Contexto: Filipenses 3:1-16
Texto básico: Filipenses 3:1-14
Versículos clave: Filipenses 3:13, 14
Verdad central: La madurez del cuerpo de Cristo se manifiesta en la unidad de sus miembros que avanzan decididamente hacia la meta del llamamiento de Dios.
Metas de enseñanza-aprendizaje: Que el alumno demuestre su: (1) conocimiento de la necesidad de que la iglesia marche unida hasta alcanzar la meta del llamamiento de Dios, (2) actitud de madurez uniéndose con los demás miembros de la iglesia para alcanzar las metas de su programa de trabajo.

Estudio panorámico del contexto

A. Fondo histórico:

El verdadero sentido de la circuncisión. La circuncisión fue la señal del pacto que Dios estableció con Abraham, según puede verse en Génesis 17:10: "Este será mi pacto entre yo y vosotros que guardaréis tú y tus descendientes después de ti: Todo varón de entre vosotros será circuncidado." Es importante destacar el carácter de señal de pacto que jugó la circuncisión, desde el nacimiento mismo del pueblo israelita ya que fue practicada también por otros pueblos semitas y por los egipcios. Sin embargo, ninguno de estos pueblos la practicó con el significado de pacto con Dios que le adjudicó el pueblo escogido. Tiempo después la práctica de la circuncisión fue legislada, y observamos en Levítico 12:3: "Al octavo día será circuncidado el prepucio de su hijo".

Los judaizantes. En tiempos de Pablo, algunos judíos cristianos querían imponer a los gentiles la circuncisión como práctica indispensable para gozar la salvación. En Hechos 15:1, Lucas nos informa: "Entonces algunos que vinieron de Judea enseñaban a los hermanos: 'Si nos os circuncidáis de acuerdo con el rito de Moisés, no podéis ser salvos'." El criterio de los tales no se logró imponer en el llamado Concilio de Jerusalén, sino que allí consideraron oportuno adoptar el criterio de Jacobo de no "inquietar a los gentiles que se convierten a Dios" (Hech. 15:19). En total concordancia con esto, Pablo enseñó en varias de sus cartas que la circuncisión ya no tenía cabida dentro de la fe cristiana (Rom. 3:30; 1 Cor. 7:19; Gál. 5:6; Col. 3:11, etc.). Todo esto nos permite entender mejor por qué en el pasaje de hoy, Pablo se refiere a la circuncisión que se pretendía imponer a los cristianos como una simple mutilación carente de significado.

B. Enfasis:

La importancia de la carta, 3:1, 2. Pablo lanzó una advertencia contra los que querían imponer la obligatoriedad de la circuncisión para los cristianos gentiles y destacó que no le era molesto volver a referirse a dicho tema, con tal de que sus lectores estuvieran bien prevenidos en cuanto al mismo.

La verdadera circuncisión, 3:3-6. Pablo no solamente se opuso a lo que estaba mal, sino que siempre enseñó lo que estaba bien para un cristiano que quisiera hacer la voluntad de Dios. En este caso, no sólo condenó a los que pretendían imponer la circuncisión, sino que habló de la actitud que era equivalente al sentido original de la circuncisión.

La prioridad de los valores para el cristiano, 3:7-9. Lejos de ufanarse por los privilegios que había adquirido en la carne, Pablo llegó a considerarlos como "basura", al contrastarlos con las verdaderas riquezas espirituales que se encuentran en la comunión con Cristo.

La semejanza respecto de Cristo, 3:10, 11. Pablo sostuvo que lo más importante en la vida cristiana es que seamos semejantes a Cristo conforme crecemos espiritualmente, conforme a la gracia de Dios. Dicha semejanza incluye también la relación entre la muerte de Cristo y la muerte del yo del cristiano.

La meta que debe proponerse el cristiano, 3:12-16. Partiendo del hecho de haber sido alcanzado por Cristo, el cristiano debe tener como meta el mirar siempre hacia adelante, tomando impulso con base en el terreno que ya lleva recorrido en su carrera espiritual.

Estudio del texto básico

1 La verdadera circuncisión, Filipenses 3:1-6.

V. 1. Este versículo comienza con la misma expresión con que lo hace Efesios 6:10, según lo mencionado en el estudio 8: *Por lo demás...* Dado que puede traducirse también, según hemos visto en el estudio mencionado, "finalmente", parecería que Pablo está concluyendo su carta. Sin embargo, esta interpretación debe reservarse para ser aplicada unos versículos más adelante (4:8), donde el Apóstol vuelve a utilizar las mismas palabras. Puede verse en esta demora que va finalizando el grado de importancia que le asignó Pablo al tema de los judaizantes. ¿A quiénes se les denomina judaizantes? A los judíos que, habiendo hecho profesión de fe en Jesús, pretendían imponer los ritos judíos, especialmente la circuncisión, sobre los cristianos gentiles. Aunque aparentemente Pablo ya se había referido al peligro de los judaizantes, no sabemos si oralmente o por escrito, ahora quiere volver sobre el tema. Según Lighfoot lo que quiso decir el apóstol fue: "Perdónenme si repito un tema viejo." Pablo justifica esta reiteración indicando que la misma constituye un motivo de seguridad para sus lectores. Hasta allí llegaba su interés pastoral por los filipenses.

V. 2. Pablo se vale acá de una anáfora. Esta es una figura que consiste en la repetición de la misma palabra al inicio de varias frases sucesivas. En este caso la repetición es de un verbo griego que se traduce generalmente "mirar", pero que en este caso tiene el sentido de "guardarse de...", tal y como aparece traducido en nuestra versión. En lo que Pablo menciona como aquello de lo que deben guardarse los filipenses encontramos toda una caracterización de los judaizantes:

(1) En primer lugar, ellos tenían una naturaleza impura, lo que se demostraba por sus malas intenciones y por eso los llama *perros.* Con esta palabra, Pablo pretende devolver contra los judaizantes el sentido despectivo con que usaban este término para agredir a los gentiles.

(2) En segundo lugar, la actividad a la que ellos se dedicaban tenía una motivación torcida y, por eso, Pablo los llama *malos obreros.*

(3) En tercer lugar, lo que ellos pretendían imponer no se ajustaba al verdadero sentido de la circuncisión, por lo que Pablo lo considera *mutilación.* En esto puede observarse un juego de palabras, tal y como señala nuestra versión en la nota de pie de página correspondiente. Cosa que se puede captar mejor si observamos el elemento común de los términos griegos: *katatomé* ("mutilación", literalmente "cortar en pedazos") se contrapone a *peritomé* ("circuncisión", literalmente "cortar alrededor"). Pero, además, debe tomarse en cuenta que *katatomé* es el mismo término que utiliza la Septuaginta para traducir en Levítico 19:28 y 21:5 la palabra que se refiere a las "incisiones" prohibidas por la ley de Moisés.

V. 3. Así como triple fue la caracterización de los judaizantes, triple fue la fundamentación a la que recurrió Pablo para sostener que los cristianos constituían la verdadera circuncisión. El primer elemento tenía que ver con que los cristianos *servimos a Dios en espíritu.* La expresión griega también puede traducirse "adoramos en el Espíritu de Dios", tal y como lo hace la Biblia de las Américas, siguiendo a la edición del Nuevo Testamento Griego realizada por las Sociedades Bíblicas. En cuanto al segundo (*que nos gloriamos en Cristo Jesús*) y tercer elementos (*que no confiamos en la carne*) se refieren a la misma característica. Como bien señala Hendriksen, el primero la presenta desde un punto de vista positivo; el segundo, desde un punto de vista negativo.

Vv. 4-6. La idea de confiar en la carne, hace que Pablo piense por unos instantes en sus adversarios. Quizás ellos podían argumentar que no confiaba en la carne porque no tenía con qué hacerlo. Por eso, Pablo enumera siete razones (el número perfecto para los judíos) por las que podía confiar en la carne. Las primeras cuatro tenían que ver con la herencia que había recibido: En primer lugar, el haber sido *circuncidado* exactamente el día establecido por la ley. Esto indicaba que los padres de Pablo no eran gentiles y que habían sido celosos practicantes de la ley. Lo que da pie a la segunda razón: la de ser *del linaje de Israel.* Además, Pablo pertenecía a *la tribu de Benjamín,* la única que había permanecido fiel a la tribu de Judá, aquélla de la que provenía el Mesías. Finalmente, el Apóstol era *hebreo de hebreos,* o sea que había sido criado como si hubiera nacido en Judea. Sus padres habían rechazado la seducción del judaísmo helenista, fuertemente influenciado por la cultura griega. Las tres razones restantes giraban en torno a méritos alcanzados por Pablo: En primer lugar, había sido *fariseo,* es decir que había formado parte del selecto grupo de no más de seis mil hombres comprometidos a guardar estrictamente los seiscientos trece preceptos que habían establecido los escribas. En segundo lugar, había demostrado celo por la ley al perseguir a *la iglesia,* en los días en que consideraba a los cristianos como un grupo apartado de la ortodoxia judía. En tercer lugar, se atrevía a considerarse *irreprensible,* es decir que ningún hombre podía señalar en él alguna falta de cumplimiento de la ley.

2 El anhelo de conocer mejor a Cristo, Filipenses 3:7-11.

Vv. 7, 8. Pablo se vale de una antítesis, figura que enfatiza la oposición entre dos ideas, para indicar la evaluación que hace de su herencia y de sus méritos.

El ha considerado como *pérdida a causa de Cristo* todo lo que, dentro de la perspectiva de la carne, podía ser evaluado como *ganancia* (v. 7). Como si esta antítesis no pudiera interpretarse adecuadamente, el Apóstol insiste en la misma idea. La recalca a través de la combinación de tres términos griegos que, como señala Robertson, producen la sensación de clímax y que nuestra versión traduce *Y aun más.* Luego, Pablo se vale de tres recursos más: Primero reitera la utilización del sustantivo griego que se traduce *pérdida* y el empleo del verbo correspondiente, que se traduce "he perdido". Luego intensifica el significado logrado mediante la relación entre el término traducido *pérdida* y otro que, aunque tiene el mismo sentido, es más fuerte. Nos referimos al que nuestra versión traduce *basura* y cuya traducción literal sería "estiércol, excremento". El tercero consiste en otra antítesis. En este caso en la contraposición del sentido que tiene el sustantivo traducido ganancias en el v. 7 con el que tiene el verbo correspondiente, traducido ganar en el v. 8. A Pablo no le importaba que sus ganancias se convirtieran en pérdidas, con tal de que estas pérdidas le permitieran *ganar a Cristo.*

Vv. 9-11. Aquí Pablo se refiere a las tres dimensiones que él encuentra en cuanto al confiar solamente en Cristo. La primera de ellas tiene que ver con el vivir conforme a la justicia que proviene de Dios, con base en la fe (v. 9). La segunda, con el vivir bajo el poder de la resurrección de Cristo, que le permite tener certeza acerca de su propia resurrección, aunque se refiera a ella con cierta modestia (vv. 10, 11). La tercera, con la disposición a lograr tal comunión con Cristo que pueda llegar a sufrir padecimientos similares a los que debió sufrir cuando murió en la cruz (v. 10b).

3 El camino hacia la meta, Filipenses 3:12-14.

V. 12. Pablo, considerando la posibilidad de una mala interpretación de parte de sus lectores ante lo expresado, hace ver que no cree haber alcanzado la perfección. Pero sí deja en claro que se sentía llamado a profundizar su relación con el Señor.

Vv. 13, 14. Aquí Pablo manifiesta que él, como un corredor experimentado que intenta ganar la carrera se ha olvidado de lo que quedó atrás. No se deja dominar ni por el orgullo de ir ganando, ni por la depresión de estar perdiendo. En segundo lugar, se extiende *a lo que está por delante.* Está tan compenetrado de su papel que da todo de sí, como el corredor que va con el cuerpo extendido como para llegar primero a la meta. En tercer lugar, se concentra en la llegada a la meta y persevera en sus esfuerzos para alcanzarla. No deja que ninguna cosa lo aparte del *premio del supremo llamamiento de Dios.*

Aplicaciones del estudio

1. No debemos cansarnos de estudiar las Escrituras, v. 1. A veces pensamos que ya hemos leído o estudiado suficiente un pasaje. No caigamos en esta trampa y volvamos a las enseñanzas de la Palabra.

2. Debemos confiar en el Señor; no en nuestra carne, vv. 3, 8. Debemos considerar todos nuestros méritos como basura con tal de agradar a Cristo. La confianza en la carne no debe tener cabida en nuestra existencia.

3. Debemos procurar la justicia de Dios; no la nuestra, v. 9. Como cristianos debemos vivir conforme a la justicia que es transmitida por Dios a través de la Biblia. No querer imponer nuestros propios criterios acerca de lo que es o no es justo, sino sujetarnos a los enseñados en la Biblia.

Ayuda homilética

La carrera de todo cristiano
Filipenses 3:12-14

Introducción: Celebrada como una de las actividades más destacadas de la antigüedad, el participar de una carrera continúa siendo una figura válida para referirse a la experiencia de la vida de todo cristiano. Veamos qué tiene que decirnos esta metáfora en nuestros días.

I. El punto de arranque: nuestra conversión, v. 12.
- A. A partir del momento en que nos convertimos comenzamos a correr.
- B. Nuestra carrera implica que no somos perfectos, pero que vamos hacia la perfección.

II. La metodología necesaria: evitar toda distracción, vv. 13, 14.
- A. No dejarnos distraer por lo que ya ha sucedido.
- B. Ser perseverantes en nuestro esfuerzo por llegar a la meta.

Conclusión: Cuando el ex-presidente Carter se presentó ante el almirante Rickover para solicitar un puesto en el submarino nuclear, éste le preguntó por sus notas en la Academia Naval. Carter le contestó con orgullo que había sido el 59° de 820 estudiantes. Rickover, en vez de felicitarlo, le preguntó si siempre había hecho lo mejor. Cuando Carter le contestó que no, Rickover le hizo otra pregunta que quedaría grabada permanentemente en la mente del futuro mandatario: "¿Por que no?" Como cristianos estamos llamados a participar de la carrera espiritual haciendo siempre lo mejor.

Lecturas bíblicas para el siguiente estudio

Lunes: Filipenses 3:17-19
Martes: Filipenses 3:20, 21
Miércoles: Filipenses 4:1-3
Jueves: Filipenses 4:4, 5
Viernes: Filipenses 4:6, 7
Sábado: Filipenses 4:8, 9

AGENDA DE CLASE

Antes de la clase
1. Coloque en su clase láminas con fotografías de atletas entrenándose o participando de una competencia. **2.** Fotocopie para cada alumno un gráfico de círculos concéntricos, como el que se usa para prácticas de tiro. **3.** Complete la sección *Lea su Biblia y responda,* del libro del alumno. **4.** Durante la semana pida a dos alumnos que lean Hechos 15 y preparen un diálogo entre dos participantes del Concilio de Jerusalén, que explique la decisión final de la iglesia acerca del tema de la circuncisión que querían imponer los judaizantes.

Comprobación de respuestas
JOVENES. **1.** a. perros; malos obreros; mutiladores del cuerpo. b. Los que servimos a Dios en espíritu, nos gloriamos en Cristo Jesús y no confiamos en la carne. c. Fue circuncidado conforme a la ley, era Israelita de la tribu de Benjamín, hijo de hebreos, fariseo, celoso de la fe e irreprensible en cuanto a la ley. **2.** a. a causa de Cristo; b. por la fe; c.ser semejante a Cristo en su muerte.
ADULTOS. **1.** Circuncidado al octavo día; del linaje de Israel; de la tribu de Benjamín; hebreo de hebreos; fariseo; perseguidor de la Iglesia; irreprensible en cuanto a la ley. **2.** 3-1-2-4.

Ya en la clase
DESPIERTE EL INTERES
1. Oriente una conversación a partir de las láminas colocadas en la clase. ¿Cuáles son los móviles que llevan a un atleta a entrenar con esfuerzo?, ¿Cuáles son sus metas? **2.** Guíe la reflexión de modo que los alumnos reconozcan la importancia de tener metas claras. **3.** Comparta entonces cuáles son las *Metas de enseñanza-aprendizaje* de este estudio. Anticipe que en él tendrán oportunidad de analizar los pasos que el apóstol Pablo se proponía, para lograr la meta, y reflexionar sobre la forma en que ellos pueden contribuir para que su iglesia avance unida hacia el blanco propuesto por el Señor.

ESTUDIO PANORAMICO DEL CONTEXTO
1. Presente el problema que hubo en la iglesia primitiva, por el surgimiento de las enseñanzas de los judaizantes, y explique lo sucedido en el Concilio de Jerusalén, tal como lo relata Hechos 15. **2.** Los alumnos designados presentarán el diálogo que han preparado, en el que simularán ser dos cristianos que han participado del Concilio de Jerusalén y que comentan las decisiones a las que arribaron. **3.** Explique que el apóstol Pablo fue una de las personas designadas para escribir estas enseñanzas a los gentiles y que, efectivamente, en varias de sus cartas se refirió al tema.

ESTUDIO DEL TEXTO BASICO

Explique a la clase que los ejercicios de la sección *Lea la Biblia y responda,* le ayudarán para comprender con claridad las enseñanzas del texto sobre dónde debemos depositar nuestra confianza. Los alumnos trabajarán con sus Biblias, resolviendo los ejercicios del libro del alumno.

Pida a un alumno, que escriba con letra clara en el pizarrón la descripción que encontramos en el v. 3, de los cristianos que pertenecen a la verdadera circuncisión: los que sirven a Dios en espíritu: que se glorían en Cristo Jesús, y no confían en la carne.

Que un alumno lea los vv. 4, 5, y vaya destacando las condiciones personales de Pablo, que pudieron llevarlo a confiar en su propia carne.

Dibuje una balanza con dos platillos y vaya escribiendo en uno de los platillos, las cosas que Pablo consideraba en su "haber", antes de ser cristiano. Pida a la clase que busque en el v. 8 qué cosa ha puesto el Apóstol en el otro platillo de la balanza. Usted escribirá la respuesta en el otro platillo.

Los alumnos ahora, en grupos de tres, podrán leer detenidamente los vv. 7-10 y explicar con sus palabras por qué el segundo platillo tuvo mucho más peso en la vida del Apóstol, al punto de desechar totalmente las cosas que estaban en el primer platillo.

Examinen juntos la estrategia del Apóstol para alcanzar la meta. Recuérdeles que encuentran esta estrategia, en el v. clave de este estudio. ¿Cómo lo interpretan? Encontrarán en el v. 4 propuestas para tener en cuenta. Cuatro voluntarios, en forma sucesiva, irán interpretando una de estas propuestas y proponiendo un ejemplo práctico de la forma en que ellos pueden imitar la actitud de Pablo.

APLICACIONES DEL ESTUDIO

1. Divida la clase en dos grupos. Un alumno leerá la primera aplicación propuesta en el libro del alumno, y cada grupo pensará en un caso de la vida cotidiana en que necesitan poner en práctica esa aplicación. **2.** Cuando se hayan puesto de acuerdo, compartirán el caso con el otro grupo. **3.** De la misma manera procederán con las otras aplicaciones propuestas en el libro del alumno.

PRUEBA

1. Recuerde nuevamente las metas de este estudio y explique que la actividad de *Prueba* les ayudará a descubrir si han alcanzado esas metas. **2.** Dé oportunidad para que completen la *Prueba* en forma individual. **3.** Entrégueles luego, las copias preparadas de un tablero de tiro. Cada alumno podrá ir escribiendo en los distintos círculos las actitudes que se propone asumir, para ayudar a que su iglesia, en unidad, se acerque más a la meta propuesta por Jesucristo.

Estudio **12**

Unidad 2

Unidos con firmeza

Contexto: Filipenses 3:17 a 4:9
Texto básico: Filipenses 3:18 a 4:9
Versículo clave: Filipenses 4:1
Verdad central: Aunque somos ciudadanos de los cielos, estamos expuestos a divergencias, falsas enseñanzas y ejemplos indignos. Nuestra responsabilidad es permanecer firmes, unidos contra los enemigos de la cruz de Cristo.
Metas de enseñanza-aprendizaje: Que el alumno demuestre su: (1) conocimiento de la necesidad de mantenernos unidos firmemente contra los enemigos de Cristo, (2) actitud de firmeza en mantener y defender las verdaderas enseñanzas de Cristo.

Estudio panorámico del contexto

A. Fondo histórico:

Los enemigos de la cruz de Cristo. En uno de los apartados del texto básico que estudiaremos hoy (3:17-19), observamos una cruda descripción de los libertinos. De aquellos a los que el Apóstol califica como "enemigos de la cruz de Cristo", por cuanto se habían dejado seducir por los conceptos del pregnosticismo. Este sostenía que, dado que el cuerpo del ser humano era, como toda cosa material, malo en sí mismo, no importaba lo que se hiciera con él, aunque esto incluyera dar rienda suelta a cualquier tipo de pasiones. Los que mantenían esta posición han sido denominados por los historiadores del cristianismo como *antinomianos.* Esta palabra procede de la preposición griega *antí,* que significa "en contra de", y del sustantivo griego *nomos,* que significa "ley". Es decir, que los antinomianos no creían en la necesidad de cumplir con la ley de Dios.

Evodia y Síntique. En Filipenses 4:2, Pablo menciona a dos hermanas en Cristo que estaban enfrentándose entre sí y que, debido a esto, afectaban negativamente la comunión de la iglesia en Filipos. Una de ellas se llamaba Evodia, nombre que significa "buen camino" y la otra se llamaba Síntique, nombre que significa "afortunada". ¿Quiénes eran estas dos mujeres, cuyos nombres tenían un significado tan positivo? Durante algún tiempo algunos comentaristas pensaron que Evodia era nombre de varón y que Evodia y Síntique eran los nombres del carcelero de Filipos y de su esposa. Sin embargo, esta hipótesis ha sido desechada porque en ese caso el primer nombre tendría que tener una "s" final (Evodias). Es por eso que parece más plausible la deducción de Lighfoot en el sentido de que Evodia y Síntique eran diaconisas de la iglesia en Filipos, o la deducción de Barclay, en el sentido de que estas hermanas habían abierto sus hogares para la predicación del evangelio y que de esta manera eran de gran influencia entre los cristianos de Filipos.

B. Enfasis:

El fin de los enemigos, 3:17-19. Para los cristianos en Filipos podía resultar difícil entender por qué Dios permitía la existencia de los "enemigos de la cruz de Cristo". Por eso, Pablo asegura: "El fin de ellos será la perdición" (v. 19a).

La ciudadanía del cristiano, 3:20-4:1. Pablo hace ver a sus lectores que deben ser dignos ciudadanos del reino de los cielos. Lo que implica que, por un lado, esperar la venida del Señor Jesucristo y, por el otro, confiar en su poder transformador. Ambas actitudes harán posible que estén dispuestos a mantenerse firmes en el cumplimiento de los principios éticos requeridos.

La necesidad de la unidad, 4:2, 3. Había algo que empañaba el gozo que sentía Pablo al recordar a los filipenses y esto consistía en saber que dos de sus ex-colaboradoras: Evodia y Síntique, estaban distanciadas entre sí. Pablo, las exhorta, con toda delicadeza, a que sean de un mismo sentir, que piensen de una misma manera.

El gozo en el Señor, 4:4-7. El gozo para el cristiano no es solamente un sentimiento pasajero de alegría. Es una experiencia profunda que implica también confiar en Dios y tener paz. Por eso, Pablo exhorta en este apartado no sólo al gozo, sino también a tener confianza en el Señor y a esperar la paz que viene de él.

Los dignos pensamientos del cristiano, 4:8, 9. ¿Qué pensamientos pueden tener cabida en un cristiano, siendo que como enseñara Pablo en 1 Corintios 2:16, los hijos de Dios "tenemos la mente de Cristo?" Pablo enumera aquí algunos de los motivos que deben guiar los pensamientos de toda persona transformada por el poder del Espíritu Santo.

Estudio del texto básico

1 La necesidad de estar firmes, Filipenses 3:17 a 4:1.

3:17. Aquí se inicia el tema de los antinomianos o libertinos, destacando que los filipenses tenían que seguir únicamente los buenos ejemplos, como el que encarnaba en sí mismo el apóstol Pablo. La palabra griega traducida *ejemplo* es *typos* y, según Vine, "denotaba en primer lugar un golpe, de ahí, una impresión, la marca de un golpe, la imprenta de un sello, la estampa hecha por un molde...". Los cristianos de Filipos tenían que actuar conforme al modelo que Pablo había impreso en sus vidas mediante su ministerio en dicha ciudad. O, como aquellos que, se *conducen* de modo semejante. Es evidente que Pablo tiene en mente a hermanos de la talla de Timoteo y Epafrodito.

3:18, 19. Pablo explica ahora por qué insiste en que los filipenses sigan su modelo de conducta. Ellos deben evitar seguir el ejemplo de aquellos que hasta habían provocado sus lágrimas: los libertinos. La triple descripción que hace el Apóstol de ellos demuestra que tenía razón en cuanto a su prevención.

(1) En primer lugar, *su dios es su estómago*. Es decir que sus apetitos carnales dominaban totalmente su vida. Se dejaban arrastrar por sus instintos. (2) En segundo lugar, *su gloria se halla en su vergüenza*. Aquello de lo que ellos se ufanaban tendría que haberlos más bien avergonzado. (3) Finalmente, *piensan solamente en lo terrenal*. Es decir que les faltaba ese sentido de trascendencia que debe tener todo cristiano y al que Pablo se refirió en Colosenses 3:2: "Ocupad la mente en las cosas de arriba, no en las de la tierra."

3:20, 21. Filipos era una colonia romana que consideraba un privilegio contar con la visita del emperador. De allí que los cristianos filipenses entendieran la importancia de esperar el regreso de Jesucristo, algo que podía llenarlos de gozo mucho más que la presencia del César. Ya que si el último pretendía ser el señor del imperio durante su período de gobierno, Cristo era en realidad el Señor del universo y por la eternidad. Es más, la segunda venida sería el momento propicio para que Cristo concluyera la obra transformadora que había estado efectuando en los filipenses. Sus cuerpos ya no estarían sujetos a las limitaciones humanas conocidas, sino que serían cambiados en cuerpos que tendrían *la misma forma de su cuerpo de gloria*.

4:1. Aquí Pablo vuelve a hacer uso de una figura tomada del campo militar, exhortando a los filipenses a que estén *firmes en el Señor*. Esta exhortación es precedida de calificativos que revelan el tierno amor que sentía el Apóstol por los filipenses. Se dirige a ellos llamándolos *amados y queridos*. También los considera *gozo y corona de mía*. Es decir que el recuerdo de los filipenses lo llenaba de *gozo*, algo que Pablo ya había manifestado al inicio de su carta. Pero, además, ellos constituían su *corona*. Esto quiere decir que así como el ganador de los juegos olímpicos recibía una corona, Pablo consideraba a los filipenses como su motivo de gloria.

2 La necesidad de trabajar unidos, Filipenses 4:2, 3.

Vv. 2, 3. Pablo se había enterado que había un triste conflicto entre dos de las hermanas de la iglesia en Filipos: Evodia y Síntique. Vale la pena destacar que el Apóstol se dirige a cada una de ellas por separado (*Ruego a Evodia... ruego a Síntique*), tal y como figura en nuestra versión. Puede ser que con ello, como señala el doctor Evis Carballosa, intentara el Apóstol indicar el mismo tratamiento para ambas. De esta manera, ninguna de las dos podía acusarlo de una actitud parcializada a favor de la otra. Puede ser que aun el orden en que aparecen mencionadas las dos hermanas sea premeditado. O sea que aparecen en orden alfabético, para mostrar que en el corazón del fundador de la iglesia no había preferencia a favor de ninguna. Pablo no sólo exhorta a las involucradas en el conflicto a que sean del mismo sentir o pensar, sino que solicita la intervención pacificadora de un hermano. Del tal no sabemos con certeza si se llamaba Sicigo, como traduce la Biblia de Jerusalén o si solamente era merecedor del significado de dicho nombre (*fiel compañero*), tal y como traduce nuestra versión, sin dejar de mencionar la otra posibilidad citada. Seguramente, cuando Pablo escribía esto tenía en mente la séptima bienaventuranza: "Bienaventurados los que hacen la paz, porque ellos serán llamados hijos de Dios" (Mat. 5:9).

3 La posibilidad del gozo continuo, Filipenses 4:4-7.

V. 4. En este versículo vemos tratada la que ha sido considerada unánimemente como la nota más destacada en la carta a los Filipenses: el gozo continuo en Cristo. (*Otra vez lo digo: ¡Regocijaos!*). Es como si Pablo hubiera dicho: "No me bastan las palabras para hacerles ver lo necesaria y distintiva de la vida cristiana que es la actitud de procurar permanentemente el gozo en el Señor."

V. 5. Otra recomendación que hace Pablo es que los filipenses hagan de la *amabilidad* un estilo de vida que sea reconocido en ellos *por todos los hombres.* El término griego traducido "amabilidad" es de tal riqueza de significado que ha dado pie a una gran variedad de traducciones que pretenden reflejar su sentido. La Biblia de Jerusalén y la Versión Popular traducen "bondad", la Versión Moderna, "mansedumbre", la Biblia de las Américas, "paciencia". Para Frank Robbins, es "la disposición que hace que una persona se conforme con menos de lo que le es debido y que se abstenga de insistir en sus derechos... la actitud [del que] se olvida de sí mismo en favor de otros, y que gustosamente renuncia a sus demandas personales". En cuanto a la expresión siguiente, que parece fundamentar la exhortación a la amabilidad (*¡El Señor está cerca!*) puede interpretarse de estas dos maneras: En primer lugar, puede referirse a la inminencia de la segunda venida (Apoc. 1:3; 22:10) o a la presencia siempre cercana de Dios (Sal. 145:18).

V. 6. Este versículo comienza con una exhortación a que los filipenses no se sigan afanando. "No sigan estando afanosos" sería la traducción que reflejaría mejor el sentido del empleo del tiempo presente en el verbo griego. La razón de esto reside en las distintas posibilidades que encierra la oración: ya sea la disposición a la adoración que implica el término griego traducido *oración;* ya sea la confianza para pedir que conllevan los términos traducidos *peticiones* y *ruego.* Y, por supuesto, *la acción de gracias.*

V. 7. Según Pablo cuando el cristiano vence la ansiedad mediante la oración que incluye actitud de adoración, confianza en la respuesta de Dios y acción de gracias, el resultado es *la paz.* Una *paz que sobrepasa todo entendimiento,* ya que como explica Bonnet: "porque la razón humana no comprende que exista allí donde es todo propio para producir la inquietud y la turbación". O sea que no puede explicarse en toda su dimensión, porque no es superficial o parcializada como la paz que logra el hombre. Esta paz constituye una protección sobre el creyente similar a la provista por una guarnición, sentido original del término griego traducido *guardará.* Como bien expresa Robbins, "la paz de Dios guarda la puerta del ser interior para que los extraños no puedan entrar".

4 La posibilidad de elevados pensamientos, Filipenses 4:8, 9.

Vv. 8, 9. Cuando la paz de Dios se da en la vida del cristiano, ella guarda la mente de éste. Y al guardar dicha mente del ataque de Satanás que pretende conducir al creyente al pecado, inspira los pensamientos elevados a los que se refiere Pablo en Filipenses 4:8. Estos pensamientos son los mismos que sostienen y guían el ministerio de los siervos de Cristo como Pablo y, debido a eso él vuelve a ponerse como un ejemplo que deben imitar los filipenses.

Aplicaciones del estudio

1. Debemos rechazar el libertinaje como forma de vida, 3:19. No debemos caer en la trampa de mal interpretar la libertad que ha hecho posible el sacrificio de Cristo en la cruz del calvario.

2. Debemos ser dignos de nuestra ciudadanía celestial, 3:20. Así como un ciudadano extranjero procura honrar su nación natal en el país en el que reside, el cristiano debe tener un comportamiento que dé buen testimonio de su ciudadanía celestial.

3. Debemos vivir de una manera distintivamente cristiana, 4:4-7. De manera que el gozo, la amabilidad, la oración con actitud de dependencia y acción de gracias y la paz puedan ser realidades palpables en nuestra vida.

4. Debemos llenarnos de pensamientos elevados, 4:8. No de aquellos que ensucian nuestra mente, sino de los que enriquecen nuestro espíritu, permitiéndonos estar en una comunión más profunda con Dios.

Ayuda homilética

La oración que vence la ansiedad
Filipenses 4:6

Introducción: La ansiedad es una continua tentación en todo ser humano, y los filipenses no eran la excepción. Es por eso que Pablo los anima a orar de tal manera que venzan la ansiedad. Una oración que sigue teniendo vigencia para los cristianos de hoy. ¿Cómo debe ser esa oración?

I. Con espíritu de ferviente adoración.
- A. Tal y como lo vemos al considerar al templo como "casa de oración" (Mar. 11:17).
- B. Tal y como lo vemos en la adoración al Cordero (Apoc. 5:8).

II. Con espíritu de verdadera confianza.
- A. Con esperanza de recibir lo pedido ("peticiones").
- B. Con insistencia delante de Dios ("ruegos").

III. Con espíritu de profunda gratitud.
- A. Que se muestra en la acción de gracias en privado (1 Tim. 4:4).
- B. Que se muestra en la acción de gracias en el culto (1 Cor. 14:16).

Conclusión: ¿Está ansioso por algún problema? Preséntelo a Dios en oración. Recordemos que, como dijo Meyer: "Por cada mirada que pongamos sobre nosotros o sobre nuestra situación, debemos poner nueve en Dios."

Lecturas bíblicas para el siguiente estudio

Lunes: Filipenses 4:10-12
Martes: Filipenses 4:13, 14
Miércoles: Filipenses 4:15-17
Jueves: Filipenses 4:18
Viernes: Filipenses 4:19, 20
Sábado: Filipenses 4:21-23

AGENDA DE CLASE

Antes de la clase

1. Lea la sección *Estudio panorámico del contexto,* antes de estudiar el texto bíblico básico. **2.** Coloque en el aula , un cartel que diga UNIDOS, y prepare carteles, en forma de tiras de 10 cm. de ancho, que digan: EN EL PENSAR; EN EL SENTIR. En tiras más angostas (6 cm.) escribirá: VERDADERO; HONORABLE; PURO; JUSTO; AMABLE; DE BUEN NOMBRE; ALGUNA VIRTUD; ALGO QUE MERECE ALABANZA. **3.** Estudie ahora el *Texto básico* en el libro del Maestro, y relacione las aplicaciones de este estudio, con las necesidades de sus alumnos. **4.** Escriba un cartel que diga: DIVIDE Y VENCERAS. Lo usará en la sección *Despierte el interés.*

Comprobación de respuestas

JOVENES. **1.** a. La perdición. b. su estómago. c. en su vergüenza. d. en lo terrenal. **2.** a. V. b. V. c. F. d. V. e.V. **3.** Debemos preocuparnos por permanecer firmes en el Señor.

ADULTOS **1.** A libertinos que pensaban solamente en lo terrenal, y hacían de los placeres su dios. **2.** Tansformará nuestro cuerpo de humillación para que tenga la misma forma de su cuerpo de gloria. **3.** Eran hermanas que lucharon junto con Pablo y Clemente en el evangelio, pero que, por alguna razón, en ese tiempo "no sentían lo mismo". **4.** a. Regocijaos en el Señor. b. Sed amable delante de los hombres. c. No estéis afanosos por nada. d. Presentad vuestras peticiones en oración y ruego, con acción de gracias. **5.** Lo verdadero; lo honorable; lo justo; lo amable lo que es de buen nombre; la virtud; lo digno de alabanza.

Ya en la clase

DESPIERTE EL INTERES

1. Llame la atención de la clase al cartel que dice UNIDOS. **2.** Los alumnos mencionarán, condiciones que permiten sentirnos unidos dentro de la estructura familiar, de la iglesia, en la escuela dominical. **3.** Escríbalas en el pizarrón. **4.** Seleccione aquellas formas relacionadas con "tener un mismo sentir", o "tener un mismo pensar". Coloque las tiras preparadas con estas leyendas, a ambos lados del cartel que dice UNIDOS, y mencione que este estudio nos ayudará a comprender cómo ser firmes en guardar la unidad. **5.** Ponga en un lugar visible el cartel que dice: DIVIDE Y VENCERAS. Ayude a sus alumnos a reflexionar sobre esta frase que muestra uno de los métodos preferidos de Satanás es provocar la división en la iglesia a fin de debilitarla.

ESTUDIO PANORAMICO DEL CONTEXTO

1. Presente la información del contexto que aparece en la sección *Estudio panorámico del contexto.* **2.** Pida a los alumnos que busquen en esta misma sección del libro del alumno, cuál sería el pensamiento de los gnósticos, y cómo influía en el pensamiento de algunos cristianos.

ESTUDIO DEL TEXTO BASICO

Los alumnos, en forma individual leerán los pasajes del *Texto básico.* Inmediatamente, usarán un tiempo para responder los ejercicios de la sección *Lee tu Biblia y responde.*

Debajo del cartel que dice UNIDOS, escriba: Necesidad de estar firme. Revisen entonces las respuestas y al compartirlas, enfatice la necesidad de estar firmes para mantener la unidad.

Un alumno leerá en voz alta los vv. 18, 19, que describen a los enemigos de la cruz de Cristo. Los alumnos relacionarán esta descripción, con la actitud de enemigos contemporáneos del Cristianismo. Destaque la necesidad de mantener firmeza al sostener nuestra fe frente a las corrientes sensuales de nuestros días.

Conduzca una actividad de reflexión sobre los vv. finales del capítulo 3, de modo que la clase exprese su confianza en la obra transformadora de Cristo que completará su acción en la vida de cada creyente.

Escriba ahora en el pizarrón: Necesidad de trabajar unidos. Los alumnos revisarán en sus libros y en los ejercicios resueltos, lo investigado sobre Evodia y Síntique. Guíe la atención de la clase hacia la tira que dice "UN MISMO SENTIR". Solicite a dos o tres alumnos que propongan un ejemplo positivo y otro negativo, en cuanto a la experiencia de "estar unidos en un mismo sentir" entre hermanos.

Guíe luego la atención de la clase hacia la otra tira colocada, que dice: "UN MISMO PENSAR" y escriba en el pizarrón Necesidad de unirnos en pensamientos elevados.

Lea en voz alta, los vv. 8, 9 del capítulo 4 y divida la clase en 7 grupos. Entregue a cada grupo una tira con uno de los objetos del pensamiento del creyente, de acuerdo con el v. 8. Cada grupo, pensará en ejemplos concretos de ocupar su pensamiento en el objeto que indica la tira que le correspondió.

APLICACIONES DEL ESTUDIO

1. Al finalizar el estudio del texto, los alumnos estarán listos para reconocer las aplicaciones prácticas de este estudio. Dé oportunidad para que espontáneamente compartan las aplicaciones descubiertas. **2.** Dé oportunidad, para que cotejen las aplicaciones propuestas, con las que se encuentran en el libro del alumno. **3.** Si fuera necesario, complete con las aplicaciones que aparecen en el libro del maestro.

PRUEBA

1. En un tiempo de quietud,cada alumno completará de manera personal los dos items de la *Prueba.* **2.** Termine con una oración, pidiendo firmeza para vivir las enseñanzas de Cristo en la unidad de la iglesia.

Unidos apoyando la obra

Contexto: Filipenses 4:10-23
Texto básico: Filipenses 4:10-23
Versículo clave: Filipenses 4:15
Verdad central: La colaboración de la iglesia de Filipos para llevar adelante la obra misionera es un ejemplo digno de imitar por nuestras iglesias en la actualidad.
Metas de enseñanza-aprendizaje: Que el alumno demuestre su: (1) conocimiento de cómo la iglesia de Filipos colaboró con Pablo para llevar adelante la obra misionera, (2) actitud de colaborar decididamente en la obra misionera de su iglesia.

Estudio panorámico del contexto

A. Fondo histórico:

El inicio del ministerio de Pablo en Tesalónica. Tesalónica era la capital de la provincia romana de Macedonia y hacia allá se dirigieron Pablo y su equipo misionero después de abandonar la ciudad de Filipos, otra de las ciudades importantes de la misma provincia (Hechos 16:40; 17:1). Una vez ubicado en Tesalónica, Pablo se dedicó a proclamar el evangelio en la sinagoga durante tres días de reposo seguidos. Durante estos sábados, el Apóstol, basándose en las Escrituras del Antiguo Testamento, demostró una y otra vez que el Mesías esperado por los judíos ya había venido en la persona de Jesús de Nazaret. El resultado: "algunos" de los oyentes de Pablo "se convencieron y se juntaron" con el Apóstol y Silas, su compañero de ministerio (Hech. 17:4). Así comenzó el ministerio de Pablo en Tesalónica, a cuyos miembros de la iglesia escribió las dos cartas más antiguas de las que tenemos en el Nuevo Testamento: 1 y 2 Tesalonicenses.

El apoyo de los filipenses al ministerio de Pablo. La iglesia en Filipos, apenas había sido establecida, tuvo la sensibilidad espiritual suficiente como para decidir el apoyo inmediato del ministerio de Pablo. Así lo vemos en el hecho de que habiéndose dado cuenta de que el Apóstol trabajaba para no constituirse en una carga para los cristianos tesalonicenses, le enviaron ofrendas a Tesalónica más de una vez. Llegamos a esta conclusión al comparar 2 Tesalonicenses 3:8b ("trabajamos arduamente hasta la fatiga, de noche y de día, para no ser gravosos a ninguno de vosotros") y Filipenses 4:15, 16. Tiempo después los filipenses, sabiendo que Pablo requería nuevamente de su colaboración por su condición de preso en Roma, le enviaron otra vez una ofrenda, esta vez por medio de Epafrodito (Fil. 4:10, 18).

B. Enfasis:

El interés de los filipenses, 4:10, 11. Los filipenses, tan cercanos al corazón de Pablo, nuevamente demostraron su interés hacia él, tal y como lo habían hecho cuando el Apóstol desarrolló su ministerio en Tesalónica.

El secreto de la dependencia, 4:12-14. Pablo quiso aclararle a los filipenses que aunque su colaboración era oportuna, su dependencia no era respecto de ellos. Más bien, lo era en relación con Cristo.

Un ejemplo digno de imitar, 4:15-17. La relación entre Pablo y los filipenses era tan buena que los cristianos de Filipos no se olvidaron de él. Al contrario, se constituyeron en todo un ejemplo de cómo deben interesarse los creyentes en el sostenimiento de los siervos de Dios.

El sostén viene de Dios, 4:18-20. Pablo estaba convencido de que Dios, siendo rico en recursos y lleno de poder, iba a satisfacer siempre sus verdaderas necesidades. Y lo mismo pensaba en cuanto a la acción divina en sus hermanos en Cristo.

Los saludos y la bendición, 4:21-23. Pablo termina su carta con los saludos y la bendición tradicionales. Pero hay un elemento particular a esta carta y es el gozo de poder incluir entre aquellos que envían saludos a los filipenses, a servidores del emperador que se habían convertido. ¡El evangelio había llegado a las altas esferas del imperio romano!

Estudio del texto básico

1 El apoyo de los filipenses, Filipenses 4:10-14.

V. 10. Pablo inicia este versículo con la última mención del verbo griego que se refiere a "tener gozo, alegrarse, regocijarse". ¿Cuál era, en este caso, la causa del gozo del Apóstol? El que los filipenses habían *renovado* su *preocupación* por él. El verbo griego traducido "renovado" significa también reflorecer, en el sentido del brote de flores de los árboles durante la primavera. Vemos en esto la manera delicada y poética en que Pablo muestra su satisfacción ante la acción de los filipenses. En cuanto a "preocupación", es una traducción adecuada por el contexto, aunque no literal, del verbo griego que significa "pensar, sentir". La traducción literal sería, entonces: "reflorecisteis el pensar en favor de mí, sobre lo que de hecho pensabais, pero no teníais oportunidad". Lo que Pablo parece estar diciendo es que tenía la seguridad de que si los filipenses hubieran sabido antes de sus necesidades o hubieran encontrado antes los medios para socorrerlo, lo hubieran hecho con anterioridad.

V. 11. El Apóstol utiliza un término muy interesante para describir su situación: el adjetivo *autárkes,* que está formado por *autós,* que significa "por uno mismo" y por el verbo *arkéo,* que significa "ser suficiente". Es decir que la traducción literal sería "autosuficiente", una idea mucho más fuerte que la traducción de nuestra versión (*contentarme*) y que no aparece tampoco en otras versiones, posiblemente por temor a que surjan equívocos. Lo que Pablo está diciendo es que él no depende de la cantidad de recursos materiales con los que cuente. El ha logrado independizarse del dominio que ejerce lo material sobre la vida del ser humano.

V. 12. Pablo amplía aquí el concepto de su "autosuficiencia" al expresar *he aprendido el secreto de hacer frente tanto a la hartura como al hambre, tanto a la abundancia como a la necesidad.* El verbo griego traducido "he aprendido el secreto" era utilizado para referirse a la iniciación en los misterios por parte de aquellos que se dedicaban a las prácticas ocultistas en la Grecia antigua. Pablo daba por sentado que tal disciplina espiritual no era algo sencillo y que viniera espontáneamente; sino que se puede alcanzar siempre y cuando se cumpla el requisito al que se refiere según el versículo siguiente.

V. 13. Este versículo es uno de los más conocidos de toda la Biblia y ha sido de gran inspiración a los cristianos de todas las generaciones. Pablo, de manera sencilla y directa, muestra en él la diferencia fundamental de su pensamiento en relación con los estoicos y con los ocultistas. Aunque él se considera autosuficiente no lo es en absoluto, sino en la medida en que depende de Cristo. Aunque él ha aprendido el secreto de ser autosuficiente a través de la disciplina espiritual, esto no hubiera sido posible si sus fuerzas no hubieran venido de Cristo. Si bien es cierto que en los mejores manuscristos no aparece la palabra *Cristo,* y más bien la traducción tendría que ser "en el que", todo el contexto permite suponer que la idea de que Pablo se está refiriendo a Cristo está implícita. En el texto griego el versículo que estamos comentando tiene solamente seis palabras, sin embargo, la riqueza de sus conceptos es tal que podemos considerar como acertada la paráfrasis que nos ofrece La Biblia al día: "Con la ayuda de Cristo, que me da fortaleza y poder, puedo realizar cualquier cosa que Dios me pida realizar."

V. 14. A manera de una estructura circular, Pablo vuelve a mostrar su agrado por la actitud de los filipenses, tal y como había hecho ya en el v.10. En este caso las palabras griegas claves son las que se traducen *bien, participar* y *tribulación.* El adverbio griego traducido "bien" es *kalós* que se refiere a algo que no sólo está bien a secas, sino que conlleva la idea de la hermosura o belleza de dicha actitud o acción. Consideremos, por ejemplo, la etimología de la palabra "caligrafía", que se refiere a la escritura realizada con linda letra y donde la primera parte del término proviene precisamente de *kalós.* El verbo griego traducido "participar" es *synkoinonéo,* que está integrado por la preposición *syn,* que significa "con, en compañía de, junto con" y el verbo *koinonéo,* que significa "compartir, tener parte, participar". Es decir que la idea transmitida por el verbo *synkoinonéo,* cuyas únicas dos apariciones en el Nuevo Testamento se dan aquí y en Efesios 5:11, es la de algo que se comparte desde una perspectiva de total integración. La palabra griega traducida "tribulación" es la misma que aparece traducida "aflicción" en Filipenses 1:17 y "tribulaciones" en Efesios 3:13. Tal y como indicamos en el análisis de este último versículo, en el estudio 3, significa soportar una fuerte presión sobre uno. Si unimos el sentido de las tres palabras clave tenemos, entonces, que Pablo está diciendo algo así como: "Ustedes, los filipenses han hecho una obra hermosa al compartir plenamente conmigo todas las presiones que he tenido que soportar durante mi cautiverio."

2 El buen ejemplo de los filipenses, Filipenses 4:15-17.

Vv. 15-17. En estos versículos, Pablo enfatiza el privilegio que tenían los filipenses de constituir la única iglesia que había colaborado económicamente con su ministerio y de mantener, debido a ello, una relación única con él. En el v. 15, el Apóstol hace uso de una expresión propia de la contabilidad: *dar y recibir.* Según Robbins, lo que el Apóstol había querido indicar era que "Pablo recibió dádivas materiales de ellos [de los filipenses], y ellos recibieron dádivas espirituales de él." Luego, en el v. 17, Pablo vuelve al lenguaje contable cuando se refiere al *fruto que abunde en vuestra cuenta,* ya que en este caso está haciendo mención de los "intereses" espirituales a los que se habían hecho acreedores los filipenses. Es el interés por el bien de ellos y no la búsqueda de un "donativo" lo que ha movido a Pablo a celebrar la actitud de sus hermanos de la iglesia en Filipos. Posiblemente, al escribir lo anterior, Pablo tenía en mente un pensamiento del Señor Jesucristo que, aunque no aparece registrado en los evangelios, él había citado en otra oportunidad. Fue en la ocasión en la que se estaba despidiendo de los líderes de la iglesia en Efeso, antes de encaminarse hacia Jerusalén: "Más bienaventurado es dar que recibir" (Hech. 20:35c).

3 Los resultados de la inversión, Filipenses 4:18-20.

V. 18. La primera palabra en el texto griego de este versículo es un verbo que se traduce *he recibido* y que pertenece también al lenguaje contable. El testimonio del uso de este verbo en los recibos comerciales de la época nos hace ver que Pablo considera como saldada la deuda espiritual que los filipenses habían contraído con él. Es interesante que el Apóstol utilice simultáneamente con un término de origen contable, otro que proviene del campo litúrgico. Nos referimos a la palabra traducida *sacrificio.* Debe señalarse, además, una coincidencia notable entre la manera en que Pablo se refiere al sacrificio de Cristo por nosotros (Ef. 5:2) y el sacrificio que los filipenses han hecho en favor de él. En ambos casos se habla tanto de *sacrificio,* como del *olor fragante* que el mismo constituye ante Dios. No podemos saber con certeza si el Apóstol fue consciente de este paralelismo; pero es un caso en el que el fruto espiritual de los cristianos refleja una actitud similar a la del Señor Jesús.

V. 19. Emocionado por su gratitud ante los filipenses, Pablo les abre su corazón y les manifiesta su convicción respecto de ellos. ¿Cuál era? Que Dios (él lo llama *Mi Dios,* utilizando un posesivo que manifiesta la intimidad de su relación con el Todopoderoso) supliría toda necesidad de ellos. El término traducido *suplirá* es el verbo griego *pleroo*, que significa "llenar, cumplir, completar". O sea que Dios no iba a darles con cuentagotas, sino que lo haría de manera abundante. Y como si esto no quedara claro, Pablo, desde una perspectiva similar a la que ya hemos visto en Efesios, enfatiza que Dios actuará *conforme a sus riquezas en gloria en Cristo Jesús.*

V. 20. Antes de presentar sus saludos y bendición final, Pablo irrumpe con palabras de alabanza a Dios, en una hermosa doxología. A pesar de que las cosas no le estaban yendo tan bien desde un punto de vista humano, el Apóstol se muestra con motivos para dar gloria a Dios. Es que como dice Lenski: "La gloria que es la propia posesión eterna de Dios, es añadida a la gloria que le tributamos cuando le conocemos, le alabamos y le adoramos y le glorificamos."

Aplicaciones del estudio

1. Debemos recordar siempre a los predicadores del evangelio, v. 10. Debe haber una permanente gratitud en cada hijo de Dios hacia aquellos hermanos que fueron usados por el Espíritu Santo para que se convirtieran.

2. Debemos confiar en que Dios puede satisfacer nuestras necesidades, v. 19. El nos ama y tiene todo el poder necesario para suplir nuestras verdaderas necesidades. No nuestros caprichos, ni deseos egoístas, ni carnales. Pero sí todo lo que verdaderamente contribuirá a nuestro desarrollo integral como creyentes.

Ayuda homilética

Si estamos en Cristo, podremos todo
Filipenses 4:13

Introducción: Hay algunos versículos que por su brevedad, son fáciles de recordar. Hay otros que por la profundidad espiritual que transmiten, deben ser recordados. Filipenses 4:13 es tanto lo uno como lo otro. Es una forma sintética de entender una gran verdad: Que estar en Cristo es poderlo todo. Veamos algunas de las manifestaciones de esta convicción.

I. Servir a Dios, sin mirar hacia atrás 1 Timoteo 1:12-14.
- A. Sin olvidar las lecciones de los errores cometidos.
- B. Sin dejar de servir por los recuerdos de dichos errores.

II. Proponernos el alcanzar virtudes cristianas permanentes, Colosenses 1:9-12.
- A. La perseverancia.
- B. La paciencia.
- C. El gozo.

III. Experimentar la presencia de Dios ante la ausencia humana, 2 Timoteo 4:16-18.
- A. Sin dejarnos abatir por la falta de respaldo fraternal.
- B. Sintiéndonos seguros ante la presencia del Señor.

Conclusión: Alguien expresó: "Quien se asegura en sus propias fuerzas conocerá por triste experiencia que nada puede sin Jesucristo; quien se apoya en su gracia, encontrará que ella es omnipotente." Confiemos en Jesucristo y dispongámonos a efectuar su voluntad. Si así lo hacemos, todo nos será posible.

Lecturas bíblicas para el siguiente estudio

Lunes: Habacuc 1:1-10
Martes: Habacuc 1:11-17
Miércoles: Habacuc 2:1-11
Jueves: Habacuc 2:12-20
Viernes: Habacuc 3:1-12
Sábado: Habacuc 3:13-19

AGENDA DE CLASE

Antes de la clase
1. Estudie con atención el texto bíblico y su comentario en el libro del maestro y el del alumno. Deténgase en el *Estudio panorámico del contexto* y lea cuidadosamente los relatos del libro de Los Hechos, a que hace referencia. **2.** Consiga fotografías de algún misionero o campo misionero de su iglesia, o de su país. **3.** Coloque en su clase un mapa de los viajes misioneros de Pablo donde estén marcadas las ciudades de Filipos y Tesalónica.

Comprobación de respuestas
JOVENES. **1.** al fin se ha renovado vuestra preocupación para conmigo; os faltaba la oportunidad; contentarme; lo que tengo; la pobreza; en la abundancia; hacer frente; la abundancia como a la necesidad; Cristo que me fortalece. **2.** b, c, f.
ADULTOS. **1.** v. 10; v. 11; v. 12; v. 13; v. 14. **2.** En el comienzo de su ministerio en Tesalónica, los Filipenses lo habían apoyado, enviándole en varias oportunidades, ofrendas para su sostén.

Ya en la clase
DESPIERTE EL INTERES
1. Haga circular entre los alumnos de su clase fotografías de una obra misionera de su iglesia o de su país. Puede mostrar también fotografías de misioneros o recortes con información sobre la obra misionera. **2.** Oriente la conversación para que los alumnos se interesen en la labor de las misiones contemporáneas. **3.** Pregunte a los alumnos, cómo se sostienen materialmente las obras misioneras y si han tenido la experiencia de ofrendar específicamente para un campo misionero. **4.** Explíqueles que este estudio nos permitirá conocer, de la pluma de uno de los primeros misioneros, la importancia que tiene para ellos sentir el apoyo de la iglesia para realizar su misión.

ESTUDIO PANORAMICO DEL CONTEXTO
1. Utilice el mapa de los viajes de Pablo, colocado en su clase, para explicar el contexto del pasaje de este estudio. Señale la ciudad de Tesalónica y explique que era la capital del estado de Macedonia. Ubique luego Filipos y estimule a los alumnos para que aprecien la distancia que hay entre ambas ciudades. **2.** Los alumnos, utilizando sus Biblias y la sección *Estudio panorámico del contexto,* del libro del alumno, establecerán relaciones entre el ministerio misionero de Pablo y las dos ciudades mencionadas.

ESTUDIO DEL TEXTO BASICO
Al comenzar el estudio del texto básico, los alumnos, en grupos de cuatro, completarán los ejercicios de la sección: *Lea su Biblia y responda.*

El apoyo de los filipenses. Pida a un alumno que lea en voz alta los vv. 10, 14. Proponga a la clase que expresen el sentimiento del apóstol Pablo hacia la iglesia de Filipos con una sola palabra. Vaya escribiendo las palabras en el pizarrón. Seguramnte, escribirá las palabras: gratitud, aprecio, valoración, gozo, aprobación, etc. Proponga a la clase, investigar en el texto, las actitudes de Pablo y de la iglesia de Filipos, ante la necesidad material.

La actitud de Pablo y el buen ejemplo de los Filipenses. Divida la clase en dos grupos. Un grupo investigará el ejemplo de la actitud de Pablo y otro, el ejemplo de la actitud de los Filipenses. Entregue al primer grupo un papel con las siguientes asignaturas: (1) Investigue la actitud de Pablo frente a la necesidad material, e informe en esta hoja: qué había aprendido, qué sabía y cuál era el secreto para poder enfrentar la tribulación. (2) Entregue al segundo grupo, un papel con las siguientes tareas: Investigue en los vv. 15-19, el ejemplo de los Filipenses, e informe en esta hoja antencedentes de la acción, medio con que la enviaron, generosidad de la ofrenda, significado de la ofrenda para Pablo y para Dios. Cuando cada grupo haya concluido su trabajo, un representante de cada grupo lo explicará a la clase. Destaque entonces que, si por un lado, la actitud de Pablo es un ejemplo de dependencia de Dios y confianza en su provisión, la actitud de la iglesia de Filipos es un ejemplo de gratitud a quienes les llevaron el evangelio, y de participación en la obra misionera

Los resultados de la preocupación misionera de los Filipenses. Lea usted en forma expresiva, destacando los resultados concretos del esfuerzo de los Filipenses que disfrutó Pablo, y los resultados espirituales que el Apóstol reclama para los creyentes de Filipos.

APLICACIONES PRACTICAS

1. Al desarrollar el *Estudio del texto básico* ya han reconocido, tanto en la actitud de Pablo como en la de la iglesia, ejemplos prácticos dignos de imitar. **2.** Dé oportunidad para que los alumnos los mencionen. **3.** Un alumno los irá escribiendo en el pizarrón. **4.** Pida ahora que comparen las aplicaciones encontradas con las que aparecen en el libro del alumno. Algunos alumnos reflexionarán sobre aquellas aplicaciones que sienten como una demanda de Dios para sus vidas.

PRUEBA

1. Invite a la clase a realizar las dos actividades de esta sección en parejas. **2.** Lea y explique la primera consigna y dé un tiempo para que las parejas realicen la primer actividad. **3.** Lea la consigna de la segunda actividad y explique cómo la completaría usted, de modo que los alumnos relacionen el estudio con su realidad en la iglesia local. **4.** Completen la segunda actividad. **5.** Dé un tiempo para que en cada grupo, los alumnos puedan orar mutuamente intercediendo para que Dios los guíe en el cumplimiento de sus decisiones.

PLAN DE ESTUDIOS HABACUC, JEREMIAS, LAMENTACIONES

Escriba antes del número de cada estudio, la fecha en que lo usará.

Fecha **Unidad 3: Una destrucción inminente**

______ 14. Fidelidad, a pesar de todo
______ 15. Jeremías, vocero de destrucción
______ 16. Una confianza mal puesta
______ 17. Llamado a la humillación
______ 18. El corazón engañoso

Unidad 4: Los sollozos del siervo de Dios

______ 19. En la casa del alfarero
______ 20. Profetas buenos y profetas malos
______ 21. Una carta de consuelo

Unidad 5: Señales de menoscabo y destrucción

______ 22. Un pacto nuevo
______ 23. La caída de Jerusalén
______ 24. El remanente de Judá
______ 25. El remanente en Egipto
______ 26. El dolor de una pérdida irreparable

HABACUC

Una introducción

El profeta

El nombre Habacuc significa abrazo, o abrazo ardiente. Por el significado del nombre Habacuc algunos de los rabinos creían que el profeta era el hijo de la mujer sunamita mencionada en 2 Reyes 4:16, donde se dice: "abrazarás un hijo". Sin embargo, es sólo una suposición. De la vida de Habacuc no sabemos casi nada. De su libro se desprende poco que nos sirva de ayuda para cerciorarnos de algo concreto en cuanto a la vida personal del profeta. De 1:1 se saca la conclusión de que era profeta. De 3:19 se deduce que era miembro del coro del templo y, por ende, de la tribu de Leví.

Fecha y tiempos de Habacuc

El profeta Habacuc es otro de los hombres de Dios que vivió en el período de reforma y de entusiasmo religioso del último cuarto de siglo antes de la caída de Jerusalén. Se fecha la actuación de Habacuc alrededor de 626 a. de J.C. (13 del reinado de Josías). Su profecía coincide con el reinado de Joacim en Jerusalén, siendo Jeremías su contemporáneo. Probablemente Habacuc fue posterior a Nahúm y Sofonías, y anterior a Ezequiel y Daniel.

Enseñanzas de Habacuc, y carácter de éstas

La profecía de Habacuc tiene un punto de vista más amplio que el de algunos otros profetas. Para él la religión de Jehovah era universal en carácter, doctrina expresada en 2:14: "Porque la tierra estará llena de conocimiento de la gloria de Jehovah, como las aguas cubren el mar."

Enseña también que Dios emplea instrumentos para la ejecución de sus propósitos. En este caso él utiliza a los caldeos en la tarea de disciplinar a su pueblo.

Un tercer concepto que se encuentra expuesto a plenitud en la profecía es el de la fidelidad a Dios como base de la perseverancia. Esta doctrina la tenemos en en 2:4: "El justo por su fe vivirá."

Propósito

(1) El primer propósito de Habacuc es hacerle ver que la iniquidad y perversidad del pueblo es la causa principal de la queja del profeta en 1:2-4; es su pecado lo que motiva la venida de los caldeos.

(2) El segundo propósito de esta profecía es revelarles que los caldeos vendrán como instrumentos de la venganza de Dios.

(3) Un tercer propósito es el esfuerzo del profeta por resolver los problemas filosóficos que se suscitan en su mente: ¿Por qué Dios permite la extensión de la iniquidad en la tierra, sin castigarla o borrarla? ¿Por qué, al castigar a su pueblo por su iniquidad, Jehovah usó un pueblo extranjero y pagano, que era más injusto que el mismo pueblo hebreo?

JEREMIAS

Una introducción

El profeta

El nombre Jeremías tiene la forma hebrea *yirmeyahu,* en su forma apocopada *yirmeyah.* Podría significar *arroja Jehovah,* o *Jehovah funda,* de acuerdo con el modo de su derivación. En 1:1 se le llama hijo de Hilquías. Algunos creen que este Hilquías sería el sumo sacerdote que ejerció su oficio en la época de Josías, cooperando eficazmente en la reforma que éste llevó a cabo. Jeremías pertenecía pues, a una familia de sacerdotes que vivía en el campo, en Anatot, a unos cinco o seis kilómetros al norte de Jerusalén.

Fecha

Jeremías recibió su llamamiento a muy temprana edad (quizá tenía unos veinte años), en el año trece del rey Josías, alrededor de 626 a. de J.C., y cinco años antes del hallazgo de libro de la ley en el templo (621 a. de J.C.).

El llamamiento del profeta se relata en el primer capítulo de su profecía, así como las visiones que en esta ocasión tuvo y sus propias reacciones a las responsabilidades que Jehovah ponía sobre él. El ministerio de Jeremías duró desde el año 13 de Josías (626) hasta unos años después de la caída de la ciudad en 586 a. de J.C., o sea, algo más que cuarenta años.

Estilo de la profecía de Jeremías

El estilo de Jeremías no tiene la misma energía y fuerza que el de Isaías, pero no le falta poder para conmover, en parte por la forma franca en que el profeta expresa los sentimientos más íntimos de su alma, aun cuando éstos no dieron la impresión más favorable de él.

Caída de la ciudad de Jerusalén

A la caída de Jerusalén, Jeremías fue tratado bien por Nabucodonosor, que evidentemente se había enterado de los esfuerzos del profeta para conseguir la rendición pacífica de la ciudad. El rey caldeo dio a Jeremías la oportunidad de escoger entre ir a Babilonia (donde sin duda le esperaban honores y alta posición), o quedarse con su pueblo en Jerusalén. Jeremías optó por quedarse con el pueblo y permaneció en su tierra, creyendo sin duda que con su amigo Gedalías (nombrado gobernador por Nabucodonosor) su situación sería buena (40:4-6).

La esperanza de Jeremías de una vida tranquila en Jerusalén después de la partida del conquistador caldeo, no fue realizada. Después de unas semanas Gedalías fue asesinado por Ismael, un judío noble, bajo la influencia de los amonitas (40:15 a 41:15). En seguida, aunque el pueblo en general no era responsable del crimen cometido, todos temían la venganza caldea por la muerte del gobernador, y concibieron el plan de refugiarse en Egipto (41:16-18). Jeremías habló en contra del proyecto, pero el pueblo, no haciéndole caso, entró en la tierra de Egipto llevando consigo a Jeremías.

LAMENTACIONES

Una introducción

Forma literaria

Es necesario algo más que una lectura superficial del libro antes que la naturaleza de "lamentaciones" sea evidente. Y se requiere un examen más cuidadoso del texto para especificar la naturaleza exacta de cada uno de los cinco poemas que conforman el libro.

Escritor y fecha

La posición de Lamentaciones inmediatamente después de Jeremías en nuestras versiones de la Biblia se debe a la tradición, adoptada por la LXX y otras versiones antiguas, de que Jeremías fue el escritor. Es fácil descubrir la paternidad literaria del libro en 2 Crónicas 35:25. Se acepta generalmente que el libro fue escrito no antes de 587 a. de J.C. La vívida descripción de la miseria en que se encontraba la ciudad refleja claramente las marcas de un testigo ocular. Las formas diferentes empleadas en los cinco poemas han sugerido a algunos estudiosos una pluralidad de autores, pero el uso consistente de una forma alfabética, y la unidad de pensamiento junto con el uso repetitivo de frases proféticas y la referencia a las advertencias de su pacto sugieren un solo autor.

Trasfondo histórico

La historia de la literatura de lamentos puede trazarse unos 4,000 años hasta los sumerios, quienes componían endechas inmediatamente después de la destrucción de ciertas ciudades famosas de Mesopotamia. Dos de los más conocidos poemas de este tipo son: "Lamentos sobre la Destrucción de Ur" y "Lamentos sobre la Destrucción de Sumer y Ur". Estos poemas han sido analizados por su similitud con el libro de Lamentaciones. Algunas frases son sorprendentemente similares, pero estaría fuera de la realidad imaginar siquiera una relación directa con las Lamentaciones de Jeremías.

La influencia de la literatura mesopotámica en el desarrollo de la literatura sirio-palestina fue considerable, al grado que durante un largo periodo sirios y palestinos usaban una amplia gama de frases mesopotámicas a propósito.

El uso profético de los "lamentos" era común y una manera de hacer más convincentes los argumentos de los profetas.

Estructura poética

Los primeros cuatro capítulos son acrósticos, es decir, cada versículo comienza con una letra del alfabeto hebreo, de tal forma que cada capítulo tiene 22 versículos, excepto el capítulo 3 en el que cada letra del alfabeto es usada para empezar tres líneas consecutivas, hasta formar 66 versículos. El capítulo 5 no emplea la estructura alfabética pero sí mantiene el arreglo de 22 versículos.

Estudio **14**

Unidad 3

Fidelidad, a pesar de todo

Contexto: Habacuc 1:1 a 3:19
Texto básico: Habacuc 1:1 a 2:6; 3:13-15, 17-19
Versículo clave: Habacuc 3:18
Verdad central: El juicio de Dios a su pueblo por medio de los caldeos nos enseña que él castiga la infidelidad, y que nos conviene ser fieles en todas circunstancias.
Metas de enseñanza-aprendizaje: Que el alumno demuestre su: (1) conocimiento del juicio de Dios a su pueblo por medio de los caldeos, (2) actitud de fidelidad a Dios sin importar las circunstancias.

Estudio panorámico del contexto

A. Fondo histórico:

Lo que sabemos acerca de Habacuc se deriva de su propio libro bíblico. Tal vez era de una escuela de profetas. También, por el cántico en el capítulo 3, parece haber sido poeta y quizás cantor en el culto del templo. Era un hombre sincero que no temía hacer preguntas aun al mismo Dios.

Los caldeos, o babilonios, lograron librarse del yugo asirio en 612 a. de J.C. y siguieron conquistando otras naciones. Se mantuvieron como una gran potencia hasta que Babilonia, a su vez, fue vencida por los medos y persas unos setenta años después. Probablemente Habacuc profetizaba en Judá no mucho antes que los caldeos vencieran a los defensores de Jerusalén, cerca del año 600 a. de J.C.

Habacuc era penosamente consciente de las fallas y los pecados del pueblo de Judá, y veía que el castigo vendría sobre la nación. Le dolía que los buenos sufrieran más que los malos. Sin embargo, al igual que Job (bajo otras tristes circunstancias, Job 13:15), optaba por mantener su lealtad a Dios a pesar de las dudas y las adversidades.

B. Enfasis:

La actividad profética de Habacuc, 1:1. La profecía, o carga, representa algo pesado venido de Dios, que le incumbe al profeta observar y entregar al pueblo. El profeta duda que Dios escuche su petición, 1:2-4. Se siente enfermo por ver tanta maldad, tanta violencia, tanta falta de respeto por los principios de equidad y justicia; en su angustia pregunta al Señor: ¿Por qué es así, y por qué no intervienes con tu poder y rectitud?

Dios promete castigar por medio de los caldeos, 1:5 a 2:20. Sigue el diálogo entre el Creador y su criatura. El Señor no regaña a Habacuc por cuestionar lo que hace. Más bien, ve las dudas como una expresión honesta y abierta, y responde en igual forma; pero enfatiza la necesidad de tener fe. Judá está en el camino de la destrucción, pero un remanente fiel será salvado. Dios usará a los caldeos para castigar al Judá rebelde. El profeta expresa su asombro de que Dios utilice para tal fin a un pueblo peor que Judá. Dios responde que al final todo quedará tan claro que uno lo podrá comprender sin detenerse a analizarlo. Mientras tanto hay que vivir por la fe. A su vez, los caldeos recibirán su merecido por su robo, violencia, codicia, corrupción, rapiña, borracheras e idolatría. Y no hay que olvidar que Jehovah aún está en su santo templo, glorioso y digno de respeto.

Se alaba a Dios por el porvenir de los fieles, 3:1-15. Aquí vemos una oración pidiendo que Dios haga realidad lo prometido en los capítulos anteriores. Presenta el avance triunfal del Señor para destruir y para librar. Es un cántico, al estilo de los Salmos, para ser usado en el culto.

El profeta hace votos de ser fiel a Dios a pesar de todo, 3:16-19. Se finaliza el cántico y el libro con una vibrante declaración de fe, aun en medio de la adversidad.

Estudio del texto básico

1 El clamor que parece no tener respuesta, Habacuc 1:2-4.

V. 2. El profeta no cuestiona la existencia o el poder de Dios, ni su sentido de justicia; pero sí expresa su aturdimiento por la aparente falta de acción por parte del Señor frente a tanta maldad. Ha visto y experimentado la violencia. ¿Por qué? *¿Hasta cuándo?* Es una pregunta que se han hecho millares de personas en todos los tiempos.

V. 3. Habacuc tiene fe en que Dios sí tiene interés en lo que está pasando, pero, ¿qué sucede? El pueblo de Judá hace caso omiso de la ley de Dios en cuanto al trato que han de darse unos a otros. En vez de una preocupación sana por el prójimo, hay *pleitos y contiendas, destrucción y violencia.*

V. 4. *La ley,* o instrucción, dada por Dios en su santa Palabra ha perdido su eficacia porque no la han obedecido. Por lo mismo *el derecho no prevalece.* Cuando una nación o una persona carece de principios básicos, como los que nuestro Creador ofrece, cada cual fija sus propias normas y rara vez son equilibradas y justas. Como se dijo en una época anterior: "Cada uno hacía lo que le parecía recto ante sus propios ojos" (Jue. 21:25). Con fines egoístas el *impío cerca,* o asedia, *al justo.* ¿Cómo puede haber justicia cuando cada cual la interpreta para su propio beneficio? ¿Cómo puede Jehovah tolerar tal estado de cosas?

2 Dios obra por medio de los caldeos, Habacuc 1:5 a 2:1.

V. 5. En los vv. 5-11 el Señor responde a la primera queja del profeta, explicando que suele hacer sus obras sobrenaturales usando medios naturales. En el actual orden del universo la revelación divina es encubierta a los ojos físicos y es percibida sólo por los ojos de la fe. *Observad entre las naciones* lo acaecido en la historia política para ver la voluntad divina.

V. 6. Los caldeos se habrían burlado de la idea de que fuesen instrumentos del propósito de Jehovah. Ellos tienen dioses de acuerdo con sus propias inclinaciones: ¡Dioses hechos a la imagen del hombre! Pero el propósito de Dios permanece. Parece una gran contradicción el hecho de usar a un pueblo pagano para castigar a su pueblo. Sin embargo, eso es precisamente lo que Dios está haciendo.

V. 7. Ese pueblo *será temible y terrible,* como es todo aquel que actúa sin principios. Esas características serán expresadas contra los hijos de Dios y en un momentoo dado derribarán el *derecho y la dignidad* del pueblo escogido.

Vv. 8-10. *Sus caballos* de guerra son veloces y briosos, y sus *jinetes* corren para destruir. Nada ni nadie los puede detener. No importa quién se ponga delante, su rostro se dirige hacia adelante, y logran tomar muchísimos cautivos. No temen ni a *reyes* ni a *príncipes,* y las fortificaciones enemigas caerán delante de ellos aunque tengan que levantar rampas para tomarlas.

V. 11. Su orgullo llevará a los caldeos a su propia destrucción, como se dice en Proverbios 16:18. Son como el necio que se jacta de ser el único dios que hay. El Todopoderoso tendrá la última palabra.

Vv. 12, 13. Habacuc no se queda del todo satisfecho con la respuesta de Dios, y la segunda queja abarca los vv. 1:12 a 2:1. Reconoce que el Señor es *desde el principio* (eterno) y *santo mío*, y se relaciona con sus criaturas en forma personal. Luego expresa el anhelo de que la severidad del castigo no llegue hasta el extremo de la muerte. Comprende por qué se castiga a Judá, pero ¿cómo puede ser que el impío (el caldeo) destruye al más justo que él, dado que Dios no puede mirar el mal? Jehovah es la Roca, como las que en el desierto sirven para dar protección contra los rigores del sol y el viento.

Vv. 14-17. Como el pescador pone la carnada al anzuelo para engañar a los *peces* con el fin de poderlos pescar, así los caldeos sacan en *red o con anzuelo* a los pueblos, y se gozan. En vez de reconocer al Dios de los cielos, alaban y rinden sacrificios a su *red* y su *malla;* en otras palabras, a su propia fuerza y habilidad. El profeta se pregunta cómo relacionar la santidad de Dios con su utilización de hombres que adoran sólo el poder y el éxito.

V. 2:1. El problema del profeta no es tanto falta de fe como falta de comprensión. Sólo Dios puede quitar el velo del misterio de su voluntad, lo que quiere y lo que permite. Así Habacuc propone estacionarse como atalaya sobre la torre para ver cómo va a terminar el asunto.

3 El justo por su fe vivirá, Habacuc 2:2-6.

V. 2. Lo grandioso es que el Dueño del universo le *respondió*. La instrucción divina es que escriba de tal manera que las personas aun corriendo capten fácilmente su mensaje. Algunos han interpretado la frase en el sentido de que el que lee vaya corriendo para obedecer o para compartir la nueva del triunfo final de Dios. En todo caso lo que escribimos sobre el Señor debe ser fácil de comprender.

V. 3. El tiempo de Dios no siempre es igual al nuestro. *Aunque por un tiempo la visión tarde,* es siempre inminente. Sucederá sin falta. *Al fin hablará y no defraudará.* Los hombres tendrán su época, pero el porvenir será de Dios.

V. 4. Las circunstancias del momento pueden dar base para el envanecimiento; pero el hombre de fe ve más allá del momento, y eso le conduce a la fidelidad. La expresión *El justo por su fe vivirá* llegó a tener mucha resonancia en el N. T., siendo citada en Romanos (1:17), en Gálatas (3:11) y en Hebreos (10:38), además de otras referencias parecidas. La "fe" y su acompañante la "fidelidad" (la misma voz en hebreo y en griego) son centrales en la Biblia. La fe es la raíz, y la fidelidad es el fruto.

Vv. 5, 6. Aquí vemos muestras del resultado de las acciones del envanecido. Tal vez enriquezca, pero no prosperará en el verdadero sentido de la palabra; abrirá su boca, pero no se saciará. *Congrega hacia él todos los pueblos. Pero, ¿no han de levantar todos éstos la voz contra él?* Pensemos en los poderosos de la tierra que usaron su poder con fines egoístas. ¿Qué actitud hacia ellos suele haber en las generaciones siguientes? Son como el sepulcro que traga a los seres humanos sin detenerse pero que es poco amado. *¡Ay del que...* es expresión de la calamidad inminente que espera a quien *multiplica lo que no es suyo.* A la vez, desprecia al que exige a los pobres las prendas personales como garantía para un préstamo. Mientras el pobre pasa frío por falta de su ropa, ¿de qué servirá para quien le ha hecho el préstamo? La ley de Dios (Exo. 22:25-27) prohíbe retener durante la noche una ropa empeñada.

4 Dios librará a su pueblo, Habacuc 3:13-15.

V. 13. Después de presentar gráfica y poéticamente en los vv. anteriores lo que la ira de Dios hace con los que se le oponen, vemos aquí cuál es un propósito principal de sus acciones. Ha de *librar* a su *pueblo,* y eso ha sido una preocupación de Habacuc desde el comienzo. El *ungido* por excelencia será Jesucristo, pero el término incluye al pueblo que el Señor ha escogido para sus fines. En este cántico los ojos de fe del profeta miran las cosas como algo ya consumado, aunque históricamente aún no ha sucedido. A los opresores del pueblo de Dios y al *impío* llegará la destrucción de su linaje desde *el techo* hasta *el cimiento.*

Vv. 14, 15. Como David, en el nombre de Dios, hirió la frente del gigante Goliat y lo mató cuando éste desafió a Israel (1 Sam. 17:49), así ahora el Señor actuará en bien de la justicia. *Marchaste en el mar*, tal como el Eterno lo había hecho para Moisés al cruzar el mar Rojo (Exo. 14:13-25).

5 Fidelidad a Dios a pesar de todo, Habacuc 3:17-19.

Vv. 17, 18. Después de expresar su incertidumbre en el v. 16, el profeta demuestra su fidelidad basada en su fe. Aun en medio de la adversidad y el peligro, la decisión se ha tomado. Va a creer a Dios. Aun ante las desgracias más extremas, el camino a tomarse está fijo. Así, aunque falte la provisión de los alimentos más elementales en el ambiente de Habacuc, con todo *yo me alegraré en Jehovah.* Puede que la invasión, u otra calamidad, destruya nuestra subsistencia, pero Dios es mi salvación, *y me gozaré.* Para el cristiano la desolación no conduce a la desesperación, sino a la fe en el Señor.

V. 19. ¿Cómo será todo eso? El profeta ha salido del profundo valle de la incertidumbre, porque *Jehovah, el Señor, es* su *fortaleza.* Al final, Dios está en control. Aunque mis pies pueden vacilar, estando él conmigo, serán afirmados para poder escalar las alturas al igual que los ágiles venados. El sol de la fe ha salido. Eso es nuestro cántico, tanto en el culto público como en el personal.

Aplicaciones del estudio

1. Podemos presentar nuestra dudas a Dios. Es aceptable cuestionar a Dios, con tal que sea en forma honesta y haya una sincera disposición a buscar una respuesta, Habacuc 1:2.

2. Debemos respetar la soberanía de Dios. A veces Dios utiliza medios para nosotros sorprendentes para lograr sus propósitos, Habacuc 1:6.

3. El evangelio en el A. T. "El justo por su fe vivirá", Habacuc 2:4. Pues "sin fe es imposible agradar a Dios" (Heb. 11:6).

4. Es imprescindible la fe y la fidelidad, Habacuc 3:18.

Ayuda homilética

La fe cuando todo anda mal
Habacuc 1:1-4; 2:1-6; 3:1-3, 17-19

Introducción: No siempre es fácil practicar la fe. A veces hemos de decir como el padre presentado en Marcos 9:24.

I. La pregunta angustiosa del profeta (1:1-4): ¿Se preocupa Dios por nuestra situación?
II. Dios responde (1:5-11), pero no siempre de la manera como el hombre cree mejor.
III. El hombre cuestiona a Dios nuevamente (1:12 a 2:1).
IV. El elemento esencial para enfrentar la realidad es la fe en el resultado final, en Dios (2:4, 20).
V. El hombre expresa su fe con el canto (3:1-19):
- A. Oración: conocer la obra de Dios, pedir avivamiento, recibir misericordia (v. 2).
- B. Testimonio: Dios traerá justicia (vv. 3, 13).
- C. La fe, a pesar de todo (vv. 18, 19).

Conclusión: Sin lluvia no hay arco iris. Usemos la fe pequeña que tenemos, y llegará a ser más grande.

Lecturas bíblicas para el siguiente estudio

Lunes: Jeremías 1:1-19
Martes: Jeremías 2:1-37
Miércoles: Jeremías 3:1-25
Jueves: Jeremías 4:1-31
Viernes: Jeremías 5:1-31
Sábado: Jeremías 6:1-30

AGENDA DE CLASE

Antes de la clase

1. Lea el libro de Habacuc marcando el diálogo entre Dios y el profeta. **2.** Prepare un cartelón o escriba en el pizarrón el bosquejo del estudio incluyendo las citas de los pasajes a enfocar. Cubra los puntos con tiras de papel que irá sacando a medida que avanza el estudio. **3.** Lleve papel y lápiz para cada alumno. **4.** Complete la primera sección bajo *Estudio del texto básico* en el libro del alumno.

Comprobación de respuestas

JOVENES: **1.** a. Pleitos y contiendas. b. Destrucción y violencia. **2.** a. Envanecido. b. Por su fe vivirá. **3.** Que la higuera no florezca. No haya fruto en las vides. Los campos no produzcan alimento. Se acaben las ovejas del redil. No haya vacas en los establos.
ADULTOS: **1.** La ley y el derecho han perdido su poder, el impío prevalece sobre el justo. **2.** La arrasarán. **3.** Usará a una nación más pecadora para castigar el pecado de su pueblo. **4** y **5**. (Las respuestas dependen del alumno.)

Ya en la clase

DESPIERTE EL INTERES

1. Pregunte si bajo alguna circunstancia han clamado o han visto clamar a alguien: "¿Hasta cuándo seguirá esta injusticia sin que el Señor haga nada?" "¿Dónde está Dios en todo esto?" "¿Cómo puede ser que Dios permita este sufrimiento?" **2.** Dé oportunidad para que los presentes contesten libremente sin tratar de ofrecer justificativos para Dios. **3.** Diga que Habacuc es un verdadero hermano de todos los que han tenido o tienen una inquietud así.

ESTUDIO PANORAMICO DEL CONTEXTO

1. Pida a los participantes que abran sus Biblias en el libro de Habacuc. **2.** Pregunte a los que estudiaron su lección qué se sabe de Habacuc. Agregue información obtenida de su propio estudio. **3.** Haga notar que siempre recordarán a Habacuc porque fue un profeta distinto, más bien que ser el portavoz de Dios al pueblo, fue el portavoz del pueblo haciendo reclamos a Dios en busca de respuestas a preguntas que los consternaban. **4.** Dé un resumen del contexto histórico en que fue escrito el libro.

ESTUDIO DEL TEXTO BASICO

1. El clamor que parece no tener respuesta. Destape el primer punto del bosquejo que escribió en un cartelón o en el pizarrón. Diga que el libro de Habacuc es un diálogo entre Habacuc y Dios. Pida a un alumno que se preste para leer la parte de Habacuc y otro para leer la parte de Dios. Pueden sentarse en dos sillas de frente a la clase. "Habacuc" lea en voz alta los vv. 2-4 dirigiéndose a la persona que está leyendo la parte de Dios. Pida que los demás identifiquen los reclamos de Habacuc. Dialoguen sobre ellos y cómo, para él, parecen no tener respuestas. Pregunte qué actitud o tono les parece el de Habacuc (p. ej.: impaciencia, frustración, etc.)

2. *Dios obra por medio de los caldeos.* Destape el segundo punto del bosquejo. El que se ofreció para leer la parte de "Dios", lea ahora 1:5-11, dirigiéndose a "Habacuc". Si no lo hizo ya, comente que "caldeos" se refiere a los "babilonios" que unos 50 años después arrasaron con Jerusalén y toda Judá. Pida a los alumnos que den una descripción de los babilonios basándose en lo que Dios dice de ellos en estos versículos. "Habacuc" lea en voz alta 1:12 a 2:1. Los demás escuchen para ver si a Habacuc le satisfizo la respuesta de Dios a sus dos preguntas (vv. 12, 13), la razón principal por la cual no le satisfizo la respuesta de Dios y lo que pensaba hacer hasta recibir una satisfactoria.

3. *El justo por su fe vivirá.* Destape este punto del bosquejo. Comente que el capítulo 2 contiene una segunda respuesta de Dios que indica: (1) la actitud que debe tener el profeta y (2) cinco "ayes" o maldiciones que muestran lo que sucederá en definitiva a los caldeos. Busquen los "¡Ay!" a lo largo del capítulo (vv. 6, 9, 12, 15, 19). Diga que enfocarán ahora la primera parte de esta respuesta de Dios. "Dios" lea en voz alta los vv. 2-6. Los demás encuentren: (1) lo que Habacuc debía hacer para que esta respuesta o visión no se perdiera (v. 2); (2) qué debía hacer mientras el cumplimiento de la visión se demoraba. Dialoguen sobre el papel de la fe en tiempos cuando el mal parece triunfar sobre el bien. Lean en silencio 2:20. ¿Qué implica este versículo?

4. *Dios librará a su pueblo.* Destape este punto del bosquejo. Dé un resumen de 3:1-12. "Habacuc" lea los vv. 13-15. Pregunte qué ven en estos versículos que muestra que la segunda respuesta de Dios satisfizo a Habacuc (escribió en tiempo pasado, como dando por hecha la liberación de su pueblo y describió los actos portentosos de Dios). Dialoguen sobre esos actos de Dios.

5. *Voto de fidelidad a Dios a pesar de todo.* Destape este punto del bosquejo. Lean en voz alta y al unísono estos versículos culminantes de Habacuc. Dialoguen sobre cómo este pasaje es una descripción del justo que vive por su fe y cómo demuestra la convicción de que Dios "está en su santo templo".

APLICACIONES DEL ESTUDIO

Vuelvan a enfocar las preguntas que hicieron bajo "Despierte el interés" y vea si ahora, en base a lo estudiado, pueden ofrecer una respuesta satisfactoria a cada pregunta.

PRUEBA

1. Forme parejas o tríos para que completen esta sección en sus libros del alumno. **2.** Compruebe las respuestas.

Jeremías, vocero de destrucción

Contexto: Jeremías 1:1 a 6:30
Texto básico: Jeremías 1:1-19
Versículo clave: Jeremías 1:17
Verdad central: La comisión de Dios a Jeremías para que anuncie el juicio divino contra su pueblo que cayó en el pecado de la idolatría nos enseña la importancia de adorarle únicamente a él.
Metas de enseñanza-aprendizaje: Que el alumno demuestre su: (1) conocimiento de la comisión que Dios le dio a Jeremías, (2) actitud de adorar exclusivamente a Dios.

Estudio panorámico del contexto

A. Fondo histórico:

Crisis externa e interna. Fue hacia el fin del largo reinado de Josías en Judá que los babilonios se sacudieron del yugo de los asirios (612 a. de J.C.) y siguieron conquistando otros países. Josías había tratado de enderezar la vida moral de su pueblo, pero el avivamiento duró poco; los reyes después de él (tres hijos y un nieto) compartieron la decadencia de su nación. Josías murió luchando contra Egipto cuando éste mandó sus ejércitos a Judá. Los egipcios, con el respaldo de muchos del pueblo, pusieron sobre el trono a Joacaz, un hijo de Josías pero no el mayor. Después de sólo tres meses lo llevaron a Egipto y pusieron a Joacim, otro hijo de Josías. Joacim reinó once años y era rey fuerte y malvado, e hizo la contra a las predicciones de Jeremías.

Judá queda bajo la influencia de Babilonia. Los babilonios vencieron a los egipcios y así Judá quedó bajo el poder de ellos. Algunos hebreos, como Daniel y sus compañeros, fueron llevados a Babilonia. Después de la muerte de Joacim le sucedió en el trono su hijo Joaquín (también llamado Jeconías y Conías). Pero Joaquín duró sólo tres meses como rey cuando, junto con otros, fue llevado a Babilonia.

Los babilonios impusieron a otro hijo de Josías, Sedequías. Este se rebeló después de nueve años de vasallaje, y Jerusalén cayó en dos años más; y el país entró al período que llamamos la cautividad. Mucho de lo que sabemos de los últimos años de Judá viene del libro de Jeremías, cuyo ministerio duró unos cuarenta años.

Jeremías (“Jehovah levanta”*) es llamado hijo de Hilquías (1:1).* Sacerdote de menor categoría. Su antepasado Abiatar, descendiente de Elí, había sido relegado por el rey Salomón (1 Rey. 2:26) a Anatot, una heredad sacerdotal en el territorio de Benjamín, unos cuatro kilómetros al nordeste de Jerusalén. El ministerio de Jeremías se desarrolló en una época muy difícil para una persona tan sensible como él.

Por la situación decadente del país su mensaje sería de condenación más que de esperanza. Lo que predicaba al pueblo no sólo era antipático sino también parecía ser antipatriótico. Por la manera como el profeta trata ese tema llegamos a saber mucho acerca de él y de lo que le motivaba.

B. Enfasis:

Introducción, 1:1-3. Como la mayoría de los profetas escritores, empieza identificándose a sí mismo con la época en que actúa, y señala que habla por instrucción de Dios.

Llamamiento de Jeremías, 1:4-10. Aunque Jeremías es joven y Moisés (Exo. 3:1 ss.) era anciano, hay semejanza en la forma de tratar de esquivar el deber de ser portavoz del Señor, y en cómo Dios le ayudaría a realizar su tarea. Ante una responsabilidad tan grande es lógico que cualquier hombre, aunque tenga experiencia o talentos propios, va a responder con temor y declarará su sentido de incompetencia.

Visiones de expectación del juicio, 1:11-19. Jeremías es buen observador, pues ve detalles que algunos no veríamos sin que alguien nos alertara sobre el particular. El simbolismo representado no es muy feliz para Judá ni para el profeta que ha de explicarlo. El peligro viene del norte y traerá el juicio de Dios contra Judá.

Infidelidad de Israel, 2:1 a 3:5. En contraste con otros pueblos al occidente y al oriente que permanecen fieles a sus dioses, Israel se ha apartado de Jehovah para ir tras divinidades que no pueden ayudar. "Por tanto, dice Jehovah, contenderé contra vosotros" (2:9). "Entraré en juicio contra ti" (2:35). Pero, de todos modos, si el pueblo regresa a Dios, él lo recibirá.

La alternativa: apostasía o lealtad, 3:6 a 4:4. Con una alegoría de dos hermanas dadas al adulterio se presenta la apostasía del reino del norte y luego la del reino del sur; pero de nuevo Dios invita a las desleales a que regresen a él. Mas si no regresan, sentirán los rigores de su ira.

Alarma ante el avance del invasor, 4:5-31. Desde el norte vendrá una destrucción tal que "los sacerdotes quedarán horrorizados, y los profetas quedarán atónitos" (4:9). Y Jehovah no va a defender a un pueblo que se ha apartado de él. Más bien, dice de Jerusalén: "Como guardias de campo estarán alrededor de ella, porque se rebeló contra mí" (4:17). "Esta es tu desgracia" (4:18).

Castigo para los infieles. 5:1 a 6:30. Tal como Dios dijo a Abraham que diez justos librarían de destrucción a Sodoma (Gén. 18:32), ahora baja el número necesario a un justo; pero aun así no hay base para la liberación. ¡Oh, el poder de conservación de unos pocos fieles! Pero terca y obstinadamente la gente rehúsa escuchar la voz de Dios.

El Señor tiene que decir: "¡Ciertamente no se han avergonzado, ni han sabido humillarse! Por tanto, caerán entre los que caigan; en el tiempo en que yo los castigue, tropezarán" (6:15). De veras que es triste la perspectiva y triste la tarea del profeta al decírselo al pueblo. Sin embargo, siempre congruente con su justicia, Dios quiere dar a conocer sus planes a los hombres para que tengan una oportunidad para el arrepentimiento.

Estudio del texto básico

1 Dios llama, y el profeta responde, Jeremías 1:1-8.

V. 1. Se indica que son las palabras de Jeremías como autor humano del libro; pero en el v. 2, y muchas veces después, habla la palabra de Dios. Pues la palabra divina tiene una unidad que las palabras del hombre, aunque sea profeta genuino, no suelen tener. En estos tiempos nadie nace sacerdote. Todos los ministros deben ser llamados por Dios.

Vv. 2, 3. Jeremías empieza su ministerio profético en el año 13 del reinado de Josías, el último rey bueno de Judá, cerca del año 621 a. de J.C. Después de la muerte de éste doce años después, el profeta encontró mucha oposición y, a menudo, persecuciones; pues su mensaje no era del agrado de los dirigentes ni de muchos del pueblo. Después que el rey Sedequías y muchos más fueron llevados al cautiverio, algunos que quedaban se fueron a Egipto, forzando a Jeremías a ir con ellos, donde se supone que murió. Hay una tradición no confirmada de que fue muerto allí, después de unos cuarenta años de trabajo difícil.

Vv. 4, 5. Un llamamiento no es iniciado por el hombre, sino por Dios mismo. La obra del Señor en una persona empieza cuando aún está en la matriz de la madre, por cuya razón la vida de un ser humano es preciosa aun antes de nacer y no debe ser extinguida artificialmente. El aborto intencionado es pecado contra el Dador de nuestra existencia. Para toda persona Dios tiene un propósito; y en algunos casos, como en el de Jeremías, el llamado es a ser profeta a las naciones. Su ministerio no se limitaba a Israel.

V. 6. Aunque las circunstancias varían, Jeremías procura disculparse, tal como lo hicieron Moisés, Gedeón (Jue. 6:15) e Isaías (Isa. 6:5). Jeremías vacila señalando su juventud e inexperiencia. Pero Dios capacita y utiliza a los que se sienten inadecuados.

Vv. 7, 8. El profeta no llevará su propio mensaje. El Altísimo que le llamó proveerá la palabra, el poder y la protección. Si midiéramos la vida de Jeremías por el logro de su propio bienestar físico e inmediato, él fue un gran fracaso. ¡Pero miremos su tremenda influencia hasta el día de hoy! Se puede silenciar al mensajero, pero no el mensaje cuando proviene de Dios.

2 Dios capacita al profeta, Jeremías 1:9, 10.

Vv. 9, 10. En forma parecida a la experiencia de Isaías (Isa. 6:6, 7), el Señor toca la boca de Jeremías. La boca de quien habla en nombre del Grandísimo necesita ser limpia, pues no va a hablar por su propia cuenta, sino que hablará el santo mensaje divino. El mundo puede contemplar al portavoz de la palabra de Dios como de no importancia, pero el Todopoderoso lo mira de otro modo: Te he constituido sobre naciones.

Y el mensaje abarca tanto lo negativo como lo positivo; muchas veces hay que arruinar antes de poder edificar. Tan terrible es el ambiente en Judá que se usan cuatro verbos para expresar la destrucción y sólo dos para la habilitación; una parte considerable de la proclamación de Jeremías ha de tener la forma de advertencias.

3 Dios está atento a su plan, Jeremías 1:11, 12.

Vv. 11, 12. En la primera de dos lecciones simbólicas presentadas aquí, Jehovah pide que el profeta centre su vista en algo. Este se fija en una vara de almendro, árbol del que brotan flores antes de hojas, muy temprano en la primavera, como anunciador del cambio de temporada. Es símbolo de la pronta ejecución de los propósitos divinos. "Dios no puede ser burlado" (Gál. 6:7). En hebreo las voces almendro (*shaqued*) y vigilo (*shoqued*) suenen casi iguales, y hacen un juego de palabras, algo que sucede a veces en la Biblia hebrea.

4 Dios promete estar con el profeta, Jeremías 1:13-19.

V. 13. En la segunda lección simbólica aquí dada por la palabra divina, vemos que Jeremías es más observador que algunos de nosotros: No sólo ve la olla que se vuelca, sino que nota que está hirviendo, y que se vacía desde el norte hacia el sur. Y el profeta se fija en que el líquido hirviendo que está a punto de derramarse en juicio viene hacia donde están él y su pueblo.

Vv. 14-16. Si bien Babilonia está al este de Judá, a causa del desierto sirio entre ellos sus ejércitos llegarían por la ruta del norte. Su venida representaría el mal sobre todos los habitantes del país. El Señor dice yo convoco, aunque los invasores no tienen idea de que son usados para servir al propósito de Dios. Cada uno pondrá su trono a la entrada de las puertas; es decir, en la plaza abierta donde los judíos suelen entablar sus juicios y solucionar sus asuntos legales (como vemos en Rut 4:1, 11; 1 Rey. 22:10 y Jer. 39:3). Sus gobernantes serán extranjeros o nacionales impuestos por ellos. En el v. 16 se resume la causa del desagrado de Jehovah.

El pueblo de Judá no ha obedecido siquiera el primero de los Diez Mandamientos; me abandonaron, ofreciendo sus sacrificios y su adoración a los ídolos, obra de sus propias manos. Y aunque los babilonios estén al frente, realmente Dios habla de mis juicios contra Jerusalén y otras ciudades de Judá.

V. 17. Ciñe tus lomos es una figura diciendo "prepárate a trabajar". Ya que las túnicas llevadas por los hombres son largas e incómodas en labores en que hay que correr o agacharse, se juntan las puntas de las faldas y son ceñidas en el cinturón, dejando las piernas más libres.

Así Dios desafía a Jeremías a que se prepare para su misión, la que no será fácil; pues su mensaje no será del agrado del pueblo, el que quiere escuchar halagos y no advertencias. Pero no te amedrentes delante de ellos. Y si el profeta no cumple, tendrá base para temer a Dios y compartirá el castigo de su pueblo. El v. 5 enseña que Dios ha predestinado a Jeremías para una tarea, y el v. 17 muestra que éste está libre para aceptar o no su cometido.

Vv. 18, 19. Quien acepta el desafío de obedecer al Señor, sin acobardarse ante el costo o el peligro, contará con el respaldo de Dios. Será como una ciudad fortificada, un pilar de hierro y un muro de bronce; y harán falta pues, como Jeremías, puede tener que enfrentar a casi todos sus compatriotas, aun a los sacerdotes que prefieren decir lo que la gente quiere oír en vez de lo que Dios les indica. La oposición será grande, pero tendrá el respaldo del Altísimo. El pueblo de la tierra se refiere a las masas del pueblo común.

Aplicaciones del estudio

1. Las palabras del representante de Dios deben basarse fielmente en la palabra de Dios, Jeremías 1:1, 2.

2. El Señor tiene un propósito para cada uno desde antes de nacer, Jeremías 1:5. Esto significa que cada vida tiene valor y también responsabilidad.

3. Si nos sentimos inadecuados, Dios suplirá lo que falta para cumplir su propósito, Jeremías 1:6, 7. Dios valoriza más la fidelidad que el éxito.

4. Lo que Dios nos muestra, debemos observarlo bien, Jeremías 1:11-13. Hay lecciones en cosas comunes.

5. A su debido tiempo vendrá el castigo por los pecados, Jeremías 1:16.

6. Muchas veces lo que Dios quiere que se diga y se haga no será popular, pero hará falta, Jeremías 1:18, 19.

Ayuda homilética

Llamado a una tarea difícil
Jeremías 1:1-19

Introducción: Todo creyente en Cristo es un llamado (Ef. 4:1; 2 Cor. 5:18-20), pero no todos son llamados a una tarea tan difícil como la de Jeremías. Sin embargo, cada uno tenemos la posiblidad de poner nuestros dones al servicio de Señor para que él use nuestra vida en el adelanto de su plan eterno de salvar a los hombres.

I. Nuestras palabras deben ser fiel reflejo de la palabra de Dios (vv. 1, 2).

II. Temprano en la vida debemos ser conscientes del propósito de nuestro Creador para nosotros y ajustarnos a él (v. 5).

III. Si nos sentimos temerosos o inadecuados, no seremos los primeros; pero Dios da su palabra, su poder y su protección (vv. 5-8).

IV. Nuestra tarea incluye tanto el echar abajo lo malo como el construir lo bueno (vv. 9, 10).

V. Dios no nos ha llamado a ser populares con la gente sino a ser fieles a él (vv. 17-19).

Conclusión: No hemos de ser antipáticos frente a la sociedad humana por preferencia pero, cueste lo que cueste, somos siervos y portavoces de Dios (Mat. 10:37-39).

Lecturas bíblicas para el siguiente estudio

Lunes: Jeremías 7:1-15
Martes: Jeremías 7:16-34
Miércoles: Jeremías 8:1-13
Jueves: Jeremías 8:14-22
Viernes: Jeremías 9:1-26
Sábado: Jeremías 10:1-25

AGENDA DE CLASE

Antes de la clase

1. Lea Jeremías 1-6 y estudie el material en este libro y en el del alumno. **2.** Consiga todos los datos posibles sobre el profeta Jeremías, consultando la sección *Estudio panorámico del contexto* en este libro y en el del alumno, diccionarios y comentarios bíblicos. **3.** Si es factible, dé todo este material a un alumno que esté dispuesto a preparar y presentar una biografía concisa de Jeremías, o prepárese usted para hacerlo. **4.** Considere enfatizar ciertos aspectos de su vida y ministerio en cada uno de los estudios basados en Jeremías. En este estudio podría enfatizar la juventud e inexperiencia de Jeremías cuando Dios lo llamó para realizar su ministerio. También, que pertenecía a una familia sacerdotal (levita). **5.** Consiga un mapa bíblico donde aparezca "Anatot". **6.** Complete la primera sección bajo *Estudio del texto básico* en el libro del alumno.

Comprobación de respuestas

JOVENES: 1. A. 2. C. 3. C. 4. B.

ADULTOS: 1. Josías, Joacim, Sedequías. **2.** "No sé hablar, porque soy un muchacho." **3.** Tocó su boca. **4.** (La respuesta depende del lector.) **5.** Una vara de almendro y una olla hirviente que se vuelca desde el norte. **6.** una ciudad fortificada/columna de hierro/muro de bronce contra todo el país.

Ya en la clase

DESPIERTE EL INTERES

1. JOVENES: Si tiene jóvenes de alrededor de 20 años, pregúnteles cómo reaccionarían si Dios les dijera: "Te he escogido para que seas profeta a las naciones." ADULTOS: Pregunte: ¿Cómo se hubieran sentido si a los 20 años Dios les hubiera dicho: "Te he escogido para que seas profeta a las naciones"? **2.** Después que den sus respuestas, diga que hoy comienzan a estudiar la fascinante historia de Jeremías, un joven a quien Dios le dijo justamente eso.

ESTUDIO PANORAMICO DEL CONTEXTO

1. Pida al alumno que preparó la biografía concisa de Jeremías que la presente ahora. **2.** Haga luego preguntas relacionadas con la presentación para fijar en sus mentes lo escuchado (p. ej.: ¿Cuántos años abarcó el ministerio de Jeremías? ¿En cuál reino profetizó: Israel o Judá? Por lo general, ¿aceptaban sus profecías los reyes de Judá?, etc.)

ESTUDIO DEL TEXTO BASICO

1. Dios llama y el (joven) profeta responde. Pida a los presentes que abran sus Biblias en Jeremías 1 y sus libros del alumno en este estudio. Un alumno lea en voz alta el título de esta sección agregándole la palabra "joven" (...el joven profeta responde) y Jeremías 1:1, 2.

Pregunte cuál era la posición de su padre según el v. 1 (sacerdote). Explique la diferencia entre "sacerdote" y "profeta". Muestre el mapa bíblico y señale la ubicación de Anatot con relación a Jerusalén. Pida que mencionen los nombres de los reyes durante cuyos reinados profetizó. Destaque que es por el v. 2 que sabemos que profetizó durante 40 años. Otro alumno lea los vv. 4-8. Guíe el diálogo con preguntas como: ¿Qué le dijo Dios al joven Jeremías al llamarlo? ¿Cómo se sintió Jeremías al recibir el llamado? Destaque que no se sintió orgulloso y capacitado sino humilde e insuficiente y que ésta es una actitud buena porque entonces el que es llamado se apoya en el poder y la suficiencia de Dios. Pregunte: Según los vv. 7 y 8 ¿cuál sería la clave del éxito en su ministerio?

2. Dios capacita al (joven) profeta. Un alumno lea en voz alta el título de esta sección agregándole la palabra "joven" y, luego, Jer. 1:9, 10. Los demás deben identificar (1) qué hizo Dios (comparen con la experiencia de Isaías 6:6 y explique la significación del toque), (2) una promesa de Dios ("pongo mis palabras en tu boca"), (3) los verbos que indican la misión de las palabras de Dios en su boca (arrancar, desmenuzar, etc.). Explique el significado de esos verbos en el momento histórico de Judá.

3. Dios está atento a su plan. Un alumno lea en voz alta el título de esta sección y luego 1:11, 12. Diga que aquí Dios le da a Jeremías la primera de dos ilustraciones o visiones. Esta es para recordarle que Dios estaría atento a que las profecías que le daría se cumplieran. Explique el significado de la vara de almendro, el juego de palabras *shaked* (almendro) y *shoked* (vigilo). Al recordar la visión de la vara de "shaked", Jeremías recordaría que Dios "shoked", o sea que vigila, permanece atento.

4. Dios promete estar con el (joven) profeta. Un alumno lea en voz alta el título de esta sección agregando la palabra "joven" y luego lea 1:13-16. Mencione que aquí aparece la segunda ilustración o visión. Permita que digan su significado. Si es necesario, pueden consultar sus libros del alumno. Otro participante lea en voz alta los vv. 17-19. Pregunte qué significa "ciñe tus lomos". Si es necesario, consulten sus libros. En el v. 18 encuentren las palabras que denotan el poder y permanencia que Dios dará a Jeremías (fortificada, hierro, bronce) y ante quiénes ejercerá Jeremías ese poder que no caerá.

APLICACIONES DEL ESTUDIO

1. Lean al unísono el v. 19 que contiene una gran promesa que también es para cada creyente que se propone cumplir la voluntad de Dios para su vida. **2.** Memoricen la palabra *shoked* y su significado. Inste a cada uno a recordar siempre que Dios vigila y permanece atento a los planes que ha trazado para nosotros.

PRUEBA

Cada uno, individualmente, cumpla el ejercicio en esta sección.

Estudio **16**

Unidad 3

Una confianza mal puesta

Contexto: Jeremías 7 a 10
Texto básico: Jeremías 7:1-20
Versículo clave: Jeremías 7:3
Verdad central: Jeremías pone en evidencia la confianza que el pueblo de Dios depositó en el templo, y lo llama a vivir de acuerdo con su vocación de pueblo escogido.
Metas de enseñanza-aprendizaje: Que el alumno demuestre su: (1) conocimiento de la confianza que el pueblo de Dios depositó en el templo, (2) actitud de vivir de acuerdo con lo que Dios espera de sus hijos.

Estudio panorámico del contexto

A. Fondo histórico:

Israel siempre vivía con la tentación de abandonar a Jehovah para servir a dioses de pueblos vecinos (pues exigían menos) o, por otra parte, de dar atención preferentemente a los elementos del culto —la ceremonia o el lugar del culto— antes que al Dios que da significado al templo, al canto y a las oraciones.

Desde el mismo comienzo de la Biblia vemos eso: Caín ofreció un sacrificio, pero su corazón estaba lejos de Dios (Gén. 4:3 ss.). Aarón y los israelitas decían adorar a Jehovah mediante un becerro de oro (Exo. 32:5). Hoy hay gente que cree que si asiste al culto en domingo, puede hacer su antojo durante la semana; una ofrenda, o un diezmo, a la iglesia sirve como substitutivo de una vida piadosa. En el versículo 4 hay una muestra del uso de la repetición de nombres y expresiones sin verdadero sentido. Es como la repetición sin fin en nuestros días de un Ave María o de un canto, como si Dios no oyera la primera vez. Las religiones paganas usan mucho la vana repetición.

No faltan quienes usan la Biblia u otro símbolo religioso como un talismán mágico. Así fue en los tiempos de Jeremías. Entre otras cosas, se creían seguros mientras el templo de Jehovah estaba en su medio. La presencia del edificio sagrado les daba una confianza equivocada. Como la cáscara no vale nada si la carne de la nuez no está adentro, el templo no vale si Dios no se adora adentro.

La autoridad del profeta para dar consejos se basa en el Dios que le ha enviado. Jeremías, al igual que otros mensajeros del Señor, exige un arrepentimiento sincero y una obediencia completa. La verdadera adoración debe resultar en que se mejore el carácter.

B. Enfasis:

Objetos falsos de la confianza, 7:1-28. Es, tal vez, en la primera parte del reinado de Joacim que Jeremías da este mensaje en una puerta principal del templo durante una fiesta religiosa nacional. Es una situación difícil, pues pocas personas quieren escuchar a quien les menciona sus errores. Pero gobernantes y pueblo deben recordar que se había perdido el santuario anterior en Silo a causa de la maldad, y podría pasar otra vez. La idolatría y un formalismo vacío, en vez de escuchar a Dios y aceptar su corrección, marcarían su fin.

Trágico resultado de abandonar a Jehovah, 7:29 a 8:13. El pueblo de aquel entonces podía decir: "Tengo mi religión" y "Adoro a Dios a mi manera"; pero debían ellos, y debemos nosotros, comprender que no basta servir al Señor a nuestra manera, ya que es Dios mismo quien fija las condiciones de la verdadera adoración. Ellos mezclaban elementos extraños, como imágenes y sacrificios no autorizados por Jehovah. El resultado era un desastre. Sin embargo, a pesar de las advertencias, persistían en su camino malvado.

Una lamentación por la ruina del pueblo, 8:24 a 9:22. Aunque el mal que viene sobre una persona, o un pueblo, sea por culpa propia, no por eso cesa de ser ocasión de lamentar. La gente ha buscado paz a su manera; pero viene la invasión extranjera, como Dios les ha dicho. No obstante, de todos modos para el profeta la perspectiva es tan triste, dolor sin remedio, que educe una lamentación. "Ha pasado la siega ... y ¡...no hemos sido salvos!" (8:20). Pero cada cual intenta una solución mediante la astucia y el engaño. El final de ellos será la muerte y la destrucción.

Una sabia selección de la vida, 9:23 a 10:25. Dice Dios que está "en entenderme y conocerme que yo soy Jehovah, que hago misericordia, juicio y justicia en la tierra" (9:24). Y al final de cuentas él no trata de modo diferente a las varias naciones. Los ídolos no son nada, pero Jehovah es el Dios vivo y el Rey eterno, el Hacedor de todo; y el hombre no es señor de su camino. ¿Qué dice eso al sabio?

Estudio del texto básico

1 Comisionado para profetizar, Jeremías 7:1, 2.

V. 1. *Jehovah* es el nombre personal de Dios. Probablemente significa "El es". Frente a la zarza se le dijo a Moisés: "Yo soy el que soy" (Exo. 3:14). Al apóstol Juan Dios se presenta como "el que es, y que era y que ha de venir" (Apoc. 1:8). En otras palabras es "el Eterno". A otras entidades se les ha llamado "dios", pero sólo Jehovah es Jehovah, o Yahveh (como creemos que debe escribirse). Muchas veces en el libro de Jeremías se nos recuerda que el mensaje del profeta realmente proviene de Dios.

V. 2. Para ser oído por muchos el mensajero de Dios debe colocarse en un lugar donde se congrega la gente, en este caso una de las puertas principales del templo, cuando una gran concurrencia acude a cumplir las ceremonias, aunque más de forma que de contenido. Talvez sería la puerta donde después se pondría Baruc para leer el libro que escribiera Jeremías (36:10). Debe decir que presenta, no algo personal, sino la palabra de Dios.

2 Llamados a armonizar actos con palabras, Jeremías 7:3-7.

V. 3. Dios se identifica como de los Ejércitos, o las huestes, o multitudes. El es el dueño de los seres humanos y de los cuerpos celestes que parecen marchar por los cielos de oriente a occidente de día y de noche. A la vez, es el Dios de Israel. Es universal y es personal. Les dice que la verdadera religión es una manera de vivir y no sólo una manera de hablar (ver Stg. 1:26, 27). Y esos caminos y obras deben ir conformados al propósito de Dios. Se les ha dado una herencia especial para ese fin.

V. 4. La triple repetición de templo de Jehovah puede ser para enfatizar la sinceridad, pero es más probable que sean "vanas repeticiones, como los gentiles, que piensan que serán oídos por su palabrería" (Mat. 6:7). También, se revela en el énfasis sobre el lugar del culto el elemento pagano, común entre los vecinos de Israel, de localizar la presencia y poder de una divinidad a ciertos santuarios, o grutas, a que acude la gente en romería para conseguir ciertos favores, y dentro de los cuales piensan adquirir cierta santidad o protección.

Vv. 5, 6. "Del dicho al hecho hay mucho trecho", *Pero si realmente corregís.* Corregir la manera de ser, o arrepentirse, es la orden del día y, en verdad, de todos los días. La lista de cosas que necesitan de corrección indica que no se limita a gobernantes, pero sí que los incluye. Lo primero que menciona explícitamente tiene que ver con oprimir al forastero —el aprovechar el desconocimiento o la debilidad del desconocido, del huérfano y de la viuda, y de todos los desprovistos de ayuda—. Dios exige la rectitud, la solidaridad de la comunidad y el reconocimiento de él como el único Dios verdadero. E incluye la santidad de la vida humana; especialmente no se debe matar al inocente. Esta conducta debe practicarse en este lugar: en el templo y en la ciudad, es decir, en donde esté. En primer lugar, la religión representa la relación del hombre con su Dios, pero también involucra la práctica de la relación del hombre con su prójimo. Por eso los Diez Mandamientos hablan de deberes hacia Dios y hacia el hombre. Pero Dios es primero.

V. 7. Hay una relación directa entre el comportamiento de la gente y las bendiciones de Dios. Es el pueblo que practica la rectitud y la justicia que tiene las mejores probabilidades de una vida estable y sana. Dios había prometido una tierra propia a Israel, pero rara vez son sus promesas sin condiciones. En los días de Jeremías las diez tribus del norte ya han sido desalojadas, y ahora sólo la práctica de la justicia y la piedad puede asegurar la presencia de Dios que ellos relacionan con el templo.

3 Los pecados que condenan, Jeremías 7:8-15.

V. 8. Dirigiéndose al pueblo reunido allí en la entrada del templo, Jeremías lo reprende: *Estáis confiando en palabras de mentira.* Sus dirigentes les ha aconsejado mal, dando atención preferente a cosas secundarias, si no a las falsas, que no aprovechan. El profeta les afirma que un lugar santo no da seguridad a un pueblo no santo.

Vv. 9-11. Menciona pecados tratados en los Diez Mandamientos y en otros escritos: el robo, el homicidio, el adulterio, el falso testimonio en relación con otros; y en relación con su Dios el ofrecer incienso a Baal, dios principal semita, en especial de los cananeos; o el *ir tras otros dioses que no conocisteis.* Es decir, rendir culto a otras divinidades contra las cuales los verdaderos profetas de Dios les habían advertido. Y después de hacer todo lo que Dios prohíbe, ¿vendréis para estar (de pie) delante de mí, para seguir el ritual del culto como si todo anduviera bien? ¿No hay nada de vergüenza al decir: *Somos libres*, dando a entender que no hay problemas pendientes? El profeta pregunta si la gente se siente libre para seguir haciendo lo que para Dios y toda justicia son abominaciones. ¿No hay una relación directa entre la religión de Jehovah y la moral? ¡Cuidado! El templo dedicado al nombre de Dios debe ser algo muy distinto a la *cueva de ladrones* que ellos han hecho de él. Dice Jehovah: Yo también lo he visto, y lo tendré muy en cuenta para el mal de tales transgresores.

V. 12. Si quieren una comprobación de que Dios no se siente comprometido a proteger el lugar de culto para un pueblo desobediente, piensen en Silo donde, en días de Elí, el tabernáculo y el arca del pacto no sirvieron para protegerles (1 Sam. 4:10-12; Sal. 78:60). Más bien, el arca fue capturada por los filisteos. Pero con todo, a pesar de su maldad, los llama mi pueblo Israel.

Vv. 13, 14. Aunque Dios los ha llamado al arrepentimiento para regresar al camino santo, no lo han hecho. Ahora queda el resultado lógico: *Como hice a Silo, haré a este templo, que es llamado por mi nombre.* Pero cuando algo es usado como fetiche por tener un nombre religioso, Dios no responde a su superstición. Como dirá, años después, nuestro Señor Jesucristo: “Los verdaderos adoradores adorarán al Padre en espíritu y en verdad” (Juan 4:23).

V. 15. Jeremías hace un último llamado a que regresen a Dios; pero al no hacer caso al mensajero del Señor, tal cual vuestros hermanos del reino del norte, os echaré de mi presencia. Efraín era la tribu más poderosa del reino desterrado, en cuyo territorio estaba la sede de gobierno.

4 Cuando no se puede interceder, Jeremías 7:16-20.

V. 16. Es terrible cuando un pueblo, o una persona, ha rechazado tanto lo que Dios dice que al mensajero se le instruya: *no ores por este pueblo.* De veras: “Ha pasado la siega, se ha acabado el verano” (8:20). Ni siquiera debe el profeta levantar clamor, o fuerte lamentación, de pena por la destrucción. Dios antes había escuchado las oraciones de Moisés por su pueblo rebelde (Exo. 32:32; Núm. 14:13-19), pero ahora no lo va a hacer.

Vv. 17, 18. Judá no da evidencia de querer regresar a Jehovah Dios. Abiertamente muestra su preferencia por adorar a la Reina del Cielo, Istar (también llamada Astarte y Astoret), mujer de Baal y diosa de la fertilidad y del amor físico; y relacionada entre algunos pueblos con el planeta Venus, estrella vespertina y matutina. Entre otros pueblos se relaciona con la luna. Un antiguo himno babilónico a Istar habla de ofrecerle leche, tortas y pan salado. Las tortas solían tener la forma simbólica de la diosa. Parece que las mujeres judías serían atraídas a esta diosa (ver 44:15-25), pensando que Jehovah es demasiado masculino y ajeno a actividades hogareñas y que una divinidad femenina tendría más comprensión y compasión. Eso es un error, desde luego; ¿pero ese concepto estará detrás del fervor hacia otra Reina del Cielo ahora en nuestros países? Pero los hijos y los padres también contribuyen a la atención dada a otros dioses. Dios no es ser humano que sea varón o mujer. ¡Es Dios! Es una ofensa al Todopoderoso ponerle en rivalidad con otra divinidad. Dice: "Conmigo no hay más dioses" (Deut. 32:39).

V. 19. Es cierto que con esta lealtad mal puesta ofenden al Señor. Pero el daño mayor es para el pueblo mismo, *para su propia vergüenza*; están confiando en aquello que sólo ofrece esperanzas falsas y que traerá la ira de Dios sobre la gente idólatra. Hay restos hoy de esta adoración falsa a los elementos del cielo en la atención dada a la astrología.

V. 20. El resultado del furor del Señor Jehovah es muy duro, pero hay quienes no aprenden de otro modo. "Jehovah nuestro Dios, Jehovah uno es" (Deut. 6:4).

Aplicaciones del estudio

1. Tenemos que presentar el mensaje de Dios en un lugar donde acude la gente, Jeremías 7:2.

2. La manera de comportarnos ante otros es una indicación de la validez de nuestra religión, Jeremías 7:3-10.

3. Dios tiene mucha paciencia, pero ella no es inagotable, Jeremías 7:12-14.

Ayuda homilética

¿En qué está nuestra confianza?
Jeremías 7:1-20

I. Nuestra confianza está puesta en Dios.
- A. Podemos apreciar mucho nuestro templo, u otros artículos del culto.
- B. Pero nuestra lealtad suprema es hacia el Dios del templo, Jeremías 7:4.

II. El adorar u honrar a otros dioses es una afrenta directa al Todopoderoso, Jeremías 7:18, 19.
- A. El es el Hacedor de todos y de todas las cosas.
- B. Le pertenecemos por derecho de creación.

III. A veces el castigo es el único modo con que algunos aprenden quién es Dios, Jeremías 7:20.

Lecturas bíblicas para el siguiente estudio

Lunes: Jeremías 11:1-17
Martes: Jeremías 11:18-23
Miércoles: Jeremías 12:1-9
Jueves: Jeremías 12:10-17
Viernes: Jeremías 13:1-14
Sábado: Jeremías 13:15-27

AGENDA DE CLASE

Antes de la clase
1. Lea en su Biblia Jeremías 7 al 10. Note que estos capítulos enuncian los pecados que cometían los líderes y el pueblo de Judá, y declaran con energía la ira y el castigo de Dios que ellos provocaban. **2.** Estudie el material en este libro y en el del alumno. **3.** Prepare dos listas: (1) de los pecados que aparecen en Jeremías 7:1-20, (2) de los castigos de Dios a esos pecados. **4.** Prepare una cartulina grande o el pizarrón para ir escribiendo las dos listas en clase (los alumnos aportarán la información, pero usted debe estar preparado para agregar o explicar según sea necesario). **5.** Si es posible, consiga un plano del templo de Salomón en Jerusalén, reprodúzcalo en una hoja grande de papel y domine sus distintas secciones. Encuentre el "pórtico" o puerta donde ha de haberse colocado Jeremías para proclamar el mensaje del Señor. (En el Diccionario Bíblico Mundo Hispano, pág. 710 aparece el plano de este templo y una buena explicación de sus distintas secciones.) **6.** Prepare una hoja en blanco que parezca un pergamino. **7.** Complete la primera sección bajo *Estudio del texto básico* en el libro del alumno.

Comprobación de respuestas
JOVENES: **1.** a) Corregid vuestros caminos y vuestras obras. b) Les dejaría en el lugar donde habitaban. **2.** Oprimís al forastero/huérfano/viuda/derramáis sangre inocente/vais tras otros dioses. **3.** Les echaré de mi presencia.
ADULTOS: **1.** Que corrigieran sus caminos y sus obras. **2.** Que practicaran la justicia, no oprimieran a los débiles (huérfanos, viudas, extranjeros), no dieran muerte a los inocentes, no rindieran culto a otros dioses. **3.** Los echará de su presencia, como lo había hecho con Israel, el reino del norte. **4.** Orar por el pueblo. **5.** Baal, Reina del cielo.

Ya en la clase
DESPIERTE EL INTERES
1. Haga notar el título de este estudio. **2.** Pregunte si alguna vez pusieron su confianza en algo y alguien que después les falló, o cuente usted una experiencia suya en este sentido. **3.** Guíeles a ver el encabezamiento que aparece en la Biblia RVA para Jeremías 7:1-15 (La falsa confianza en el templo) y el de los vv. 16-20 (Lo trágico de la idolatría) y diga que este estudio enfoca el pecado de confiar en cosas totalmente equivocadas.

ESTUDIO PANORAMICO DEL CONTEXTO
Explique que los capítulos 4 al 6 tratan principalmente la segura invasión de Babilonia como castigo de Dios por la pecaminosidad de Judá (la olla hirviente que descendería del norte y que destruiría todo) y sus líderes, y que los capítulos 7 al 10, que forman el contexto de

este estudio, enuncian cuáles eran esos pecados, la actitud de Dios hacia ellos y el castigo que se avecina si siguen en sus pecados.

ESTUDIO DEL TEXTO BASICO

1. Comisionado para profetizar. Lean en silencio 7:1, 2 y pregunte de quién era el mensaje que Jeremías se disponía a anunciar. Recalque que a lo largo del libro encontramos frases similares que indican que Jeremías siempre hacía una diferencia entre lo que era un mensaje dado por Dios o algo que era su propia opinión. Digan dónde debía anunciar Jeremías el mensaje de Dios y qué opinan sobre por qué debía ser justamente allí. Si consiguió un plano del templo en Jerusalén, muéstrelo, explíquelo destacando su puerta o "pórtico" por el cual tenían que pasar obligadamente los que concurrían al templo.

2. Llamados a armonizar actos con palabras. Divida a la clase en dos grupos o sectores. Escriba en la hoja de cartulina o en el pizarrón los encabezamientos para las dos listas: "Pecados del pueblo", "Castigos de Dios". Al leer un alumno en voz alta los vv. 3-7, un grupo o sector debe identificar los pecados; el otro, por inferencia, los castigos si seguían en sus malos caminos (p. ej.: no seguirían viviendo en la tierra prometida). A un sector pregunte en qué no debían confiar, según el v. 4. Pida a los del otro sector que expliquen lo que esto significaba. Si es necesario, pueden consultar sus libros del alumno.

3. Los pecados que condenan. Proceda igual que con el pasaje anterior. Al leer un alumno en voz alta 7:8-15, un sector identificará los pecados y, el otro, los castigos de Dios. Agréguelos a las correspondientes listas. Explique la referencia a Silo (1 Sam. 4:1-10) y su aplicación a la situación del pueblo de Dios en la época de Jeremías.

4. Cuando no se puede interceder. Proceda de la misma manera que con los pasajes anteriores. Al leer un alumno en voz alta 7:16-20, un sector identifique los pecados, y el otro sector los castigos. Agréguelos a las listas. Enseguida pregunte por qué Dios le habrá dicho a Jeremías en el v. 16 que no orara por su pueblo. Dialoguen sobre todo lo que esto implica.

APLICACIONES DEL ESTUDIO

1. Repasen la lista "Pecados del pueblo", y con sinceridad, vean si algunos se aplican a nosotros en la actualidad. De ser así, noten los castigos a los que estamos expuestos y dialoguen sobre las medidas correctivas a tomar. **2.** Elaboren, entre todos, un párrafo que describa "Una confianza BIEN puesta". Un alumno puede ser el secretario que lo escriba en la hoja "pergamino" y luego los presentes lo pueden firmar si desean indicar que quieren poner su confianza totalmente en el Señor. Coloquen este "documento" en la pared del aula.

PRUEBA

1. Individualmente, contesten las preguntas en esta sección. **2.** Forme parejas para que comparta sus respuestas con un compañero de clase.

Llamado a la humillación

Contexto: Jeremías 11:1 a 13:27
Texto básico: Jeremías 13:1-17
Versículo clave: Jeremías 13:16
Verdad central: La soberbia del pueblo provoca la tristeza de Dios y estorba el cumplimiento del plan redentor.
Metas de enseñanza-aprendizaje: Que el alumno demuestre su: (1) conocimiento de la soberbia del pueblo de Dios y las consecuencias, (2) actitud de humildad en el desempeño de las tareas que Dios le encomienda.

Estudio panorámico del contexto

A. Fondo histórico:

Un pacto es un convenio hecho libremente entre dos o más personas o entidades. Israel, recién salido de la esclavitud en Egipto pasó como un año ante ese monte organizándose y recibiendo instrucciones de Jehovah. Era un pueblo escogido para representar al Señor en el mundo, y para hacer eso debía ser una nación moral y separada (Exo. 19:8). Una gente inmoral no puede hablar por un Dios santo. Pero Israel tantas veces ha querido los privilegios de pueblo escogido sin cumplir su parte de lo convenido.

Jeremías no era muy popular entre algunos en Anatot, aldea sacerdotal al norte de Jerusalén, de donde era el profeta.

En este sector del libro de Jeremías se revela mucha de la personalidad del profeta. Las dificultades del papel que le toca le son pesadas. No siempre aguanta con paciencia las críticas y las persecuciones, pero sí sigue perseverante.

A fin de cumplir el mandato de Dios para simbolizar la podredumbre del carácter de la gente, Jeremías debe viajar unos 600 km. para dejar un cinto de lino a la orilla del río Eufrates y regresar la misma distancia, sólo para hacer el mismo viaje, a su debido tiempo, para recoger el cinto ya podrido. Ese largo viaje al Eufrates preve el largo viaje que harían los que van al cautiverio en Babilonia. Sin embargo, algunos eruditos piensan que el término que traducimos Eufrates no se refiere al "río" (pues esa voz no aparece en el texto original), sino al pueblo cercano de Pará (Jos. 18:23), voz que en el hebreo es casi igual. Aun otros creen que el relato es una parábola que realmente no sucedió sino en visión.

Por su maldad Dios había dejado ir al cautiverio a las diez tribus del norte ya hacía un siglo. Por la misma clase de maldad ahora irían las tribus del sur.

B. Enfasis:

La violación del pacto de Sinaí, 11:1-17. De nuevo el profeta es instruido a escuchar y luego entregar el mensaje de Dios, esta vez sobre el no cumplimiento, de parte de Judá, del pacto acordado ya hacía siglos en el monte Sinaí (Exo. 19:3-8), y cuyos derechos gustosamente reclaman, pero sin los correspondientes deberes. Se les previene que esta actitud sólo traerá la ruina.

Complot contra Jeremías en Anatot, 11:18-23. Puede que los sacerdotes parientes y vecinos de Jeremías se sientan aludidos cuando éste denuncia la falsa confianza en el ritual, ya que los sacerdotes están a cargo de ese ritual.

Contraste entre la justicia de Dios y la de los hombres, 12:1-13. Al igual que Habacuc (1:13) y otros, Jeremías se queja ante la aparente prosperidad e impunidad de los malos, pero Dios responde que él también lo lamenta. Hay desilusión por todas partes. Sin embargo, asegura que las cuentas se arreglarán basado en el ardor de la ira de Jehovah.

Profecía de juicio y restauración, 12:14-17. Para Dios el castigar al pueblo es una forma de misericordia, pues no es tanto una obra de venganza divina como de disciplina, a fin de que los hombres aprendan a hacer lo justo o, en última instancia, arrancará lo malo para que no contamine a otros. *La soberbia y sus consecuencias, 13:1-14.* Mediante un simbolismo de un cinto podrido y de tinajas rotas Dios advierte contra la soberbia de la ciudad de Jerusalén y de toda la tierra de Judá. A los soberbios no se les puede enseñar nada, porque creen saberlo todo.

La humillación o el cautiverio, 13:15-27. Donde falta la humildad llegará la humillación. La orgullosa autosuficiencia, sin reconocimiento de depender de la ayuda del Señor, o el recurrir a los ídolos y dioses falsos que prometen más y exigen menos, conducirá a la vergüenza, la pérdida de sus bienes y el ser llevados al cautiverio.

Estudio del texto básico

1 La soberbia de Judá y Jerusalén, Jeremías 13:1-11.

Vv. 1, 2. Como en otros pasajes del libro, se instruye al profeta a que actúe una parábola. Debe comprar un cinto de lino y ponérselo nuevo, sin lavar, alrededor de la cintura. Sirve para sujetar las ropas y para reforzar el cuerpo al hacer trabajos pesados. El usar esta clase de cinturón no sería extraño para Jeremías, pero posiblemente se preguntaría: ¿Qué se propone Dios con eso? Pero cuando el Señor manda, hay que obedecer aunque no se comprenda.

Vv. 3-5. Un segundo llamado de Dios le envía a esconder el cinto (sea al río Eufrates, a la aldea de Pará o en visión). El servir al Señor no siempre resulta ser barato y sin esfuerzo especial, ni tampoco es fácil de comprender el porqué de ciertas cosas. Podría pensar: "¿Cómo es eso? Me dice que gaste mi dinero para comprar el cinto, y ahora me dice que me lo quite del cuerpo, que viaje a un lugar determinado para dejarlo escondido. ¿Por qué será?" Pero Jeremías cumple, aunque le parezca absurdo.

Vv. 6, 7. Después de un tiempo considerable otra vez tiene Jeremías ocasión de cuestionar la intención de Dios, cuando se le dice que vaya a recoger esa prenda de ropa que ya debería ser inútil; pero va. Y como suponía, el cinto se había podrido, y no servía para nada.

V. 8. Pero Jehovah aclara el enigma y explica a su siervo el porqué del mandato. No deja que adivinen la razón ni Jeremías ni los conocidos que saben de lo inusitado de lo que él ha hecho, ni aquellos a quienes el profeta relatará (hasta hoy) su experiencia.

Vv. 9-11. La lección simbolizada tiene que ver con la soberbia que está pudriendo la nación de Judá. La soberbia, u orgullo, ha sido un problema fundamental del hombre desde el mismo comienzo. Adán y Eva creían saber mejor que Dios lo que les convenía, y comieron del fruto prohibido. Otro caso colosal se ve cuando, después del diluvio, los hombres trataron de edificar una torre cuya cúspide llegase al cielo (Gén. 11:4). Por supuesto que no resultó. Los resultados de la soberbia son la rebelión y la desobediencia.

La parábola del cinto nos muestra cómo una prenda útil, pero descuidada y no usada según su propósito, llega a podrirse y ser sucia e inútil. A la vez, el cinto representa al pueblo que es útil, pero si es descuidado y no es usado según su propósito, llega a podrirse y ser sucio e inútil. A la vez, el cinto representa al pueblo que es útil mientras queda cerca del cuerpo de Dios pero, metido en la inmundicia, se deteriora hasta ser inservible.

El que va tras otros dioses: La experiencia nos ha enseñado que, cuando uno no da atención al Dios verdadero, adorará a otro dios o dioses, aunque sea a su propio yo. Muchas veces será el dios (o el "santo") que parece ofrecer la mejor salida de la dificultad del momento. También, a menudo no es tanto adoración como es un esfuerzo por manipular al ser superior para conseguir algo, sea mediante la lisonja o por un intento de forzar el resultado deseado. Pero aun Dios mismo no fuerza al hombre. Esto sí, *como el cinto se adhiere a los lomos del hombre,* quiere que se adhiera a él *toda la casa ...para que me fuesen pueblo.* Dios desea que un pueblo escogido realmente actúe como pueblo escogido. Eso traerá renombre, o fama, a los escogidos; pues son fieles a su cometido. Por su intermedio otras gentes llegarán a conocer la verdad de Dios, y resultará en alabanza y honra para los mensajeros y, por ende, para Dios mismo. Sin embargo, la triste verdad ha sido que los supuestos portavoces no escucharon. Y el fin es pudredumbre; el instrumento no sirve para nada.

2 Consecuencias de la soberbia, Jeremías 13:12-14.

V. 12. Dios presenta una segunda figura indicando el estado de la nación. Como el cinto representa el orgullo desmedido del pueblo, las tinajas destrozadas representan su falta de sentido común. Cuando el Señor repite lo que para ellos sería un refrán conocido, la gente engreída muestra su petulancia y falta de respeto hacia el Todopoderoso diciendo en efecto: "Eso ya lo sabemos", sin esperar para ver a dónde se dirige la observación.

Vv. 13, 14. Haciendo caso omiso de la intervención descortés, Jehovah va al grano de su mensaje. El vino produce embriaguez. En los libros proféticos del Antiguo Testamento a menudo se usa la figura de la borrachera (como en 25:15-28) para indicar la condición patética de la gente: falta de razonamiento, pérdida del sentido común, terribles condiciones que causa la embriaguez. Tales experiencias como la ida al cautiverio destrozan la capacidad de pensar cuerdamente, como lo hace la bebida alcohólica. Ya que no usan de la sabiduría en su relación con Dios, el juicio divino llena de embriaguez a todos, empezando con los reyes,... los sacerdotes,... los profetas; pero también incluye a todos los habitantes. Un resultado de la práctica de la insensatez es más insensatez. Muchas veces Dios nos castiga con lo mismo con que nos infligimos a nosotros mismos. Y aquí dice: *Yo los destrozaré, unos contra otros,* tanto a los padres como a los hijos. El Señor es compasivo y misericordioso, pero hay límites. Y se acerca el día fatal: No tendré compasión; no tendré lástima. Al que no sabe se le puede enseñar, al que es débil se le puede fortalecer; pero al que no quiere no se le puede ayudar sin que primero cambie su actitud. *Ni tendré misericordia como para no destruirlos.* La ira es tanto una característica de Dios como lo es su amor.

3 Oportunidad para el arrepentimiento, Jeremías 13:15-17.

V. 15. Pero el tiempo aún no ha llegado para que se acabe el día de la gracia. Como dirá el apóstol Pedro después: "El Señor no tarda su promesa, como algunos la tienen por tardanza; más bien, es paciente para con vosotros, porque no quiere que nadie se pierda, sino que todos procedan al arrepentimiento" (2 Ped. 3:9). Así el mensajero de Jehovah aquí llama persistentemente: *Oíd y prestad atención.* Pero por ser altivos no están escuchando. Altivez, orgullo, soberbia: Son bases para su desobediencia y rebelión contra el Todopoderoso. El profeta apela a los mejores intereses a fin de que cambien de actitud. Al fin, ¿quién habla? Es Jehovah, el Dios con quien han hecho su pacto nacional.

V. 16. Hay tres cosas que deben hacer de inmediato: 1) *Oíd, 2) No seáis altivos* y 3) *Dad gloria a Jehovah.* ¿Cómo podemos darle gloria, o resplandor? ¿No tiene eso ya por el simple hecho de ser Dueño de todo lo que hay? Sí y no. Gloria la tiene en general, pero en un mundo como el nuestro, para lograr su propósito, ella debe ser personalizada. Necesitamos darle la gloria más de lo que él necesita recibirla. Entregarle gloria es un medio importante para influir en que otros le sigan, siempre que el glorificarle emane de la vida entera y no tan sólo de los labios.

En el caso que estamos estudiando se involucra el confesar el mal y el dejarlo. Así recomendó Josué a Acán: "Da gloria y reconocimiento a Jehovah ...y declárame lo que has hecho" (Jos. 7:19). *Antes que* son palabras de peso en los mensajes de Jeremías, pues implican que hay una triste alternativa: *Antes que ...se oscurezca; antes que vuestros pies tropiecen.* Se está anocheciendo, y pronto llegará la oscuridad de la noche. Como dijera nuestro Señor Jesús: "La noche viene cuando nadie puede trabajar" (Juan 9:4). Siempre esperamos ver mejores días, pero sin un retorno a Dios nunca llegarán.

V. 17. Jeremías no encuentra gusto en hacerles esta advertencia solemne. Ama a su pueblo y le desea lo mejor, pero ve claramente a dónde conduce el camino de su actual trayectoria: Si no escucháis esto, mi alma llorará. Y llorará en secreto, pues ellos no estarán para que vean el llanto; estarán muertos o lejos en el cautiverio. El problema básico es vuestra soberbia. El que debe ser el rebaño de Jehovah ha hecho caso omiso de su pastor y va a la destrucción.

Aplicaciones del estudio

1. Debemos obedecer a Dios aun cuando no comprendemos toda la razón de la orden, Jeremías 13:1-7. Nuestra sabiduría no ha de compararse con la de quien todo lo sabe.

2. La soberbia, o el orgullo excesivo, es la base de muchos de nuestros males, Jeremías 13:9. Los jovencitos no son los únicos que equivocadamente creen que pueden manejar solos sus asuntos.

3. Dios es muy paciente, pero su compasión tiene límites, Jeremías 13:14.

4. Aunque la noche se aproxima, hoy todavía hay oportunidad para arrepentirse, Jeremías 13:15.

5. Tal vez no debe importarme si usted sufre las consecuencias por haber escogido mal, ¡pero me importa!, Jeremías 13:17.

Ayuda homilética

Obstinado u obediente
Jeremías 13:1-17

Introducción: Muchos rezan: "Sea hecha tu voluntad", ¿pero lo dicen en serio o superficialmente?

I. Los desobedientes dan qué hacer a los siervos de Dios (13:1-7).
- A. El hombre tiene libre albedrío para decidir si quiere obedecer.
- B. Pero también es libre para decidir si quiere desobedecer.

II. La soberbia conduce a la ruina (13:8-11).
- A. El hombre puede obrar de tal manera que conduzca su vida al éxito.
- B. Pero también puede conducir su vida a la ruina.

III. La insensatez persistente trae sobre sí el castigo de Dios (13:12-14).
- A. Afecta a gobernantes y gobernados.
- B. Pasa de padres a hijos.

IV. La altivez es perniciosa (13:15-17). Cuando creen estar llenos, Dios les mostrará que están vacíos.

Conclusión: ¡Que el Señor no tenga ocasión de repetir el mensaje de Mateo 23:37, 38 acerca de ninguno de nosotros!

Lecturas bíblicas para el siguiente estudio

Lunes: Jeremías 14:1-22
Martes: Jeremías 15:1-9
Miércoles: Jeremías 15:10-20
Jueves: Jeremías 16:1-13
Viernes: Jeremías 16:14-21
Sábado: Jeremías 17:1-27

AGENDA DE CLASE

Antes de la clase
1. Lea en su Biblia Jeremías 11-17. Al ir haciéndolo, estudie los comentarios de los distintos pasajes que aparecen en el material expositivo en este libro bajo "Estudio panorámico del contexto" (sección B). **2.** Si planea incluir la dramatización sugerida, tendrá que contar con un cinto de tela nuevo y tiras de trapo que parezcan el cinto sucio y podrido. **3.** Complete la primera sección bajo *Estudio del texto básico* en el libro del alumno.

Comprobación de respuestas
JOVENES: **1.** a. Rehúsa escuchar mis palabras. b. Anda en la porfía de su corazón. c. Va tras otros dioses para rendirles culto. **2.** Para renombre y gloria. **3.** No seáis altivos... dad gloria a Jehovah. **4.** Es tomado cautivo.
ADULTOS: **1.** En una peña junto al río Eufrates. **2.** Porque se había podrido. **3.** Por su soberbia, el pueblo de Dios ya no serviría para nada. **4.** Los habitantes y líderes de Judá y Jerusalén. **5.** "Mi alma llorará en secreto... Mis ojos llorarán amargamente y derramarán lágrimas."

Ya en la clase
DESPIERTE EL INTERES
1. Repase los pecados enfocados en el estudio anterior usando las listas que hicieron. Diga que, en suma, la mayoría tienen su raíz en el pecado de la soberbia contra Dios: creían que sabían mejor que Dios lo que les convenía hacer. **2.** Tenga un breve periodo de esgrima bíblica con versículos de Proverbios que contienen la palabra "soberbia": Prov. 8:13; 11:2; 13:10; 15:25; 16:18; 29:23.

ESTUDIO PANORAMICO DEL CONTEXTO
1. Explique el pacto que Dios hizo con su pueblo, empezando con Abraham (Gén. 12:1-3), y reiterado a través de cada generación. Enfatice que el pacto era para que el pueblo de Dios fuera "bendición" y para que por medio de él fueran "benditas todas las familias de la tierra". **2.** Pregunte en qué cosas había caído Judá que lo anulaban como bendición de Dios a todas las naciones. Diga que Dios mandaba a profetas para hacer ver al pueblo sus errores por medio de enseñanzas, profecías y exhortaciones. Diga que en el pasaje a estudiar verán los tres.

ESTUDIO DEL TEXTO BASICO
1. La soberbia de Judá y Jerusalén. Si a sus alumnos les gusta presentar dramatizaciones, la "lección objetiva" del cinto puede ser dramatizada por el grupo. Uno, escondido fuera de la vista, hará la parte de Dios y le dirá a otro, que hará la parte de Jeremías, lo que debe hacer. Jeremías simula comprar un hermoso cinto, se lo pone y se pasea

delante de los demás (que representarán a los habitantes de Jerusalén) quienes admiran el cinto. Dios le habla nuevamente y le manda esconder el cinto. Así lo hace Jeremías. Diga que, pasado un tiempo, Dios vuelve a hablar a Jeremías. "Dios" dice las palabras del v. 6, a lo que "Jeremías" simula salir nuevamente de viaje y desenterrar el cinto. Al verlo, "Jeremías" exclama: "¡Este cinto no sirve para nada!" Cuando terminen la dramatización, "Jeremías" lea en voz alta los vv. 8-11. Guíe el diálogo de modo que entiendan lo que cada elemento de la dramatización representa. Si opta por no hacer la dramatización, que un alumno lea en voz alta, como si él fuera Jeremías, los vv. 1-7. Diga que enseguida verán la significación de esta "lección objetiva" que Dios quería enseñarle al pueblo. Otro alumno lea la explicación que Dios da en los vv. 8-11. Pregunte: ¿Qué representaba el cinto de lino? (A Judá y Jerusalén). ¿Cómo era al principio? (Util para mostrar como ejemplo a otras naciones). ¿Cómo se echaron a perder? (Vea los vv. 10, 11b.)

2. Consecuencias de la soberbia. Diga que, a continuación, Dios le dio a Jeremías otra enseñanza para el pueblo, esta vez usando una parábola. Al leer un alumno en voz alta los vv. 12-14, los demás encuentren: (1) una frase que muestra la soberbia del pueblo, (2) qué representa el vino (o su efecto), (3) a quiénes representan las tinajas, (4) la profecía sobre el castigo que les espera. Comenten las implicaciones de la segunda parte del v. 14. ¿Cuándo niega Dios su compasión, su lástima y su misericordia?

3. Oportunidad para el arrepentimiento. Diga que ya han visto mayormente enseñanzas y profecías, y que ahora en este pasaje verán exhortaciones. Lean en silencio los vv. 15 y 16. Anime a los participantes a expresar la exhortación en sus propias palabras. Haga notar que aquí no hay comillas, como en los casos cuando Jeremías cita las palabras de Dios. Esta exhortación brota del corazón de Jeremías. Un alumno lea en voz alta el v. 17. Haga notar que las últimas ocho palabras son una profecía de lo que sucederá si no escuchan a Dios. Pregunte qué dice antes Jeremías que muestra que el que se cumpla la profecía no le dará ninguna satisfacción (llorará amargamente, etc.).

APLICACIONES DEL ESTUDIO

1. Forme parejas para que lean las aplicaciones que aparecen en sus libros. Cada una debe adaptar o formular sus propias aplicaciones usando las palabras "soberbia", "arrepentimiento" y "humildad". **2.** Conversen sobre lo que cada pareja formuló. Tenga en cuenta que ésta es una magnífica oportunidad para presentar el plan de salvación e invitar a los que no lo han hecho, a aceptar a Jesucristo como su salvador personal.

PRUEBA

1. Individualmente, completen esta sección en sus libros del alumno. **2.** Dirija la comprobación de lo realizado, enfatizando los aspectos prácticos para la realidad actual.

Estudio 18

Unidad 3

El corazón engañoso

Contexto: Jeremías 14 a 17
Texto básico: Jeremías 17:1-18
Versículos clave: Jeremías 17:9, 10
Verdad central: Dios examina el corazón del hombre y le retribuye conforme a sus obras.
Meta de enseñanza-aprendizaje: Que el alumno demuestre su: (1) conocimiento de que Dios examina y conoce el corazón del hombre, (2) actitud de veracidad en todas sus acciones.

Estudio panorámico del contexto

A. Fondo histórico:

Una nación suele desmoronarse moralmente por dentro antes de ser vencida permanentemente por fuera. La historia nos muestra eso en los casos de Egipto, Asiria, Babilonia, Grecia, Roma y otras. Así pasó con Israel, el reino del norte. A pesar de las advertencias de Dios por medio de profetas como Elías, Eliseo, Amós y Oseas, persistían en su maldad, y en el año 722 a. de J.C. cayó Samaria ante Asiria; y lo mejor del país fue llevado al cautiverio.

Un siglo después Judá, el reino del sur, tiene problemas con naciones vecinas como Moab, Edom, Siria y Filistea; pero su mayor amenaza viene de sus vecinos poderosos, Egipto y Babilonia, y especialmente de Babilonia. En esta situación también el Señor envía a profetas como Jeremías, Habacuc, Nahúm y Abdías para prevenir a gobernantes y pueblo de los peligros, y sobre todo a llamarles a que retornen a su Dios. Desgraciadamente, en general no se les hace caso.

Además de los pecados personales propios del ser humano, ellos veneran los ídolos de los egipcios y de otros pueblos vecinos. Uno de los objetos de adoración es Asera, cuyas imágenes se hallan en muchas partes. Ya en Exodo 34:13 Dios enseñó a Israel a evitar los árboles rituales de Asera. En Jueces 3:7 se señala cómo "olvidaron a Jehovah su Dios y sirvieron a los Baales y a las Aseras". Según sus adeptos Asera es el femenino de El (o Baal), y diosa de la fertilidad. Se le adora sobre una colina debajo de un árbol determinado, aunque fuese un árbol artificial. A menudo en el ritual hay actos licenciosos.

En comparación con el árido Egipto, Israel es una tierra de lluvia; excepto en el sur. Y toda está sujeta a sequías. En los valles cerca de agua, aun aguas saladas al lado del mar Muerto y en el Arabá más al sur, crecen arbustos tamaricáceos siemprevivos que llamamos retama, los que no son iguales a los árboles de ese nombre que se conocen en España y las Américas.

B. Enfasis:

La sequía: sus causas y sus consecuencias, 14:1 a 15:9. Por la escasez de agua en gran parte de Israel las cisternas para recoger la lluvia son muy importantes. Durante una sequía hay duro sufrimiento, y muchos se acuerdan de orar. Jeremías ora; y Dios responde, pero dice que no. A causa de los pecados, pasados y presentes, van a tener que sufrir las consecuencias: muerte, espada, hambre o cautividad.

La difícil misión de Jeremías, 15:10 a 16:13. El papel que le toca al profeta le trae en conflicto con dirigentes y pueblo, pues en nombre de Dios tiene que decirles cosas que no quieren escuchar. No le gusta la discordia pero, frente a una gente que se rebela contra el Eterno, no hay salida. Pero Jehovah le asegura de su protección. Sin embargo, Dios también le dice que no se case ni tenga hijos, porque va a haber tiempos de terrible angustia.

La esperanza para los que escuchan al Señor, 16:14-21. Aunque sufrirán y van al destierro, regresarán; y hasta las otras naciones oirán del poder y fortaleza de Jehovah.

¿La vana confianza o la verdadera?, 17:1-13. Resultará mal la confianza en ídolos o en lugares dedicados a dioses falsos; asimismo maldito el hombre que confía en el hombre en vez de en Jehovah. En cambio, el que pone su confianza en el Señor tendrá recursos interminables. Cada uno ha de decidir en qué, o en quién, confiar.

Una oración pidiendo vindicación, 17:14-18. En medio de la fuerte oposición, el profeta presenta ante Dios sus quejas, pidiendo protección. Insiste en que no ha deseado el mal para sus contrarios. Sin embargo, siendo muy humano (como lo es) ¡en seguida pide eso precisamente!

Prohibición de llevar cargas en sábado, 17:19-27. Una muestra de la desobediencia de Judá es su falta de respeto para el mandamiento de Dios acerca del día del sábado, una rebeldía evidente en la manera de llevar cargas entrando y saliendo de la ciudad en ese día, sin reconocer el señorío de Dios con adoración y descanso. El obedecer traerá bendición, y el no santificar el día traerá maldición.

Estudio del texto básico

1 Proliferación de la idolatría, Jeremías 17:1-4.

Vv. 1-3. El pecado de Judá es tan evidente como si un cincel lo hubiese grabado en piedra, salvo que realmente es *grabado en la tabla de su corazón,* es decir, en su vida íntima, y en *los cuernos de sus altares,* esto es, en su público culto pagano. Desde luego, la religión verdadera debe manifestarse en el corazón y en el altar, pero la naturaleza del objeto de la adoración y la del culto mismo son muy diferentes a los paganos. Este memorial influye en que sus hijos sigan su mal ejemplo de la idolatría. Su adoración se dirige a tales objetos como Asera, y en recintos especiales en lugares altos el culto se relaciona con el sexo. Pero tal extravío traerá la ira de Dios, quien dice: *Tu riqueza ...entrego al saqueo.*

V. 4. *Por ti mismo,* por tu propia culpa vendrá la destrucción. A Israel Dios le había dado ese territorio como su heredad a fin de que le representase como su pueblo pero, ya que escoge servir a otros dioses, por eso mismo se desprenderá de ella; y Dios le hará servir a sus enemigos en una tierra extraña. El Señor es misericordioso con los débiles, pero su furor arde contra los que no quieren obedecer.

2 En quién se debe confiar, Jeremías 17:5-13.

Vv. 5, 6. Aquí vemos la opción negativa, y en los vv. 7, 8 la opción positiva. Es evidente por el mensaje de estos versículos que Jeremías conocía el Salmo primero, o que el autor humano de ese Salmo conocía este sector del libro de Jeremías; pues la manera de indicar los resultados de la maldad y de la confianza en el Señor es igual. Quien se aparta de Jehovah y se apoya en lo humano es maldito. No verá cuando venga el bien, porque no estará allí para verlo. Un pueblo que pone su mira en el poderío de Egipto para protegerle de Babilonia o que se apoya en otra divinidad, es como quien confía en un arbusto feo que no produce fruto, por cuya razón nadie lo va a plantar; para poco sirve.

Vv. 7, 8. En cambio, el hombre que confía en Jehovah es como un árbol, el que sí es plantado, porque es útil; y es colocado junto a las aguas, de manera que, para cuando falte la lluvia, extiende sus raíces a la corriente. Muchos pasajes bíblicos expresan este concepto de confianza en Dios. Por ejemplo, Proverbios 3:5 reza: "Confía en Jehovah con todo tu corazón, y no te apoyes en tu propia inteligencia." El que pone su fe en el Señor tiene una base segura para su vida. En el año de sequía no se inquietará. Cuando todo anda bien, podemos suponer que no necesitamos de Dios; pero en la adversidad es esencial estar bien fundamentados. Y ya que no sabemos cuándo vendrá, mejor es estar prevenidos.

Vv. 9, 10. *Engañoso* en el idioma hebreo se basa en la voz de donde viene el nombre Jacob. Así como éste engañó a su padre y a Esaú (Gén. 25:26; 27:36), pues pensaba que tenía que usar de decepción para lograr lo que Dios le había prometido, así el corazón engaña porque no cree a Dios. En el Antiguo Testamento el "corazón" es la sede de los pensamientos y de las decisiones, y no meramente de los sentimientos. Muchas veces es difícil comprender por qué la gente escoge ciertas cosas; parece sin remedio, y sin la ayuda de Dios lo es. Bien dice en Proverbios 28:26: "El que confía en su propio corazón es un necio, pero el que camina en sabiduría estará a salvo." *¿Y quién lo conocerá? Yo, Jehovah, escudriño el corazón,* es decir, la mente; y examino los riñones, que hemos expresado como la conciencia. Al final, entonces, será Dios el que da a cada hombre según su camino, y según el fruto de sus obras.

V. 11. Se dice que esa clase de perdiz tiene dos nidos. El macho incuba uno. A menudo los huevos son robados o destruidos. Así, las riquezas se nos van como las esperanzas en la cría; si alcanzan a empollar, de todos modos se alejarán del nido. El dinero mal conseguido se esfuma. "El que confía en sus riquezas caerá" (Prov. 11:28).

Vv. 12, 13. Frente a los altares paganos sus adeptos tratan de conseguir de los poderes superiores ciertas concesiones deseadas, pero el verdadero adorador de Dios reconoce que está frente a un trono de gloria y de sublime pureza que es sede del Eterno desde el principio. Ese es el lugar de nuestro santuario. Es allí que se levanta el alma a decir: *Oh Jehovah, esperanza de Israel.* Cualquier otra esperanza traerá desilusión. Sus anhelos serán inscritos en el polvo que los vientos cambiantes de la vida pronto borrarán. Los que han abandonado a Jehovah se llevarán un gran chasco. En los sequedales de la vida el Señor es la *fuente de aguas vivas.*

3 Oración pidiendo vindicación, Jeremías 17:14-18.

V. 14. Abrumado por la oposición y la burla de la gente y por la inmensidad y la gravedad de su tarea, el profeta vuelve a tratar su propia posición. En el pasado ha podido aclamar: *Tú eres mi alabanza.* Y pide que siga teniendo esa salud y protección.

Vv. 15-17. A veces es más difícil enfrentar la irrisión que la abierta persecución. Aquí, como en el caso de 2 Pedro 3:4: "¿Dónde está la promesa de su venida?", se ríen del mensajero de Dios: *¿Dónde está la palabra de Jehovah? ¡A ver, pues, que se cumpla!"* En ambos casos, el Señor demora para dar oportunidad para el arrepentimiento. Pero, pierden cuidado: el fallo llegará y para muchos no será agradable. Una acusación en contra de Jeremías es que secretamente está orando por la destrucción de su nación. El insiste en que no es así. Más bien, lo que ha hecho se ha debido a su amor por su patria. Dios le es testigo, y por cierto nunca ha tratado de hacer nada a espaldas del Señor. *Lo que ha salido de mi boca fue en tu presencia.* Así ruega que Dios no le dé una tarea demasiado difícil; no me causes terror.

V. 18. Con todo, Jeremías se siente incómodo, pues sus contrarios le echan en cara que sus horrendas predicciones no se han realizado. Aunque, por amor a sus compatriotas anhela que nunca acontezcan, sin embargo, se da cuenta de que la única manera de esquivarlos es el arrepentimiento. Sin embargo, la paciencia del profeta se acaba y ora: Avergüéncense los que me persiguen. Que se compruebe que ellos son mentirosos. Quiere la vindicación de su mensaje. *Doble quebrantamiento* es un modo hebreo de decir "un muy grande quebrantamiento" o destrucción. El profeta aún no llega a la altura de mira de nuestro Señor Jesús, quien oró por sus enemigos con el espíritu del perdón.

Aplicaciones del estudio

1. Es difícil de erradicar el pecado y pasa fácilmente de padres a hijos, Jeremías 17:1, 2.

2. El pecado trae malas consecuencias, Jeremías 17:3, 4. Dios no está obligado a honrar su parte de un convenio si los seres humanos no guardan la suya.

3. La confianza en lo humano y la confianza en Dios son muy diferentes, Jeremías 17:5-8. Es sequedad o seguridad.

4. Dios es el único que realmente conoce el corazón humano, Jeremías 17:9, 10. Sólo él puede justipreciar las cosas.

5. Las riquezas son un bien pasajero; sólo lo de Dios es permanente, Jeremías 17:11-13.

6. Burladores hay, pero les llegará su merecido, Jeremías 17:14-18.

¿A qué se adhiere tu corazón?
Jeremías 17:1-18

Introducción: En un culto un hermano quería citar Mateo 6:21, pero lo citó al revés: "Donde esté tu corazón, allí también estará tu tesoro." Algunos se rieron, pero otros pensaban que así también tiene sentido. Para colocar nuestro tesoro debemos preguntarnos: ¿Dónde está tu corazón? Sin duda, nuestro tesoro principal es la vida misma. Para guardarla, ¿a qué se adhiere el corazón?

I. El objeto de veneración deja en uno una influencia indeleble, Jeremías 17:1.
- A. Si la persona adora a Dios la influencia será altamente positiva.
- B. Si la persona adora "dioses ajenos", cualquiera que sea su manifestación, entonces recibirá una influencia negativa.

II. Corazones engañados y engañosos: es pecado (voz que significa "errar el blanco").
- A. Van tras los ídolos e imágenes, Jeremías 17:2a.
- B. Van tras la lascivia, Jeremías 17:2b, 3a: "sobre los montes" (como los excesos de Carnaval).
- C. Van tras los bienes materiales, Jeremías 17:3b.
- D. Ponen su confianza en quienes fallan, Jeremías 17:5.
- E. Llegan hasta la burla de los que hacen el bien, Jeremías 17:15.

III. El resultado de estos extravíos.
- A. Judá pierde todo, pues va al destierro por desobediente, Jeremías 17:3.
- B. Pierde su heredad, Jeremías 17:4; se les escapa la bendición de ser pueblo de Dios.
- C. Llega a la nada, Jeremías 17:13.

IV. Corazones fijos en el Señor y su mensaje.
- A. Tendrán una confianza firme en tiempos difíciles, Jeremías 17:7, 8.
- B. Tendrán una esperanza segura, Jeremías 17:12, 13.
- C. Tendrán un refugio, Jeremías 17:17, 18.

Conclusión: ¿Dónde está su corazón? ¿Dónde pone las prioridades de su vida? Su decisión es determinante para evitar las consecuencias negativas de poner nuestra confianza en dioses ajenos. Dios y su Cristo son nuestra prioridad en la adoración y la lealtad.

Lecturas bíblicas para el siguiente estudio

Lunes: Jeremías 18:1-7
Martes: Jeremías 18:18-23
Miércoles: Jeremías 19:1-9
Jueves: Jeremías 19:10-15
Viernes: Jeremías 20:1-6
Sábado: Jeremías 20:7-18

AGENDA DE CLASE

Antes de la clase

1. Lea Jeremías 14-17 y estudie todo el material en este libro y en el del alumno. **2.** Prepárese para dar un resumen histórico basándose en la Sección A bajo *Estudio panorámico del contexto,* en este libro, e ilustrándolo con un mapa bíblico señalando, en los momentos debidos, las distintas naciones mencionadas. **3.** Si es posible, con anterioridad encargue a un alumno averiguar sobre el culto a la diosa Asera en un diccionario bíblico. Encargue a otro alumno que averigüe de qué arbusto se trata lo que en 17:8 se llama "retama", y que se prepare para describirlo. **4.** Corte en dos una cartulina. En una mitad dibuje una "retama" en medio de un desierto. En la otra mitad dibuje un árbol lozano y frondoso junto a un río. **5.** Junte cosas que son objeto de adoración en la actualidad, por ejemplo: estampitas de santos, imagen de la virgen, un cristal de la nueva era, fetiches etc. **6.** Complete la primera sección bajo *Estudio del texto básico* en el libro del alumno.

Comprobación de respuestas

JOVENES: **1.** a) Asera. b) Sus riquezas serán entregadas al saqueo, le será quitada su heredad, servirá a sus enemigos. **2.** a) Como retama en el Arabá. b) Será como un árbol plantado junto a aguas. **3.** a) Engañoso/remedio. b) Conciencia/caminos/obras.

ADULTOS: **1.** (La respuesta depende del lector.) **2.** (Compruebe en la Biblia.) **3.** No temerá cuando venga el Señor. **4.** Serán avergonzados, serán como algo escrito en el polvo.

Ya en la clase

DESPIERTE EL INTERES

1. Muestre las cosas que juntó que son objeto de adoración en la actualidad. **2.** Anime a los alumnos a opinar sobre cada uno y sobre lo que Dios pensará sobre dicha adoración.

ESTUDIO PANORAMICO DEL CONTEXTO

1. Presente el resumen histórico que preparó ilustrándolo con el uso del mapa. **2.** Repase los pecados de Judá enfocados hasta ahora. Recalque los que indican idolatría y diga que en el pasaje a estudiar en esta ocasión el mensaje de Dios por boca de Jeremías subraya dos tipos de idolatría y la actitud de Dios hacia ellos que es su misma actitud hacia la idolatría que se practica en la actualidad.

ESTUDIO DEL TEXTO BASICO

1. Proliferación de la idolatría. Escriba el título de esta sección en el pizarrón. Pida a los presentes que busquen Jeremías 17 en sus Biblias. Pídales que se fijen con qué signo de puntuación comienza el capítulo (comillas) y que busquen dónde se cierran las mismas. Pregunte qué indican las comillas (que Jeremías está citando a Dios).

Divida a la clase en dos sectores. Pida que mientras un alumno de un sector lee 17:1-3, los de ese mismo sector vayan encontrando: (1) frases que muestran que el pecado de Judá estaba enraizado en su ser interior (grabado en la tabla de su corazón) y en la práctica pública de su religión (los cuernos de sus altares), (2) la frase que indica que todo lo anterior es una influencia sobre su descendencia y (3) el nombre de la diosa mencionada. Al informar, aclare y amplíe los conceptos en base a su propio estudio. Pida al alumno que se preparó para explicar el culto a Asera que lo haga ahora.

Un alumno del otro sector lea en voz alta los vv. 3b, 4 mientras los demás de ese mismo sector toman nota para informar sobre (1) tres aspectos del castigo que recibirían por su idolatría y (2) el sentimiento que generó en Dios la proliferación de la idolatría (un furor que no se aplaca).

2. En quién se debe confiar. Escriba el título de esta sección en el pizarrón. Un alumno de un sector lea en voz alta los vv. 5, 6 mientras los demás de ese sector (1) encuentran la palabra maldición, (2) quién es objeto de la maldición y (3) cuál es la maldición. Después de que informen, el alumno que investigó "retama" presente lo que pudo averiguar. Muestre el dibujo de la retama en el desierto. Pregunte: ¿Cómo es la persona que se parece a ese arbusto? Luego, un alumno del otro sector lea en voz alta los vv. 5-8 mientras los demás de su mismo sector (1) encuentran la mención de alguien "bendito", (2) quién es el objeto de la bendición y (3) cuál es la bendición. Después de que informen, muestre el dibujo del árbol que crece junto al río. Pregunte: ¿Cómo es la persona que se parece a este árbol? Guíe el diálogo para lograr una máxima participación.

Lean al unísono los versículos clave: 9, 10.

Mientras uno lee en voz alta los vv. 11 y 12, un sector debe fijarse cómo es el que acumula riquezas incorrectamente y, el otro sector, en el destino de todos los que se apartan de Dios. Cuando hayan informado, enfoque la atención en el v. 13: "Jehovah esperanza de Israel". Explique en qué consiste esta esperanza.

3. Oración pidiendo vindicación. Escriba el título de esta sección en el pizarrón. Haga notar que los versículos 14-18 no están entre comillas porque son pensamientos de Jeremías dirigidos a Dios. Un alumno lea en voz alta estos versículos. Explíquelos basándose en el comentario en este libro.

APLICACIONES DEL ESTUDIO

1. Entre todos, formulen tres aplicaciones para sus propias vidas. Escríbalas en el pizarrón. **2.** Compárenlas con las que aparecen en sus libros del alumno.

PRUEBA

1. Forme parejas para completar esta sección en sus libros del alumno. **2.** Cada pareja comparta con otra lo que escribió.

En la casa del alfarero

Contexto: Jeremías 18 a 20
Texto básico: Jeremías 18:1-17
Versículo clave: Jeremías 18:6
Verdad central: La figura del vaso de barro y el alfarero nos enseña que Dios puede restaurar la vida de una persona o un pueblo, que haya sido dañada y transformarla en algo útil.
Meta de enseñanza-aprendizaje: Que el alumno demuestre su: (1) conocimiento de la figura del vaso de barro y el alfarero, (2) actitud de confianza en que Dios puede restaurar cualquier área de su vida que se haya dañado.

Estudio panorámico del contexto

A. Fondo histórico:

En su afán por enderezar la senda torcida de sus compatriotas, Jeremías usa de varios modos para conseguir su atención favorable. Dios le ha ayudado con visiones, instrucciones directas y viajes extraños. En los capítulos 18 y 19 enseña dos lecciones utilizando vasos de barro, objetos muy usados en su época, mucho antes que se generalizara el uso de utensilios metálicos. A veces el alfarero forma el vaso sólo con las manos, pero más se usa una rueda que da vuelta, talvez movida por un ayudante, o con los pies mediante una rueda en el lado inferior del eje.

Tófet, que parece significar "quemar", era un lugar en el valle del Hinom, límite sur de la ciudad de Jerusalén. Llegó a ser centro del culto pagano, donde sacrificaban en fuego hasta a los niños pequeños. El rey Josías trató de acabar con esa práctica horrorosa. Allí quemaban las basuras de la ciudad y sepultaban a los pobres. Parece que la casa del alfarero no estaba lejos de allí. Siglos después, cerca de ese lugar se ahorcó Judas Iscariote.

B. Enfasis:

Simbolismo del vaso de barro, 18:1-17. Mientras Pablo (Rom. 9:20 ss.) enfatiza más la soberanía del Alfarero divino, tanto él como Jeremías enseñan que el Dios soberano puede mostrar misericordia y formar de nuevo el utensilio, siempre que el barro humano responda a ello. Después del pesimismo de los capítulos anteriores, el profeta ve en la obra del alfarero una oportunidad para que el pueblo empiece de nuevo. Si no la aprovecha, el resultado será terrible.

Jeremías pide vindicación, 18:18-23. Parece que la nueva oferta de un nuevo comienzo cae, no sólo en oídos sordos, sino en corazones tan endurecidos que quieren destruir el testimonio de Jeremías. Optan por seguir el consejo de sacerdotes, "sabios" y profetas que digan lo que quieren escuchar. Jeremías, muy disgustado con ellos, reacciona fuertemente en su contra. El no tiene delante el ejemplo de Jesucristo, quien dirá: "Padre, perdónalos" (Luc. 23:34).

Simbolismo de la vasija quebrada, 19:1-13. En el capítulo 18 se trataba de barro blando y flexible. Aquí la vasija ya ha sido cocida, y no se puede volver a formar. Ya pasó la posibilidad de hacer cambios. Por instrucción de Dios, Jeremías lleva a dirigentes de sacerdotes y del pueblo a fin de que sean testigos de la lección gráfica de la compra y la destrucción de la vasija. Puede destruirla porque la ha comprado y le pertenece. Jehovah pronuncia sentencia sobre la nación, porque le han abandonado y han preferido seguir a otros dioses, ante los cuales hasta han quemado en sacrificio a sus propios hijitos en honor a Baal. Dios promete para ellos tiempos terribles.

Jeremías profetiza contra Pasjur, 19:14 a 20:6. Ante la predicción de catástrofe para la nación de parte de Jeremías, el funcionario Pasjur golpea al profeta y lo hace poner en el cepo hasta el día siguiente. Al salir, Jeremías le increpa y le dice que él y los suyos irán como cautivos a Babilonia, y le acusa de profetizar con engaño.

Salmo de Jeremías, 20:7-18. El profeta canta su frustración, y se queja de los sinsabores de la vida y de la futilidad de la tarea que Dios le ha dado. Sin embargo, afirma que seguirá fiel, a pesar de todo. De una manera algo parecida al cántico 88 del libro de Salmos, Jeremías derrama su alma ante Dios. Como Job, lamenta el haber nacido y expresa su esperanza y sigue con su tarea (Job 3:3; 13:15). ¿A quién será mejor presentar nuestros problemas? "Echa tu carga sobre Jehovah, y él te sostendrá. Jamás dejará caído al justo" (Sal. 55:22). Y hasta hoy recibimos bendición de la obra de Jeremías.

Estudio del texto básico

1 El alfarero humano puede fallar en su diseño, Jeremías 18:1-4.

Vv. 1, 2. En otras ocasiones Dios ha enseñado a Jeremías por medio de la historia y de la experiencia. Pero ahora el profeta responde a una directiva del Señor haciendo un viaje relativamente corto al valle donde trabaja un alfarero conocido. Allí, en un lugar donde talvez no se esperaría, aprende una lección valiosa sobre la relación entre el hombre y su Dios.

Vv. 3, 4. "¿Por qué ir allí?", podría pensar el profeta. Pero el Eterno siempre tiene una razón cuando pide algo. Como lo expresó un filósofo cristiano: "Dios está más interesado en el desarrollo de nuestro carácter que en que lo pasemos bien." La figura del alfarero se nota en la misma creación del ser humano, pues "Dios formó al hombre del polvo de la tierra" (Gén. 2:7). También Isaías y Job usan la figura para ilustrar el poder absoluto de Jehovah. En esta visita a la alfarería Jeremías al comienzo ve lo que, sin duda, ha visto en otras ocasiones: el alfarero trabajando con el barro, el que a veces responde bien y a veces no. A veces es por descuido o ineptitud del artesano, y otras veces es por fallas en el material. Pero en este caso el profeta ve algo más. Llega a comprender, aunque el Alfarero divino no yerra, que de todos modos la hechura queda con fallas. Y al igual que el alfarero humano, el que sí a menudo se equivoca, Dios se interesa por corregir la obra defectuosa y dar otra oportunidad a que del barro se haga algo útil y hermoso. Además, es el Alfarero el que decide eso, no el barro. "¿Dirá el barro al que le da forma: '¿Qué haces?'?" (Isa. 45:9). Y si el barro no sirve para un uso determinado, el Alfarero lo puede ocupar para otro. En todo el Alfarero es persistente en su esfuerzo por utilizar el material.

2 El Alfarero divino es soberano, Jeremías 18:5, 6.

Vv. 5, 6. En seguida el Señor hace una pregunta, no pidiendo permiso, sino declarando los hechos. Ofrece la explicación de por qué el Señor ha enviado a Jeremías a examinar la obra del alfarero. Lo primero es para enfatizar la soberanía de Dios. *¿No podré hacer con vosotros como hace este alfarero?* Esto después será una parte de la insistencia del apóstol Pablo: "¿No tiene autoridad el alfarero sobre el barro para hacer...?" (Rom. 9:21). El alfarero está en libertad de volver a formar el barro, de agregar o quitar ingredientes o de desecharlo del todo y tomar otro barro, según le complazca.

Por supuesto, hay una diferencia enorme entre el barro de tierra y el "barro" humano. El de tierra es inerte, sin capacidad de ser otra cosa de lo que es; en cambio el humano puede ser algo muy diferente de lo que actualmente es. Por supuesto, eso involucra el ser moldeado sobre la rueda de Dios, y ese proceso no siempre es sin dolor. Parece una ironía que, mucho tiempo después de Jeremías, el dinero que recibió Judas Iscariote, un "vaso" arruinado, por traicionar a Jesucristo, se usó para comprar el campo del alfarero, a fin de poder sepultar allí a los extranjeros (Mat. 27:7).

3 El diseño del Alfarero divino puede ser afectado por las decisiones del hombre, Jeremías 18:7-10.

Vv. 7, 8. ¿Qué sucede si una gente en camino a la destrucción se arrepiente? Dos cosas se observan: primera, que están en camino a la destrucción. Para ellos se realiza aquello que se le dijo a Jeremías cuando fue recién llamado a un ministerio profético (Jer. 1:10) y que se repite aquí casi con las mismas palabras: *para arrancar, desmenuzar y arruinar.* Esto lo ha estado predicando Jeremías repetidas veces. Segunda: *Si ...se vuelve de su maldad, yo desistiré del mal que había pensado hacerle.* Esa posibilidad no la tiene que ponderar el Altísimo; se decide en un instante y cuando menos se piensa. Pues el Señor "no quiere que nadie se pierda, sino que todos procedan al arrepentimiento" (2 Ped. 3:9). El "barro humano" puede rectificar sus ingredientes o pedir al Alfarero divino que haga lo que falte para poder formar un vaso útil. Así puede resultar en una forma y uso diferentes a la intención original, y puede ser menos hermoso; pero de todos modos tendrá utilidad. Dios es soberana bondad.

Vv. 9, 10. Aquí vemos el inverso del asunto. En vez de arrancar, la perspectiva es *para edificar y para plantar.* Parece que todo marcha bien. ¡Pero un momento! Si alguien apostata y *hace lo malo ante mis ojos, no obedeciendo mi voz,* el resultado neto será muy diferente. *Desistiré del bien que había prometido hacerle.* Hay libertad para acercarse al Señor, y hay libertad para alejarse de él; pero las consecuencias son muy diferentes. El Alfarero divino quiere utilizar todo el "barro" humano, pero a veces necesita tomar medidas drásticas, y a veces el material inservible termina en la basura. El Todopoderoso, sin duda, podría obligar a los hombres, pero no lo hace. Pues así serían menos que hombres hechos a la imagen de él, y no serían responsables.

4 Dios tiene un plan para todos, pero no todos escuchan, Jeremías 18:11-17.

Vv. 11, 12. Ya que Judá (o cualquiera) no responde a las manos sensibles del Alfarero en la rueda, se tratará otra forma de hacer algo con el "barro". Dios usará un procedimiento diferente: el molde de un plan contra vosotros, el que será el cautiverio. El Señor sigue intentando diversos modos de atraer a la gente, pero a veces ni eso resulta. Alguien ha dicho: "La experiencia es una escuela muy cara, pero hay necios que no aprenden en otra."

Desde luego, ningún obstinado jamás diría en voz alta: *En pos de nuestras imaginaciones hemos de ir, y hemos de realizar cada uno la porfía de su malvado corazón.* Pero, en efecto, eso es lo que realmente están diciendo. A veces es testarudo creyendo tener la razón y no escucha razonamientos de otros de mayor sabiduría; otras veces sabe que está en error, pero su espíritu rebelde no le permite reconocerlo y enmendar rumbo. Hay ocasiones en que conviene ser porfiado, pero contra el mal y no contra Dios. Es inútil: Como bien se ha dicho: "No hay peor sordo que el que no quiere oír."

Vv. 13-15a. Es irracional e irresponsable lo que está pasando; la nación está rehusando el momento de la oportunidad. *Una cosa horrible ha hecho la virgen de Israel.* La relación de Israel con Dios mediante la figura del matrimonio se ve en las Escrituras, especialmente en pasajes como Isaías 50:1. También se ve muy claramente en Apocalipsis 21:2, 9; 22:17; etc. Aquí Jehovah se refiere al "contrato" de fidelidad hecho con los patriarcas y luego en Sinaí con el pueblo que era la virgen de Israel. Debe haber sido más fácil que desapareciesen las nieves del monte Hermón o cesaran de correr los esteros de las montañas que desviar a Israel del camino de Dios. La naturaleza sigue inmutable su curso; pero la nación, no. Judá ha sido infiel a su promesa, con el resultado de que Dios también queda libre del compromiso. Dirigentes y pueblo han ido tras un culto que es vanidad, es decir, que no tiene ningún valor. En diversos pasajes bíblicos se usa ese término al hablar de la idolatría.

Vv. 15b, 16. Sus devociones a los ídolos les hacen tropezar en sus caminos. Antes (aunque imperfectamente) la nación había caminado en las sendas antiguas, y por ello conocidas, por lo cual tropezaban menos, pues eran de Dios. Pero ahora se lanzan por senditas rústicas, poco marcadas. Y el resultado será *una desolación, en una rechifla perpetua.* Otra gente se burlará de ellos por haber sido tan necios. En hebreo las voces desolación y horrorizado son de la misma raíz: Es decir, su tierra será un "horror" de modo que el pueblo que la ve *quedará horrorizado y moverá su cabeza,* pues no puede creer que la nación haya quedado tan bajo.

V. 17. Anteriormente Dios les ha ayudado, pero ya no. Como el viento seco y caluroso del desierto oriental destruye la vegetación, ahora el Señor los esparcirá delante del enemigo. Les dará las espaldas, pues Dios se está alejando. Ellos le han abandonado, por lo cual él los va a abandonar a ellos. ¿Han llegado a ser un tiesto de vasija para botar?

Aplicaciones del estudio

1. Cuando Dios nos llama a hacer algo, conviene hacerle caso. Aprenderemos algo que nos hace falta saber.

2. Aunque no siempre va a resultar, hay que ser diligente y persistente en tratar de redimir. Es lo que hace Dios.

3. Dios es soberano, pero es soberana bondad.

4. El "barro" humano por su actitud y actividad afecta mucho la obra de Dios.

5. El rechazar la dirección de Dios trae resultados funestos.

Ayuda homilética

¿Qué puede hacer el Alfarero divino?
Jeremías 18:1-17

Introducción: El Señor puede usar cosas muy corrientes para enseñar lecciones valerosas. Dios hizo al primer hombre del polvo de la tierra, más el soplo de lo divino (Gén. 2:7).

I. Entre los hombres a veces el problema es del barro y a veces es del alfarero, o de los dos (vv. 1-4).
  A. A veces el alfarero planea un diseño negativo.
  B. A veces el barro no es apto para un buen diseño.

II. Dios es el Alfarero absoluto (vv. 5, 6).
  Todo lo que él haga con el hombre será el mejor diseño.

III. La intención de Dios es para el bien, pero el hombre tiene que cooperar (vv. 7-10).

IV. Los que escogen mal verán catástrofe (vv. 11-17).

Conclusión: Responda al Señor antes que sea tarde (v. 17). El Alfarero modelará su vida para el bien suyo y de otros.

Lecturas bíblicas para el siguiente estudio

Lunes: Jeremías 21:1-14
Martes: Jeremías 22:1-30
Miércoles: Jeremías 23:1-30
Jueves: Jeremías 23:31 a 24:10
Viernes: Jeremías 25:1-38
Sábado: Jeremías 26:1-24

AGENDA DE CLASE

Antes de la clase
1. Lea en su Biblia Jeremías 18-20 y estudie todo el material en este libro y en el del alumno. **2.** Consiga una vasija de barro (arcilla) para llevar a clase, preferiblemente hecha a mano. **3.** Averigüe todo lo posible sobre los detalles de los distintos métodos que se pueden utilizar para hacer una vasija así. **4.** Complete la primera sección bajo *Estudio del texto básico* en el libro del alumno.

Comprobación de respuestas
JOVENES: **1.** a. A la casa del alfarero. b. Trabajando sobre la rueda. c. Volvió a hacer otro vaso según le pareció mejor. d. Que su pueblo sea como el barro en manos del alfarero. **2.** (Verifique su respuesta en su Biblia.) **3.** a. V. 12. b. V. 15. c. V. 17. ADULTOS: **1.** c. **2.** c. **3.** a.

Ya en la clase
DESPIERTE EL INTERES
1. Muestre la vasija de barro que consiguió. **2.** Explique los distintos métodos de hacer vasijas y el que probablemente se usó para hacer ésta. A lo mejor entre sus alumnos haya alguno que en alguna oportunidad hizo una vasija u otro objeto de barro. Pregunte si lo hay y dé oportunidad para que relate cómo lo hizo y qué hizo en el caso de que le iba saliendo mal. **3.** Comente que mientras el barro está blando y no se ha secado, se puede empezar de nuevo y, con el mismo material, hacer un objeto totalmente nuevo.

ESTUDIO PANORAMICO DEL CONTEXTO
1. Pida a los presentes que abran sus Biblias en Jeremías 18 y noten el encabezamiento (Simbolismo del vaso de barro) y, enseguida, el del capítulo 19 (Simbolismo de la vasija quebrada). **2.** Relate el contenido del primer párrafo del comentario bajo *Estudio panorámico del contexto* en este libro. **3.** Dé un resumen de los capítulos 18-20 antes de entrar a enfocar 18:1-17.

ESTUDIO DEL TEXTO BASICO
1. El alfarero humano puede fallar en su diseño. Mientras un alumno lee en voz alta 18:1-4 pida a los demás que presten atención a cada detalle de (1) lo que hizo Dios, (2) lo que hizo Jeremías y (3) lo que hizo el alfarero. Enseguida, digan en sus propias palabras lo que hizo cada uno y vaya escribiéndolo en el pizarrón como un bosquejo. Quedará algo así:

LO QUE HIZO
DIOS
1. Ordenó a Jeremías ir a la casa de un alfarero.
2. Le dijo que allí le daría un mensaje.

JEREMIAS
1. Obedeció y fue a la casa del alfarero.
2. Observó al alfarero trabajando.

ALFARERO
1. Estaba formando un vaso de barro.
2. Le salió mal.
3. No insistió con ese vaso sino que empezó a hacer otro.

Lean en silencio los vv. 5 y 6. Pida que expliquen la lección que Dios le enseñó al observar al alfarero trabajando. Bajo ALFARERO en el bosquejo del pizarrón, remplace la palabra "alfarero" por "Dios" y "vaso de barro" por "su pueblo escogido".

2. El Alfarero divino es soberano. Agregue al bosquejo en el pizarrón la palabra PERO. Un alumno lea en voz alta los vv. 7-10 mientras los demás encuentran las dos opciones ante el pueblo y qué hará Dios con ellos en cada caso. Bajo PERO escriba la opción correcta con la consecuente reacción positiva de Dios.

3. El diseño del Alfarero divino puede ser afectado por las decisiones del hombre. Comente que hasta el v. 10 Dios dio el mensaje a Jeremías y que los vv. 11-17 contienen lo que Dios le dijo a Jeremías que tenía que hacer con ese mensaje. Lean en silencio el v. 11 y designe a tres distintos alumnos para que digan (1) a quiénes tenía Jeremías que transmitir el mensaje de Dios, (2) cómo era el plan de Dios (para mal de ellos) y (3) la exhortación que muestra que Dios prefería no tener que ejecutar su plan.

4. Dios tiene un plan para todos, pero no todos escuchan. Un alumno lea en voz alta los vv. 12-16. Luego pregunte qué conducta mala de Judá y Jerusalén expone el Señor. Agregue y aclare según sea necesario.

Diga que en el v. 17 Dios les da a conocer el plan que mencionó en el v. 11. Léalo usted en voz alta. Conecte esto con el vaso de barro dañado y cómo se cumplió el castigo con la destrucción de la nación a mano de Babilonia. Recalque que no era la intención de Dios aniquilarlos para siempre y que, una vez cumplido el castigo disciplinario, obró para que Judá recobrara su libertad y volviera a levantarse.

APLICACIONES DEL ESTUDIO

1. Fíjese en las aplicaciones que aparecen en este libro y en el del alumno. Escoja las dos que considera más apropiadas para su clase. **2.** Preséntelas y dialoguen sobre las mismas, pidiendo que las subrayen en sus libros o las escriban en el margen si tomó alguna de este libro del maestro. **3.** Inste a cada uno a ser un "vaso de barro" dócil en las manos del Alfarero para que no tenga que disciplinarlo y recomenzar.

PRUEBA

1. Completen individualmente el inciso 1 de esta sección. Esté dispuesto a brindar su ayuda al que la necesite. **2.** Comenten el segundo inciso antes de que cada uno escriba su respuesta en su libro.

Estudio **20**

Unidad 4

Profetas buenos y profetas malos

Contexto: Jeremías 21 a 26
Texto básico: Jeremías 23:1-22
Versículo clave: Jeremías 23:3
Verdad central: En el pueblo del Señor hay siervos responsables y los hay irresponsables, pero en toda circunstancia Dios promete tratar a su pueblo con amor y misericordia.
Metas de enseñanza-aprendizaje: Que el alumno demuestre su: (1) conocimiento de que hay siervos responsables e irresponsables en el pueblo de Dios, (2) actitud de aprecio por el cuidado amoroso de Dios que está siempre atento a las necesidades de sus hijos.

Estudio panorámico del contexto

A. Fondo histórico:

Después del rey bueno, Josías, le sucedieron en el trono tres de sus hijos y un nieto (aunque no en ese orden), pero no eran de la calidad de Josías. En asuntos de moral eran más parecidos a su abuelo, el rey Amón. No sabemos de la vida religiosa de sus madres. Las referencias en los mensajes de Jeremías a estos reyes finales de Judá no están en orden cronológico, pues el capítulo 21 empieza con Sedequías, quien fue el último rey. Los otros sí están en orden: Salum (o Joacaz), su hermano Joacim y luego el hijo de éste, Joaquín (o Jeconías o Conías). Después de Joaquín reinó Sedequías, su tío y otro hijo de Josías.

Josías fue muerto por los egipcios, y Joacaz le sucedió sobre el trono. Después de sólo tres meses los egipcios lo removieron e impusieron como rey a su hermano Joacim, quien reinó 11 años antes que los caldeos lo llevaran a Babilonia y dejaron a su hijo Joaquín como rey títere. Pero después de sólo tres meses él también fue llevado a Babilonia, y su tío Sedequías ocupó el trono 11 años. Después éste se rebeló contra los babilonios, y fue depuesto y llevado al cautiverio. De él, como de los otros, se pudo decir: "Hizo lo malo ante los ojos de Jehovah, su Dios, y no se humilló delante del profeta Jeremías que le hablaba por mandato de Jehovah" (2 Crón. 36:12).

Los profetas falsos, que debían representar a Dios, preferían decir a la nación lo que ésta quería escuchar, de paz y tranquilidad, en vez de la necesidad de arrepentirse y hacer lo que manda Jehovah. Preferían estar bien con la gente que estar bien con Dios. Por supuesto, en último término, esto no hacía ningún favor a Judá, pues contribuía a su destrucción por no llamarlo a una reforma moral y obediencia al Eterno.

El peligro en que estaba Jeremías, por su denuncia del pecado y su afirmación de que Judá sería vencido por Babilonia, se ve en lo que le pasó a Urías (26:20-23). Sin embargo, frente al peligro éste huyó a Egipto, de donde fue sacado y llevado a Judá y muerto, y su cadáver fue echado a una fosa común. Jeremías se escapó del mismo final, gracias a la protección de Dios y a los buenos oficios de Ajicam, fiel consejero de Josías y aún respetado en el tiempo de Joacim.

B. Enfasis:

Profecía contra Sedequías, 21:1-14. Este último rey de Judá, a diferencia de sus hermanos y sobrino, respetaba a Jeremías y le consultaba, si bien hacía poco caso en cuanto al mensaje que este profeta le entregaba. El Pasjur que consultó con Jeremías no era el mismo que le golpeó (20:2). La respuesta de Jeremías no era lo que el rey esperaba. Más bien, pronosticaba el éxito de los babilonios. Sin embargo, si escogiesen el camino de la vida en vez del camino de la muerte (v. 8), el resultado podría ser diferente. Pero, desgraciadamente, Dios tenía que decirles: "Yo os castigaré conforme al fruto de vuestras obras" (v. 14).

Profecía acerca de Salum (Joacaz), 22:1-12. Si bien este hijo de Josías reinó pocos meses, hizo lo malo; y Jeremías le exhortó: "Escucha la palabra de Jehovah ... Practicad el derecho", pues no lo estaba haciendo y, tristemente, sería transportado, allí morirás (vv. 2, 3, 12). Fue llevado a Egipto, donde murió en el destierro (2 Crón. 36:4).

Profecía acerca de Joacim, 22:13-19. Le acusa en cuanto a la injusticia y el egoísmo, previendo para él un fin innoble.

Profecía acerca de Joaquín, 22:20-30. En su breve reinado siguió su anterior camino de rebelión contra Dios. En su angustia por lo que pasaba en su patria, en parte por culpa de sus dirigentes, Jeremías gritó: "¡Oh tierra, tierra, tierra, escucha la palabra de Jehovah!" (v. 29).

El remanente y el reinado del Retoño, 23:1-8. La mayor parte de los pastores-dirigentes (sean religiosos o políticos) del pueblo de Dios ha sido infiel; pero Dios será el verdadero Pastor, y reunirá al remanente y lo hará regresar. Además, levantará a un nuevo David, el que traerá una nueva época.

Contra los falsos profetas, 23:9-40. Estos no hablan por orden del Señor ni dan el mensaje divino. Más bien, dan al pueblo esperanzas falsas y un mal ejemplo. La gente no debe escucharles. Dios rechaza sus profecías y sus sueños, y serán debidamente castigados.

El simbolismo de las dos canastas de higos, 24:1-10. Mediante una visión de higos, buenos y malos, Dios muestra a Jeremías que los judíos que han ido ya al cautiverio babilónico lo pasarán mejor que los que han quedado en Judá con el nuevo rey, Sedequías. A éstos les aguarda la espada, el hambre y la peste.

El castigo a Judá y a las naciones, 25:1-38. Por causa de su deslealtad a Jehovah y a fin de purificar la nación, estarán en Babilonia setenta años. Luego regresarán y Babilonia será desolada. Asimismo, el juicio caerá sobre las naciones de la tierra según sus obras. El furor de la ira de Jehovah hará eso.

Jeremías ante las autoridades y el pueblo, 26:1-19. Muchas veces cuesta ser fiel mensajero de Dios. A causa de las palabras de Jeremías pronosticando un castigo terrible a la nación por su maldad y su llamado al arrepentimiento, el profeta fue apresado y estuvo a punto de ser muerto, pero algunos hablaron a su favor. Citaron el caso de Miqueas, quien dio el mismo mensaje en tiempos de Ezequías; y el rey y otros le hicieron caso. Así se evitó el castigo.

El crimen contra el profeta Urías, 26:20-24. Urías predicaba en forma parecida a la de Jeremías, pero frente a las amenazas tuvo miedo y huyó a Egipto. Fue traído de nuevo y muerto. A Jeremías no lo mataron.

Estudio del texto básico

1 Dios provee buenos pastores, Jeremías 23:1-4.

Vv. 1, 2. El primer significado de "pastor" tiene que ver con el cuidado del ganado lanar. En el ambiente hebreo también se refería a los dirigentes políticos y religiosos. Los reyes tenían deberes espirituales en la dirección de su reino. En los libros de Jeremías y Ezequiel el término es especialmente político, el rey con sus gobernantes ante todo. Pero ya que éstos se ocupan poco por el bienestar del pueblo, Jehovah dice: *Yo me ocuparé de vosotros por la maldad de vuestras obras.* Más privilegio, más responsabilidad. Por hacer mal su trabajo viene el ay sobre ellos, pues Dios se ocupará de ellos con su ira.

Vv. 3, 4. Los dirigentes humanos pueden ser infieles, pero no así el Señor. *Yo reuniré al remanente de mis ovejas ...y las haré volver.* La cautividad ha de tener un efecto saludable: *Entonces serán fecundas y se multiplicarán.* Implicaría que el pueblo de Dios no regresará tan sólo de Babilonia, sino de dondequiera esté. Tendrá una nueva oportunidad, y con buenos pastores que las apacienten. Después vendrán Zorobabel, Esdras, Nehemías y otros, los que serán una prefiguración buena, pero imperfecta, de aquel Pastor de pastores, Jesucristo. No obstante, el cumplimiento perfecto de esta profecía aún queda por realizarse, en la Segunda Venida de Cristo.

2 Cristo el pastor supremo, Jeremías 23:5-8.

Vv. 5, 6. *He aquí vienen días* es una fórmula muy usada en el Antiguo Testamento al presentar predicciones acerca del porvenir, en especial referentes al Mesías. José en Egipto era llamado un retoño (Gén. 49:22), un nuevo crecimiento donde no se esperaba, pues su padre por muchos años lo creía muerto. En varios pasajes el Mesías viniente es llamado así, y será rey del linaje de David. Por eso las multitudes aclamaban a Jesús de Nazaret como "Hijo de David" (Mat. 20:30), pues la expresión tenía implicaciones mesiánicas. A diferencia de los hijos que sucedieron a Josías en el trono, éste será un Retoño justo ...que obrará con inteligencia y que practicará el derecho y la justicia (ver 33:15). Será Salvador, pues Judá será salvo. Será llamado: *"Jehovah, justicia nuestra"*. Este título en hebreo es casi igual al nombre de Sedequías, que significa "Jehovah es justo", nombre que él difícilmente merece; pero el Mesías, sí. La justicia nuestra es lo que es Cristo, y no es lo que somos nosotros (ver Fil. 3:19); pero se nos aplica por gracia. Su justicia es divinidad, y la nuestra habla de humanidad.

Vv. 7, 8. La salida de Egipto ha sido un importante punto de referencia para Israel, pero ahora va a ser la salida de Babilonia. En los dos casos no es la valentía del pueblo, sino que es Jehovah, que hizo salir y trajo a *...la casa de Israel.* La valentía no está demás, pero el elemento más esencial es el glorioso "hijo de David".

3 Dios juzga a los falsos profetas, Jeremías 23:9-22.

Vv. 9, 10. De los dirigentes políticos el profeta se vuelve a los religiosos. Le duele mucho que, frente a las santas palabras divinas, los que deben ser mensajeros de Dios sean un fracaso abismal. Le enferma a Jeremías. El adulterio puede ser espiritual por su deslealtad a Jehovah para ir tras dioses paganos, o puede ser físico por pasiones no controladas o por el papel del sexo en las religiones falsas. Estos dirigentes no sólo son unos inmorales, sino que embisten contra él, quien habla la verdadera palabra del Señor. Y por causa de éstos Dios no bendice la tierra, y se ve calamidad. Hay una relación íntima entre la rectitud de la gente y el favor de Dios. Y la carrera de ellos es mala, y el poder de que gozan es mal adquirido y mal aplicado.

Vv. 11, 12. *Tanto el profeta como el sacerdote son unos impíos.* Aun el templo, que debe ser el centro de la relación con Dios, es escena de su maldad, entre otras cosas por levantar altares allí a otros dioses y por hacer negocios en el recinto (como Jesús atacó, según Juan 2:16). Los resbaladeros de día son peligrosos, pero la corrupción de los dirigentes religiosos hace que sea peor, tal como si fuese en la oscuridad. Aquí Dios está hablando y promete que *serán empujados y caerán.* El año de su castigo, o visitación, se refiere al tiempo del rendimiento de cuentas, y no será favorable para ellos.

Vv. 13-15. Los profetas de Samaria, en su mayor parte, habían ido tras la religión de Baal, y ya hace un siglo cayó el reino del norte ante los asirios, y su gente se fue al cautiverio. En un sentido, en Judá sucede algo peor, ya que los profetas hacen su predicación falsa en nombre de Jehovah.

Proclaman un mensaje que la gente quiere oír porque exige menos. Cometen adulterio, *andan en la mentira y fortalecen las manos de los malhechores.* El resultado es que nadie cambia su manera de ser y siguen en su maldad. Dios destruyó a Sodoma y Gomorra (Gén. 19:24), y ahora Judá es igual. Por la influencia que tienen los profetas, Dios los considera responsables por la corrupción de todo el país.

Vv. 16, 17. Es triste que Dios tenga que decir a la gente que no escuche a los profetas, cuando éstos deberían ser los portavoces del Señor. Pero así es en este caso. En estos dos versículos hay tres razones para ello: 1) *Os llenan de vanas esperanzas,* expectaciones sin base en la realidad; 2) *hablan visión de su propio corazón, no de la boca de Jehovah;* y 3) dicen a los que hacen el mal que no importa: *no vendrá el mal sobre vosotros.* Y estos profetas no lo hacen por debilidad de vez en cuando, sino que desprecian el bien continuamente.

Vv. 18-20. La reacción de Dios será como huracán, frente a todo consejero malo que no *ha estado en el consejo secreto de Jehovah,* ni ha estado atento a su palabra y menos la ha obedecido. Puede que ahora no tenga ningún miedo de la ira de Jehovah. Pero llegará el tiempo cuando sí temerán, y al final de los días lo entenderán claramente.

Vv. 21, 22. Esos falsos profetas corrían y actuaban pero no representando a Dios. El Eterno no les enviaba en el comienzo, ni les hablaba en ocasiones posteriores. Sólo profetizaban por cuenta propia. Como consecuencia responderán ante el Señor por sus propio error y por la mala dirección en que han encaminado al pueblo. Toda persona es responsable por sus hechos, pero los dirigentes tienen una doble responsabilidad: por sí mismos y por aquellos en quienes influyen.

Aplicaciones del estudio

1. Hacen falta dirigentes, pero Dios los considera responsables por cómo dirigen.
2. El Señor llama a pastores, y tienen un papel importante.
3. La casa de Dios ha de ser santa.
4. Debemos evitar a los falsos profetas.
5. El destino de un pueblo depende mucho de sus dirigentes.

Ayuda homilética

El profeta de Dios: cuál y cómo
Jeremías 23:1-20

Introducción: ¿A qué es llamado usted (Ef. 4:1, 11, 12)? ¿Cómo responde a ello?

I. Algunos usan mal su influencia. El capítulo da atención preferente a los falsos profetas.
  A. Hacen el mal (vv. 1, 2, 10, 11, 14).
  B. Engañan a la gente (vv. 16, 17).
  C. Sufrirán las consecuencias (vv. 2, 12, 15, 19, 20).
II. Dios pone a dirigentes fieles (vv. 4, 9).
  A. Cuando Dios llama a un dirigente espera su fidelidad.
  B. Ha habido casos cuando los dirigentes se desvían.
  C. La culpa de los desvíos de los dirigentes no es de Dios.
III. El Dirigente-Pastor por excelencia, el Retoño de David (vv. 5-8). Justo, inteligente, salvador, digno de alabanza.

Conclusión: Respondamos con integridad, llenos del Espíritu, a nuestro llamado, en la forma que sea.

Lecturas bíblicas para el siguiente estudio

Lunes: Jeremías 22:1-22
Martes: Jeremías 28:1-17
Miércoles: Jeremías 29:1-23
Jueves: Jeremías 29:24-32
Viernes: Jeremías 30:1-24
Sábado: Jeremías 31:1-26

AGENDA DE CLASE

Antes de la clase

1. Lea en su Biblia Jeremías 21-26 y estudie el material en este libro y en el del alumno. **2.** Al estudiar el fondo histórico, escriba en un papel aparte y en orden cronológico, el nombre de cada rey mencionado. Anote su parentesco con los demás y, como mínimo, un dato sobre él. Esto le ayudará cuando da un breve resumen histórico en conexión con estos capítulos. **3.** Piense en una ocasión cuando alguien le dio a usted (o a otra persona) un consejo acertado pero desagradable por lo que no lo tuvo en cuenta. En cambio, escuchó y siguió el consejo que le gustaba. Prepárese para contarlo en clase. **4.** Complete la primera sección bajo *Estudio del texto básico* en el libro del alumno.

Comprobación de respuestas

JOVENES: **1.** a. He aquí yo me ocuparé de vosotros. b. 6, 2, 1, 7, 4, 5, 3. **2.** Adulterio, mentira, apoyan a los malhechores.
ADULTOS: **1.** a. Adúlteros. b. Pastores. c. Profeta, sacerdote. d. Profetas de Jerusalén. **2.** La venida del Mesías. **3.** Los llenan de vanas esperanzas, hablan lo que ellos piensan, no lo que les ordena Dios. **4.** Huracán. **5.** Haber estado en el consejo secreto de Dios.

Ya en la clase

DESPIERTE EL INTERES

1. Relate la ocasión cuando alguien le dio (a usted o a otra persona) un consejo acertado pero que no le gustó por lo que no prestó atención y las consecuencias que acarreó. Si no pudo pensar en una ocasión así, relate la siguiente anécdota verídica. Una joven fue al médico quien, después de los exámenes correspondientes, le diagnosticó cáncer. Le dijo que debía ser operada con urgencia y que después tendría que someterse a un riguroso tratamiento de quimioterapia. Al principio, la joven se asustó. Pero una amiga en quien ella confiaba mucho, queriendo consolarla, le decía: "No ha de ser para tanto... vas a estar bien. No puede ser que sea serio. Conozco una curandera que receta un té de hierbas que cura el cáncer. Con eso te curas. Ya ves que los médicos siempre exageran..." La joven prefirió el consejo de su amiga que, además, le quitaba la aterradora perspectiva de tener que someterse a una operación y a quimioterapia. No volvió al médico y empezó a tomar el té recomendado. Pasaron unos meses. Su estado empeoraba. Cuando por fin sus padres la obligaron a volver al médico, era demasiado tarde. Al poco tiempo falleció. **2.** Recalque que muchas veces el consejo que nos gusta no es necesariamente el correcto.

ESTUDIO PANORAMICO DEL CONTEXTO

1. Mencione que en el pasaje que enfocarán en esta ocasión verán un ejemplo perfecto de esto. **2.** Presente el fondo histórico que aparece bajo el *Estudio panorámico del contexto.* Comente que todos los reyes y líderes ante quienes profetizaba Jeremías preferían las profecías paliativas en lugar de las veraces.

ESTUDIO DEL TEXTO BASICO

1. Dios provee buenos pastores. Llame la atención al título de esta sección. Divida a la clase en dos grupos. Cada uno debe nombrar su "portavoz" o "profeta" para que hable por él. Cada grupo debe leer 23:1-4. Haga notar que el pasaje está entre comillas y lo que ello significa. Un grupo debe encontrar lo que el pasaje dice de los "malos pastores" y las consecuencias para "las ovejas". El otro grupo debe encontrar lo que el pasaje dice de los "buenos pastores" y las consecuencias de su liderazgo. Después de que los "portavoces" informen sobre lo que encontraron, guíe un diálogo con preguntas como: ¿Qué indica la exclamación "¡Ay!" (v. 1)? ¿Qué quiere decir Dios al declarar "Yo me ocuparé do vosotros" (v. 2)? ¿De quiénes son las ovejas y qué hará con ellas después de que se dispersen? (v. 3.)

2. Cristo, el pastor supremo. Llame la atención al título de esta sección. Siguiendo con los dos grupos o sectores, asigne a uno los vv. 5, 6 y, al otro, los vv. 7, 8. Pídales que después de leer los versículos asignados, lean el comentario de esos versículos en sus libros y ayuden al "portavoz" a prepararse para explicarlos. Si trabaja con sectores en lugar de grupos, dé las asignaciones a los sectores antes de que un alumno lea en voz alta los vv. 5-8. A cada sector, dirija preguntas relaciondas con los versículos que les tocó enfocar.

3. Dios juzga a los falsos profetas. Llame la atención al título de esta sección. Mencione que el "¡Ay!" del v. 1 era para los "pastores" o líderes civiles (reyes) y que este pasaje es todo un "¡Ay!" contra los supuestos líderes espirituales. Pida que se fijen en que los vv. 9-11 no están entre comillas. Esto significa que expresan el sentir de Jeremías. Un alumno lea en voz alta estos versículos con mucha angustia, como si fuera Jeremías, y luego lo exprese con sus propias palabras. Según la cantidad de participantes, asigne a cada uno uno o dos de los versículos restantes para que los lean y luego los expresen en sus propias palabras. Conecte los vv. 16 y 17 con la anécdota relatada bajo *Despierte el interés.*

APLICACIONES DEL ESTUDIO

1. Diga que todos los presentes son "líderes" de alguien. Por ejemplo, los padres: de sus hijos; los adultos en la iglesia: de los jóvenes; los jóvenes: de los niños, etc.). Cada uno escriba en el margen de su libro dos o tres nombres de personas que reciben su influencia y, a su lado, la letra B o M, según es BUENA o MALA.

PRUEBA

1. Forme tríos para completar esta sección en sus libros. **2.** Después, júntense con otro trío para compartir lo realizado.

Una carta de consuelo

Contexto: Jeremías 27:1 a 31:26
Texto básico: Jeremías 29:1-14
Versículo clave: Jeremías 29:11
Verdad central: La obediencia a la voluntad de Dios puede traernos sufrimientos físicos y deseperación emocional, pero seamos fieles a pesar de todo.
Metas de enseñanza-aprendizaje: Que el alumno demuestre su: (1) conocimiento de la pruebas que tuvo que soportar Jeremías, (2) se comprometa a ser fiel en todo momento.

Estudio panorámico del contexto

A. Fondo histórico:

Si bien Sedequías era hijo del rey Josías, realmente llegó a reinar en Judá gracias a que los babilonios lo pusieron como rey títere después de haber removido del puesto a su sobrino Joaquín. Ya hacía ocho años que Nabucodonosor había conquistado a Jerusalén y llevado a Babilonia a algunos de los nobles y artesanos, incluyendo a Daniel y sus compañeros, y algunos de los vasos sagrados del templo. También, hacía poco, junto con el rey Joaquín, fueron llevados otros, incluyendo al profeta Ezequiel.

Sedequías quería unir a otros pueblos vecinos a fin de que juntos se sublevasen en contra de su opresor. Los encantadores, los espiritistas y los hechiceros les animaban. Algunos soñadores y profetas también pensaban provechoso alentar esa actitud, pues sabían que era lo que la gente quería oír. El mensaje de Jeremías era muy diferente. Veía largos años de dura disciplina antes de llegar a una gloriosa restauración.

Para la mayoría de los exiliados había una relativa libertad de acción, sólo que no podían trasladarse a otra parte sin un permiso especial, es algo parecido a cómo se ha practicado con relegados en algunos de nuestros países. Algunos de ellos se hicieron ricos en el comercio; y otros, como Daniel, llegaron a ocupar altos puestos en la corte.

Los yugos son barras proporcionadas que se atan con cuerdas a los cuernos o al cuello de los bueyes, juntando un buey con otro y los dos al objeto que están tirando. Los yugos son de madera. Un yugo más corto puede ir en un solo buey o sobre los hombros de un cautivo, cuyas manos están atadas en las puntas del yugo.

Enfasis:

Simbolismo de los yugos, 27:1-22. Muchas veces hay una vasta diferencia entre lo que es la voluntad de Dios y lo que quisiéramos que fuera. Una muestra la vemos aquí. Sedequías y el pueblo desean librarse del control babilónico, y casi todos los profetas y representantes religiosos paganos se prestan a decirles lo que quieren oír: que lograrán librarse pronto. Jeremías, bajo la dirección de Dios, tiene otro mensaje: sometimiento a Nabucodonosor. Y usa un símbolo muy gráfico, se presenta con un yugo sobre su cuello, que habla de servidumbre. Jeremías con su carga encima proclama a los emisarios extranjeros en Jerusalén, al rey Sedequías, a los sacerdotes y al pueblo que Jehovah es soberano en toda la tierra y que "la he dado a quien me place" (v. 5). Irán al cautiverio pero "después los haré volver, y los restituiré a este lugar" (v. 22).

Jeremías frente a Ananías, falso profeta, 28:1-17. Este choque entre el mensaje de Jeremías y el de los otros profetas debe ser sólo uno de muchos. Ananías de Gabaón contradice a Jeremías en la presencia de los sacerdotes y de todo el pueblo, alegando tener una palabra de Jehovah según la cual vendría el fin de la servidumbre a Babilonia, pues Dios rompería el yugo extranjero. Y de hecho le quita el yugo a Jeremías y lo rompe. Jeremías dice un Amén (v. 6), pues no tiene ningún gusto en profetizar sufrimientos para su pueblo; pero a la vez sabe que la única manera para escaparse de ellos es el arrepentimiento. También dice que el verdadero profeta es el cuya profecía se cumple, y que Ananías morirá dentro del año. Fallece dos meses después, "porque incitaste a la rebelión contra Jehovah" (v. 16).

Jeremías anima a los cautivos judíos, 29:1-23. Jeremías ve que las profecías de tantos de los así llamados profetas en Jerusalén y Babilonia llevan a una falsa esperanza de un pronto regreso a Judá, de tal modo que no trabajan lo que son capaces de hacer. Así que les escribe animando a los cautivos a que se establezcan donde están y aprendan a vivir y multiplicarse en medio de la adversidad, pues pasarán dos generaciones antes de volver. También, les advierte contra ciertos dirigentes religiosos. Es muy fácil confundir la voluntad de Dios con el deseo nuestro.

Profecía contra Semaías, falso profeta, 29:24-32. Se trata en forma especial el caso de Semaías de Nejelam, quien desde Babilonia escribe a quien actúa por el sumo sacerdote, a un tal Sofonías hijo de Maasías (no el Sofonías cuyo libro está en la Biblia), instándole a que meta en la cárcel a Jeremías por haber escrito a los exiliados diciendo que el cautiverio será largo. Sofonías lee la carta ante Jeremías, quien por revelación divina pronuncia juicio contra Semaías por pretender falsamente tener una palabra de Dios.

Angustia y restauración de Israel, 30:1 a 31:26. Jeremías ha tenido el triste deber de anunciar el largo cautiverio, el que tendrá fin después de 70 años. En estos dos capítulos da énfasis a que el castigo de Dios no es un fin, sino un medio. Vienen días, dice Jehovah, en que restauraré de la cautividad a mi pueblo (30:3). Pero hay lecciones que aprender: "En ti no haré exterminio, sino que te castigaré con justicia" (30:11). "El que dispersó a Israel lo reunirá y lo guardará" (31:10). Incluso traerá al remanente del reino del norte, disperso desde hace más de un siglo, representado por Efraín, nieto de Raquel y Jacob.

1 Los recipientes de la carta, Jeremías 29:1-3.

Vv. 1, 2. Ya hace varios años que algunos judíos fueron llevados a Babilonia, después el rey Joacim y otros, y luego su hijo Joaquín junto con unos 10.000 más (2 Rey. 24:10-16). Jeremías, por dirección divina, les escribe desde Jerusalén para contrarrestar entre los sobrevivientes la influencia de los falsos profetas, quienes dicen que el cautiverio durará poco, y según ellos no conviene hacer planes allí de largo alcance. Realmente eso es lo que conviene.

V. 3. La carta es llevada por dos mensajeros del rey Sedequías, enviados a Nabucodonosor. Ambos son hijos de hombres principales en el hallazgo del libro de la Ley en el tiempo de Josías. Probablemente Sedequías está conforme con el tenor de la carta, la que habla de una larga cautividad, puesto que no tiene ganas de que regrese tan pronto su hermano Joacim o su sobrino Joaquín, quienes eran reyes de Judá antes que fuesen llevados a Babilonia. ¡Mejor que los rivales para el trono estén lejos!

2 Consejo de que traten de llevar vidas normales, Jeremías 29:4-7.

V. 4. ¿A nombre de quién escribe Jeremías? Es Jehovah el Eterno, fiel a su pacto y Señor de los Ejércitos —los astros que parecen marchar por los cielos, noche a noche de oriente a occidente—, es decir, es Señor del universo entero. A la vez, es Dios del pequeño país de Israel, ahora subyugado por los babilonios pero grande en el propósito de Dios. Además, dice que detrás de la acción babilónica está la divina intención disciplinaria hacia su pueblo.

Vv. 5, 6. Si el cautiverio va a durar poco, basta conformarse con poco mientras aguardan el regreso a casa. Pero la carta advierte contra esa actitud. Deben establecerse lo mejor posible para tener una vida normal, y conformarse con su situación, en fin, prepararse para un tiempo extendido, con casas y plantíos. Tampoco han de postergar el matrimonio, pensando equivocadamente que pronto estarán en su patria. Más bien, deben tener familia y convertirse en un pueblo numeroso y fuerte.

V. 7. Pero no han de vivir egoístamente. Incluso, les conviene preocuparse por el bienestar de la ciudad a donde fueron llevados. Aunque la vasta mayoría de los habitantes sean de "los enemigos", este principio aún vale. Deben amar y orar por ellos. Esto es un anticipo a lo que dirá Jesucristo: "Amad a vuestros enemigos, y orad por los que os persiguen" (Mat. 5:44). Luego el Señor reitera su propia parte en lo acaecido al decir: *Os hice llevar cautivos.* Tienen que aprender a ser disciplinados y esperar el tiempo de Dios, y no precipitar las cosas.

3 Una advertencia a tiempo, Jeremías 29:8, 9.

V. 8. El Hacedor y Director de todas las cosas les previene contra los profetas engañosos. Ellos ofrecen la esperanza de un pronto fin del cautiverio. Hablan de la esperanza sin encarar el papel del juicio de Dios por sus pecados, el que era la base del mal que les aconteció. En nuestros días corremos el peligro, al hablar del amor de Dios, de olvidar la ira de Dios contra la maldad. No se puede apreciar la misericordia del Altísimo sin antes reconocer su justa condenación de los pecadores. Hablar sólo de la esperanza o sólo del castigo es una aberración del mensaje de Dios. Y no sólo los profetas son causantes del error entre ellos; hay también encantadores y personas que dan desmedida importancia a sus sueños y su interpretación, diciendo a la gente lo que quiere oír.

V. 9. Esos individuos no sólo presentan sus propias ocurrencias, sino que falsamente lo atribuyen a Dios, quien dice terminantemente: *Yo no los envié.*

4 Una esperanza futura, Jeremías 29:10-14.

V. 10. El que todo lo sabe indica que según mi dicho suceden las cosas; es el Soberano. Y el cautiverio durará 70 años (ver 25:11, 12; Dan. 9:2; Zac. 7:5). Dios cumple lo que dice: *os visitaré con mi favor y os cumpliré mi buena promesa.* ¿En qué sentido? De hacerlos regresar a este lugar, es decir, Jerusalén, de donde escribe Jeremías.

V. 11. ¿Cuál es la intención de Dios en todo esto? Planes de bienestar, o de paz, y no de mal, para daros porvenir y esperanza. Cuando Dios nos trata con aparente dureza, no es con fines de hacernos sufrir, sino que es para nuestro bien. Cuesta que los niños comprendan que la disciplina, o el castigo, que les aplican sus padres sea otra cosa que un atropello. Asimismo, a los grandes les cuesta comprender cuando Dios los disciplina a ellos. Lo esencial es que aprendamos la lección. Y a veces los padres pueden equivocarse; Dios, no. El bien puede decir: Yo sé; no así los falsos profetas. Si no obedecemos al Señor, nos dañamos a nosotros mismos.

Vv. 12, 13. ¿Qué tienen que hacer los hombres para lograr el bien? Jeremías, en nombre de Dios, menciona cuatro cosas que hechas en humildad traerán buenos resultados en el buen tiempo de Dios: *Me invocaréis. Vendréis y oraréis a mí ...Me buscaréis.* ¿Y qué se logrará? *Yo os escucharé ...y me hallaréis.* ¿Y la condición? *Me buscaréis con todo vuestro corazón.* ¿Es un concepto nuevo de parte de Dios? No; léase Levítico 26:40-42, 44, 45 y otros pasajes.

V. 14. Isaías exhorta: "¡Buscad a Jehovah mientras puede ser hallado!" (55:6). Y aquí Dios reitera: *Me dejaré hallar de vosotros.* El es accesible aun en Babilonia, tal como Salomón lo había previsto (2 Crón. 6:36-39). Pero esa búsqueda tiene que proceder de él: *Os restauraré de vuestra cautividad.* Con todo, la carta insta a los exiliados a que tengan paciencia y que busquen a Dios, sabiendo que el Señor está atento a sus necesidades.

Aplicaciones del estudio

1. Debemos estar interesados en nuestra gente, aun cuando muchos no lo van a agradecer. Jeremías lo hizo así (29:1 comparado con vv. 26-28).

2. Dios, para nuestro bien, está atrás de algunas de las experiencias desagradables de nuestras vidas (29:4, 7, 14).

3. Hay muchos profetas errados, o aun falsos, que centran su mensaje

en lo que la gente quiere escuchar y no en la palabra auténtica de Dios (29:8, 9).

4. Con paciencia y perseverancia hemos de aguardar, en humildad, el día que el Señor ha designado (29:10).

5. Quien busca, en arrepentimiento y con todo el corazón, hallará liberación en el tiempo debido (29:13, 14).

Ayuda homilética

La base para el consuelo
Jeremías 29:1-14

Introducción: ¿Hemos de limitar nuestro mensaje y esfuerzo sólo a aquellos que expresan interés por escuchar? Jeremías no lo hizo así.

I. Hemos de dar el mensaje que la gente necesita, no necesariamente el que quieren escuchar (vv. 1-3).
   A. Nadie, sino Dios, había pedido a Jeremías que les escribiera; más bien, lo contrario (ver vv. 26-28). Así a veces no nos piden tampoco que llevemos el evangelio a ciertas partes.
   B. Con el nuevo contingente de exiliados había una necesidad crecida. Así con el aumento de población hoy hay mayor urgencia.
   C. Usemos los medios a nuestro alcance.

II. Además de ser espirituales hay que usar sentido común (vv. 4-7).
   A. En vivienda.
   B. En la formación de la familia.
   C. En cooperar con gente diferente a nosotros, por el bien común.

III. Para los que no quieren obedecer a Dios hay profetas dispuestos a cooperar con engaños (vv. 8, 9).

IV. El verdadero alivio de la aflicción está en la relación con Dios (vv. 10-14).
   A. Vendrá en el tiempo establecido por el Señor.
   B. La intención de Dios es para bien.
   C. El medio para obtener ese bien: invocar, venir, orar, buscar con todo el corazón.
   D. El que busca halla (ver Mat. 7:7-11).

Conclusión: El Hijo Pródigo (Luc. 15:11-24).

Lecturas bíblicas para el siguiente estudio

Lunes: Jeremías 31:27-40
Martes: Jeremías 32:1-25
Miércoles: Jeremías 32:26-44
Jueves: Jeremías 33:1-26
Viernes: Jeremías 34:1-22
Sábado: Jeremías 35:1-19

AGENDA DE CLASE

Antes de la clase

1. Lea en su Biblia Jeremías 27-31 y estudie todo el material en este libro y en el del alumno. **2.** Asegúrese de que domina el contexto histórico. Jeremías profetizó aproximadamente entre los años 627 y 587 a. de J.C. En el año 606 a. de J.C., Babilonia conquistó Judá, un proceso en que fueron llevados cautivos a Babilonia los mejores del pueblo y que culminó con la destrucción de Jerusalén alrededor del año 586. Todo lo que Jeremías profetizó se cumplió. **3.** Si tiene entre sus alumnos a un amante de la historia, pídale que investigue este periodo de la historia hebrea y se prepare para presentar un resumen. O hágalo usted. **4.** Prepare ocho tiras de papel. En cuatro de un color (por ejemplo, verde), escriba uno de los siguientes: "Lecciones objetivas", "Parábolas", "Exhortaciones", "Predicciones". En cuatro tiras blancas escriba una de las siguientes citas: Jeremías 18:1-10; Jeremías 17:5-8; Jeremías 7:1-7; Jeremías 21:7. **5.** Consiga un sobre grande en blanco. Escriba en el rincón superior izquierdo: "Remitente" y debajo: "Dirección". En el rincón superior derecho escriba: "Por mano de". En el centro escriba: "Destinatario" y debajo: "Dirección". **6.** Prepare un cuarto de hoja de papel de carta y lápiz para cada alumno y una cajita en que los alumnos pondrán los papeles. **7.** Complete la primera sección bajo *Estudio del texto básico* en el libro del alumno.

Comprobación de respuestas

JOVENES: **1.** Los ancianos, los sacerdotes, profetas y todo el pueblo en cautividad. **2.** Jehovah. **3.** a. Procurar el bienestar de la ciudad. b. No prestar atención a los falsos profetas. **4.** "Dios tiene planes de bienestar, no de mal, para darles porvenir y esperanza".

ADULTOS: **1.** Los cautivos en Babilonia. **2.** Construir y habitar casas, plantar huertos y comer su fruto, casarse y tener hijos, multiplicarse. **3.** Falsos profetas y encantadores. **4.** a. escucharé. b. hallaréis. c. cautividad. d. Lugar de donde fueron llevados cautivos.

Ya en la clase

DESPIERTE EL INTERES

1. A medida que van llegando los alumnos reparta las tiras de papel. Los que tienen citas bíblicas deben buscarlas. **2.** Cuando todos hayan llegado, comience diciendo que en nuestros estudios basados en Jeremías han visto distintos métodos que el Señor usó para transmitir su mensaje. Pida a uno que tiene una tira de color que lea lo que dice (p. ej.: parábola), y uno que tiene una tira blanca con la cita que corresponde al método mencionado, la presente como ejemplo y así sucesivamente hasta haber repasado los distintos métodos y sus ejemplos.

ESTUDIO PANORAMICO DEL CONTEXTO

1. Diga que por lo general las exhortaciones, lecciones objetivas, parábolas y predicciones eran habladas. **2.** Pida al alumno que investigó este periodo en la historia hebrea que presente ahora su resumen (o preséntelo usted). **3.** Es importante recalcar que la profecía que Dios dio a Jeremías en el pasaje que hoy enfocarán fue cuando lo mejor del pueblo ya había sido desterrado a Babilonia aunque Jeremías seguía en Jerusalén.

ESTUDIO DEL TEXTO BASICO

Mencione que el método del mensaje en esta ocasión es distinto.

1. Los recipientes de la carta. Pida a los alumnos que busquen Jeremías 29:1 y encuentren qué método le dijo Dios que usara el profeta en esta ocasión (una carta). Muestre el sobre y diga que simularán que ese es el sobre de la carta que enfocarán. Lean en silencio los vv. 1-3 y encuentren los destinatarios y demás datos que deben completar en el sobre. Un alumno los puede ir escribiendo en el sobre a medida que los encuentran.

2. Consejo de que traten de llevar vidas normales. Mientras un participante lee los vv. 4-7 tres alumnos voluntarios deben encontrar (1) Quién había causado el cautiverio de los hebreos, (2) qué instrucciones contiene sobre cómo encarar sus circunstancias, (3) qué debían hacer por la ciudad donde vivían. Al ir cada alumno aportando su respuesta, guíe el diálogo para que entiendan plenamente el porqué de cada punto de esta parte de la carta de Dios a los cautivos en Babilonia.

3. Una advertencia a tiempo. Explique el porqué de esta advertencia, basándose en su propio estudio de estos versículos. Termine diciendo que Dios no los dejó sin orientación sobre lo que pasaría en el futuro.

4. Una esperanza futura. Diga que en los vv. 10-14 está la parte de la carta de Dios a su pueblo que revela hasta cuándo seguirían cautivos en Babilonia y cuándo regresarían a su patria. Lean en silencio el v. 10 y comenten su contenido. Haga una comparación entre el "hice llevar cautivos..." del v. 4 con el "cumpliré mi buena promesa de haceros regresar..." (v. 10). Lean al unísono el v. 11. Sigan leyendo en silencio, uno por uno, los versículos restantes. En cada uno comenten lo que el pueblo hará y lo que, como respuesta, Dios hará.

APLICACIONES DEL ESTUDIO

1. Reparta papel y lápiz a los alumnos. Pida a cada uno que escriba un mensaje de esperanza de unas 10 a 15 palabras. Luego doblen los papeles y colóquenlos en la cajita. Mézclelos. Cada uno saque un papel y lea el mensaje que recibió. **2.** Si desean comentarlos, estimúlelos a que lo hagan.

PRUEBA

Entre todos, contesten oralmente todas las preguntas de esta sección en el libro del alumno antes de que cada uno escriba sus respuestas.

Estudio **22**

Unidad 5

Un pacto nuevo

Contexto: Jeremías 31:27 a 35
Texto básico: Jeremías 31:27-40
Versículo clave: Jeremías 31:33
Verdad central: Dios prepara a su pueblo para la venida del Mesías y la implementación del nuevo pacto entre el ser humano y Dios, por medio de Cristo.
Metas de enseñanza-aprendizaje: Que el alumno demuestre su: (1) conocimiento del significado e implicaciones del nuevo pacto, (2) actitud de valorizar lo que Cristo hizo por él para hacerle beneficiario del nuevo pacto.

Estudio panorámico del contexto

A. Fondo histórico:

Un pacto es un convenio formal hecho libremente entre dos o más personas o entidades. Si una parte obliga a la otra a aceptarlo, entonces no es realmente un pacto; es una imposición. Si una parte quiebra el pacto, lógicamente la otra parte no queda sujeta a sus condiciones. En la Biblia se presentan varios pactos entre individuos, y de Dios con personas, como el de Dios con Abraham (Gén. 12:1 ss.). El principal fue el que se acordó entre Dios e Israel en el monte Sinaí, donde se dice: "¡Haremos todo lo que Jehovah ha dicho!" (Exo. 19:8). Pero el pueblo lo guardó muy imperfectamente en los mejores tiempos, y en los malos fue un desastre. Aquí en Jeremías 31:27 ss. hay la promesa de un nuevo pacto, el que fue sellado en el sacrificio de Cristo Jesús y simbolizado por la cena del Señor (Luc. 22:20). En este pacto hay más reconocimiento de la debilidad y las fallas humanas.

La compra (Jer. 32:6 ss.) que Jeremías hizo de una propiedad de un pariente nos da un vistazo interesante de cómo hacían tales negocios en el antiguo Israel. Según lo establecido desde el tiempo de Josué las heredades de cada tribu no debían pasar a personas de otra tribu. El dinero se pesaba y no tan sólo se contaba, ya que las monedas no eran uniformes en el peso. En esos traspasos había un documento oficial con firmas de testigos y era marcado con una impresión de un sello en arcilla o cera sobre el documento. También solía haber una copia sencilla de él para el uso corriente, pues el original se cuidaba mucho. Entre los pueblos vecinos a los judíos había varios dioses; pero el principal, con nombre distinto en cada nación (llámese Baal, Moloc, Quemós, etc.) tenía características parecidas. Eran relacionados con aspectos del poder de la naturaleza y en general eran tratados más con temor que con amor.

B. Enfasis:

Promesa de un nuevo pacto y esplendor, 31:27-40. Debido al fracaso de Israel en cuanto al cumplimiento del pacto sinaítico, Dios ha tenido que recurrir al arrancar, desmenuzar, etc.; pero eso no es su propósito básico, sino el edificar y plantar (v. 28). Será parte fundamental de la restauración, y representará un pacto nuevo con características de responsabilidad individual y de énfasis en lo interno, en lo que está en el corazón y, sólo después, en lo que está en la conducta. Todo esto resultará en resplandor y consagración para la ciudad santa y para todos.

Simbolismo de la compra de un campo, 32:1-44. No sabemos por qué un primo de Jeremías quiere vender su propiedad, sea por no poder utilizarla más, sea porque, con la invasión babilónica, queda sin valor si no se deshace de ella a tiempo, u otra razón. Sabemos sí que para el profeta tal transacción representa un desafío a su fe en un triunfo final. La fe de Jeremías claudica ante la perspectiva de invertir casi 200 gramos de plata en algo que talvez no le traerá ningún beneficio. Pero por indicación de Dios, aun estando preso en el patio de la guardia, compra el campo, mostrando así una confianza en el porvenir.

Más promesas de restauración y de rectitud, 33:1-26. Todavía detenido por orden del rey, Jeremías sigue recibiendo mensajes sobre el propósito de Dios para el porvenir de Judá e Israel. Nos fijamos que una palabra divina no necesariamente tiene que ver con la comodidad del portavoz. No dice nada sobre la incomodidad de Jeremías en una situación crítica. Sufre la ira de sus propios compatriotas y, como habitante de Jerusalén, corre el mismo peligro que los demás si era tomada por los ejércitos babilonios. Sin embargo, más allá del presente sufrimiento y destrucción él ve sanidad, restauración, gozo y abundancia. Y, como en el 23:5, este bien se relaciona con el derecho y la justicia que vendrá para David en un Retoño de justicia (v. 15).

Profecía de la muerte de Sedequías, 34:1-7. Por palabra de Dios, se le dice al rey que irá cautivo a Babilonia, pero que morirá en paz y que será honrado en su muerte.

Desacato en la liberación de esclavos, 34:8-22. Aparentemente, frente a una inminente derrota ante los babilonios, bajo la dirección del rey Sedequías los amos de esclavos hebreos los libertan, creyendo así complacer a Dios y asegurarse de su socorro (ver Lev. 25:39 ss.). Cuando el enemigo levanta el sitio de Jerusalén por un tiempo, los amos vuelven a someter a sus ex-esclavos. Jeremías los increpa en nombre de Dios, advirtiéndoles de la destrucción que vendrá; pues han obedecido sólo cuando les parece conveniente. ¿Pero una obediencia para conseguir algo es realmente obediencia?

Buen ejemplo de los recabitas, 35:1-19. Los capítulos 35 y 36 presentan incidentes anteriores a lo que acabamos de tratar, durante el reinado de Joacim, quien reinó luego después de su padre Josías. Para dar una lección viva sobre la lealtad, por instrucción de Dios Jeremías invita a los descendientes de Recab al área del templo y les ofrece vino para tomar. Ellos no aceptan el vino, explicando que hace más de 200 años su antepasado Jonadab (2 Rey. 10:15) mandó a su familia a no beber vino en todos sus días (v. 8). Entonces Dios aplica la lección: Ellos han obedecido el mandamiento de su padre, pero no me habéis obedecido (v. 14). Tal desobediencia será castigada.

1 Dios destruye para construir, Jeremías 31:27, 28.

V. 27. Al poner cerco los babilonios a Jerusalén y otras ciudades muchos animales son muertos, árboles cortados y campos no atendidos; también muchas personas desaparecen por causa "de la peste, de la espada y del hambre" (21:7), además de los que en diversas olas son llevados al cautiverio. Pero Dios verá que haya una nueva siembra con simiente de hombres y con simiente de animales. El que creó va a recrear. (Ver Eze. 36:9-11.)

V. 28. Para poder construir suele tener que destruir primero. Ya en 1:10, 18:7 y 24:6 Dios ha hablado del proceso doloroso de arrancar, desmenuzar, arruinar y hacer daño y del propósito final de edificar y plantar. Así que, como lo dice: Vigilaré sobre ellos para la restauración.

2 Una responsabilidad personal, Jeremías 31:29, 30.

V. 29. Ha corrido entre los judíos el proverbio popular acerca del sufrimiento de los hijos por lo que han hecho los padres u otros antepasados. Pero es un refrán fatalista con que se trata de quitar la responsabilidad personal en una situación determinada (ver Eze. 18:2-4). Que haya algo de verdad en el dicho es demasiado evidente (ver Lam. 5:7). Se observa el sentido de la solidaridad del grupo en todo el Antiguo Testamento y en la experiencia de hoy en día. Pero nunca la Biblia dice que un individuo o una generación no puede tomar una nueva iniciativa moral. Y en especial, según el nuevo pacto que está anunciando, ya no se puede usar la excusa habitual desde nuestros primeros padres (Gén. 3:12, 13) de echar la culpa a otro. Es indolencia moral.

V. 30. Cada uno es responsable por sus propios pecados. El principio ya se veía en los tiempos de Moisés (Deut. 24:16). El rey Amasías lo practicó (2 Rey. 14:5, 6). Ezequiel 18:20 lo señala. Y el apóstol Pablo después pondrá énfasis en esta verdad (Gál. 6:5-8).

3 La esencia del pacto nuevo, Jeremías 31:31-34.

V. 31. *He aquí vienen días*, u otra fórmula parecida, señala hacia el punto culminante de la historia, el Día de Jehovah. Mirando hacia atrás se ve que el pueblo, allá en el desierto, aceptó el pacto de Sinaí con una mezcla de miedo y entusiasmo. A veces por las generaciones habían tratado de ser fieles a sus preceptos, pero en muchísimos casos su entusiasmo conducía en otra dirección. En fin, Israel fracasó terriblemente en guardarlo. Hebreos 8:8-12 cita estos cuatro versículos de Jeremías con el comentario: "Si el primer pacto hubiera sido sin defecto, no se habría procurado lugar para un segundo" (v. 7), y vuelve a la misma idea en 10:16, 17. Es decir, al hablar de un nuevo pacto, de hecho el anterior llega a ser el viejo. Por eso hablamos de un Antiguo y un Nuevo (pacto) Testamentos.

V. 32. El nuevo pacto no será como el pacto que hice con sus padres. La ley señalaba lo que el hombre debía hacer y establecía sacrificios de sangre de animales para la remisión de pecados; pero no proveía el poder para guardar la ley. No corregía la fragilidad humana. Dios se presentaba para Israel como señor o "esposo" (la idea básica de la palabra aquí es "el que posee"). Como el pacto en Sinaí se edificaba sobre el que fue dado a Abraham, etc., así el prometido nuevo pacto se edifica sobre y refina el de Sinaí. Ninguno está en contraste con el anterior, si bien hay variaciones importantes (ver Eze. 36:26, 27).

Vv. 33, 34. ¿En qué sentidos son iguales y en qué son diferentes? Jeremías da pocos detalles del pacto que aparecerá después de aquellos días. Los pactos son parecidos en que han sido ofrecidos por Dios mismo, en que Dios ha hecho algo bueno antes de pedir algo a los humanos, en que conducen a la rectitud de vida, en que incluyen normas para la manera de vivir, y en que Dios ofrece el perdón a aquellos que reconocen sus fallas y pecados. Son diferentes en que el antiguo pacto enfatiza el cumplimiento de la ley; el nuevo enfatiza la obra de la gracia. El antiguo da mucha importancia a lo exterior; el nuevo, a su interior ...en su corazón. El antiguo busca el perdón mediante el sacrificio animal que hacen los hombres; el nuevo señala la fe en el sacrificio que hizo Dios mismo de su amado Hijo Jesucristo. Como dice Pablo acerca de la nueva ley escrita "no en tablas de piedra, sino en las tablas de corazones humanos ...no de la letra sino del Espíritu. Porque la letra mata, pero el Espíritu vivifica" (2 Cor. 3:3, 6). Según el nuevo pacto se abandona la jerarquía sacerdotal, pues ahora cada uno es un prójimo y hermano, con igual acceso a Dios. Todos ellos me conocerán, desde el más pequeño de ellos hasta el más grande. Será una religión basada en una experiencia personal con Dios, y no algo meramente pasado de padre a hijo. Y muy cerca del corazón de la fe está *perdonaré su iniquidad.* Iniquidad es "lo torcido"; pecado es "errar el blanco". En el antiguo pacto sacrificios de animales y cereales se hacía continuamente, pero para el nuevo pacto "Cristo fue ofrecido una sola vez para quitar los pecados de muchos" (Heb. 9:28). Y así "puede salvar por completo a los que por medio de él se acercan a Dios" (Heb. 7:25). Por eso no me acordaré más de su pecado. La relación entre el antiguo pacto y el nuevo se ve en la Biblia como el Antiguo Testamento y el Nuevo.

4 Lo seguro del pacto nuevo, Jeremías 31:35-37.

Vv. 35-37. Dios pone como testimonio de la seriedad de su promesa su misma existencia como Creador del universo (ver Isa. 51:15). Y la historia muestra la permanencia de esa promesa. Mientras que otros pueblos antiguos se han asimilado y su identidad antigua se ha perdido, los judíos en nuestros días siguen siendo judíos, aun en lugares muy distantes de Israel; y en este siglo han vuelto a tener patria. Y eso a pesar de sus pecados.

5 Un porvenir asegurado para Jerusalén, Jeremías 31:38-40.

Vv. 38-40. Jeremías ve a Jerusalén, ciudad a punto de ser destruida por los ejércitos babilonios, como con un futuro espléndido. Indica los límites de ella, empezando con una torre en el noreste, siguiendo al poniente, luego al sur, oriente y norte. Incluye todo el valle de los cadáveres y de las cenizas, donde los adoradores de Moloc han hecho sus sacrificios humanos. Nunca más será

...destruida. Durante los siglos Jerusalén ha sufrido muchas calamidades, pero permanece hoy como ciudad especialísima para los creyentes de tres de las grandes religiones del mundo: judaísmo, cristianismo e islam.

Aplicaciones del estudio

1. Lo que Dios hace lo hace con amor, Jeremías 31:27, 28. El castigo tiene el fin de hacer justicia, de corregir y rescatar, o de impedir que los incorregibles arruinen el bienestar de los salvados.

2. Dios da énfasis a la responsabilidad individual por las acciones, Jeremías 31:29, 30.

3. Se da una promesa de un nuevo pacto a causa del fracaso del hombre con el primero, Jeremías 31:31, 32.

4. El nuevo pacto es menos legal y más espiritual, Jeremías 31:33, 34. No en piedra sino en el corazón por fe en Jesucristo.

Ayuda homilética

Un nuevo pacto prometido
Jeremías 31:27-37

Introducción: Nadie jamás se salvó por la observancia de la ley ni por méritos propios. La Ley de Moisés del pacto antiguo daba buenas instrucciones para la vida y ofrecía el perdón. ¿Por qué ofreció Dios algo más favorable al hombre? ¿Por qué es necesario un nuevo pacto?

I. El antiguo pacto llegó a ser una carga para el hombre.
- A. Porque no lo podía cumplir.
- B. Porque no necesariamente incluía el interior del hombre.
- C. Porque llegó a ser una imposición religiosa.

II. El nuevo pacto es el camino de la liberación verdadera.
- A. Está basado en el amor de Dios.
- B. Es por medio de la fe y el arrepentimiento.
- C. Involucra todo el ser del hombre.

Conclusión: ¿Por qué mejoró Dios un pacto bondadoso con uno que significaba su propio sacrificio (Juan 3:16)? Porque quiere ver salvado todo el mundo. ¿Cómo responderemos?

Lecturas bíblicas para el siguiente estudio

Lunes: Jeremías 36:1-19
Martes: Jeremías 36:20-32
Miércoles: Jeremías 37:1-10
Jueves: Jeremías 37:11-21
Viernes: Jeremías 38:1-13
Sábado: Jeremías 39:1-18

AGENDA DE CLASE

Antes de la clase

1. Lea en su Biblia Jeremías 31-35 y estudie todo el material en este libro y en el del alumno. **2.** Piense en "pactos" que se hacen en la sociedad actual. Uselos para guiar a la clase a reflexionar sobre los elementos y condiciones que incluyen, los resultados cuando dichos pactos se respetan y las consecuencias cuando uno de los pactantes falta a su compromiso. **3.** Confeccione un cartel con el título del estudio y los subtítulos junto con las citas bíblicas correspondientes. **4.** ADULTOS: Prepare un segundo cartel que diga: "¿Qué espera Dios de mí en retribución a lo que hizo a mi favor por medio de su Hijo en la cruz del Calvario?" **5.** Complete la primera sección bajo *Estudio del texto básico* en el libro del alumno.

Comprobación de respuestas

JOVENES: **1.** v. 30. **2.** v. 31 "Haré un nuevo pacto". **3.** a. Pondré mi ley en su interior. b. La escribiré en su corazón. c. Yo seré su Dios y ellos serán mi pueblo.

ADULTOS: **1.** Simiente de hombres y simiente de animales. **2** y **3.** (Consulte su Biblia para comparar sus respuestas.) **4.** Sol, luna, estrellas, mar.

Ya en la clase

DESPIERTE EL INTERES

1. Llame la atención al título del estudio que escribió en el cartel. **2.** Subraye la palabra "pacto" y diga que es la palabra clave de este estudio. **3.** Presente distintos pactos que se hacen actualmente y conversen sobre ellos (p. ej.: entre países, en la escuela, en el matrimonio, etc.) recalcando las condiciones de estos pactos, lo que pasa cuando ambas partes cumplen su parte y las consecuencias cuando no las cumplen.

ESTUDIO PANORAMICO DEL CONTEXTO

1. Valiéndose de la información obtenida de su propio estudio, explique el pacto entre Dios y el pueblo hebreo que comenzó con Abraham y que fue ratificado en sucesivas generaciones y adoptado por los hebreos como nación cuando Dios los libró de la esclavitud en Egipto y les dio sus leyes y decretos al estar acampados al pie del monte Sinaí (Exo. 19). **2.** Recalque el resultado prometido si el pueblo guardaba el pacto y las consecuencias si lo quebrantaban.

ESTUDIO DEL TEXTO BASICO

1. Dios destruye para construir. Llame la atención al título de esta sección que escribió en el cartel y haga notar el contraste entre las palabras "destruye" y "construir". Vea si alguno recuerda que Dios, por medio de Jeremías, ya había anunciado este concepto en capítulos anteriores (p. ej.: la lección objetiva en la casa del alfarero, Jer. 18).

Un alumno lea en voz alta 31:27-29. Los demás tomen nota de lo que dice sobre "destruir" y "construir" para luego comentarlo. Asegúrese de que entiendan que la destrucción de la nación era a consecuencia de su incumplimiento al pacto que habían hecho con Dios y que destruir "lo de antes" era con el fin de construir algo totalmente nuevo que tendría vigencia para siempre.

2. Una responsabilidad personal. Llame la atención al título de esta sección y subraye la palabra "personal". Diga que hasta ese momento el pacto de Dios era con un pueblo y que los vv. 29, 30 son el preámbulo de un cambio fundamental en este sentido. Un alumno lea en voz alta dichos versículos. Explique cómo el pueblo se valía del proverbio para deslindarse de su responsabilidad. Guíe el diálogo asegurándose de que entiendan el concepto que presenta, en el sentido de que cada uno será responsable de su propio proceder.

3. La esencia de un pacto nuevo. Llame la atención al título de esta sección. Diga que en los vv. 31-37 encontramos el cuerpo o desarrollo del tema cuya introducción eran los vv. 29, 30. Escriba en el pizarrón las palabras "Antes" y "Después" como encabezamiento de dos columnas. Pida a los participantes que mientras un alumno lee en voz alta los vv. 31-37, encuentren descripciones para colocar bajo ambas columnas. A medida que aportan dicha información, vaya comentando la significación de cada pensamiento. Dedique tiempo para explicar que el nuevo pacto se cumplió con la venida de Cristo y cite textos como Hebreos 3:28 y Juan 3:16.

4. Lo seguro del pacto nuevo.

5. Un porvenir asegurado. Llame la atención al título de esta sección. Diga que en los vv. 35-37 tenemos la conclusión del anuncio del nuevo pacto personal. Al leer un alumno en voz alta dichos versículos, los demás identifiquen por qué los escuchas y lectores de Jeremías podían confiar en que la profecía del nuevo pacto se cumpliría ("así ha dicho Jehovah"). Enseguida, identifiquen las razones por las cuales pueden confiar en la palabra de Jehovah (su poder sobre la creación: sol, luna, etc.)

APLICACIONES DEL ESTUDIO

JOVENES: Después de que los alumnos escriban bajo la sección *Prueba* en sus libros del alumno las diferencias entre el pacto en el Sinaí y en la cruz, use la segunda pregunta de esa misma sección para guiar a los presentes hacia una decisión de compromiso personal. ADULTOS: Coloque en un lugar visible el cartel con la pregunta: ¿Qué espera...? Forme parejas para que cada uno conteste la pregunta y comparta su respuesta con un compañero.

PRUEBA

JOVENES: (Ya habrán completado la *Prueba).* ADULTOS: Lea en voz alta las preguntas de esta sección en el libro del alumno, guiando un periodo de mesa redonda al enfocar la segunda pregunta.

La caída de Jerusalén

Contexto: Jeremías 36 a 39
Texto básico: Jeremías 39:1-18
Versículo clave: Jeremías 39:18
Verdad central: La caída de Jerusalén bajo Babilonia y la promesa de restauración nos enseñan que Dios castiga el pecado, pero siempre está dispuesto para restaurar a sus hijos.
Metas de enseñanza-aprendizaje: Que el alumno demuestre su: (1) conocimiento de los eventos que propiciaron la caída de Jerusalén y la promesa de Dios de restaurarlos, (2) actitud de fidelidad a Dios y/o búsqueda de restauración en caso necesario.

Estudio panorámico del contexto

A. Fondo histórico:

Este estudio presenta la situación caótica en los años finales del reino de Judá alrededor del año 600 a. de J.C. Ya hace más de un siglo que el reino del norte (Israel) ha desaparecido ante la fuerza militar de Asiria. Pero ahora los babilonios han tomado lo que tenían los asirios y se están extendiendo. Egipto trata de contrarrestar a Babilonia, pero se va debilitando. De la tierra que habían dominado David y Salomón queda sólo una pequeña parte centrada en Jerusalén. Ahora los reyes judíos dependen mucho primero del favor egipcio, pero luego del de Babilonia. Los ejércitos extranjeros son formidables, pero la Biblia indica que la verdadera debilidad de Judá es a causa de su abandono de Dios.

Así, después de la muerte en batalla del buen rey Josías, su hijo Joacaz ocupa el trono sólo tres meses cuando los egipcios lo quitan e imponen a su hermano Joacim. Cuando los babilonios quitan a Judá de la influencia egipcia, Joacim se rebela contra los nuevos conquistadores. Con el fin de conseguir la ayuda de Dios en su lucha, proclama un ayuno nacional. En el año undécimo de su reinado procura en vano echar el yugo foráneo y es llevado a Babilonia en cadenas. Después de tres meses en el trono judío de su hijo Joaquín, Sedequías (tío) llega al trono. Después de vicisitudes diversas, en el año undécimo de Sedequías los babilonios entran a Jerusalén, la queman y llevan al rey y a muchos otros a Babilonia como cautivos.

Es durante la ocasión del ayuno que Baruc lee el libro dictado a él por Jeremías. En este pasaje tenemos la descripción más detallada de cómo, humanamente hablando, fueron escritos los libros del Antiguo Testamento.

Estando Jerusalén en una región con escasez de lluvia, las casas suelen tener cisternas para recoger el agua que cae en los techos y patios. Desde luego, el agua trae tierra también, que queda en el fondo de la cisterna hasta ser limpiada.

B. Enfasis:

Jeremías dicta su libro, y es leído, 36:1-21. El propósito de escribirlo, según el Señor, es advertir a la nación y al mundo contra sus malas acciones, de modo que cambien su manera de ser y así resulte en que Dios los perdone. Así Jeremías llama a su amigo escribiente Baruc y le dicta. Sin duda que lo escrito es igual a partes del actual libro bíblico de Jeremías. Por alguna razón el profeta está impedido para entrar en la casa de Jehovah, de modo que pide que Baruc lea el manuscrito en el patio del templo. La lectura causa sensación, en especial las partes que advierten acerca de la ira de Dios contra el pecado y que señalan la derrota de ellos por los babilonios. Los dirigentes toman el escrito y aconsejan que Baruc y Jeremías se escondan.

Joacim destruye el libro, y Jeremías escribe de nuevo, 36:22-32. Informado el rey acerca del escrito, se le leen algunas columnas del rollo. Al escuchar lo que Jeremías, a nombre de Dios, escribe contra él, en vez de arrepentirse, destruye el rollo con un cortaplumas y lo echa al brasero. Por encargo de Dios el profeta consigue otro rollo y vuelve a dictar lo que estaba en el rollo anterior y agrega otras cosas. Al final queda casi como lo conocemos hoy.

Anuncio de la caída de Jerusalén, 37:1-10. Los capítulos 35 y 36 vuelven al reinado de Joacim. Entonces los próximos capítulos tienen que ver con los tiempos de Sedequías, el último de los reyes de Judá. Joacim menospreciaba a Jeremías, mientras que Sedequías le consulta pero no le hace caso. Envía emisarios al profeta pidiendo que ore por ellos. Suponemos que lo hace, y los ejércitos egipcios avanzan, de modo que los babilonios levantan el sitio de Jerusalén. Jeremías advierte a su pueblo que el alivio será sólo provisional y que los babilonios regresarán. Pues Dios está en contra de Judá a causa de sus pecados, y Jerusalén será incendiada.

Jeremías es puesto en la cárcel, 37:11-16. El profeta quiere aprovechar el período de calma que ha venido por el alejamiento de los babilonios, para arreglar asuntos de su heredad en Anatot (ver 32:8 ss.). Pero un centinela, en la puerta de Jerusalén por donde sale Jeremías, lo detiene. Ya que Jeremías ha recomendado al rey que haga la paz con los babilonios, los oficiales le acusan de tratar de pasarse al enemigo y lo meten en una casa convertida en calabozo.

Sedequías saca a Jeremías y le consulta, 37:17-21. El rey se interesa por saber la voluntad de Dios, pero no tiene el valor para obedecerla. Se deja manejar por los oficiales. Es un rey malo, en parte por ser un rey tímido. Saca a Jeremías del calabozo para consultarle secretamente en su casa. El profeta contesta directamente que Sedequías será entregado a los babilonios. Entonces, Jeremías le pide que no lo haga regresar al calabozo, y el rey le hace detener en un lugar menos rigoroso y con la promesa de pan para comer.

Jeremías es puesto en una cisterna y es rescatado, 38:1-13. Varios hombres principales oyen que el profeta ha recomendado la rendición a los babilonios. Ellos toman estas palabras como traición y le acusan ante el rey, pidiendo su muerte. Sedequías cede ante ellos para que hagan lo que estimen conveniente. Talvez no se atreven a matarlo directamente, pero lo bajan a una cisterna que tiene mucho lodo. Al enterarse Ebedmelec, un funcionario etíope, de lo acaecido apela al rey, quien le autoriza a sacar a Jeremías. Con la ayuda de varios lo hacen, y Jeremías regresa detenido al patio de la guardia.

Sedequías consulta de nuevo con Jeremías, 38:14-28. Aquí vemos el conflicto interno del rey. Respeta a Jeremías como profeta íntegro de Jehovah, pero no quiere pagar el precio de aceptar el mensaje, en parte por temer a los otros dirigentes de la ciudad. Lo llama en secreto y promete no matarlo. Jeremías le dice que debe entregarse a los babilonios; si no, la ciudad será incendiada, y el rey irá cautivo a Babilonia. Sedequías pide a Jeremías que diga una verdad a medias en cuanto al tema de la visita; y el profeta lo hace así. Entonces lo dejan en el patio de la guardia, donde queda hasta que el enemigo toma la ciudad.

Jerusalén cae, y Jeremías es liberado, 39:1-18. El asedio de los babilonios dura hasta que los alimentos dentro de la ciudad se acaban y el muro norteño es perforado. Viendo la situación ya imposible, Sedequías y sus hombres de guerra huyen, pero es inútil.

Estudio del texto básico

1 El fin de la resistencia, Jeremías 39:1-5a.

Vv. 1, 2. Sucede lo que Jeremías ha venido profetizando. Después de 18 meses de asedio el ejército de Nabucodonosor logra penetrar el muro, y el fin de la ciudad ha llegado.

V. 3. Los altos oficiales babilónicos —militares, funcionarios civiles y consejeros adivinos— se presentan, y los vencedores *se instalaron junto a la puerta del Centro.* Esto significa que han conquistado la parte norteña y de mayor elevación, y ya están en la puerta del muro que separa la sección de la ciudad más alta de la más baja, o sureña. Ya que Jeremías ama a su pueblo, ¡cuánto habría deseado que su profecía no se hubiese cumplido! Pero sabe que sólo el arrepentimiento y el volver a Dios habría evitado aquello.

Vv. 4, 5a. *Sucedió que al verlos, Sedequías* y sus hombres de guerra de noche huyen en la dirección opuesta, saliendo de la ciudad hacia el sur. Tal vez los judíos podrían haber resistido por más tiempo, pero habían quedado debilitados por las bajas luchando contra los sitiadores y por los muertos o enfermos por el hambre y la peste. Así que siguen al oriente hacia el Arabá, el valle del Jordán y del mar Salado. Pero el ejército de los caldeos (babilonios) los persigue, y alcanza a Sedequías en las llanuras de Jericó, unos 30 kilómetros al oriente de Jerusalén.

2 El rey, los nobles y otros al cautiverio, Jeremías 39:5b-7.

Vv. 5-7b. Tal como Jeremías le había advertido repetidas veces, a Sedequías lo toman preso y lo llevan ante Nabucodonosor, ahora en Ribla. Allí son degollados los hijos de Sedequías, en presencia de éste, y los nobles. Luego, hace sacar los ojos del rey judío, quien es llevado encadenado a Babilonia.

3 Lo sucedido con los que quedaron, Jeremías 39:8-10.

V. 8. Desaparecidos de la escena Sedequías y la gente principal, el ejército invasor destruye los muros de la ciudad, el palacio del rey, los edificios grandes, las casas del pueblo y el hermoso templo (52:13) que Salomón había construido unos 300 años antes. A causa del pecado y la incredulidad de la gente sucede lo que se les ha advertido vez tras vez: "Por eso, como hice a Silo [destruirlo], haré a este templo que es llamado por mi nombre y en el cual confiáis, a este lugar que os di a vosotros y a vuestros padres. Y os echaré de mi presencia" (7:14, 15; ver 26:6). En 52:17-23 leemos de cómo se llevan del templo los adornos de valor.

Vv. 9, 10. El resto de la gente que queda, incluyendo a los desertores que antes salieron de la ciudad, los hizo llevar cautivos a Babilonia. Es decir, todos menos algunos de los pobres que no tenían nada, a quienes "hizo quedar... como viñadores y labradores" (52:16). Este fue para Judá el cautiverio final de tres, con un total de 4.600 personas (52:30) llevadas a Babilonia.

4 Lo sucedido a Jeremías, Jeremías 39:11-14.

Vv. 11, 12. Nabucodonosor llegó a saber, quizás por medio de los desertores (38:19), que Jeremías había recomendado que Sedequías se entregara a los babilonios. Por esta razón, da órdenes a que se le trate bien.

Vv. 13, 14. Esta orden se pasa a los otros oficiales, y a Jeremías le quitan los grilletes de en medio de los cautivos listos a ser llevados a Babilonia. Se le da la opción de ir libremente a Babilonia, o de ir a donde quiera, o a permanecer "en medio del pueblo que había quedado en el país" (40:6). El profeta muestra su patriotismo y espiritualidad al permanecer en su país, en medio de profundos problemas, en vez de ir a gozar de honores y placeres en una corte pagana. Sus llamados a entregarse a los babilonios no se hacía para complacer a éstos, sino para el bien de Judá y para obedecer a Dios. Así que se queda con Gedalías, a quien los babilonios han dejado a cargo de las ciudades de Judá. *Y habitó en medio del pueblo.*

5 La profecía acerca de Ebedmelec, Jeremías 39:15-18.

Vv. 15-18. Lo tratado en estos versículos ocurrió en una fecha anterior, mientras el profeta aún estaba preso en el patio de la guardia (ver 38:28). Vemos que Dios se preocupa del bienestar de un funcionario extranjero, un etíope que está al servicio del rey. Había conseguido sacar a Jeremías de la cisterna (ver 38:7 ss.), donde probablemente habría muerto. Ahora Dios le premia con una promesa de protección.

Se supone que *aquellos a cuya presencia temes* serían los magistrados y oficiales que querían que Jeremías muriera allí en la cisterna y que, por lo mismo, se enojaron con el etíope. *Tu vida te será por botín* es una expresión proverbial hebrea (21:9), indicando que el salvar la vida de un peligro es mejor que conseguir despojos de un enemigo vencido. El etíope tenía miedo por su propia seguridad, pero su confianza en Dios y su sentido de humanidad y justicia le condujeron a arriesgarse a favor del profeta.

Aplicaciones del estudio

1. Las promesas de Dios son seguras, sean para nosotros favorables o desfavorables.

2. Cuando habla el verdadero representante del Señor, es sabio hacerle caso.

3. Cual Sedequías, se puede huir, pero "sabed que vuestro pecado os alcanzará" (Núm. 32:23; ver Gál. 6:7, 8).

4. A veces uno que no es amigo de Dios hace la obra de Dios. Dios hasta se refiere a Nabucodonosor como "mi siervo" (25:9; 27:6; 43:10).

5. Vale la pena hacer el bien aun cuando uno se siente temeroso. Sirvió bien a Ebedmelec.

Ayuda homilética

"Yo cumplo mis palabras"
Jeremías 39:16

Introducción: Jeremías injustamente ha sido tildado como el "profeta llorón". Es cierto que tenía motivos para llorar. Tenía una vida de dureza tratando de llamar a su pueblo al arrepentimiento y a la obediencia a Dios, para evitar así una catástrofe personal y nacional, pero le hacían poco caso; y llegó la prometida destrucción. Dios cumple sus promesas. ¿Qué tarea tenemos en nuestros días? ¿Somos fieles mensajeros?

I. Dios es misericordioso, pero también es justo; y hay que comprender la justicia antes de poder apreciar la misericordia.

II. Dios tiene un Libro y envía mensajeros para enseñar cómo vivir y cuáles son las consecuencias para los obedientes y para los desobedientes, como lo vemos en el ministerio de Jeremías y otros.

III. Ahora tenemos más de lo que tenía el Judá antiguo, pues tenemos la esperanza en Jesucristo crucificado, pero la pena por rechazarlo es igual (Hech. 4:12).

IV. Para los individuos y para las naciones el hacer caso omiso de Dios trae el mal (Jer. 26:2-6).
El capítulo 39 es una clara demostración de eso.

Conclusión: Isaías 59:1, 2; Proverbios 14:34. ¡Demos el mensaje!

Lecturas bíblicas para el siguiente estudio

Lunes: Jeremías 40:1-12
Martes: Jeremías 40:13-16
Miércoles: Jeremías 41:1-10
Jueves: Jeremías 41:11-18
Viernes: Jeremías 42:1-10
Sábado: Jeremías 42:11-22

AGENDA DE CLASE

Antes de la clase

1. Lea en su Biblia Jeremías 36-39 y todo el material en este libro y en el del alumno. Note que es una lección de historia en que finalmente se cumple lo que Jeremías venía anunciando durante más de 40 años. **2.** Prepárese para narrar a vuelo de pájaro todos los acontecimientos históricos contenidos en los capítulos 36-38 o pida a un alumno que se prepare para hacerlo. En dicho caso, proporciónele todo el material posible (algún diccionario bíblico, un comentario sobre Jeremías, Jeremías 52:1-11; 2 Reyes 25; 2 Crónicas 36:11-21). Podría ser presentado como un reportaje periodístico o noticiero de radio o TV. Será de interés especial enfocar cómo fue que Jeremías hizo poner por escrito las profecías que el Señor le había dado a lo largo de los años ya que es por ello que ahora las encontramos en las páginas de la Biblia como la palabra inspirada de Dios. **3.** Tenga a mano un mapa bíblico de la época de Jeremías para usar al mencionar los distintos puntos geográficos. **4.** Complete la primera sección bajo *Estudio del texto básico* en el libro del alumno.

Comprobación de respuestas

JOVENES: **1.** Huyó. **2.** En las llanuras de Jericó. **3.** Vv. 6, 7. **4.** Que lo cuidaran, no le hicieran nada malo e hicieran lo que les pidiera.
ADULTOS: **1.** a) V. b) F. c) V. d) V. **2.** a, c.

Ya en la clase

DESPIERTE EL INTERES

1. Diga que la parte más intrigante y fascinante de cualquier relato es cuando llega a su clímax o punto culminante donde por fin el lector o el oyente puede "vivir" el desenlace feliz o fatal que hasta el momento se ha mantenido en suspenso. **2.** Recalque que en este estudio enfocarán la culminación de la historia de Jeremías y el trágico cumplimiento de sus profecías.

ESTUDIO PANORAMICO DEL CONTEXTO

1. Usted, o el alumno a quien asignó la tarea, presente los acontecimientos narrados en Jeremías 36-38 que llevan a la culminación de la tragedia que el profeta venía anunciando sin que nadie le hiciera caso. **2.** Válgase del mapa bíblico para que los presentes capten más claramente la significación de los distintos países y puntos geográficos mencionados.

ESTUDIO DEL TEXTO BASICO

1. Si su clase se presta para trabajar en grupos, forme cuatro equipos "de reporteros" asignando a cada uno, uno de los siguientes puntos del estudio. Primer grupo: "El final de la resistencia, Jeremías 39:1-8", segundo grupo: "Lo sucedido con los que quedaron, Jeremías 39:9,

10", tercer grupo: "Lo sucedido a Jeremías, Jeremías 39:11-14", cuarto grupo: "Promesa de liberación, Jeremías 39:15-18". Cada grupo debe preparar un "reportaje periodístico" basado en el pasaje que le tocó. Deben nombrar un "reportero" que los represente y dé el reportaje en el momento debido. Como pautas para preparar el reportaje, escriba en el pizarrón:

CUANDO
DONDE
QUIENES
COMO

Diga que estos son los elementos que todo buen reportaje debe incluir: CUANDO y DONDE sucedieron los hechos, QUIENES los protagonizaron y COMO se fueron desenvolviendo los acontecimientos. Dé unos 25 minutos para que analicen los pasajes y preparen sus reportajes. Luego, al ir presentándolos cada grupo usted agregue información según sea necesario. Felicite a cada grupo por el trabajo realizado.
Si a su clase no le gusta estudiar en grupos, comience diciendo que desarrollarán el estudio tomando cada pasaje del bosquejo como un reportaje periodístico. Escriba en el pizarrón:

CUANDO
DONDE
QUIENES
COMO

y dando la explicación que aparece en el párrafo anterior. Distintos alumnos lean en voz alta un pasaje por vez. Después de leer cada pasaje, pida a diferentes alumnos que digan el CUANDO, DONDE, QUIENES y COMO en cada caso. Esto creará mayor interés en analizar el texto bíblico y le dará a usted oportunidad de dirigir el estudio en una forma original y significativa.

APLICACIONES DEL ESTUDIO

1. Pida a los presentes que busquen la sección Aplicaciones del estudio en sus libros del alumno. **2.** Vayan leyendo en voz alta cada aplicación comentándolas más ampliamente, especialmente en COMO se aplican a NOSOTROS (quienes), aquí DONDE estamos AHORA (cuándo).

PRUEBA

1. Dirija esta actividad basándose en el contenido de la sección prueba en el libro del alumno. **2.** Si trabajaron antes en grupos, vuelva a formar los mismos grupos para que cumplan esta actividad. Luego de unos cinco minutos se juntarán con toda la clase para comentar sus respuestas. Si no trabajaron en grupos, forme parejas para hacer el trabajo en el libro del alumno. Luego, entre todos, comprueben lo realizado para verificar que las respuestas hayan sido correctas.

Estudio **24**

Unidad 5

El remanente de Judá

Contexto: Jeremías 40 a 42
Texto básico: Jeremías 42:1-22
Versículos clave: Jeremías 42:2, 3
Verdad central: La exhortación de Jeremías al remanente de Judá de ser obedientes a Dios tiene la intención de preservar ese remanente y llevar adelante su plan de restauración.
Metas de enseñanza-aprendizaje: Que el alumno demuestre su: (1) conocimiento de la exhortación de Jeremías al remanente de Judá, (2) actitud de disposición para que Dios cumpla el plan que tiene para su vida.

Estudio panorámico del contexto

A. Fondo histórico:

Con el asedio y destrucción de Jerusalén y otras ciudades de Judá, más el destierro de muchos, la población del país quedó severamente diezmada. Al parecer, los babilonios no trajeron a gente de otras partes para reemplazar a los cautivos, como lo habían hecho los asirios con el reino del norte (Israel) un siglo antes. Ya no había rey, pues Nabucodonosor dejó a cargo del país a Gedalías, cuyo padre había ayudado a Jeremías (Jer. 26:24) y cuyo abuelo era "el escriba" en el tiempo de Josías (2 Rey. 22:9). ¡Digno sucesor de dignos padres, uno en cuya integridad podían confiar los babilonios y también sus compatriotas! Es decir, menos Ismael "de la descendencia real" (Jer. 41:1), quien probablemente sintió celos porque él no había sido escogido para el puesto. Sea esa la razón o no, conspiró y mató a Gedalías apenas pocos meses de ser éste nombrado gobernador.

B. Enfasis:

Jeremías permanece en Judá con Gedalías, 40:1-6. Cuando el rey Sedequías es llevado, Jeremías, junto con muchos otros, es aprisionado con grilletes para la larga marcha al cautiverio. Pero en Ramá, a unos ocho kilómetros al norte de Jerusalén, el profeta es liberado por el capitán de la guardia babilónica. Este debe haber sabido de la predicación de Jeremías, ya que le repite el mensaje central que éste ha venido entregando a los judíos, es decir, que Jehovah iba a castigar a los desobedientes. Luego ofrece llevarlo libre a Babilonia o que se fuese a donde quisiera. Y le da provisiones y obsequios. El profeta opta quedarse con Gedalías en Mizpa, a unos pocos kilómetros de allí (Jerusalén está en ruinas), y vive en medio del pueblo que aún permanece en el país. ¿Cómo será el nuevo comienzo con nuevos dirigentes? ¿Oirán a Dios?

Gedalías y su labor entre los judíos, 40:7 a 41:2. Algunos de los militares judíos logran escaparse del destierro y se presentan ante Gedalías en Mizpa, quien les dice que allí estarán seguros, y les invita a establecerse en sus ciudades (aldeas). Les explica que él tiene la responsabilidad de servir a los babilonios victoriosos que le habían nombrado.

Muchos judíos que se habían refugiado en tierras vecinas regresan y se adhieren a Gedalías. Este les aconseja (como lo ha hecho Jeremías) a no resistir a los babilonios. Sin embargo, no todo está bien. Johanán y otros militares advierten a Gedalías contra Ismael, diciendo que éste complota con el rey de los amonitas contra él. Gedalías, creyendo en la lealtad de Ismael, desestima el consejo. Pero Ismael, después de comer con él, alevosamente mata a Gedalías en el momento de la hospitalidad (ya que entre ellos el comer juntos representa un pacto de amistad). Gedalías obraría con generosidad aunque le costara la vida.

Ismael siembra el caos en Judá, 41:3-10. Para destruir toda la evidencia de sus hechos nefastos Ismael y los diez hombres con él matan a todos los judíos en Mizpa presentes y también a los soldados babilónicos destacados allí. Que tan pocos pudieran matar a tantos, sin duda se debería a la sorpresa por unos y al descuido por otros. Al día siguiente, cuando llegan del norte ochenta peregrinos religiosos con ofrendas para el templo ya destruido. Ismael con lágrimas fingidas los encuentra, pero luego hace matar a todos menos diez, y echan sus cadáveres en la cisterna grande que el rey Asa había cavado tres siglos antes (1 Rey. 15:22). Los diez logran salvar sus vidas, dando a conocer que tienen alimentos escondidos, sin duda sugiriendo que parte, o todo, podría ser para Ismael. En este caso la avaricia de Ismael es mayor que su cautela y crueldad. Luego lleva al remanente allí cautivo y parte con ellos para Amón. En cuanto sabemos, Jeremías no estaba entre ellos.

Johanán reagrupa al remanente de Judá, 41:11-18. Johanán y otros oficiales militares, al saber lo que Ismael ha hecho, juntan sus hombres y les persiguen. Los alcanzan cerca de Gabaón a sólo dos kilómetros de Mizpa. Rescatan a los judíos cautivos, pero Ismael y ocho más logran escaparse y se pasan a los amonitas. Johanán tiene miedo de lo que harán los babilonios al enterarse de lo acaecido y junta al pueblo cerca de Belén, a unos ocho kilómetros al sur de Jerusalén, con el fin de ir y refugiarse en Egipto.

Jeremías exhorta a permanecer en Judá, 42:1-22. Ante el dilema de qué hacer y cómo hacerlo, Johanán y otros quieren tener el consejo de Dios y acuden a Jeremías, pidiendo que interceda por ellos. El profeta lo hace, y después de diez días el Señor responde. Pero no es la respuesta que Johanán espera.

Estudio del texto básico

1 El remanente busca a Dios, Jeremías 42:1-3.

Vv. 1, 2a. El rey Sedequías a veces buscaba el consejo de Jeremías, a diferencia de la abierta oposición de los tres reyes anteriores, pero al final le hacía poco caso. Ahora Johanán y todo el pueblo *...se acercaron al profeta.* ¿Será un buen indicio?

Vv. 2b, 3. Cortésmente piden que Jeremías ore por ellos, pues reconocen que ya queda muy poca gente, a causa de los muertos por la espada, el hambre y la peste durante el tiempo del asedio, luego por los que fueron llevados cautivos a Babilonia, y después por el crimen cometido por Ismael. Con razón se sienten perplejos y desanimados. Su interés es que *Jehovah tu Dios nos enseñe el camino por donde debemos ir y lo que hemos de hacer.* Tienen miedo de quedarse en Judá por temor a las represalias babilónicas, pero son aprensivos en cuanto a trasladarse al país extranjero, Egipto. Es interesante que dicen *Jehovah tu Dios,* talvez con la idea de que Jeremías tiene una relación de preferencia ante el Señor y de que no están tan seguros de la relación de ellos con el Altísimo. Según lo que dicen, parece que están preparados a obedecer lo que Dios le indique. Veremos si es así.

2 Jeremías intercede por el remanente, Jeremías 42:4.

V. 4. Si bien tantas veces antes han hecho caso omiso del consejo del profeta de Dios, éste les asegura: *He oído ...voy a orar a Jehovah* (ver 1 Sam. 12:23). Han dicho: *Tu Dios,* pero él insiste: *Vuestro Dios.* Y él responderá fielmente con lo que el Señor dice, no necesariamente con lo que ellos quieran escuchar.

3 Reiteran su disposición a obedecer, Jeremías 42:5, 6.

Vv. 5, 6. Tan firme presentan su promesa de obediencia que llaman a Dios como testigo. En otras palabras, llega a ser un juramento en ese sentido, hasta sugiriendo que el Señor les castigue si fallan. ¡Conviene tener mucho cuidado con lo que se promete! Desde luego, Jehovah siempre es *testigo fiel y verdadero*, reconozcámoslo o no. Expresan su confianza en que Dios hablará por medio de Jeremías. Bueno o malo no indican que piensan que Dios haga lo malo, sino que obedecerán la voz de Jehovah, sea su mensaje agradable o desagradable. Pues dicen creer que esa obediencia a Dios es *para que nos vaya bien.* Suena bonito, ¿no?

4 Dios responde al remanente, Jeremías 42:7-12.

Vv. 7-9a. La respuesta del Señor demora diez días, así probando la sinceridad de su afirmación. Lógicamente sienten apuro por tener una decisión antes que lleguen los babilonios para derramar su venganza sobre ellos. Por lo que dicen después (43:2), es evidente que se han irritado por tanto tiempo esperado y culpan a Jeremías por ello. Pero cuando el profeta tiene una palabra de Jehovah, llama a los dirigentes y al pueblo (los mismos que le consultaron antes) para comunicársela. No quería presentarles su propio parecer sin esperar la instrucción del Altísimo.

V. 9b. Jeremías les asegura que lo que va a decir viene de Dios y que está de acuerdo con lo que le habían encargado (v. 2).

V. 10. El mensaje de Dios no cuadra con el parecer de los dirigentes y al pueblo, como se ve claramente en el capítulo 43. Esa gente, como tantos, dice en efecto: "Gustosamente haré la voluntad de Dios con tal que sea compatible con la mía." Ellos creen que es mejor salir de la jurisdicción de Babilonia, huyendo a Egipto. Pero Jeremías les dice que han de quedarse en Judá, en cuyo caso Dios dice: *Si decididamente permanecéis en esta tierra, os edificaré,* etc. Así, lo básico no es lo que los babilonios harán, sino lo que Dios hará. Y Dios les establecerá sólidamente (24:6).

Los babilonios creen que ellos son soberanos, pero el Altísimo está muy por encima de ellos. *He desistido del mal* significa que Dios está satisfecho con el castigo infligido, siempre que no incurran en nuevos delitos; Dios altera sus maneras externas de proceder.

Vv. 11, 12. *No temáis al rey de Babilonia ...porque yo estoy con vosotros... para libraros de su mano.* Jehovah arreglará que el rey les muestre misericordia, si es que obedecen a Dios.

5 Condiciones para recibir el cuidado de Dios, Jeremías 42:13-22.

Vv. 13, 14. El Señor, como también Jeremías, sabe lo que la gente tiene en mente, y no es lo que Dios sabe que es lo mejor. Así que el Altísimo les hace una solemne advertencia (15-18). El problema fundamental es que estarían *desobedeciendo así la voz de Jehovah vuestro Dios.* El concepto de vuestro Dios les gusta cuando significa socorro, pero menos les agrada cuando habla de obediencia al Ser Supremo. Se les ocurre que estando en Egipto no verán guerra ni oirán el sonido de la corneta, o clarín, llamando a la batalla. También, equivocadamente sueñan con que *ni tendremos hambre de pan, y allí habitaremos.*

Vv. 15-17. Así piensan ellos, pero Dios sabe otra cosa. *Si ...habéis decidido ir a Egipto ...os alcanzará la espada ...el hambre ...y allí moriréis.* Es una advertencia bien severa. Moriréis por la espada, por el hambre y por la peste, es decir, al igual a lo que antes sucedió a los obstinados defensores de Jerusalén (21:9). ¿Por qué desconfía tanto la gente de Dios cuando él habla sólo verdad? El huir ahora a Egipto traerá el desastre, y sólo uno que otro después regresará a Judá (44:14, 28).

V. 18. Dios tiene sus razones para dictar ciertas órdenes, y hemos de obedecerle, aunque no conozcamos esas razones. Siglos antes Samuel amonestó al rey Saúl: "El obedecer es mejor que los sacrificios" (1 Sam. 15:22; ver Deut. 32:46, 47). Pues Dios es Dios; el Señor es Señor. La desobediencia de ellos traerá horribles consecuencias, tanto por principio general como por la jurada promesa que recién han hecho (vv. 5, 6).

Vv. 19-22. Jeremías añade su propia exhortación a lo que Jehovah ha dicho. Lo dice terminantemente: *No entréis en Egipto, y enfatiza: Sabed ciertamente que hoy os lo he advertido.* Uno puede quebrar la ley de Dios, pero también con ello se quebrará a sí mismo. *Os habéis descarriado a costa de vuestras propias vidas.*

Es en el capítulo 43 que leemos lo que ellos dicen y hacen ante el informe del profeta, pero éste ve por sus caras y por sus ademanes lo que están pensando; y les dice con ejemplar franqueza las consecuencias funestas de lo que piensan hacer: *No habéis obedecido la voz de Jehovah, y moriréis en el lugar a donde deseáis entrar para residir allí.* Otra vez se hace patente el hecho que el libre albedrío es un arma de dos filos. El secreto es usar sabiamente la libertad que tenemos de escoger a quién vamos a obedecer.

Aplicaciones del estudio

1. Debemos procurar saber la voluntad de Dios antes de tomar determinaciones (vv. 2, 3).
2. Es ventajoso tener un confiable consejero espiritual en decisiones importantes (v. 2).
3. No hagamos promesas que no vamos a cumplir (vv. 5, 6).
4. Lo que parece ser el mejor camino puede no serlo.
5. El desoír y desobedecer a Dios traen malos resultados.

Ayuda homilética

¡Hágase la voluntad de Dios! ¿Tal vez?
Jeremías 42:1-22

Introducción: ¿Cuándo queremos que se haga la voluntad de Dios? ¿Sólo cuando vemos que no hay alternativa? ¿Cuando coincide la voluntad de Dios con la nuestra? ¿O en todo tiempo, aun cuando nosotros preferiríamos otra cosa? Los pocos que quedaban en Judá estaban en ese dilema.

I. Consultan al reconocido hombre de Dios, Jeremías, pidiendo que orase por ellos (vv. 1-4).
A. Hacen bien en querer escuchar lo que Dios indica.
B. Acuden a una persona que vive cerca de Dios.
C. Piden que ore porque Dios les enseñe el camino.
D. Jeremías promete orar y decir lo que Dios responda.
II. Se comprometen a acatar lo que Dios indique (vv. 5, 6).
A. Llaman a Dios como testigo de su solemne compromiso.
B. Reconocen que les conviene obedecer.
III. Dios responde después de diez días (v. 7). La gente espera con impaciencia.
IV. Jeremías les comunica el dictamen de Dios (vv. 8-18).
A. Saldrán bien si obedecen y se quedan en Judá (8-13).
B. Les irá mal si desobedecen y van a Egipto (14-18).
V. Jeremías exhorta a que obedezcan al Señor (vv. 19-22) Al ir a Egipto desobedecen y quiebran su promesa.

Conclusión: Obedecer al Señor no siempre es fácil, pero nos conviene muchísimo. No fue fácil tampoco para nuestro Salvador (Luc. 22:42). ¡Pero lo hizo! ¿Y nosotros?

Lecturas bíblicas para el siguiente estudio

Lunes: Jeremías 43:1-13
Martes: Jeremías 44:1 a 45:5
Miércoles: Jeremías 46:1 a 47:7
Jueves: Jeremías 48:1-47
Viernes: Jeremías 49:1 a 50:42
Sábado: Jeremías 51:1 a 52:34

AGENDA DE CLASE

Antes de la clase

1. Lea en su Biblia Jeremías 40-42 y todo el material en este libro y en el del alumno. Si tiene a su disposición el libro con las lecciones condensadas, lea allí también el material de este estudio ya que le dará un resumen conciso de los acontecimientos principales consignados en las capítulos 40 y 41. Es indispensable dominar éstos para entender plenamente la significación de Jeremías 42 que este estudio enfoca. **2.** Prepárese para relatar los antecedentes de una manera clara a interesante. Si, al estudiar, usted se siente fascinado por los sucesos, podrá proyectarlo a sus alumnos. **3.** El relato en Jeremías 42 se presta para ser presentado como una dramatización. En caso de optar por presentarlo de esta manera, reúna con anterioridad a los que participarán. Tenga en cuenta que necesitará un relator, alguien que haga la parte de Jeremías, otro Johanán, otro Jezanías, dos o tres "soldados" y dos o tres pobremente vestidos que representen al remanente del pueblo. **4.** Complete la primera sección bajo *Estudio del texto básico* en el libro del alumno.

Comprobación de respuestas

JOVENES y ADULTOS (Es el mismo ejercicio). **1.** (Compare su respuesta con lo que dice la Biblia.) **2.** He aquí voy a orar a Jehovah vuestro Dios. **3.** Sea bueno o malo, obedeceremos la voz de Jehovah nuestro Dios. **4.** No habéis obedecido la voz de Jehovah vuestro Dios en nada de lo que me envió a deciros. **5.** Por la espada, por el hambre y por la peste moriréis en el lugar a donde deseáis entrar para residir allí.

Ya en la clase

DESPIERTE EL INTERES

1. Pregunte si alguna vez han pedido un consejo para reafirmar una decisión que ellos mismos ya habían tomado. En dicho caso, ¿qué hicieron cuando el consejo no coincidió con lo que ya habían decidido? **2.** Si alguno contesta que no siguió el consejo, diga que eso mismo sucedió en el pasaje bíblico que en esta ocasión enfocarán.

ESTUDIO PANORAMICO DEL CONTEXTO

1. Repase a grandes rasgos la caída y destrucción de Jerusalén. **2.** relate los acontecimientos posteriores que se detallan en Jeremías 40 y 41. Puede hacerlo en base a los tres personajes principales del relato: Gedalías, que quedó como gobernador radicado en Mizpa a unos 6 kms. al noroeste de la Jerusalén destruida; Ismael, enviado por el rey amonita para matar a Gedalías, probablemente por considerarlo traidor y, por último, Johanán que dirigió una incursión exitosa contra Ismael y quedó al frente del remanente judío.

ESTUDIO DEL TEXTO BASICO

1. Si optó por presentar una dramatización de Jeremías 42, háganlo ahora. Si no, lean en voz alta todo el capítulo de la siguiente manera: un alumno lea lo que correspondería a un relator, otro: lo que dijo el pueblo y, un tercero, lo que dijo Jeremías.

2. Luego, dirija un repaso para fijar el aprendizaje. Use preguntas como: ¿Qué le pidió a Jeremías el pueblo, con Johanán al frente? ¿Qué opinan de ese pedido? ¿Qué respondió Jeremías? ¿En qué versículos el pueblo promete obedecer las directivas de Dios, sean cuales sean? ¿Cuánto tiempo tardó la respuesta de Dios? ¿Cuál fue la respuesta?

3. Pida que organicen un bosquejo de Jeremías 42. Escríbalo en el pizarrón y compárenlo con el que aparece en este libro y en el del alumno (1. El remanente busca a Dios. 2. Jeremías intercede por el remanente. 3. Reiteran su disposición a obedecer. 4. Dios responde al remanente. 5. Pero hay condiciones para recibir el cuidado de Dios.) Usando los dos bosquejos, elaboren uno más completo.

4. Comente que es evidente que Johanán y los demás ya habían tomado una decisión sobre lo que harían: radicarse en Egipto donde creían que estarían a salvo de la aniquilación. Pida que se fijen en Jeremías 43:1-4, 7 para ver lo que finalmente hicieron.

APLICACIONES DEL ESTUDIO

1. Borre el pizarrón. Escriba ahora dos encabezamientos. A la izquierda: LO BUENO, a la derecha: LO MALO. Pregunte qué cosas buenas hizo el remanente judío según el pasaje estudiado (buscaron el consejo de Dios, prometieron obedecer sus directivas) y lo malo que hicieron (no creyeron que el consejo fuera de Dios, hicieron lo contrario de lo que habían prometido). **2.** Diga que lo que escribieron en las dos columnas nos puede suceder a nosotros. Buscamos el consejo de Dios ¿y después? Borre o tache la columna a la derecha (Lo malo) y exhorte a todos a estar atentos a la dirección del Señor para sus vidas, a confiar en el criterio de él y no el nuestro y a obedecerle incondicionalmente.

PRUEBA

1. Individualmente, completen la primera parte de la sección Prueba en el libro del alumno. Entre todos, comprueben las respuestas. Dé tiempo para que corrijan o comenten sobre las mismas. **2.** JOVENES: Guíe una breve mesa redonda en base a las tres preguntas que forman la segunda parte de esta sección en el libro del alumno. ADULTOS: Al considerar la segunda pregunta en esta sección del libro del alumno, pida que piensen en respuestas que Dios les ha dado y cómo ellos reaccionaron a ellas. Dé amplia libertad para que compartan sus experiencias en ese sentido.

El remanente en Egipto

Contexto: Jeremías 43 a 52
Texto básico: Jeremías 44:11-30
Versículos clave: Jeremías 44:23
Verdad central: En abierta desobediencia al plan de Dios los judíos decidieron buscar la seguridad en Egipto poniendo en peligro la subsistencia del remanente.
Metas de enseñanza-aprendizaje: Que el alumno demuestre su: (1) conocimiento de la decisión del pueblo de Dios de buscar la protección de Egipto y sus consecuencias, (2) actitud de interés en cumplir sus promesas de fidelidad a Dios.

Estudio panorámico del contexto

A. Fondo histórico:

Jeremías ha vivido en tiempos difíciles y desafiantes. Al llegar hacia fines de su vida, en Egipto contra su voluntad, ha tenido muchas ocasiones para preguntarse si su vida y predicación han servido para algo. Durante el tiempo del rey Josías, bajo la dirección de éste, hubo un esfuerzo por encaminar a la nación hacia Dios. Pero después de la muerte de Josías en batalla contra los egipcios, los próximos tres reyes eran contrarios a Jeremías y sus advertencias. Mientras tanto, los egipcios perdieron su dominio sobre Judá ante los babilonios, quienes en tres oleadas llevaron cautivos a los reyes judíos y a lo mejor de la gente. El rey Sedequías consultó con Jeremías, sólo para hacer caso omiso de sus consejos. Frente a la opción de ir libre a Babilonia o quedarse en un Judá devastado, Jeremías se quedó.

Después de más turbulencia el de facto dirigente de Judá, Johanán, pide a Jeremías que consiga una palabra de Jehovah sobre una huida del remanente del pueblo a Egipto. Luego no creen el mensaje de Dios. ¿Cuánto éxito ha tenido el profeta en su vida? Algunos le han hecho caso, y nos dejó un libro bíblico que ha bendecido a millones durante 25 siglos. Dios nunca nos dijo que debemos tener éxito, pero sí dijo muchas veces que debemos ser fieles (1 Cor. 4:2; Apoc. 2:10).

En los capítulos 46-51 hay una colección de profecías acerca de naciones vecinas a Judá, parecidas a las de Isaías (13-21), Ezequiel (25-35), Amós (1, 2), Abdías, Nahúm y Sofonías (2). Se preocupan por las naciones tanto a causa de su relación con el pueblo de Dios como porque forman parte del mundo que Dios ama y porque tendrán que rendir cuentas ante el Juez de toda la tierra.

B. Enfasis:

El remanente de Judá emigra a Egipto, 43:1-7. Cuando Jeremías, con demora, entrega el mensaje de Dios de que deben quedarse en Judá, los dirigentes y todo el pueblo le acusan de mentir por mala influencia de Baruc, ayudante del profeta. No es la respuesta que desean oír. Entonces juntan a la gente, incluyendo a Jeremías y Baruc, y se van para Egipto, donde ya hay judíos inmigrados por conflictos anteriores.

Egipto y la inminente invasión babilónica, 43:8-13. Estando ya en Egipto llega un mensaje de Dios a Jeremías, lo cual indica que el Señor actúa en un país como en otro. Instruye al profeta a que haga una acción simbólica, colocando piedras grandes entre los ladrillos del pavimento frente a la casa del faraón y diciendo que el rey de Babilonia (de quien habían huido) asentaría su trono sobre ellas. Esta profecía ha de realizarse en unos 20 años, con estragos para ellos y para los dioses falsos de Egipto.

Advertencia a los judíos en Egipto, 44:1-14. Jeremías tiene una tarea difícil, la de amonestar a los judíos en Egipto, desde el norte hasta el sur. Es el vocero de Dios, recordándoles de lo que pasó a Jerusalén y otras ciudades judías a causa de su infidelidad a Dios y de su adoración a dioses extraños. Y ahora estando en Egipto hacen las mismas abominaciones, obrando así contra ellos mismos. Por lo tanto, recibirán el mismo castigo.

Postrimería de los judíos en Egipto, 44:15-30. Responden a la advertencia del profeta, insistiendo en que van a seguir a la Reina del Cielo, pues les ha salido mejor así. Jeremías responde señalando la idolatría como una causa importante de su desgracia.

Mensaje de consuelo para Barac, 45:1-5. Las cosas presentadas en el libro de Jeremías no están siempre en orden cronológico. En especial en los capítulos 45-51. Lo referente a Baruc aquí tiene que ver con lo acaecido con el rollo con el mensaje de Jeremías en el capítulo 36. Baruc y Jeremías corrían peligro. Baruc se sentía temeroso, pero Dios le prometió seguridad en cuanto a su vida.

Profecías contra naciones extranjeras, 46:1 a 51:64. Dios actúa entre todas las naciones. El apéndice de este libro profético parece relacionarse con 25:13, pero Jeremías ha puesto la materia al final de su libro para no interrumpir en el primer pasaje el relato sobre Judá. Habla acerca de Egipto, luego Filistea, Moab, Amón, Edom, Damasco, Quedor, Hazor, Elam y Babilonia, terminando con Sion mismo (en Judá). Estos pueblos vecinos a Judá recibirán su merecido, si bien a varios el profeta promete que aún hay esperanza; tal como dice a Moab:

Sin embargo, al final de los tiempos restauraré a Moab de la cautividad, dice Jehovah (48:47). Al final de estas profecías hay un epílogo, explicando que les ha enviado a Seraías, hermano de su secretario Baruc, quien es un oficial al servicio del rey Sedequías.

Apéndice histórico, 52:1-34. Se resume la obra y el final de la vida de Sedequías y los últimos tiempos del rey anterior, Joaquín, quien fue honrado muchos años después de su destierro y cautividad. Se parece a las partes finales de 2 Reyes y 2 Crónicas.

1 Consecuencias de no obedecer a Dios, Jeremías 44:11-14.

Vv. 11, 12. La pregunta de Dios: "¿Por qué hacéis un mal tan grande contra vosotros mismos?" forma el trasfondo para las enseñanzas aquí. Olvidando que fue por su infidelidad que cayó Jerusalén y toda Judá, han seguido en lo mismo al llegar a Egipto. Algunos de los que fueron a Babilonia contra su voluntad al final volverán completamente sanados de la idolatría, mientras que los que fueron a Egipto por propia voluntad siguen en el mal. Por ello Dios dice: *Yo pongo mi rostro contra vosotros para mal.*

El Señor es perdonador para los que reconocen su mal y tratan de salir de él, pero donde no hay arrepentimiento habrá castigo. "Todo lo que el hombre siembre, eso mismo cosechará" (Gál. 6:7). Destruir a todo Judá se refiere a los muchos idólatras, pues en el versículo 14 se limita un poco: *No regresarán sino los que escapen*; como asimismo: Los que escapen de la espada regresarán ...en número reducido (v. 28). Algo que hace peor este caso es que decidió *ir a la tierra de Egipto para residir allí.* Ha sido por iniciativa propia.

Mucho antes que finalmente cayera Jerusalén en manos de los babilonios por última y terrible vez, Jeremías estaba previniéndoles la destrucción por la espada y por el hambre (ver 15:2; 21:7; 24:10; 25:29; 27:8, 13; 29:17, 18; 38:2; etc.) Y cuando aun pensaban ir a Egipto, el profeta se los decía (42:16) a fin de que no fuesen. Y ahora lo repite. Y el resultado de su porfía será no sólo la desaprobación de Dios, sino también que ellos serán objeto de burla entre otros pueblos. De veras es para preguntar: ¿Cuántas veces será necesario amonestarle antes que la gente se dé por aludida?

Vv. 13, 14. Luego la advertencia llega a ser una amenaza de parte de Dios. *Yo, pues, castigaré a los que habitan en la tierra de Egipto.* El problema con Egipto para ellos es doble. No es que la tierra sea mala. Más bien, es el mayor peligro de mezclar la adoración de Jehovah con la de otras deidades. Y el problema grande es la desconfianza en lo que Jehovah dice por medio de su profeta Jeremías. Por ello éste les dice claramente: *No habrá quien escape. Ellos suspiran por regresar* a Judá, pero muy pocos lo lograrán.

2 La insensatez de persistir en la infidelidad, Jeremías 44:15-19.

V. 15. Jeremías ha logrado presentar su caso ante una gran concurrencia que se había reunido, talvez para escuchar al profeta, pero es más probable que haya sido por otra razón, la que Jeremías aprovecha para dirigir su mensaje necesario, pero que la gente no quiere escuchar. La reunión se verifica en Patros, en la parte sur de Egipto.

Vv. 16-18. La respuesta de la gente muestra que son utilitarios, es decir, si algo parece útil, no hay otra consideración que sea más noble: Si resulta, es bueno. Según ellos las cosas iban mejor durante el reinado del malvado rey Manasés que durante la época cuando Josías trataba de reformar la nación de Judá quitando los ídolos. *Dicen: Desde que dejamos de quemar incienso a la Reina del Cielo ...nos falta de todo.* Reina del Cielo probablemente se refiere a Astarte, diosa de la naturaleza y de la fertilidad entre los semitas (con nombres variados entre otros pueblos), para quien Salomón edificó un lugar alto (1 Rey. 11:5, 33), el cual Josías destruyó (2 Rey. 23:13). Entre los astros era representada por el planeta Venus. Por el aparente beneficio en la veneración de Astarte ni piensan en dejarla. Este descarado rechazo de la exhortación de Jeremías no es otra cosa que una rebelión contra Dios.

V. 19. Y las mujeres allí presentes añaden sus voces a las de sus maridos: "Si resulta, es bueno." Además del incienso y la libación de líquidos derramados, dice ofrecer tortas hechas en forma simbólica de la diosa. En todo caso, si ellas han tomado la delantera en tal culto, sus maridos están de acuerdo.

3 El pueblo de Dios buscó su propio mal, Jeremías 44:20-30.

V. 20. Como ha sido durante años, el profeta se enfrenta con un pueblo rebelde al mensaje de Dios, una rebeldía que trama su propia destrucción. Pero pese al desaliento que debe de sentir, Jeremías trata de encaminarlo hacia el bien. Este es el último mensaje del profeta que tenemos registrado en las Escrituras, y es tan sincero y tan apto como los anteriores. Pero como otros, no logra su propósito. Bien dice el refrán: "No hay peor sordo que el que no quiere oír."

Vv. 21-23. El hecho de que Dios es paciente no indica que es indiferente. Jeremías les insiste: *Jehovah no pudo soportaros más*. Por ello no sólo la gente, sino *vuestra tierra ha sido convertida en ruinas*. El pecado fue por lo que habían hecho: *Quemasteis incienso y pecasteis; y por lo que no habían hecho: No obedecisteis la voz de Jehovah*. El resultado del pecado es pérdida y perjuicio. Esto lo han visto ellos. ¿Por qué siguen en el mal? De veras, ¿por qué?

Vv. 24, 25. La palabra de Jehovah les dice que una cosa buena han hecho: Han prometido y han cumplido. ¡Pero lo han hecho en una causa sumamente errada!

Vv. 26-28. Ahora la palabra de Jehovah pronuncia el juicio: En contraste con el gran número que volverá de Babilonia, regresarán de Egipto a la tierra de Judá, en número reducido. Y para hacer su solemne promesa más solemne Dios jura por sí mismo (ver Heb. 6:13): *He jurado por mi gran nombre*. El jurar es algo muy serio, por cuya razón el Señor Jesús nos dice que no juremos (Mat. 5:33-37). Los expatriados voluntarios en Egipto van a ver tristemente las consecuencias de comprometer el nombre de Jehovah. *Sabrá de quién es la palabra que ha de prevalecer: si la mía o la de ellos*.

Vv. 29, 30. La profecía de Dios por medio de Jeremías resultará verídica, *para que sepáis que ciertamente mis palabras prevalecerán sobre vosotros*. Y lamentablemente será para mal. *Os castigaré en este lugar*. Ellos han llegado a Egipto creyendo que el faraón de aquí les protegerá de Babilonia. Pero será entregado Hofra en manos de sus enemigos. Y efectivamente sabemos por la historia antigua que Hofra fue apresado y después estrangulado por súbditos rebeldes dirigidos por Amasis, quien a su vez fue vencido por Nebucodonosor de Babilonia. También la historia posterior nos muestra que los judíos en Egipto se apartaron del todo de Jehovah, quien para ellos llegó a ser un dios entre otros. Así sucede con los infieles, los que quebrantan las enseñanzas del Señor.

Aplicaciones del estudio

1. Sirva al Señor en dondequiera que esté (v. 11). Jeremías lo hizo así en Egipto. Somos llamados a ser luz en medio de las tinieblas de este mundo. Las tinieblas están en todas partes. En todas partes podemos brillar con luz del evangelio de Jesucristo.

2. No conviene tomar determinaciones sin buscar la voluntad de Dios (v. 12).

3. La rebeldía contra Dios trae malas consecuencias (v. 22). El Señor no soporta eso.

4. Lo que Dios dice, Dios lo hace (v. 30). Esta realidad ha sido una constante a través de la historia y seguirá siendo hasta el día de Jesucristo.

Ayuda homilética

¡Sólo a Dios servirás!
Jeremías 44:11-30

Introducción: ¿Cuánta semejanza hay entre el antiguo Judá y el país nuestro en el día de hoy? Jeremías instó a Judá a que buscara a Jehovah en rectitud y respeto, pues es el único verdadero Dios. Otros predicaban la veneración a la Reina del Cielo y las imágenes. La gente creía que les iba mejor sirviendo a la Reina del Cielo. Dios es paciente (2 Ped. 3:9), pero al final su paciencia se acaba, y cae el castigo. ¡Que nuestro pueblo aprenda la lección!

I. El que por voluntad propia decide seguir el mal pagará las consecuencias (vv. 11-14).

II. La gente justifica su desvío del camino de Dios (vv. 15-19).
- A. Nuestros antepasados lo han hecho así (v. 17).
- B. Nuestros dirigentes lo han hecho así (v. 17).
- C. Todos lo hacen así “en las ciudades” (v. 17).
- D. Se hace abiertamente “en las calles” (v. 17).
- E. Nos resulta bien ser “saciados de pan” (vv. 17, 18).
- F. Por eso seguiremos haciéndolo (v. 16).

III. El último mensaje de Jeremías: “Os castigaré” (v. 29).

Conclusión: Felizmente “Dios es amor” (1 Jn. 4:8), pero también “nuestro Dios es fuego consumidor” (Heb. 12:29). Tengamos cuidado. Creamos en él y sirvámosle con temor y ardor.

Lecturas bíblicas para el siguiente estudio

Lunes: Lamentaciones 1:1-22
Martes: Lamentaciones 2:1-22
Miércoles: Lamentaciones 3:1-39
Jueves: Lamentaciones 3:40-66
Viernes: Lamentaciones 4:1-22
Sábado: Lamentaciones 5:1-22

AGENDA DE CLASE

Antes de la clase
1. Lea en su Biblia Jeremías 43 a 52 y estudie todo el material en este libro y en el del alumno. Es éste el último de once estudios basados en el libro de Jeremías. Su contenido representa una vida entera de dolorosas profecías inspiradas por Dios a las cuales nadie hizo caso. **2.** Prepárese para hablar brevemente de Jeremías como hombre: su aparente fracaso, su fidelidad en comunicar las profecías por las cuales era constantemente rechazado, hostigado y castigado, su dolor y gran tristeza por el destino de destrucción en que la nación se empeñó hasta sus últimas consecuencias. **3.** Prepárese también para dar un resumen de estos últimos capítulos de Jeremías o, con anterioridad, pida a un alumno que se prepare para hacerlo. **4.** En tres franjas de cartulina escriba los tres títulos del bosquejo. **5.** Complete las actividades en la primera sección bajo *Estudio del texto básico* en el libro del alumno.

Comprobación de respuestas
JOVENES y ADULTOS (El ejercicio es el mismo). **1.** Quemaron incienso y pecaron, no obedecieron la voz de Dios, no anduvieron en su ley, ni en sus estatutos, ni en sus testimonios. **2.** Por la espada, el hambre y la peste. **3.** c.

Ya en la clase
DESPIERTE EL INTERES
1. Diga que éste es el último estudio basado en el libro de Jeremías. **2.** Pregunte qué cosas les impresionaron más a lo largo de los estudios. Permita que vean sus libros y también Jeremías para refrescarles la memoria. **3.** Pregunte: Si Jeremías hubiera sido un predicador en la actualidad, ¿lo considerarían un éxito o un fracaso? ¿Por qué? Guíe el diálogo de modo que los presentes comprendan que el éxito de Jeremías radicaba en su constante fidelidad (durante más de 40 años) al ministerio al cual Dios lo había llamado de joven.

ESTUDIO PANORAMICO DEL CONTEXTO
1. Escriba en el pizarrón o en una hoja grande de papel el encabezamiento: "Jeremías, el hombre". Diga que además de su constante fidelidad hay otras cualidades dignas de notar sobre Jeremías como ser humano. Dígalas brevemente y anótelas debajo del encabezamiento. **2.** Escriba otro encabezamiento: "Jeremías, el libro". Dé un resumen del libro hasta el capítulo 42. Luego usted o el alumno a quien designó, presente un resumen de los capítulos 43-52. Esto último puede hacerse mientras los alumnos van viendo en su Biblia los títulos de los pasajes.

ESTUDIO DEL TEXTO BASICO
1. Consecuencias de no obedecer a Dios. Coloque la franja con

este título en un lugar donde todos los presentes puedan verla. Pida que busquen en 44:1 a quiénes van dirigidas las profecías que siguen. Haga notar las preguntas de Dios en los vv. 7, 8 y 9 y mencione que son un preámbulo a las profecías de los vv. 11-14. Estos versículos están entre comillas. Pida a 4 voluntarios que lean un versículo cada uno y que, después de leerlo, diga las profecías en sus palabras.

2. La insensatez de insistir en la infidelidad. Coloque la franja con este título debajo de la primera. Pida a los presentes que se fijen en sus Biblias y noten si este pasaje está entre comillas. Pregunte: ¿Qué indica el que no lo esté? Lean en silencio el v. 15 y luego describan la concurrencia ante la cual Jeremías había dicho las profecías de los vv. 11-14. Un alumno lea en voz alta la respuesta del pueblo en los vv. 16-19. Luego pida que identifiquen frases que muestran (1) su total falta de respeto a Dios, (2) que adjudicaban a la "Reina del Cielo" las bendiciones y maldiciones que recibían, (3) qué hacían las mujeres en honor a esa diosa y si lo hacían con el consentimiento de sus maridos.

3. El pueblo de Dios buscó su propio mal. Coloque la franja con este título debajo de la anterior. Diga que en los vv. 20-23, Jeremías corrige la falsa impresión que tiene el pueblo. Forme parejas para que lean este pasaje y encuentren quiénes, en realidad, eran responsables de la ruina de la nación. Luego, conversen sobre lo que encontraron. Vayan leyendo en voz alta los vv. 24-30 por secciones: 24-26, 27-29, 30. En cada sección deben encontrar frases que indican el poderío, la supremacía de Dios. Explique su significado basándose en su propio estudio de estos versículos. Comente luego que la historia es testigo de que estas profecías se cumplieron, que Dios probó ser todopoderoso y supremo.

APLICACIONES DEL ESTUDIO

Use las frases en las franjas de cartulinas para hacer aplicaciones actuales. Por ejemplo: un alumno lea en voz alta la primera franja que dice "Consecuencias de no obedecer a Dios". Pregunte: ¿Cuáles son las consecuencias en nuestra vida de no obedecer a Dios? Con la segunda franja puede preguntar: ¿Por qué es insensato ser infiel a Dios y persistir en esa infidelidad? Con la tercera franja puede preguntar: Somos pueblo de Dios: ¿qué podemos hacer para asegurarnos de no buscar nuestro propio mal? Procure llevar las respuestas a un nivel práctico y personal.

PRUEBA

1. En silencio, cada uno complete el primer inciso de esta sección en su libro del alumno. Compartan lo que escribieron para comprobar si las respuestas son correctas. Corrija según sea necesario sin ofender a nadie. **2.** Aproveche el talento de sus alumnos y pídales que hagan un dibujo, escriban una poesía, compongan una canción o presenten una dramatización o mímica que ilustre una decisión suya relacionada con su fidelidad a Dios.

Estudio **26**

Unidad 5

El dolor de una pérdida irrecuperable

Contexto: Lamentaciones 1 a 5
Texto básico: Lamentaciones 1:1-3; 2:9-11; 3:22-27; 4:11-13; 5:19-22
Versículo clave: Lamentaciones 5:19
Verdad central: Las pérdidas nos causan dolor, pero tenemos una fuente de consuelo en Dios, y sus promesas de sostenernos en las pruebas.
Metas de enseñanza-aprendizaje: Que el alumno demuestre su: (1) conocimiento de la gravedad de la destrucción de Jerusalén y toda la nación de Judá, (2) actitud de confianza en Dios, quien promete consolarnos en momentos de crisis.

Estudio panorámico del contexto

A. Fondo histórico:

El libro de Lamentaciones es una serie de cinco cantos fúnebres, o elegías, que lloran por una nación deshecha. Desde tiempos antiguos, en una introducción a traducciones del original hebreo al griego y a otros idiomas, se ha dicho que se lamenta la destrucción de Jerusalén y de Judá en 586 a. de J.C. por los babilonios, y que el autor es Jeremías; aunque el libro no lo especifica es razonable. La base de la tristeza es que la destrucción ha causado gran sufrimiento además del desprestigio. Es el resultado del pecado de la gente el que ha traído el castigo de Dios.

La poesía en los cantos es parecida a la de Jeremías en 8:13 a 9:2; etc., pero es más cuidosamente elaborada. Desde luego, la poesía hebrea no tiene exactamente las mismas características que la poesía castellana. Los primeros cuatro cantos son acrósticos (como se indica en la versión RVA y algunas otras), como lo son varios salmos, notablemente el Salmo 119. En la acróstica bíblica las secciones empiezan con letras sucesivas en orden desde Alef hasta Tav (A a Z) con las 22 letras del alfabeto hebreo. El capítuos 5 tiene 22 vv. pero no es acróstico. Durante las últimas semanas, al estudiar el libro de Jeremías, hemos visto cómo la vida moral y espiritual de Judá se iban deteriorando después de la muerte del buen rey Josías en batalla contra los egipcios. Sus tres hijos y un nieto, que le sucedieron en el trono, distaban muchísimo de ser de su carácter. Y como los profetas verdaderos dijeron, Dios les castigó junto con su pueblo. La ciudad de Jerusalén y el templo fueron destruidos. Todos, menos los más pobres y los que se habían escapado, fueron a Babilonia cautivos. Y los que quedaban seguían sus malos caminos y adoraban a dioses falsos.

Sin embargo, aun en medio de circunstancias lamentables, Jeremías veía un rayo de esperanza en la paciencia y la misericordia de Dios.

B. Enfasis:

La emoción, especialmente el llanto, no se caracteriza por la lógica. Así en las cinco lamentaciones de este libro, una distinción ordenada no es del todo evidente. Sin embargo, hay algo de desarrollo de una a otra.

Primera lamentación: La miseria y la desolación de Jerusalén, 1:1-22. La figura central es la ciudad de Jerusalén presentada como mujer que ha sido desleal a su marido (Dios) y ahora sufre las consecuencias de su pecado. Sus hijos han ido en cautiverio. Los que antes se aprovechaban de ella ahora se burlan. Ella reconoce sus rebeliones y anhela consolación. "Mis suspiros son muchos, y mi corazón está enfermo" (v. 22). Pero con todo, tal como la justicia de Dios exige castigo, así la justicia de Dios da base para una esperanza futura.

Segunda lamentación: La ira de Dios como causante de los estragos lamentados, 2:1-22. Tan grande es el furor de Jehovah que no exime ni siquiera el santo templo (el estrado de sus pies) de la ruina. Tanto es así que se puede decir: "Se ha portado el Señor como enemigo" (v. 5). ¿Por qué lo ha hecho así? "Tus profetas vieron para ti visiones vanas y sin valor" (v. 14). Pero es posible alivianar el castigo: "Derrama como agua tu corazón ante ...el Señor" (v. 19).

Tercera lamentación: La esperanza en Dios en medio del sufrimiento, 3:1-66). El profeta presenta su propio padecimiento como típico de lo que Judá está conociendo, y parece que Dios mismo está actuando en su contra. El hombre está "bajo el látigo de su indignación" (v. 1). Y llega hasta decir: "Ha perecido mi fortaleza y mi esperanza en Jehovah" (v. 18). Sin embargo, es en la negrura de la noche que podemos ver la hermosura de las estrellas. Y es entonces que el escritor llega a decir: "Ciertamente el Señor no desechará para siempre" (v. 31) y otras expresiones maravillosas. Y aun así, el que ve los bellos astros también ve que los cubren las nubes. Las personas de fe a veces encaran desalientos y les viene la tentación de pensar: "Te cubriste de nube para que no pasara la oración" (v. 44). Pero queda la memoria de las estrellas, y se puede decir: "Tú te has acercado el día en que te invoqué, y dijiste: '¡No temas!'" (v. 57).

Cuarta lamentación: El bienestar pasado; el malestar presente, 4:1-22. El templo, que había sido la gloria de Jerusalén, tal como lo demás de la ciudad, ha perdido su esplendor. "La piedras ...están esparcidas" (v. 1). Y también su gente, sin la atención que comúnmente se les da a los animales. Tan degradante es la situación que "más afortunados fueron los muertos por la espada que los muertos por el hambre" (v. 9). Nadie creía que la devastación sería tan grande (v. 12). Los más responsables por el gran castigo son los profetas y sacerdotes que han actuado y enseñado mal (v. 13). También llegará el castigo a Edom, pues ha ayudado a los babilonios en la devastación.

Quinta lamentación: Reconocimiento del pecado y petición por la restauración, 5:1-22. En la operación con que termina el libro se le relata a Dios cuánto han sufrido, en la esperanza de que él relaje el castigo y los restablezca al favor divino. Confiesan los pecados de sus antepasados (v. 7) (que siempre es más o menos fácil), y también los pecados propios (v. 16) (que es más difícil), y termina pidiendo: "Renueva nuestros días como en los tiempos pasados."

1 Lamento por la ruina de Jerusalén, Lamentaciones 1:1-3.

Vv. 1, 2a. La primera palabra *Cómo* es el nombre que en hebreo se le da al libro. Los capítulos 1, 2 y 4 comienzan con esa exclamación. La ciudad, presentada como una regia mujer que en tiempos pasados (especialmente en los reinados de David y Salomón) era la grande entre las naciones, ha venido a ser una solitaria, ya no sentada en un trono sino en el suelo: *La señora de las provincias ha sido hecha tributaria.* Ahora domina Babilonia, y los pueblos vecinos con quienes Israel antes formaba alianzas están en silencio o se burlan. Jerusalén había tratado de imitarles y adorar sus dioses, y ahora está sola. Así es cuando se confía en lo material o, peor, en lo netamente malo.

Vv. 2b, 3. Ha errado al poner su confianza en acuerdos humanos; los amigos ya son enemigos. Hay que tener cuidado con quiénes se forman amistades íntimas. Y ahora lo mejor de su gente está en cautiverio, habitando *entre las naciones y no halla descanso.* Es una situación realmente calamitosa, traída por el pecado.

2 Los dirigentes nacionales son impotentes, Lamentaciones 2:9-11.

Vv. 9, 10. Ya no hay ley, porque no hay quienes la enseñen ni, con el templo destruido, hay lugar para practicar sus rituales. Y los que quedan, por un lado, no pueden porque los conquistadores ahora tienen el poder, y por otro, a causa de su anterior manera de ser, carecen de autoridad moral. *Se sentaron en tierra y quedaron en silencio* en señal de humildad y humillación. Polvo y cilicio (tela burda) son indicios de suma tristeza. Hasta las jóvenes casaderas, en vez de demostrar su gracia, bajan la cabeza en vergüenza.

V. 11. Jeremías ha estado advirtiendo a la nación durante años acerca de los resultados de desobedecer al Señor, pero ahora que ha caído el castigo prometido llora con ellos por la ruina sufrida, especialmente su efecto en los niños.

3 La misericordia de Jehovah es la única base de esperanza para el pecador, Lamentaciones 3:22-27.

Vv. 22, 23. En medio de la aflicción y del desamparo (v. 19) apela a la bondad de Jehovah. La voz hebrea *"jésed"*, aquí traducida bondad, es una palabra maravillosa. Se traduce del mismo modo en el Salmo 36:7, 10: "¡Cuán preciosa es, oh Dios, tu bondad!" Pero muchas veces se traduce misericordia, como "Ten piedad de mí, oh Dios, conforme a tu misericordia" (Sal. 51:1; ver Jon. 4:2). A veces es traducida por otro término, como en Génesis 20:13, donde es "favor". Sin embargo, la bondad divina hay que pedirla y aceptarla, reconociendo que, si recibiésemos lo que merecemos, seríamos consumidos. Pero nunca decaen sus misericordias, o compasiones ("compadecerse" en Sal. 103:13).

Vv. 24, 25. Entonces, ¿cómo debemos reaccionar ante un Dios con tal carácter? Decir: Jehovah es mi porción, la parte preferida de todo lo que me es accesible. Mi alma es mi ser, yo mismo. Así en Dios yo esperaré. Y así resulta, es decir, para los que activamente buscando, lo aguarden.

Vv. 26, 27. El esperar en silencio, no en quejas, no es sólo una condición pasiva sino una actividad, e implica llevar el yugo, subyugarse a la dirección divina, preferiblemente desde la juventud. En todo caso, el tiempo para buscar a Dios es ahora.

4 Una confianza falsa y el deterioro moral, Lamentaciones 4:11-13.

V. 11. Otra vez se atribuye la devastación nacional y personal al Señor y al ardor de su ira. Comúnmente el fuego consume la superficie, pero aquí devoró sus cimientos.

V. 12. Cien años antes un poderoso rey de Asiria no había podido tomar la ciudad de Jerusalén (2 Rey. 19:34-36). Y todos creían que era inconquistable. Pero antes Dios la defendió y ahora, no (Deut. 29:24-28).

V. 13. En el cambio en la participación divina ha tenido mucho que ver el pecado del pueblo. Pero detrás de eso ha sido por los pecados de sus profetas y por las iniquidades de sus sacerdotes (Jer. 23:11, 12; 26:11), quienes debían ser los consejeros espirituales (ver Stg. 3:1).

5 Petición de restauración, Lamentaciones 5:19-22.

Vv. 19, 20. El soberano Dios, a diferencia de los seres humanos, es para siempre y es sabio y santo, justo y bueno. Y eso es la base para pedir una nueva oportunidad. No podemos pelear con Dios, pero sí podemos pedirle clemencia. *¿Por qué te olvidarás?* ...no busca una explicación sino un cambio de relación y una relajación del castigo del juicio.

Vv. 21, 22. En un sentido todo el capítulo 5 es una oración, y en estos dos últimos versículos se concentra su petición: *Haz que volvamos a ti ...y volveremos.* Las malas costumbres han sido tan arraigadas en la gente que, sin la ayuda de Dios, no se puede salir de ellas. Pero al solicitar: *Renueva nuestros días como en los tiempos pasados,* es consciente de que hay que empezar donde está. Hay una pérdida irrecuperable, pero se puede comenzar de nuevo; no desde allá, sino desde aquí. Y la misericordia y la gracia hacen que sea posible. "Oh Dios, ¡restáuranos! Haz resplandecer tu rostro, y seremos salvos" (Sal. 80:3).

Aplicaciones del estudio

1. El desobedecer al Señor trae consecuencias no deseadas, Lamentaciones 1:1-3. ¿Cómo afecta la inmoralidad a la vida personal y nacional?

2. La culpa es de todos los pecadores, pero la responsabilidad mayor es de los dirigentes, Lamentaciones 2:9-11. ¿Qué papel tenemos en eso?

3. La solución básica está en acercarnos y pedir la clemencia de Dios, quien es fiel, Lamentaciones 3:22-25. La historia pasada y la reciente nos han enseñado que Dios siempre es clemente y misericordioso. El siempre está atento a nuestras necesidades.

4. El buscar el perdón del Señor implica el "llevar el yugo", Lamentaciones 3:26, 27. Cristo nunca ofreció ser Salvador aparte de ser Señor.

Ayuda homilética

La esperanza en medio de la no esperanza
Lamentaciones 3:22-27; 5:19-22; ver Salmo 80

Introducción: ¡Cuidado! Israel cayó por su desobediencia a Dios, y Judá siguió por el mismo camino, a pesar de los llamados y las advertencias de los profetas verdaderos, tal como Jeremías. Judá fue destruida, y luego —Lamentaciones.

I. La desobediencia a Dios trae consecuencias (3:22).
- A. Merecemos ser consumidos por los pecados de nuestros padres (5:7) y por los propios (5:16).
- B. Los pecados traen castigo y sufrimiento: Figura de la esposa infiel cuyos amantes la dejan (1:2). A menudo nos castigamos a nosotros mismos.
- C. Las consecuencias podrían haber sido peores (3:22).

II. La bondad de Dios ofrece alivio y cambio (3:22).
- A. Nunca decaen; nuevas son cada mañana.
- B. Grande y permanente es la fidelidad de Dios; hace lo que ha prometido.

III. El regalo de Dios es válido sólo para quienes lo acepten (3:24-27).
- A. Jehovah es mi porción predilecta (3:24).
- B. Hay que esperarle y buscarle (3:25, 26).
- C. Es preferible aceptar el "yugo" (servicio) de Dios desde la juventud (3:27).

IV. Precisa pedir que el Señor nos renueve (5:19-22).
- A. Reconocer nuestros pecados.
- B. Volver del pecado a Dios: arrepentimiento.
- C. Hacer que Dios, por medio de Cristo, sea Rey (Señor) de la vida (5:17).

Conclusión: Judá recobró su esperanza, y nosotros también lo podemos, a Dios gracias. Pero el costo es penoso. Mejor es buscar a Dios en la juventud. En todo caso, es AHORA.

Lecturas bíblicas para el siguiente estudio

Lunes: Marcos 1:1, 2
Martes: Marcos 1:3, 4
Miércoles: Marcos 1:5, 6
Jueves: Marcos 1:7, 8
Viernes: Marcos 1:9-11
Sábado: Marcos 1:12, 13

AGENDA DE CLASE

Antes de la clase

1. Lea en su Biblia el libro de las Lamentaciones y todo el material en este libro y en el del alumno. **2.** Use la Biblia RVA para mostrar cómo las estrofas de los primeros cuatro lamentos o poemas comienzan con las letras del alfabeto en su debido orden. **3.** Al leer el libro, marque las estrofas que expresan esperanza. Marque las que más le impacten porque reflejan el horror de la destrucción de Jerusalén (p. ej.: la muerte de los niños por inanición: 2:11, 12; la masacre de jóvenes y ancianos: 2:21; canibalismo: 4:10). **4.** Si es posible, consiga fotos de una ciudad devastada o recuerde alguna que haya visto por TV o en el periódico. **5.** Responda a las preguntas del *Estudio del texto básico*. Recuerde que la próxima semana iniciamos el estudio de Marcos.

Comprobación de respuestas

JOVENES: **1.** a, c. **2.** b. **3.** Judá ha ido al cautiverio, está afligida y en dura servidumbre, ha sido dispersada, no halla descanso, no ha podido huir de sus perseguidores. **4.** (Compare su respuesta con lo que dice la Biblia.)

ADULTOS: **1.** Solitaria, viuda. **2.** a) F. b) F. c) V. **3.** a. que no somos consumidos. b. porción. c. los que en él esperan. d. silencio la salvación de Jehovah. **4.** No. **5.** Que dependían de Dios para darles el poder de serle fiel.

Ya en la clase

DESPIERTE EL INTERES

1. Muestre la foto de una ciudad devastada. Si no la consiguió, describa la que recuerde haber visto en las noticias. **2.** Diga que la imagen de una ciudad destruida es horrorosa y que en este estudio sobre las Lamentaciones de Jeremías podremos palpar claramente el horror de la destrucción de Jerusalén.

ESTUDIO PANORAMICO DEL CONTEXTO

1. Pida a los presentes que abran en sus Biblias en el libro de las Lamentaciones. **2.** Explique la organización del libro con los primeros cuatros poemas como acrósticos. Haga notar en la Biblia RVA cómo cada estrofa va encabezada por una letra del alfabeto hebreo. Explique por qué a veces la poesía hebrea se valía de este recurso. Diga que el último capítulo no es un acróstico quizá porque es una emotiva oración a Dios que no tiene la intención de ser memorizada. **3.** Presente un resumen del contenido del libro, destacando los versículos que marcó por el horror que expresan y los que dejan entrever un rayo de esperanza. **4.** Diga que en este estudio enfocarán algunas estrofas de cada poema o capítulo para ayudarles a ver mejor los sentimientos de Jeremías al hallarse en medio de la Jerusalén destruida.

ESTUDIO DEL TEXTO BASICO

1. Lamento por la ruina de Jerusalén. Diga que enfocarán las primeras tres estrofas del primer poema (cap. 1). Observen el v. 1, pregunte qué sentimiento expresa. Hagan lo mismo con los versículos 2 y 3. Al leer un alumno en voz alta el v. 1 lo hará con el sentimiento que expresa (proceda igual con todos los versículos que leerán en voz alta). Pregunte cómo describe Jeremías a Jerusalén antes de que fuera destruida y cómo después. Otro alumno lea en voz alta el v. 2. Comente que en la actualidad cuando sucede un desastre enseguida hay quien acuda en ayuda de los damnificados. Pregunte: ¿Qué dice esta estrofa que indica que en este caso no fue así? Un alumno lea en voz alta el v. 3. Comente que Jeremías siente en carne propia el sufrimiento de sus compatriotas llevados al cautiverio.

2. Los dirigentes nacionales son impotentes. Explique que las primeras siete estrofas del segundo poema recalcan que la destrucción de Jerusalén. Observen 2:9-11 y digan qué sentimiento expresa cada versículo. Luego, distintos alumnos lean estos vv. expresando dicho sentimiento. Proceda de la misma manera como lo hizo con el poema anterior, haciendo preguntas y comentarios sobre el significado.

3. La misericordia de Jehovah es la única base de esperanza para el pecador. Observen las dos estrofas: 1, 3:22-24; 2, 3:25-27 e identifiquen los sentimientos del profetas al componer estos versos. Asegúrese de que noten que aquí ya no mira el horror de la destrucción sino que eleva sus pensamientos y los centra en las cualidades de Dios. Un alumno lea en voz alta los vv. 22-24 y los demás encuentren las cualidades de Dios que enaltecen. Otro lea los vv. 25-27 y hagan lo mismo. Luego, vuelvan a observar las dos estrofas y noten: (1) lo que Jeremías se propone hacer (v. 24) y (2) lo que es bueno para el ser humano (vv. 26, 27).

4. Una confianza falsa y el deterioro moral. Observen 4:11, 12, 13 y haga notar la secuencia en cuanto a las personas que enfoca. Vea si pueden identificarlas. ¿Qué sentimiento expresa cada estrofa? Distintos alumnos lean en voz alta una de las estrofas. Conecten su contenido con el encabezamiento de esta sección.

5. Pedido de restauración al Dios eterno y benevolente. Recalque en qué sentido el quinto poema (cap. 5) es distinto de los anteriores. Haga notar que el v. 1 pide a Dios que se acuerde de su pueblo y que los vv. 2-18 presentan las cosas que Jeremías pide a Dios que recuerde. Lean los vv. 19-22. Conversen sobre los sentimientos que reflejan.

APLICACIONES DEL ESTUDIO

Usando las primeras cinco letras del alfabeto compongan entre todos cinco estrofas que expresen algo de este estudio que pueden aplicar a sus vidas (Dios castiga el pecado, Dios reina para siempre).

PRUEBA

Hagan individualmente y en silencio lo que pide esta sección.

PLAN DE ESTUDIOS
MARCOS

Escriba antes del número de cada estudio, la fecha en que lo usará.

Fecha **Unidad 6: Jesús principia su ministerio**

______ 27. El evangelio de Jesucristo
______ 28. Jesús confronta la incredulidad
______ 29. Jesús valora a las personas
______ 30. Jesús principia su ministerio
______ 31. Jesús usa su poder

Unidad 7: Jesús satisface las necesidades humanas

______ 32. Jesús, su ministerio a los enfermos
______ 33. Jesús escucha los ruegos de los necesitados
______ 34. Jesús ministra a sus discípulos
______ 35. Jesús responde a la fe de los padres

Unidad 8: Jesús da su vida por los pecadores

______ 36. El camino del Siervo
______ 37. Jesús confrontado en Jerusalén
______ 38. Jesús a la sombra de la cruz
______ 39. Jesús crucificado y resucitado

MARCOS

Una introducción

Escritor

Este Evangelio, como los otros tres en el Canon del Nuevo Testamento, fue escrito anónimamente. Que el autor fue Juan Marcos, sin embargo, es atestiguado por escritores del segundo siglo tales como Papías, Ireneo, Clemente de Alejandría, Eusebio, etc. Es comúnmente aceptado que se escribió entre 58 y 65 d. de J.C.

Juan Marcos era hijo de una mujer piadosa cuyo nombre era María, residente en Jerusalén durante el periodo temprano de la iglesia. Su casa, según Hechos 12:2, era un lugar de reunión de la iglesia.

Fue Marcos quien acompañó a Pablo y a Bernabé en la primera etapa de su primer viaje misionero (Hech. 13:4-7). Más tarde sirvió con Bernabé en Chipre (Hech. 15:39), y posteriormente lo encontramos en Roma (Col. 4:10; Fil. 24; 2 Tim. 4:11).

Destinatarios

El Evangelio fue escrito para cristianos residentes en Roma, por cierto, dirigido principalmente a gentiles. Esto se evidencia (a) por la manera como se explican cuidadosamente las costumbres y los términos judíos, ej. 7:2; 12:42; 14:12; 15:42; y (b) por la manera en la que oraciones y palabras arameas son interpuestas periódicamente y luego traducidas al griego, ej. 3:17; 5:41; 7:11, 34; 14:36; 15:22, 34.

Fuentes

No hay suficiente evidencia de que Juan Marcos haya sido testigo ocular de los eventos de la vida de Jesús que relata en su Evangelio. Algunos asumen, sin embargo, que el "cierto joven" mencionado en 14:51, 52a es la alusión anónima que el autor hace de sí mismo; en cuyo caso, Marcos sería un testigo ocular de los acontecimientos que rodearon el arresto de Jesús.

No hay suficiente evidencia para asegurar que el escritor hubiera usado una narración anterior como la fuente de su obra. Es más, la mayoría de los estudiosos están de acuerdo en que Marcos fue la fuente para la escritura de Mateo y Lucas.

Características

El Evangelio de Marcos es el más breve de los Evangelios en el Canon. Es un Evangelio lleno de acción teniendo en mente a sus lectores a quienes fue escrito: los romanos. Su énfasis se da en los hechos de Jesús en lugar de sus palabras, a diferencia de los otros Evangelios.

Tema

La tesis fundamental de Marcos es que Jesucristo es el Hijo de Dios (1:1; 1:11; 9:7; 3:11; 5:7; 12:6; 14:61; 15:39).

El evangelio de Jesucristo

Contexto: Marcos 1:1-13
Texto básico: Marcos 1:1-11
Versículos claves: Marcos 1:8
Verdad central: El relato de Marcos acerca del inicio del ministerio de Jesús muestra que el Hijo de Dios es el principio del evangelio.
Metas de enseñanza-aprendizaje: Que el alumno demuestre su: (1) conocimiento de los eventos que dieron inicio al ministerio terrenal de Jesús, (2) actitud de valorar la provisión que Dios hizo en Cristo para el perdón de los pecados.

Estudio panorámico del contexto

A. Fondo histórico:

Escritor del Evangelio de Marcos. El segundo Evangelio es conocido como uno de los "sinópticos" (gr., vistos juntos), o sea, uno de los tres que tienen mucho en común: Mateo, Marcos y Lucas.

La tradición ha fijado el nombre de los escritores, pues ninguno de éstos puso su nombre como título del escrito original. Aceptando el título "Evangelio de Marcos", nos queda la tarea de determinar quién era este Marcos.

Hay un consenso casi unánime de identificarlo como "Juan Marcos", hijo de María, dueña de la casa en Jerusalén donde se reunía la iglesia primitiva (Hech. 12:12). Se conoce también como primo de Bernabé y acompañante de éste y del apóstol Pablo en el primer viaje misionero, pero que abandonó el equipo en Perge (13:13).

Según una tradición, este Marcos fue a Egipto y fundó la primera iglesia cristiana en Alejandría. Del texto bíblico sabemos que estuvo en Roma con Pablo en su primer encarcelamiento (Col. 4:10; Film. 24). Poco tiempo antes de su muerte, Pablo escribe a Timoteo desde la cárcel en Roma, pidiéndole que fuera a visitarlo, llevando consigo a Marcos, "porque me es útil para el ministerio" (2 Tim. 4:11).

Fecha del escrito del Evangelio de Marcos. Es imposible fijar una fecha precisa, pero si aceptamos que Marcos fue el primer Evangelio escrito, tendríamos que ubicarlo entre 55 y 65 d. de J.C.

Circunstancias históricas que rodean este momento. El lugar de la composición de Marcos es una cuestión no definida. En el segundo siglo, Clemente de Alejandría indicó que el Evangelio de Marcos fue escrito desde Roma. Otros encuentran evidencias de que fuera escrito en Antioquía de Siria, o en

Alejandría. Nerón era el emperador romano; el cristianismo sufría persecución a manos de los líderes judíos; Pablo había escrito sus primeras Epístolas y estaba en su tercer viaje misionero, o ya en su primer encarcelamiento. El evangelio había llegado a Roma y penetrado hasta el palacio real.

Mensaje central del Evangelio de Marcos. Marcos hizo una presentación dramática del ministerio poderoso de Jesús, con un énfasis especial en los eventos de la última semana terrenal. El quiso convencer a sus lectores de la autoridad y deidad de Jesús, como Hijo de Dios y Salvador del mundo, sin fronteras.

B. Enfasis:

El evangelio tiene su principio en Jesucristo (1:1). Puesto que el título "El Evangelio según Marcos" no estaba en el texto original, el versículo uno constituye las primeras palabras del primer Evangelio. Omitiendo el relato del nacimiento y niñez de Jesús, Marcos presenta el significado del relato que sigue. Es una historia de "buenas nuevas" centrada en Jesucristo, el Hijo de Dios.

El evangelio tiene sus raíces en el mensaje profético (1:2, 3). Marcos, como los autores de los otros Evangelios, quiere establecer que este "mensaje" es la culminación de lo que Dios había prometido a su pueblo en la antigüedad. Por lo tanto, no es algo fabricado por los hombres, ni siquiera una idea tardía de Dios.

El evangelio proclama el arrepentimiento y el perdón de los pecados (1:4-6). Juan, el precursor de Jesús, anunciaba las muy "buenas nuevas" para el hombre pecador. Dios ofrecería una solución radical para el problema básico del hombre, su pecado. Esta solución se acondicionaba por el arrepentimiento del hombre, evidenciado por su sometimiento al bautismo por inmersión.

El evangelio es la presentación de Jesús (1:7). El precursor humildemente cumple su misión de anunciar la llegada del Hijo de Dios y de preparar el camino para ella. La venida de Jesús es "buenas nuevas"; su vida y enseñanzas son "buenas nuevas"; pero más que nada su muerte y resurrección constituyen la médula del evangelio.

El evangelio anticipa el bautismo de Jesús con el Espíritu Santo (1:8). Juan distingue claramente la diferencia entre el bautismo que él ofrecía y el de Jesús. El uno, el de Juan es el acto externo que representa o simboliza algo que hizo Dios internamente. El otro, el de Jesús es un bautismo interior.

El bautismo de Jesús (1:9-11). Con este acto Jesús inicia oficialmente su ministerio público. Es ungido con el Espíritu y oye la voz de aprobación del Padre celestial.

La tentación de Jesús (1:12, 13). Satanás se presenta como el enemigo principal, procurando desviar a Jesús de su misión redentora. Este episodio en la vida de Jesús está revestido de grandes enseñanzas para sus seguidores. Nos muestra el lado humano de Jesús. El escritor a los Hebreos nos dice que él (Jesús) fue tentado como cualquier ser humano. Esa experiencia de la tentación nos muestra a un Jesús a quien podemos acercarnos con la confianza en que nos podrá entender. Pero no sólo eso, sino que nos muestra al único que puede ser tentado pero sin pecado.

1 Jesús el cumplimiento de la profecía, Marcos 1:1-3.

V. 1. El primer versículo sirve de título y resumen del contenido del Evangelio de Marcos. Realmente es el *evangelio de Jesucristo* y no el "Evangelio de Marcos". Evangelio se usaba en el mundo secular para referirse a un "premio por haber traído buenas nuevas". El sujeto del evangelio es Jesucristo. "Jesús" es el término del griego que corresponde a "Josué" del hebreo y significa "Jehovah es salvación" (*cf.* Mat. 1:21). "Cristo" es el término del griego que corresponde a "Mesías" del hebreo y significa "el Ungido". El Hijo de Dios es un título, usado frecuentemente, e implica el nacimiento virginal.

Vv. 2, 3. Las "buenas nuevas" están arraigadas en la antigüedad. Marcos informa a sus lectores que el Antiguo Testamento había predicho que el advenimiento del Mesías sería precedido por la venida de un precursor citando Malaquías 3:1 e Isaías 40:3. Se identifica a este precursor con Juan el Bautista, por la indicación de que Juan predicó en *el desierto.*

Era la costumbre en la antigüedad preparar los caminos por donde había de entrar un personaje importante en una ciudad determinada. Un contingente encargado de limpiar las veredas y los caminos se adelantaba unos días para tener todo listo para la llegada del personaje. En ocasiones se llegaba hasta a pintar las fachadas de las casas junto al camino. Es algo parecido a lo que se hace en la actualidad cuando un dignatario visita una ciudad. Juan el Bautista sirve de lazo entre el A.T. y el N.T. El es el mensajero de Dios y el precursor de Jesús. Su tarea es preparar el camino del Señor, su método es la proclamación, y el contenido del mensaje es la demanda de que los hombres se preparen para la llegada del Señor. Al afirmar Marcos que Juan cumplía estas profecías, estaba identificando a Jesús con "el Señor" de quien los profetas hablaban.

2 Juan prepara el camino para el Señor, Marcos 1:4-8.

V. 4. *El bautismo del arrepentiento* que Juan demandaba no era un bautismo cristiano, ni estaba asociado con el don del Espíritu Santo. Se relacionaba más bien con el rito de purificación e iniciación que los judíos exigían de los prosélitos gentiles, excepto que en este caso no demandaban arrepentimiento. El término *arrepentimiento* significa "cambio de mente" que resulta en el perdón de pecados y cambio de conducta. Así implicaba una vida cambiada como evidencia de un corazón cambiado, todo como preparación para la venida del Señor. La limpieza de los cuerpos en el bautismo era un símbolo de la limpieza del alma que Dios hacía en el perdón de los pecados.

V. 5. *Y salía a él toda la provincia...* es una expresión no absoluta, sino que lleva la idea de grandes multitudes. La gente reconocía en Juan un verdadero profeta de Dios. *Confesando sus pecados* significa "ponerse de acuerdo" con lo que Dios había dicho. Su confesión era pública y específica. La gente era sumergida en el río Jordán, así siendo fiel al significado del término bautizar.

V. 6. La vestimenta rústica de Juan nos hace recordar a Elías (2 Rey. 1:8) y quizá indica su desprecio y condena por la vida suntuosa de los ricos. Su dieta de *langostas y miel silvestre* era lo disponible en el desierto donde Juan ministraba (*cf.* Lev. 11:22). A la vez que es un cuadro de la apariencia física del mensajero, es una ilustración de los pocos elementos materiales que necesitaba Juan para cumplir su tarea de preparar el camino del Señor.

V. 7. *No soy digno...* Juan sentía indignidad e impotencia frente al que él anunciaba. Era hombre humilde y agudamente consciente de su pequeñez en persona y ministerio en comparación con el que venía tras él, el Señor para el cual él solamente estaba preparando el camino. Juan nunca perdió la perspectiva de su ministerio. El solamente había sido llamado a ser la persona clave en la preparación del camino para la llegada del Salvador.

V. 8. *En agua* y *en Espíritu Santo* son expresiones que marcan el contraste entre el ministerio limitado de Juan y el cabal de Jesús. En ambos casos se trata del "instrumento de medio", o sea, el medio en que se llevaba a cabo el bautismo.

El bautismo de Juan enfatizaba el lado humano —el arrepentimiento y cambio de conducta— mientras que el de Jesús enfatizaba el poder divino y personal que sólo Dios podría otorgar al hombre, capacitándole para una vida santa y un testimonio convincente (*cf.* Joel 2:28 ss. y Hech. 2:17 ss.; 19:1-6). El bautismo de Juan era una sombra de lo que haría Jesús.

3 Jesús es bautizado, Marcos 1:9-11.

V. 9. Jesús recibió el bautismo de Juan identificándose con los pecadores y anticipando su propósito mayor: el de ir a la cruz del Calvario. El bautismo de Jesús marca el comienzo de su ministerio. Ya con treinta años de edad viajó de Nazaret, donde había sido criado, hasta el Jordán, probablemente cerca de Jericó, donde Juan estaba ministrando. ¿Por qué tenía que bautizarse Jesús? El propósito de Jesús en este acto no surgía de una conciencia de pecado, sino del deseo de "cumplir toda justicia" (Mat. 3:15), es decir, cumplir la voluntad de Dios. También, en esta manera Jesús se identificaba con la humanidad y aprobaba el ministerio de Juan. El bautismo, pues, no es el medio de la salvación, sino un acto que la simboliza.

V. 10. Las preposiciones ***en*** *el Jordán* y *subía* ***del*** *agua* agregan fuerza al concepto de inmersión en el verbo "bautizar". Los sacerdotes y reyes eran ungidos con aceite como agentes de Dios en el A.T.; aquí Jesús fue ungido con el Espíritu Santo que lo capacitaba con poder divino para su ministerio redentor. *Descendía... como paloma* puede describir la forma visible del Espíritu Santo (*cf.* Gén. 1:2), o quizá mejor, la forma en que descendía: suave y quietamente.

V. 11. *Tú eres mi Hijo amado* es la voz de aprobación, asegurando a Jesús de estaba en camino de plena obediencia. Este es uno de los pasajes trinitarios más citados, pues las tres personas divinas aparecen en forma simultánea. Sólo Marcos, en contraste con los otros evangelistas, menciona la visión de la paloma y las palabras provenientes del cielo como experiencias que percibió el mismo Jesús.

Aplicaciones del estudio

1. Los creyentes debemos recordarnos constantemente que las buenas nuevas de Dios para la humanidad están centradas en Jesucristo. El personaje importante es Jesús, no el mensajero. Todos nuestros esfuerzos de evangelización deben exaltar a la persona de Jesucristo.

2. En un sentido todo creyente es un "precursor" cuya tarea es la de "preparar el camino" para la venida del salvador a cada persona. Esa preparación consiste en ayudar a toda persona posible a estar en paz con Dios por medio del propio Señor Jesucristo.

3. El creyente debe procurar oír "la voz" de aprobación de Dios más que la de los seres humanos.

Ayuda homilética

Las Buenas Nuevas de Dios
Marcos 1:1-8

Introducción: El plan de Dios, revelado en el A.T., llega a su cumplimiento cabal en la persona de Jesucristo. El mismo es las buenas de Dios, el evangelio, el plan por el cual el hombre puede gozar otra vez de comunión íntima con su Creador.

I. El evangelio está centrado en Jesucristo, 1:1.
- A. Porque él es el "Hijo de Dios"
- B. Porque él vino a salvar a los pecadores (Jesús = Salvador)

II. El evangelio está arraigado en el A.T., 1:2, 3.
- A. Malaquías (3:1) profetizó la venida de Juan el Bautista
- B. Isaías (40:3) profetizó la venida de Dios (Jesús) a su pueblo

III. El evangelio ofrece vida abundante a la humanidad, 1:4-8.
- A. El evangelio ofrece perdón de pecados, v. 4
- B. El evangelio ofrece vida victoriosa en el Espíritu Santo, v. 8

Conclusión: Dios, por medio de Jesucristo, ha preparado una gloriosa salvación. El no desea que ninguno perezca, sino que todos sean salvos (1 Tim. 2:4). La responsabilidad de compartir el evangelio a todo ser humano reposa sobre cada creyente.

Lecturas bíblicas para el siguiente estudio

Lunes: Marcos 1:14, 15
Martes: Marcos 1:16-20
Miércoles: Marcos 1:21-28
Jueves: Marcos 1:29-34
Viernes: Marcos 1:35-39
Sábado: Marcos 1:40-45

AGENDA DE CLASE

Antes de la clase
1. Asegúrese de haber leído detenidamente todas las lecturas del contexto, para que domine del todo la parte de la historia que comprende el estudio. **2.** Consiga o dibuje en cartulina, en tamaño grande, el mapa V de la RVA "El Ministerio de Jesús", para que pueda usarlo en las clases. **3.** Escriba en el pizarrón el título del estudio de hoy, así como el texto básico y la verdad central. **4.** Investigue información que le ayude a ubicar el tiempo cuando se instituyó una forma diferente de bautismo (aspersión) y cuáles fueron los motivos de ese cambio. Aclare nuevamente que la palabra "bautismo" significa sumergir totalmente una persona o una cosa. Hable del simbolismo del bautismo y la necesidad de que el símbolo responda a la figura que quiere representar. Si se trata de muerte y resurrección, entonces la inmersión es el símbolo adecuado. **5.** Resuelva el ejercicio que aparece en el libro del alumno en la sección: *Lea su Biblia y responda,* del estudio de hoy.

Comprobación de respuestas
JOVENES: **1.** a. Del evangelio de Jesucristo. b. Preparad el camino del Señor, enderezad sus sendas. **2.** Porque él bautizará con Espíritu Santo. **3.** 3, 1, 2, 5, 4.
ADULTOS: Preguntas de interpretación personal.

Ya en la clase
DESPIERTE EL INTERES
1. Comience la clase conversando con sus alumnos sobre cómo se sintieron el día de su conversión y después el día del bautismo. Permita que algunos cuenten sus experiencias. **2.** Después conversen sobre cómo creen que se sentiría Jesús el día de su bautismo y qué significaría para él. **3.** Estudien en el pasaje quién vio los cielos abiertos, Juan, Jesús o el pueblo que había venido a escuchar a Juan. **4.** Discutan también sobre quién oyó la voz del cielo. *Adultos:* Analice las soluciones de los alumnos.

ESTUDIO PANORAMICO DEL CONTEXTO
1. Comience hablando de la importancia del Evangelio de Marcos por ser el primer documento escrito sobre la vida de Jesús. **2.** Hable sobre Juan Marcos y busquen los textos bíblicos que hablan sobre él. **3.** Inste a los alumnos que descubran qué cantidad de capítulos Marcos destina a la última semana de la vida de Jesús. **4.** Pida que los alumnos echen un vistazo a los otros Evangelios para comprobar qué historias omite Marcos al comienzo de su libro y cómo empieza hablando directamente del bautismo y ministerio de Jesús.

ESTUDIO DEL TEXTO BASICO

1. Dé tiempo para que los alumnos lean el texto básico y completen las actividades de la sección *Lea su Biblia y responda.*

2. Hable sobre el significado de los nombres Jesús y Cristo.

3. Insista en el concepto judío del bautismo y lo extraño que resultaba para el pueblo la persona, la predicación y los reclamos de Juan: Juan era una persona completamente diferente a los líderes religiosos de la época y pedía del pueblo algo a lo que no estaban acostumbrados, el arrepentimiento y el bautismo.

4. Discutan sobre las emociones que debe haber experimentado Juan y sus causas: Jesús era su primo, el concepto que ya tenía de él, las manifestaciones en el bautismo de Jesús, su papel en toda la historia.

5. Pida a un alumno que relate la historia del bautismo de Jesús como si el hubiera sido un espectador casual del hecho: qué vio, qué oyó, cómo fue impresionado. Otros pudieran ayudarle en detalles que olvidara, como si ellos también hubieran estado allí. Hablen sobre la diferencia del aspecto de Jesús, que se vestía normalmente y el de Juan.

6. Dirija la atención a la descripción del bautismo y el uso de las preposiciones "en" y "del" agua que evidencian un bautismo por inmersión.

7. Enfatice la presencia de las tres personas de la Trinidad en el bautismo de Jesús y la importancia de este pasaje para el estudio de esa doctrina.

8. Discutan cuánto deben haber significado para Jesús los acontecimientos de su bautismo: La cantidad de personas arrepintiéndose y bautizándose, la confirmación que Dios dio a su bautismo, el escuchar la voz del Padre; ¿la habría escuchado de ese modo alguna vez antes durante su vida terrenal? ¿Aunque no hayan visto los cielos abiertos, han tenido los alumnos alguna experiencia sobre la confirmación de Dios a alguna decisión o acción en sus propias vidas?

APLICACIONES DEL ESTUDIO

Dé tiempo para que los alumnos estudien las aplicaciones que aparecen en sus libros, las comenten y enriquezcan con experiencias personales. Comparta con ellos las que aparecen en el libro del maestro si son diferentes a las que ellos encuentran en sus libros. Comenten cómo cada creyente puede actuar en papel de precursor y si alguno lo ha hecho en los últimos días. Discutan sobre qué es más importante, si tener la confirmación de Dios o la aprobación de los hombres.

PRUEBA

Dé tiempo para que los alumnos realicen las actividades propuestas y compartan sus sentimientos con respecto a lo que ha significado para sus vidas el arrepentimiento y el perdón de los pecados. Recuérdeles que lean las lecturas bíblicas propuestas para la próxima semana.

Estudio **28**

Unidad 6

Jesús confronta la incredulidad

Contexto: Marcos 1:14-45
Texto básico: Marcos 1:14-28
Versículo clave: Marcos 1:15
Verdad central: La cercanía del reino de Dios exige que el hombre se arrepienta y crea en el evangelio.
Metas de enseñanza-aprendizaje: Que el alumno demuestre su: (1) conocimiento de lo que significa el reino de Dios, (2) actitud de arrepentimiento y aceptación del evangelio.

Estudio panorámico del contexto

A. Fondo histórico:

Significado del concepto reino de Dios. El tema de la predicación de Jesús en Galilea era para el efecto de que todos supieran que el periodo de espera ya había llegado a su fin y su reino estaba a la puerta, en vista de lo cual, los hombres debían arrepentirse (volverse de su pecado a Dios), y creer las buenas nuevas de Dios. El "reino de Dios" significa el reinado efectivo de Dios sobre los seres humanos en base a la obra redentora de Jesucristo. Por supuesto que la misma frase: El reino de Dios se puede emplear también para referirse al tiempo cuando, al venir Jesús por segunda vez, será consumado su establecimiento.

La importancia de Galilea en relación con el inicio del ministerio de Jesús. El encarcelamiento de Juan impulsó a Jesús a regresar a Galilea. Juan (4:1-4) da como una razón el conflicto con los fariseos por su popularidad y mayor éxito que Juan el Bautista. Fue primeramente a Nazaret y luego regresó a Capernaúm, ciudad junto el mar de Galilea que serviría como sede. Allí estaba lejos de la oposición de los líderes religiosos; encontraría allí once de sus discípulos y podría discipularlos sin molestias. Según Mateo (4:13-16) el ministerio allí fue cumplimiento de Isaías (9:1, 2).

Contexto social de los llamados a ser colaboradores (Simón, Andrés, Jacobo y Juan). Los primeros cuatro discípulos escogidos por Jesús eran humildes pescadores, y dos de ellos habían sido discípulos de Juan el Bautista. Andrés fue el primero en aceptar a Jesús y en seguida buscó a su hermano. Jacobo y Juan eran hijos de Zebedeo. Es en este contexto que surge la inmortal declaración de Jesús: "Os haré pescadores de hombres."

Ubicación de Capernaúm. La ciudad de Capernaúm estaba sobre la orilla noroeste del mar de Galilea. Su importancia se ve en el hecho de que era la encrucijada de las rutas principales del norte al sur y del oriente al occidente. Jesús ministraba dentro de la ciudad y en su alrededor. El mar tenía unos 13 km. de ancho y 21 de largo.

El asunto de los endemoniados. Aparentemente un "espíritu inmundo" es lo mismo que un demonio (*cf.* v. 32). Se trata de un poder hostil a Dios y dañino al hombre, separándolo de Dios. Los demonios son mensajeros de Satanás, el "príncipe del mundo", el cual está en guerra abierta contra el "reino de Dios" y sus súbditos.

B. Enfasis:

Jesús predicó que el reino de Dios se ha acercado (1:15). El pueblo de Dios en el A.T. no estaba dispuesto a obedecer, pero un nuevo día se acercaba cuando las fuerzas de mal serían derrotadas y la voluntad de Dios establecida en el "nuevo Israel" que Jesús vino para formar. Jesús proclamaba que el nuevo orden de Dios se había iniciado. Llegará un día cuando todos los hombres en todas las naciones reconocerán que verdaderamente el Cristo es el Hijo de Dios y soberano de todo y de todos.

Jesús llamó a las gentes a arrepentirse y creer en el evangelio (1:15). Estas son las dos condiciones de parte del hombre para valerse de todos los privilegios del evangelio: arrepentimiento y fe. Volverse a Dios dejando atrás su pecado.

Jesús llamó a personas ordinarias a ser sus colaboradoras (1:16-20). Una cosa notable del reino de Dios es que todos tienen el mismo derecho de entrar y participar como siervos de Dios. Más aun, en la elección de sus colaboradores, Jesús dio preferencia a las personas humildes y comunes de su día, siendo este hecho uno de los motivos por los cuales los suyos pensaban que "estaba fuera de sí" (Mar. 3:21).

Jesús ministró con autoridad divina (1:21-28). A través de su ministerio Jesús demostró autoridad para perdonar pecados y sobre enfermedades, la muerte, la naturaleza y los demonios. Su dominio sobre el espíritu inmundo en este caso fue un anticipo de la victoria final sobre todas las fuerzas del mal, incluyendo a Satanás mismo.

Jesús causa admiración por lo que dice y hace (1:29-45). Poco a poco sus discípulos y otros seguidores se daban cuenta de que él era más que profeta, que era Dios encarnado, el Mesías largamente prometido.

Estudio del texto básico

1 El reino de Dios se ha acercado, Marcos 1:14, 15.

V. 14. Marcos omite el motivo que llevó a Herodes a encarcelar a Juan el Bautista (*cf.* Luc. 3:19, 20), evento que fue factor en la decisión de Jesús de salir de Judea y volver a Galilea. *El evangelio de Dios,* en contraste con el mensaje del juicio de Dios que Amós predicaba (5:18-20), fue una noticia de gran gozo, como la de Isaías 52:7. El evangelio tiene su origen en Dios (*cf.* Stg. 1:17) y lo revela como el Dios de misericordia. Sólo en este capítulo

Marcos describe a Jesús como *predicando*; en el resto de su Evangelio Jesús es el maestro.

V. 15. *El tiempo se ha cumplido* indica que en el plan de Dios había llegado el momento para establecer el reino del Mesías (Gál. 4:4). *Tiempo* aquí traduce *kairos* que se refiere a un evento definido y muy especial. El *reino de Dios se ha acercado.* Dios estaba pronto para inaugurar su reinado en el corazón de los hombres que se someten a él.

¡Arrepentíos y creed en el evangelio! establece las condiciones para valerse del evangelio. Ambos imperativos demandan acción continua para poder entrar en el reino y vivir en él. Juan demandaba el arrepentimiento que significa "cambio de manera de pensar en cuanto a la persona de Dios" que resulta en un cambio radical de conducta. Jesús agrega un elemento nuevo y clave en el evangelio, el creer que sigue naturalmente al arrepentimiento implica compromiso.

2 Los primeros discípulos, Marcos 1:16-20.

V. 16. El reino de Dios no se efectúa en un vacío, sino en el corazón de los hombres. Marcos aquí demuestra cómo el reino se expresa en el llamado de Jesús a hombres y el sometimiento de ellos a su autoridad. Andrés y su hermano Simón habían sido discípulos de Juan el Bautista (Juan 1:35-42) cuando primeramente conocieron a Jesús, pero ahora Juan estaba en la cárcel. Ellos eran pescadores en el mar de Galilea. Andrés conoció a Jesús primero, pero luego Simón se menciona primero entre los dos y entre los doce, por tener el don de líder.

Vv. 17, 18. *Venid en pos de mí* es un mandato fuerte, personal, exigente, urgente e ineludible. En el oriente, el superior siempre iba adelante, marcando el rumbo, poniendo el ejemplo, y los inferiores atrás. El Rey ordena y los súbditos en el reino obedecen: *de inmediato dejaron sus redes y le siguieron.* Fue un acto de fe valiente, pues estaban dejando su único modo de sostenerse. *Os haré pescadores de hombres*, o literalmente, "haré que lleguéis a ser pescadores de hombres", es la descripción gráfica de la tarea básica de todo creyente. Jesús describe la tarea en términos que estos hombres, pescadores profesionales, entenderían muy bien. Buscarían hombres en vez de peces y darían lugar a "vida" en vez de muerte. "Lleguéis a ser" indica que toda la vida de los súbditos en el reino es un proceso de llegar a ser lo que Dios ordena.

Vv. 19, 20. Jesús llamó a otro par de hermanos, los hijos de Zebedeo que también eran pescadores. Jacobo era el mayor, puesto que se menciona primero. Estos cuatro formarían el primer grupo de los doce discípulos. Simón y Andrés estaban echando sus redes, mientras Jacobo y Juan estaban remendando las suyas. *Los jornaleros* de Zebedeo indica que era hombre de ciertos medios económicos. *Dejando a su padre*, no indica que lo hayan dejado solo, sin ayudantes. Ellos, los hijos de Zebedeo dejaron a un lado sus redes. Este cuadro ha sido a través de las edades de mucha inspiración para todos los que al recibir un llamamiento de Dios están dispuestos a dejarlo todo.

3 Enseñanza con autoridad, Marcos 1:21, 22.

V. 21. *Capernaúm*, ciudad de gran importancia comercial, llegó a ser la sede de la mayor parte del ministerio público de Jesús. La expresión *en seguida* traduce un adverbio que Marcos emplea 41 veces, describiendo acción rápida y seguida. Jesús aprovechaba la reunión de judíos y prosélitos *en la sinagoga* para presentar las verdades del reino de Dios.

V. 22. *Enseñaba como quien tiene autoridad* es la impresión de la gente al escuchar a Jesús, y se maravillaba de ello porque estaba acostumbrada a escuchar vanas repeticiones (Mat. 7:29). *No como los escribas...* Los escribas estaban encargados de interpretar las leyes y enseñar, según su interpretación, cómo debían cumplirse las leyes.

4 La fama de Jesús se extiende, Marcos 1:23-28.

V. 23. *Un hombre con espíritu inmundo* se presenta para interrumpir la enseñanza de Jesús. Se trata de un hombre dominado por demonios. En el reino de Dios interfiere el enemigo para tratar de estorbar el avance y la victoria que son parte integral de este reino. De hecho, interrumpe las enseñanzas de Jesús porque sabe que si una persona es ignorante de las verdades eternas, se mantendrá en el reino del enemigo.

V. 24. El resultado inmediato de la enseñanza de Jesús no fue paz y armonía, sino confrontación con los poderes malignos (Mat. 10:34). Los demonios, con percepción sobrenatural, reconocen a Jesús como *el Santo de Dios* y que su misión era la de destruirlos. Reconocen que parte de la tarea del Señor del reino, y de sus seguidores, es luchar en contra de los poderes malignos del enemigo. Una traducción dice: ¿Por qué interfieres con nosotros?

Sin embargo, en medio de la lucha sobresale la declaración: *¡Eres el Santo de Dios!* El mismo Satanás reconoce quién es el Cristo y la posición que guarda en el reino. Esa declaración convierte al enemigo en portavoz de una verdad inalterable: Jesús es *el Santo de Dios*. No es la primera vez que los propios enemigos del reino hablan a favor del mismo.

Vv. 25, 26. —*¡Cállate y sal de él!* es la voz de autoridad que los demonios reconocen y obedecen. Jesús no sólo enseñaba con autoridad, sino que demostraba su autoridad sobre Satanás y sus ministros. A la orden de Jesús, el demonio salió del hombre, protestando, pero salió. Al final de cuentas, tenemos que reconocer que la autoridad y el poder son de Dios y de su Hijo. Satanás no tiene la última palabra.

V. 27. *¡Una nueva doctrina con autoridad!* fue la impresión de los oyentes quienes se maravillaban, pero no hay mención de fe salvadora. Reconocieron una autoridad inusual en las enseñanzas y obras de Jesús, pero sin comprometerse con él como Salvador y Rey.

V. 28. El exorcismo practicado en el hombre endemoniado despertó gran excitación, haciendo correr su fama como reguero de pólvora. Hay que recordar que para Jesús esa no era la forma de ganar fama. De hecho, en varias oportunidades Jesús dijo: "no les digan a los demás lo que he hecho".

Aplicaciones del estudio

1. Hay un ministerio importante en el reino de Dios para toda persona creyente y obediente, por más humilde que sea. Lo que el Señor busca para su reino son personas que tengan la disposición de responder al llamado de Dios a trabajar en su viña. Cuando el Señor llama a sus hijos para que le sirvan les dará, por su Espíritu, las capacidades necesarias para hacer la tarea con dignidad.

2. Jesús tiene autoridad sobre todo poder maligno y asegura a los creyentes su protección. Por lo tanto, no hay motivo para que el creyente fiel tema ante Satanás y sus huestes. "El ángel de Jehovah acampa en derredor de los que le temen, y los defiende."

3. Los milagros espectaculares producen admiración y fama, pero a menudo no llevan a los espectadores a una fe genuina en Jesús. ¡Cuántas veces se ha manifestado el poder de Dios sin ningún fruto!

Ayuda homilética

El Reino de Dios
Marcos 1:14-20

Introducción: El reino de Dios es esencialmente el reinado de Cristo en el corazón de los que lo reconocen como Salvador y se someten a él.

I. El comienzo del reino de Dios, 1:14, 15.
- A. Un tiempo definido en el plan de Dios
- B. Un mensaje definido de buenas nuevas

II. El camino de entrada al reino de Dios, 1:15.
- A. El arrepentimiento por sus pecados
- B. La creencia en Jesús como Salvador personal

III. Los colaboradores en el reino de Dios, 1:16-20.
- A. Llamados con autoridad por el Rey
- B. Llamados de vocaciones comunes
- C. Llamados para dejarlo todo y seguir al Rey

Conclusión: Dios inició su reinado con la venida de su Hijo al mundo. Su voluntad es la extensión de su reino. Todos los seguidores de Jesús son llamados a colaborar en este plan de extender el reino.

Lecturas bíblicas para el siguiente estudio

Lunes: Marcos 2:1-5
Martes: Marcos 2:6-12
Miércoles: Marcos 2:13-17
Jueves: Marcos 2:18-22
Viernes: Marcos 2:23-28
Sábado: Marcos 3:1-6

AGENDA DE CLASE

Antes de la clase
1. ¿Leyó usted con cuidado todo el contexto para dominar la historia? Si no lo ha hecho, este es el momento. No se enfrente a su clase sin tener claro cada detalle de lo ocurrido en el contexto que abarca el estudio de hoy. **2.** Coloque el mapa en un lugar visible, si no tiene, dibújelo en el pizarrón. **3.** Documéntese cómo eran las reuniones en una sinagoga judía y lea en Lucas 3:19, 20 los motivos que llevaron a Juan a la cárcel. **4.** Responda el ejercicio que aparece en el libro del alumno sobre la sección: *Lea su Biblia y responda,* del presente estudio.

Comprobación de respuestas
JOVENES: **1.** Jesús vino a Galilea predicando el reino de Dios. **2.** Dejaron sus redes y le siguieron. **3.** Les enseñaba con autoridad y no como los escribas. **4.** Liberó a un hombre de un espíritu inmundo.
ADULTOS: Preguntas de interpretación personal.

Ya en la clase
DESPIERTE EL INTERES
1. Pregunte a los alumnos su opinión sobre las razones por las que Jesús comenzó a predicar el evangelio después que Juan fue encarcelado. **2.** Discutan: ¿por qué Marcos no narró detalladamente las tentaciones? ¿No le interesaban? ¿No eran importantes? **3.** Pregunte a los alumnos si alguna vez antes de comenzar una labor han sido tentados a abandonar el empeño. **4.** Hablen si es normal ante grandes retos sentir temor, dudas o inseguridad. **5.** Dé oportunidad para resolver el ejercicio de la sección *Lea su Biblia y responda.* Adultos: Compare las respuestas de los alumnos.

ESTUDIO PANORAMICO DEL CONTEXTO
1. Utilizando el mapa, o ayudando a los alumnos a usar el de sus Biblias, ubique Nazaret y el Jordán. Calculen la distancia entre ambos lugares y qué tiempo tomaría viajar a pie de un lado al otro. **2.** Enfatice la importancia de comenzar el ministerio en Galilea por su valor mesiánico y profético. **3.** Hable sobre la necesidad de Jesús de encontrar y formar discípulos para la continuación de su obra. **4.** Dé oportunidad a los alumnos para que expliquen las razones por las que Jesús tan rápidamente se convierte en un personaje famoso, seguido por multitudes.

ESTUDIO DEL TEXTO BASICO
1. Dirija a los alumnos en la lectura en voz alta, cada uno un versículo, del texto básico y después contesten las preguntas de la sección: *Lee tu Biblia y responde.*

2. Comente sobre los motivos que llevaron a Juan a la cárcel, tal como están narrados en Lucas: Juan había reprendido a Herodes respecto a la mujer de su hermano y todas las maldades que él había hecho.

3. Hable sobre el significado de la palabra griega "kairos" y sobre el concepto del reino de Dios como el reinado del Señor en el corazón de los hombres. ¿Cómo se hace una persona "ciudadano" de ese reino?

4. Comente con los alumnos cómo Jesús se decide a reclutar ayudantes para su tarea y qué características comunes reunían los primeros cuatro. Eran pescadores, gente común, trabajadores, ocupados en su trabajo en el momento en que fueron llamados. ¿Utiliza el Señor a gente desocupada o vaga?

5. Examine con los alumnos la forma en que los primeros discípulos respondieron al llamado del Señor. ¿Dudaron? ¿Se demoraron en contestar? ¿Se dispusieron inmediatamente a seguirlo, dejando lo que hacían? Esta decisión repentina, ¿demuestra que no le daban importancia a su trabajo o que dieron más valor al llamado del Señor? ¿Cómo puede haberles ayudado a tomar esta decisión el haber sido discípulos de Juan el Bautista?

6. Insista en las razones por las que Jesús se dirigió a la sinagoga y por qué le dieron la oportunidad de leer las escrituras. Aclare que la enseñanza de Jesús impresionó porque los escribas se limitaban a repetir una y otra vez las leyes. ¿No experimentamos también nosotros diferentes sentimientos ante diferentes predicadores y maestros?

7. Discuta con los alumnos lo atractivo de los milagros y cómo las personas son fácilmente conducidas a reuniones de sanidad. Demuestre que Jesús se preocupaba por las necesidades y sufrimientos de las personas, pero quería evitar toda propaganda acerca de sus poderes, cosa que veremos en estudios posteriores.

8. Ponga énfasis en que hubo admiración pero no se habla de conversiones. ¿Es posible que las personas admiren a Jesús, su poder y que no se conviertan a él? ¿Conocen los alumnos algún caso?

APLICACIONES DEL ESTUDIO

Hable de las aplicaciones que se encuentran en el libro del maestro y luego dé oportunidad para que los alumnos presenten las que se encuentran en sus libros, si es que hay alguna diferente. ¿Pueden aportar los alumnos algunas otras aplicaciones de lo estudiado? ¿Pueden aportar algún ejemplo de su vida personal?

PRUEBA

Después de proveer el tiempo para las actividades, compartan lo que contestaron en la pregunta 2. Tengan una oración dando gracias al Señor por poder ser ciudadanos de su reino. Hablen sobre "privilegios y responsabilidades" de los ciudadanos del reino de Dios. Anime a los alumnos a leer las *Lecturas bíblicas* de la próxima semana.

Jesús valora a las personas

Contexto: Marcos 2:1 a 3:6
Texto Básico: Marcos 2:15-17, 23 a 3:6
Versículos clave: Marcos 2:27, 28
Verdad central: Para Jesús las personas son más importantes que las instituciones de carácter legalista.
Metas de enseñanza-aprendizaje: Que el alumno demuestre su: (1) conocimiento del desafío de Jesús a las instituciones legalistas poniendo por encima de ellas las necesidades del hombre, (2) actitud de valorarse a sí mismo y a los demás de acuerdo con el criterio de Jesús.

Estudio panorámico del contexto

A. Fondo histórico:

Instituciones relevantes en el tiempo de Jesús. Las instituciones judías jugaron un papel preponderante en el ministerio de Jesús.

Las autoridades romanas. El poder civil quedaba últimamente en manos de los romanos quienes, bajo Pompeyo, tomaron Jerusalén por la fuerza en el año 63 a. de J.C. e impusieron pesados tributos. Herodes el Grande gobernó Palestina durante unos treinta y cuatro años (37 a 4 a. de J.C.), incluyendo el tiempo cuando Jesús nació.

Las autoridades judías. El sumo sacerdote era considerado el poder máximo entre los judíos, aconsejado y apoyado por los setenta miembros del sanedrín, órgano que él presidía. El sanedrín tenía jurisdicción civil y religiosa en la nación. Sin embargo, los romanos establecían los límites de su autoridad. El sanedrín estaba compuesto de ancianos, sacerdotes y escribas. Figuraban entre sus miembros fariseos y saduceos, pero éstos tenían mayor influencia.

El sábado. El sábado, día sagrado establecido por Dios en el cuarto de los diez mandamientos (*cf.* Exo. 20:8-11), era guardado celosamente por los judíos. Los fariseos habían elaborado una gran cantidad de reglamentos restrictivos para el sábado, y se consideraban los guardianes para asegurar el cumplimiento. Cómo guardar el sábado fue uno de los principales motivos del choque entre Jesús y ellos. El sábado fue establecido para ayudar al hombre a recordar y adorar a su Creador, es decir, para su bien y no para esclavizarlo (Mar. 2:27).

El ayuno. Los fariseos ayunaban dos veces a la semana y en el día de expiación. Jesús mencionó pocas veces el tema del ayuno, no lo exigió a sus discípulos y cuando lo mencionó generalmente era para condenar la práctica de los fariseos (Luc. 18:9-14; Mar. 2:18-22).

B. Enfasis:

Interés por escuchar a Jesús, 2:1, 2. La fama por los milagros que Jesús realizaba despertaba gran curiosidad y expectativa. Le era cada vez más difícil evitar el apretujamiento de las multitudes.

Venciendo los obstáculos para llegar a Jesús, 2:3, 4. La gente que rodeaba a Jesús no abrió paso cuando llegaron los necesitados, pero los cuatro amigos del paralítico no se dieron por vencidos. La fe y compasión logran vencer obstáculos para llegar hasta Jesús.

Diferentes reacciones frente a un milagro, 2:5-12. Como en nuestros días, la persona y obras de Jesús tuvieron una recepción variada, desde una incredulidad cínica y acusadora a una fe que se asombraba y glorificaba a Dios.

Jesús llama a Leví, 2:13-15. Jesús llama a otro discípulo de entre los más despreciados, considerado traidor por sus compatriotas porque cobraba impuestos para el odiado imperio romano.

Reacción de los escribas y los fariseos, 2:16, 17. La elección de Leví como discípulo y el asociarse con "su gente" trajo sobre Jesús la condenación más severa de los líderes religiosos. Jesús aclaró que él había venido precisamente para salvar esa clase de gente.

Pregunta sobre el ayuno, 2:18-22. Los fariseos y los seguidores de Juan el Bautista todavía tenían el concepto judío general de que el hecho de ayunar era evidencia de una espiritualidad superior.

Jesús, Señor del sábado, 2:23-28. Según los reglamentos formados por los fariseos no se admitía ningún tipo de trabajo en el sábado. Pero Jesús afirma su autoridad aun sobre esa sagrada institución.

Otra acción en sábado, 3:1-6. En este milagro Jesús aplica la verdad que había declarado: "el sábado fue hecho para el hombre" (Mar. 2:27), es decir, para el bien del hombre.

Estudio del texto básico

1 Jesús come con los pecadores, Marcos 2:15-17.

V. 15. Leví, al ser llamado por Jesús a ser su discípulo, no demoró en expresar su gratitud, ofreciendo un gran banquete en su honor (Luc. 5:29). Este Leví es identificado en Mateo 9:9 con Mateo, un oficial cobrador de tributos. Era natural para él invitar a sus amigos, cobradores de impuestos, y también a otros conocidos "no religiosos", considerados como "pecadores" por los fariseos. Realmente los cobradores de impuestos nunca han sido los personajes favoritos de la sociedad. En esta reunión sus amigos tendrían la oportunidad de llegar a tener la misma experiencia que tuvo Leví.

V. 16. *¿Por qué come con los publicanos y pecadores?,* fue la pregunta de esperar de parte de los fariseos. Probablemente Mateo no tenía otro círculo de amigos que podría invitar, siendo él mismo odiado especialmente por los judíos más estrictos y religiosos. Un dato interesante en cuanto al rechazo de los judíos para los amigos de Leví es que los cobradores de impuestos lo hacían a favor del imperio romano, y porque comúnmente se enriquecían extorsionando a los tributarios. Parece que en todas las épocas sufrimos males semejantes.

V. 17. *Los sanos no tienen necesidad de médico, sino los que están enfermos,* fue la respuesta de Jesús a la crítica de los escribas, la mayoría de los cuales eran fariseos. En efecto, dijo que ya que ellos se consideraban "sanos" y "justos" no necesitaban su ayuda, pero otros que reconocían su necesidad sí la necesitaban, y que había venido precisamente para socorrerlos. *¿Llamar... a pecadores* a qué? El vino a llamarlos al banquete del reino de Dios (Luc. 14:16-24). No podríamos siquiera imaginarnos lo que pasaría si Jesús hubiera dedicado su vida solamente a buscar a los religiosos para salvarlos.

2 Jesús aclara que el hombre tiene relevancia, Marcos 2:23-28.

V. 23. *Sus discípulos se pusieron a caminar arrancando espigas,* práctica permitida por la ley mosaica, siempre y cuando se hiciera con las manos y no con hoz (Deut. 23:25). Lucas (6:1) agrega que "restregándolas con las manos". Así los viajeros siempre tendrían alimento a la mano. El hecho mismo de restregar las espigas era considerado un trabajo que no debía hacerse en el día sábado. Pasaba lo mismo si caminaban más de lo que estaba permitido o hacían comida.

V. 24. *¿Por qué hacen en los sábados lo que no es lícito?* Los fariseos, no habiendo encontrado motivo para acusar a Jesús en su persona, sí condenaban su actuación en los sábados, tanto de curar enfermos como de permitir que sus discípulos trabajasen en el día sábado. El trabajo prohibido, según los fariseos, era "cosechar" y "frotar el grano en la mano para sacar la cáscara". Aun el hecho de masticar el grano era considerado trabajo. Era una característica de los fariseos el darle mayor importancia a la observancia de los ritos e instituciones que al bienestar de las personas.

Vv. 25, 26. Jesús refuta la posición de los fariseos con tres argumentos en los cuales hace resaltar el valor del hombre por encima de instituciones religiosas, y las normas que resultaban de una interpretación deficiente de lo que eran las verdaderas leyes. En primer lugar señala la ignorancia de ellos en cuanto a la historia de Israel. Recordemos que los fariseos pretendían con orgullo conocerla al dedillo. Cita un caso concreto cuando la necesidad humana justificaba una excepción a un reglamento ceremonial, con la aparente aprobación de Dios (1 Sam. 21:1-6). En realidad el sacerdote fue Ajimelec, padre de *Abiatar*, mencionado aquí.

V. 27. *El sábado fue hecho para el hombre,* fue el segundo argumento con que Jesús refutó la acusación de los fariseos. En efecto, Jesús acusa a los "guardianes" de la ley de ignorar el intento original o propósito de Dios en establecer la ley. El sábado fue establecido para el bien del hombre, para descansar y recordar a su Creador. Con la reglamentación excesiva de la ley ellos habían creado una carga insorportable, cambiándola de una bendición en una maldición. Ignoraban el espíritu de las leyes haciendo hincapié en la letra, contraviniendo el propósito esencial de las mismas. Debemos recordar de vez en cuando que las leyes, normas, mandamientos e instituciones todas ellas deben tener su origen en la motivación de facilitarle al hombre una relación adecuada con Dios y con sus prójimos. En ese sentido, las leyes deben convertirse en siervas o herramientas del hombre, y no viceversa.

V. 28. La declaración: *El Hijo del hombre es Señor también del sábado,* constituye el tercer argumento contundente de Jesús sobre el tema del sábado. Los fariseos se consideraban "señores del sábado", creando e imponiendo sus propios reglamentos. Jesús reclama ese título, siendo el Hijo de Dios, con plena autoridad para reglamentar e interpretar el sábado. La observancia del sábado no es un fin en sí misma como los fariseos pretendían hacerla, más bien era la manera de Dios de ayudar a su pueblo a disponer de una oportunidad que les permitiera cultivar su relación con el Creador. Jesucristo es el árbitro más apropiado para decir cómo debe ser la observancia del sábado.

3 Jesús enfrenta el legalismo, Marcos 3:1-6.

Vv. 1-4. *Entró otra vez en la sinagoga...* Como una manera estratégica para realizar sus milagros que servirían para confrontar a los judíos con la nueva dimensión de la vida. Es evidente que los asistentes al culto en la sinagoga no estaban tan concentrados en desarrollar un culto agradable a Dios, sino en analizar el comportamiento de los demás. Tenían un concepto de cómo debían hacerse las cosas y los demás tenían que someterse a esa manera. Una cosa era la ley y otra muy diferente la gracia.

Los Evangelios registran no menos de siete milagros de curación hechos en día sábado, siempre bajo la crítica de los fariseos. Marcos relata uno de ellos cuando Jesús respondió a la acusación de los fariseos. Se le presenta un hombre con la mano paralizada y Jesús respondió con compasión. Es lógico que un hombre con tal necesidad sentía que allí, en donde se adora a Dios, es el mejor lugar para ir a buscar su restauración. Jesús vio en su derredor a un grupo de fariseos prontos para atacarlo por violar los reglamentos "de ellos". Les hace una pregunta que no quisieron contestar: *¿Es lícito en sábado hacer bien o hacer mal? ¿Salvar la vida o matar?* Para ellos era más importante obedecer sus reglamentos ceremoniales que atender las necesidades apremiantes del ser humano. En este caso, el saber hacer el bien y no realizarlo es "hacer mal" y hasta "matar".

Vv. 5, 6. La expresión: *Dolorido por la dureza de sus corazones* expresa la emoción que Jesús sentía al ver la total indiferencia de estos líderes religiosos hacia un hombre necesitado. Existe una tradición de que el hombre que tenía la mano "seca", inútil, era un albañil. Con una mano paralizada no podría emplearse. Jesús, movido por compasión, hizo a un lado los reglamentos religiosos estableciendo otra vez el valor del ser humano sobre el cumplimiento de normas establecidas por hombres. *Extiende tu mano.* Esas son las palabras que Jesús decidió decir a pesar de la obstinada oposición de sus enemigos. Un "trabajo" como este era con tres propósitos, por lo menos: (1) Demostrar la presencia del Padre en el Hijo, (2) ser de bendición para el hombre necesitado y (3) demostrar que el hombre es más importante que las leyes.

Aplicaciones del estudio

1. Jesús honra la fe de los creyentes que traen a sus amigos necesitados a él. Jesús se fijó en la fe de los cuatro (Mar. 2:5) amigos que ya tenían un conocimiento del poder y el amor de Jesús.

2. Jesús se agrada cuando damos prioridad a personas necesitadas por encima de reglamentos religiosos. El puso el ejemplo realizando milagros de sanidad en el día sábado. Las leyes, en su espíritu, buscan la bendición del hombre.

3. Jesús sigue llamando discípulos de entre los hombres más comunes, y aun entre los que son despreciados por sus compatriotas.

Ayuda homilética

Cooperando en llevar hombres a Jesús
Marcos 2:1-12

Introducción: Todos los creyentes pueden aportar en forma personal y directa en la comunicación del evangelio.

I. El dueño de la casa abrió las puertas para la evangelización.
- A. Invitó a Jesús a su casa.
- B. Invitó a sus amigos y vecinos.
- C. Permitió romper el techo.

II. Los cuatro amigos trajeron a un necesitado a los pies de Jesús.
- A. Los cuatro amigos se pusieron de acuerdo en la tarea.
- B. Los cuatro amigos vencieron todos los obstáculos.
- C. Los cuatro amigos tuvieron fe en que Jesús podría sanar al paralítico.

III. Jesús se hizo presente en la casa donde se reunió la gente.
- A. Jesús aceptó la invitación del dueño de la casa.
- B. Jesús bendijo la casa y a los invitados con su presencia.
- C. Jesús sanó al hombre paralítico, resultando en gran gozo.

Conclusión: Jesús siempre acepta la invitación de entrar en nuestros hogares y bendecir a los presentes. Nuestra parte es la de invitar a los amigos y vecinos y aun traer a los "paralíticos" para que tengan un encuentro personal con Jesús.

Lecturas bíblicas para el siguiente estudio

Lunes: Marcos 3:7-19
Martes: Marcos 3:20-35
Miércoles: Marcos 4:1-9
Jueves: Marcos 4:10-20
Viernes: Marcos 4:21-29
Sábado: Marcos 4:30-34

AGENDA DE CLASE

Antes de la clase
1. Repase todo el contexto, para que esté claro en su mente y tenga mayores recursos para su tarea. **2.** Lea en el Diccionario Bíblico sobre las características de escribas y fariseos. **3.** Investigue sobre las costumbres judías acerca del ayuno. **4.** Escriba en el pizarrón: **Jesús valora a las personas,** y rodee el título del estudio con fotos o láminas de personas necesitadas. **5.** Resuelva el ejercicio de la sección: *Lea su Biblia y responda.*

Comprobación de respuestas
JOVENES: **1.** Los sanos no tienen necesidad de médico, sino los enfermos. **2.** Las falsas son la a. y la c. **3.** Los fariseos se fueron y decidieron destruir a Jesús.
ADULTOS: **1.** Los sanos no tienen necesidad de médico. **2.** Valioso. El resto de la pregunta es análisis personal. **3.** Milagros, Capernaúm, Ley.

Ya en la clase
DESPIERTE EL INTERES
1. Comience la clase conversando con los alumnos sobre si es bueno que alguien que tiene un familiar ingresado en el hospital y necesite compañía, no vaya a acompañarlo "porque no puede faltar al culto". **2.** Elaboren una lista sobre actitudes semejantes que pueden evidenciar un espíritu legalista y farisaico. **3.** Discutan sobre la siguiente pregunta: ¿Qué trabajos pueden realizarse el domingo?

ESTUDIO PANORAMICO DEL CONTEXTO
1. Investigue con los alumnos por qué Jesús llega a ser el centro de la atención de los escribas y fariseos. ¿En qué aspectos se sentirían ellos amenazados por él? **2.** Recuerde el relato del paralítico poniendo énfasis en la ayuda de los amigos que le llevaron a Jesús. **3.** Explique las razones por las que los publicanos eran despreciados, y lo inusual de que un rabí como Jesús comiera en casa de uno de ellos. **4.** Narre la pregunta que le hicieron a Jesús sobre el ayuno de sus discípulos y su respuesta, poniendo énfasis en sus palabras: el sábado fue hecho para el hombre.

ESTUDIO DEL TEXTO BASICO

1. Anime a los alumnos a leer el texto básico y a contestar las preguntas de la sección: *Lea su Biblia y responda*, de este estudio.

2. Comente sobre el interés de Leví, después de conocer al Señor, de festejarlo con un banquete en su casa. ¿Qué cosas evidenciaba este gesto de Leví? El agradecimiento al Señor que se había fijado en él, acostumbrado a ser despreciado, el interés de que sus amigos y vecinos conocieran a Jesús.

3. Enfatice sobre el espíritu de los escribas y fariseos de estar observando todo para criticarlo. ¿No era una persecución contra Jesús? ¿Tenemos el mismo espíritu hacia los creyentes que según nuestra opinión hacen cosas incorrectas? ¿Les perseguimos y estamos hostigando constantemente?

4. Discutan la diferencia entre una actitud de desprecio hacia los pecadores y una de dolor por su pecado, pero de acercamiento para ayudarles. ¿Qué logra una actitud y que logra la otra? Insista en que una actitud de desprecio hacia los pecadores nos cierra las oportunidades para presentarles el evangelio.

5. Explique las posibilidades que la Ley permitía para alimentarse en sábado si se estaba viajando, que fue simplemente lo que hicieron los discípulos de Jesús.

6. Narre el episodio que Jesús comenta sobre David y sus hombres, cuando comieron el pan de la Presencia (1 Sam. 21:1-6).

7. Explique el significado de "el sábado fue hecho para el hombre". No para llenar de cargas al hombre sino para liberarlo de ellas, para el descanso y para el bien del hombre, no para complicarlo con multitud de prohibiciones, sino para ser oportunidad de adoración y relación con Dios.

8. Comenten cómo Jesús realizó otros milagros en sábado y el significado de la pregunta: ¿Es lícito en sábado hacer bien o hacer mal? Hablen de cosas que a veces es necesario hacer en el día del Señor (domingo), por el imperativo de necesidades humanas, y que en ningún momento constituyen pecados o violaciones de las enseñanzas de la Biblia.

9. Insista en la crueldad del espíritu legalista y cómo el Señor enseñó y manifestó una actitud completamente contraria.

APLICACIONES DEL ESTUDIO

1. Después de comentar las aplicaciones que aparecen en el libro del maestro, comenten entre todos las que están en el del alumno. **2.** Confeccionen una lista de actitudes que atraen a los pecadores y facilitan predicarle el mensaje, y otra de actitudes que les alejan e impiden que lleguemos a sus corazones. **3.** Haga hincapié en la necesidad de ser más misericordiosos que legalistas.

PRUEBA

1. Dé oportunidad a los alumnos para que realicen las dos actividades de la *Prueba* y permita que compartan entre ellos las respuestas. **2.** Oren al Señor pidiendo libere a todos del espíritu farisaico y condenatorio y les llene de amor comprensivo y redentor hacia las personas envueltas en delitos y pecados. **3.** Insista en que lean las *Lecturas bíblicas* de la semana próxima.

Estudio **30**

Unidad 6

Jesús principia su ministerio

Contexto: Marcos 3:7 a 4:34
Texto básico: Marcos 4:1-20
Versículo clave: Marcos 4:20
Verdad central: La parábola del sembrador nos enseña que la exposición de la Palabra de Dios requiere una mente y un corazón dispuestos a actuar de conformidad con la Palabra sembrada.
Metas de enseñanza-aprendizaje: Que el alumno demuestre su: (1) conocimiento del significado de la parábola del sembrador, (2) actitud de disposición de mente y corazón para actuar conforme a la Palabra de Dios.

Estudio panorámico del contexto

A. Fondo histórico:

Ubicación e importancia de las ciudades de donde provenían las multitudes que seguían a Jesús (Idumea, Tiro, Sidón).

Idumea, antes Edom, nombre que significa "rojo" y aplicado a Esaú por el color de su piel (Gén. 25:25), se ubicaba al sur de Judea de donde era Herodes el Grande. Los edomitas, de Idumea y descendientes de Esaú, no figuraban en las doce tribus de Israel. Tiro y Sidón eran ciudades gentiles de Fenicia, sobre la costa del Mediterráneo al norte de Palestina.

Los espíritus inmundos. Son demonios, son siervos de Satanás que procuran detener el reino de Dios, tomando posesión de incrédulos y oprimiendo a los creyentes. Jesús demostró una y otra vez su absoluta autoridad sobre ellos.

El significado de apóstol. El término es una transliteración del griego que significa "el enviado de" uno con un mensaje especial.

El significado de los nombres de los apóstoles. Pedro significa "piedra"; "Boanerges", o "hijos de trueno" se refiere a Juan y Jacobo por su carácter vehemente (Luc. 9:54). Además, Andrés significa "varonil"; Felipe, "amante de caballos"; Mateo, "don de Dios"; Tomás, "mellizo"; Tadeo, "hijo amado"; cananita/cananista, "zelote" o "revolucionario"; Iscariote, habitante de "Queriot" (Jos. 15:25). Este Judas era de Judea, el único que no era de Galilea.

El pecado imperdonable. Esta expresión se refiere a una actitud tan cerrada y cristalizada en contra de Dios que uno esté dispuesto, a sabiendas, a atribuir obras de Dios a Satanás. Tal actitud constituye una blasfemia contra el Espíritu Santo quien revela la verdad de Dios al Hombre y es el único agente divino para producir arrepentimiento.

B. Enfasis:

Las multitudes que siguen a Jesús, 3:7-12. Es impresionante considerar las distancias que caminaban las multitudes para "caer" sobre Jesús, muchos desesperados por obtener sanidad física. Además de Judea y Galilea, venían de zonas gentiles alrededor.

Elección de los doce apóstoles, 3:13-19. Jesús se retiró de las multitudes a un monte en Galilea con los discípulos, pasó una noche en oración (Luc. 6:12), designó la banda de "los doce" y les dio autoridad como sus representantes oficiales, o apóstoles. Con este acto rompió definitivamente con el judaísmo oficial. Es interesante notar la necesidad de Jesús de apartarse para tener su tiempo devocional. El cultivaba su relación con el Padre de manera constante.

Jesús echa fuera demonios, 3:20-30. Jesús demostró su autoridad sobre todos los poderes de la tierra y del cielo. Echó los demonios en este episodio, demostración inequívoca de su poder sobre Satanás. Los "suyos" no entendieron su función como Hijo de Dios, en cambio los escribas deliberadamente atribuyeron su poder a Beelzebul, o Satanás. De hecho, la respuesta de Jesús es una manera de recordarnos que Satanás no tiene ningún interés en luchar contra su propio reino, más bien quiere buscar a los hijos de Dios para tratar de apartarlos de sus caminos.

La familia de Jesús, 3:31-35. Jesús advirtió a sus padres, a los doce años de edad, que su primera lealtad era estar "en los negocios de su Padre" (Luc. 2:49). Aquí da un paso más en establecer un "nuevo parentesco", una nueva familia, "los que hacen la voluntad de Dios". Aunque sea difícil, tenemos que enseñarles a las personas que no por el hecho de ser creación de Dios ya somos sus hijos.

La parábola del sembrador, 4:1-9. Esta parábola se relata en los tres sinópticos, indicando su importancia. Sería mejor llamarla "la de los campos", pues el énfasis está en cuatro clases de "terreno" o "corazones" y cómo cada uno responde a la semilla sembrada en él.

La parábola del sembrador explicada, 4:10-20. Al explicar el significado de los detalles de la parábola, Jesús la convierte en una alegoría, bien comprendida por la gente del campo. Sin embargo, si leemos cuidadosamente la parábola, aun cuando no estemos familiarizados con todos los elementos, por lógica natural entendemos el mensaje.

Las parábolas de la lámpara y la medida, 4:21-24. Jesús aclara a sus discípulos que la verdad que en un momento está escondida, aun en parábolas, es luego revelada a los que están dispuestos a recibirla. Los que así la reciben y la comparten, luego recibirán aun más.

La parábola del crecimiento de la semilla, 4:26-29. Sólo Marcos relata esta parábola en la cual Jesús enseña cómo el reino de Dios crece en forma secreta, invisible al ojo humano. Algunos con razón la llaman "La Parábola del Segador", pues el crecimiento lleva a la fructificación y la cosecha final cuando Cristo regresa.

La parábola del grano de mostaza, 4:30-34. Otra parábola que se relata en los tres sinópticos y que presenta el reino de Dios como creciendo de lo más pequeño a algo muy grande. De un puñado de doce discípulos bajo la dirección del Maestro, hemos llegado a ser millones de seguidores.

Estudio del texto básico

1 El método de enseñanza de Jesús, Marcos 4:1, 2.

Vv. 1, 2. Jesús no inventó las parábolas, pues se encuentran en el A.T., pero elevó el arte a la perfección. El término es una transliteración de dos palabras griegas que significan "puesto al lado". La parábola es una comparación que Jesús empleaba para ilustrar las verdades del reino. Contrario a la alegoría, la parábola presenta una verdad central que rige su interpretación. Es "un relato terrenal que ilustra una verdad celestial". Este método tiene varias ventajas: 1) capta la atención; 2) presenta ideas abstractas en términos concretos; 3) obliga a los oyentes a pensar; 4) es fácil recordarlas. Hay que tomar muy en cuenta que hay una verdad central en las parábolas. No debemos tratar de encontrar varias enseñanzas.

2 El sembrador salió a sembrar, Marcos 4:3-9.

V. 3. *Un sembrador salió a sembrar* introduce una de las parábolas más conocidas; lleva el título: "Parábola del sembrador". Sin embargo, el título más acertado sería: "Parábola de los terrenos", pues enseña que el resultado de la siembra depende de la condición del terreno. La semilla representa las buenas nuevas del reino que Jesús enseñaba.

V. 4. *Parte de la semilla cayó junto al camino* describe la clase de terreno donde cayó parte de la semilla, terreno pisoteado y duro. Jesús explica que algunos escuchan sus enseñanzas pero no permiten que su verdad penetre en su corazón. La semilla no produce el fruto deseado. Es cierto que hay una serie de razones que los hombres aducen para endurecer el camino o terreno en donde se siembra la semilla. Pero el interés de la parábola no es exponer esas razones tanto como los resultados.

Vv. 5, 6. *Parte cayó en pedregales* describe otra clase de terreno. En algunas partes de Palestina existía una capa rocosa debajo de la superficie. En ella la semilla brotaba en seguida, pero la roca no permitía el desarrollo de las raíces. La planta no se desarrollaba porque *no había mucha tierra*. La poca tierra se quedaba en la superficie, las raíces no pueden profundizarse para buscar el alimento y la humedad.

V. 7. *Parte cayó entre espinos* describe la tercera clase de terreno, lleno de abrojos y malezas que comprimen, ahogan y roban la vitalidad de la tierra para que la buena semilla no crezca y produzca.

V. 8. *Parte cayó en buena tierra* describe la cuarta clase de terreno, el que ha sido labrado y preparado para recibir la semilla. Aun la buena tierra produce distintas medidas de fruto. El sembrador queda contento porque sus expectativas se satisfacen plenamente.

V. 9. *El que tiene oído para oír, oiga* es una exhortación y una advertencia, pues entre su audiencia había algunos que tenían oídos pero se negaban a "oír". El que tiene oídos es responsable ante Dios por la manera que responde a lo oído.

La intención, al final de cuentas, es advertir al hombre que se dé cuenta de la condición de su corazón y las consecuencias de esa condición.

3 El Maestro explica sus palabras, Marcos 4:10-20.

V. 10. Los discípulos, más algunos seguidores fieles (sólo Marcos menciona este grupo), aprovecharon la primera oportunidad para pedir a Jesús explicación de "la parábola del sembrador" y del uso de parábolas como método didáctico. Las primeras lecciones del reino eran todo un misterio. Es digna de admiración la disposición que los discípulos tienen de que se les explique lo que no pueden entender. Son pocas las personas que reconocen que no entienden todas las cosas.

V. 11. Jesús contesta con una explicación del propósito general de las parábolas. Hace una clara separación entre *vosotros y los que están fuera.* El tema de las parábolas es el *misterio del reino de Dios,* es decir, la voluntad y propósito de Dios encarnados en Jesús. El hombre es incapaz de comprender ese misterio (término sólo aquí en los Evangelios) aparte de una voluntad dispuesta y la revelación que viene de Dios. Las parábolas permiten que sólo los que "tienen oídos para oír" reciban la revelación de estos misterios de una manera relativamente fácil (Mat. 13:13).

V. 12. A primera vista parece que la intención de Dios es ocultar la verdad del evangelio a los hombres, lo cual no concuerda con la enseñanza bíblica. Este versículo es una cita de Isaías 6:9, 10, donde Dios manda un mensaje de condenación a su pueblo que obstinada y repetidamente rechazaba su verdad. Se interpreta en ese contexto.

V. 13. Si ellos no entendían "la parábola del sembrador" tampoco entenderían las demás parábolas sin una explicación. Aparentemente lo que acababa de decirles era fácil de entender. Sin embargo, en la correcta interpretación bíblica se conjugan varios elementos aparte de la simple lógica. Uno de esos elemento es el auxilio del Espíritu Santo.

Vv. 14-19. Jesús procede a explicar el significado de cada clase de terreno. En los primeros tres casos, el propósito del sembrador fue frustrado, no logrando el fruto deseado. El Sembrador es quien ha determinado probar la eficacia de la semilla en las distintas clases de terreno. El es el Soberano Dios que quiere que la semilla sea echada en todas partes. Así como el divino Sembrador decide sembrar la tierra, hay un personaje que también comienza a hacer sus propios planes para estorbar esa iniciativa de amor. Satanás también es muy activo en el plan de la salvación, pero él trabaja desde el punto de vista negativo.

V. 20. Las palabras clave en este versículo son: *oyen y reciben.* Otros oyeron, pero no "dieron una bienvenida" a la palabra con la intención de obedecerla. Sólo en la cuarta clase de personas, los que oyen y reciben la palabra, se logra el propósito del "Sembrador". Esta clase de personas está ejemplificada por un terreno bueno, limpio y profundo donde podía germinar la semilla. Si hemos de recibir todos los beneficios del mensaje cristiano, debemos hacer tres cosas: (1) En primer lugar debemos escucharlo. No podemos oír si no escuchamos. (2) Debemos recibirlo, tiene que entrar en nuestra mente. (3) Debemos transformar en hechos lo que hemos oído. La verdad cristiana siempre debe traducirse en hechos concretos. En el mensaje cristiano recibimos un desafío, no para especular, sino para actuar.

Aplicaciones del estudio

1. Cada creyente puede ser un sembrador de la palabra del evangelio. Ninguno que haya aceptado a Cristo como Señor y Salvador escapa de esta declaración. Hay muchas maneras de compartir el mensaje de la Palabra de Dios. El Espíritu Santo ha dado dones a los hijos de Dios para que estén capacitados para servirle.

2. El evangelio es como una semilla que tiene tremendo potencial. Puede producir vida espiritual y maravillosos frutos en el reino. Pero esa semilla tiene que ser sembrada y cultivada para que se pueda levantar la cosecha.

3. El resultado de la siembra depende en gran medida de la condición del corazón de los que oyen. El creyente no debe desanimarse cuando la semilla sembrada no siempre logra su propósito. Nuestra tarea no es la de convencer a las personas, sino comunicarles las buenas nuevas.

Ayuda homilética

Cuatro clases de corazones
Marcos 4:1-20

Introducción: En esta parábola Jesús describe las cuatro maneras en que las personas responden a la siembra del evangelio.

I. Los corazones cerrados al evangelio.
- A. Corazones como tierra dura, compacta, impenetrable.
- B. La preciosa semilla se pierde y su propósito se frustra.

II. Los corazones comprometidos a medias.
- A. Corazones como tierra que no permite el desarrollo de las raíces del evangelio, por su poca profundidad.
- B. La gozosa expectativa inicial desaparece ante las pruebas.

III. Los corazones comprometidos con el mundo.
- A. Corazones como tierra ocupada con muchas cosas contrarias.
- B. La prioridad y afán por lo material ahoga el evangelio.

IV. Los corazones comprometidos con Cristo y su evangelio.
- A. Corazones como tierra limpia y preparada para recibir la preciosa semilla del evangelio.
- B. Toda la expectativa del sembrador se realiza.

Conclusión: Dios en Cristo ya preparó la buena semilla. Nuestra responsabilidad es la de sembrarla y dejando los resultados a Dios.

Lecturas bíblicas para el siguiente estudio

Lunes: Marcos 4:35-41
Martes: Marcos 5:1-13
Miércoles: Marcos 5:14-20
Jueves: Marcos 5:21-29
Viernes: Marcos 5:30-34
Sábado: Marcos 5:35-43

AGENDA DE CLASE

Antes de la clase

1. Repase todas las lecturas del contexto para que esté seguro de conocer todos los acontecimientos. **2.** Busque fotos o láminas de personas sembrando en terrenos de diferentes tipos o campos listos para cosechar. **3.** Tenga a mano también el mapa V de la RVA y ubique los lugares de donde vinieron a escuchar a Jesús. **4.** Resuelva el ejercicio de la sección *Lea su Biblia y responda* del libro del alumno.

Comprobación de respuestas

JOVENES: **1.** Entró en una barca y se alejó un poco de la costa. **2.** 4, 2, 1, 3. **3.** Las líneas deben unir: buena tierra con oidor obediente, pedregales con oidor superficial, junto al camino con oidor olvidadizo y entre espinas con oidor muy ocupado.
ADULTOS: **1.** Una comparación para enseñar verdades espirituales. **2.** 3 y 4. Interpretación personal.

Ya en la clase
DESPIERTE EL INTERES

1. Haga las siguientes preguntas para que los alumnos discutan: ¿Por qué un predicador habla delante de una multitud un sermón inspirado por Dios y los hombres responden de diferentes maneras? ¿Qué creen que hace la diferencia? **2.** Pida a los alumnos compartan las experiencias que seguramente han tenido al hablar de Cristo a las personas y observar diferentes reacciones. **3.** Pida a los alumnos que lean el texto básico y completen el ejercicio de la sección *Lee tu Biblia y responde.* Adultos: Compare las respuestas.

ESTUDIO PANORAMICO DEL CONTEXTO

1. Continúe la clase hablando de la popularidad de Jesús e inste a los alumnos a localizar en el mapa los lugares de donde la gente venía a escucharlo según Marcos 3:7. **2.** Permita que los alumnos traten de calcular la distancia y el tiempo que viajaban siguiendo las medidas que aparecen en el mapa. **3.** Invite a los alumnos a pensar sobre las razones que tendría Jesús para pedir que no dieran a conocer sus milagros. **4.** Conversen sobre el anfiteatro natural de la playa y la conveniencia del método de Jesús de hablar desde el barco. **5.** Platiquen sobre las consecuencias de la popularidad: aumenta también la enemistad. **6.** Hable sobre el uso de Jesús de las parábolas y las características de éstas.

ESTUDIO DEL TEXTO BASICO

1. Llame la atención al hecho de que Jesús abandona la sinagoga para hablar a la multitud al aire libre. Valore con los alumnos las diferentes razones que puede haber tenido para tomar esa decisión:

enfrentamiento con escribas, cantidad de personas, al aire libre podía hacerlo cualquier día, las personas le seguían por doquier.

2. *Explique el significado de la palabra "parábola"* y las ventajas del método para transmitir verdades espirituales. ¿Cuántas parábolas de Jesús conocen o recuerdan los alumnos sin tener que buscar en sus Biblias? Las respuestas de ellos a la pregunta evidenciarán la efectividad del método de Jesús: las parábolas son fáciles de recordar.

3. *Insista en que el énfasis de la parábola del sembrador* no está en el sembrador, ni en la semilla, sino en los diferentes tipos de terrenos.

4. *Describa los diferentes tipos de terrenos.* Muestre las fotos y las láminas que ha buscado sobre diferentes terrenos y cosechas, o haga que los alumnos pinten en el pizarrón los diferentes terrenos.

5. *Haga notar el hecho de que aun la buena tierra* da diferentes cantidades de frutos. ¿Pueden los alumnos ejemplificar esta verdad en sus propias vidas o en la vida de la iglesia?

6. *Comente con sus alumnos el dicho de Jesús:* "El que tiene oído para oír oiga." Presente ejemplos que conozca de personas que no quieren oír, o dé oportunidad para que los alumnos los presenten. ¿Conocen a alguien que teniendo oídos se niega a oír?

7. *Explique que el dicho de Jesús del versículo 12* no quiere decir que las parábolas son para confundir sino todo lo contrario. Jesús evidentemente quiere que las personas se conviertan.

8. *Comenten cómo es posible que siendo tan evidente* la enseñanza de la parábola ellos no la entendieran. ¿Será porque creían que precisamente debido a la sencillez de la enseñanza tenía que haber un significado oculto? A algunas personas les es tropiezo también la sencillez del evangelio.

9. *Termine explicando que todo esfuerzo realizado* en la predicación del evangelio es recompensado con las personas que se convierten y con los frutos que éstas dan. No hay que desalentarse porque parte de la semilla caiga en terrenos malos y no dé fruto.

APLICACIONES DEL ESTUDIO

1. Permita que los alumnos lean primero las aplicaciones que aparecen en sus libros y después usted amplíelas con las del libro del maestro. **2.** Entre todos podrán extraer probablemente algunas otras enseñanzas. ¿Alguien puede contar una experiencia que venga bien con la clase?

PRUEBA

Provea tiempo para las actividades de la prueba y después pida a los alumnos que compartan lo que contestaron en la segunda pregunta. Oren pidiendo al Señor que les permita ser buena tierra de fruto abundante, para su honra y gloria. Una manera de ser "buena tierra" es leyendo las lecturas bíblicas para la próxima clase.

Jesús usa su poder

Contexto: Marcos 4:35 a 5:43
Texto básico: Marcos 4:35-41; 5:35-43
Versículo clave: Marcos 5:36
Verdad central: Jesús demostró su poder controlando las fuerzas de la naturaleza.
Meta de enseñanza-aprendizaje: Que el alumno demuestre su: (1) conocimiento de cómo Jesús usó su poder para controlar las fuerzas de la naturaleza, (2) actitud de confianza en el poder de Jesús.

Estudio panorámico del contexto

A. Fondo histórico:

Las tempestades en el mar de Galilea. El lago de Galilea era famoso por sus tormentas. Vientos huracanados solían descender sobre el mar de Galilea en forma sorpresiva, presentando un peligro de muerte para los pescadores más experimentados. Eran tormentas que aparecían literalmente de la nada, con fuerza e ímpetu catastróficos. Al este del mar existen montes que ascienden a casi 700 metros sobre el nivel del mar. Los vientos que amenazan los pequeños barcos nacen allí. Un autor dice: "No es poco común ver repentinas ventiscas que se convierten, aun con el cielo perfectamente claro, en terribles tempestades, rompiendo la superficie de las aguas que por lo general es un espejo de paz. Las numerosas quebradas y cañadones que vuelcan sus aguas en el lago, especialmente sobre la costa norte, actúan como peligrosos desfiladeros por donde también se precipitan sobre el lago los vientos de las alturas del Haurán, la meseta de Traconites y la cumbre del monte Hermón. Atrapadas y comprimidas de ese modo las corrientes de aire adquieren una fuerza que, al liberarse repentinamente sobre las aguas del lago de Genesaret alcanzan proprociones terroríficas." El que navega sobre las aguas de este lago puede tropezar en cualquier momento con una de estas tormentas.

Los endemoniados en el tiempo de Jesús. Los Evangelios presentan un testimonio uniforme afirmando la realidad de los demonios, siervos de Satanás, quienes pueden posesionarse de personas y aun destruirlas. Reconocen la deidad de Jesús y se someten a su autoridad.

Jairo. Marcos identifica a Jairo como "uno de los principales de la sinagoga". Era un puesto de prestigio, pero su responsabilidad era más administrativa que de líder espiritual. Era hombre muy conocido. Tenía la responsabilidad del buen funcionamiento de la sinagoga.

B. Enfasis:

Marcos desea presentar a Jesús como obrador de poderosos milagros, cuatro de los cuales se presentan en esta sección. Estos revelan la autoridad absoluta de Jesús en cuatro áreas distintas.

Jesús calma la tempestad, 4:35-41. Sólo Marcos agrega el detalle de los otros barcos que acompañaban (v. 36b). Hasta ahora Jesús había realizado algunos pocos milagros de sanidad y exorcismo; había enseñado por parábolas las verdades del reino. Aquí demuestra su autoridad en el área de la naturaleza, causando temor y admiración. Es interesante destacar que las palabras que empleó Jesús para dirigirse al viento y las olas son las mismas que usó para expulsar los demonios del poseído que lo enfrenta en 1:15. Si consideramos el evento desde la perspectiva histórica resulta impresionante. Pero si buscamos los símbolos que lo rodean, lo primero que vamos a descubrir es que en el mismo momento en que los discípulos percibieron la presencia de Jesús el poder de la tormenta desapareció.

Jesús sana a un endemoniado, 5:1-20. Jesús había demostrado su autoridad sobre demonios en Capernaúm, en una sinagoga (1:21-28), pero ahora se halla en territorio gentil, al este del mar de Galilea, y el caso fue mucho más violento, lo cual aumenta lo notable del milagro.

Jesús sana a una mujer, 5:21-34. Este es el quinto milagro de sanidad física que Marcos relata. Los tres sinópticos señalan que la mujer había sufrido durante doce años y había consultado con muchos médicos, indicando lo difícil y prolongado de su mal, aumentando otra vez lo notable del milagro.

Jesús resucita a la hija de Jairo, 5:35-43. Si los milagros que Jesús había realizado hasta ahora habían creado asombro y excitación, como broche de oro Marcos relata algo aun más notable, la resurrección de la muerte. Jesús tiene autoridad sobre la muerte: último enemigo.

Estudio del texto básico

1 Jesús controla la naturaleza, Marcos 4:35-41.

Vv. 35-37. Marcos emplea términos que indican una *tempestad* de grandes proporciones, con vientos huracanados y olas que literalmente "golpeaban sobre el barco". Tal situación seguramente despertó sorpresa entre los discípulos quienes habían obedecido explícitamente a su Señor. El pequeño barco se llenaba de agua y comenzó a hundirse.

V. 38. El sueño tranquilo de Jesús en medio de semejante tempestad indica dos cosas: 1) su cansancio físico, indicación de su humanidad, y 2) su absoluta confianza en su Padre celestial. El temor de los discípulos y su incomprensión por la aparente indiferencia de Jesús les lleva a reprochar a su Maestro —*¿No te importa que perecemos?* (*cf.* Juan 11: 21, 32). Los otros sinópticos suavizan su expresión. Jesús viajaba en el barco en la posición que ocupaban, por lo general, los pasajeros distinguidos. Se nos ha dicho que "en aquellas naves... el lugar que corresponde a los extraños de distinción es un pequeño banco que hay en la popa, donde se lleva siempre una alfombra y un almohadón. El capitán de la nave se ubicaba cerca de la popa, algo más adelante, a fin de poder tener una visión privilegiada del mar hacia adelante."

V. 39. Lo primero que hizo Jesús, al ser despertado, fue "reprochar" al viento, como si fuese una persona. Sólo Marcos emplea la expresión *—¡Calla! ¡Enmudece!* La idea es: "¡guarda silencio ya, ya!" (*cf.* 1:25). El detener los vientos al instante no era tan asombroso como el calmar las aguas que normalmente siguen agitadas. Las palabras con que Jesús se dirige al viento y a las olas son las mismas que usa para expulsar los demonios del poseído que lo enfrenta en Marcos 1:15. Del mismo modo como los demonios podían poseer a un ser humano, el poder destructivo de una tormenta era, para los hombres de aquellos días, la actuación del poder maligno de los demonios en la naturaleza.

V. 40. Segundo, Jesús vuelve a los discípulos asombrados y reprocha a aquellos que le habían reprochado *—¿Por qué estáis miedosos? ¿Todavía no tenéis fe?* Lucas dice: "¿Dónde está vuestra fe?" (8:25).

Jesús relaciona el temor y la fe, o la falta de ella. Si hubieran tenido fe, no tendría temor de perecer en la tempestad. Tener fe en Jesús no nos guarda de experimentar tempestades, pero nos guarda en ellas.

V. 41. Marcos dice que los discípulos *temieron con gran temor,* pero Mateo dice que "se maravillaban" (8:27) y Lucas incluye ambos términos (8:25). Antes tuvieron temor de la tempestad, ahora temen a un hombre que tiene autoridad sobre las tempestades. Aunque habían estado por varios meses con Jesús, iban descubriendo poco a poco las dimensiones ilimitadas de su persona y poder. Era casi como si no lo hubieran conocido antes: *¿quién es éste?*

2 Jesús, vencedor de la muerte, Marcos 5:35-43.

V. 35. Jairo, principal de una sinagoga en Capernaúm, había llegado donde Jesús buscando socorro para su hija que estaba gravemente enferma (vv. 22-24). Jesús fue interrumpido por la mujer con flujo de sangre. Al sanarla, sigue en camino a la casa de Jairo. En ese momento, algunos de la casa de Jairo llegaron con la mala noticia: *—Tu hija ha muerto.* Seguramente Jairo estaba pensando: "Si Jesús no se hubiera demorado con esa mujer, hubiera llegado a tiempo para sanar a mi hija."

V. 36. Jesús no dio tiempo para alguna queja de parte de Jairo, diciendo: *No temas; sólo cree.* El imperativo es doble: Primero, manda no continuar temiendo; segundo, manda creer y seguir creyendo. Otra vez se ve la estrecha relación entre temor y fe en Jesús.

V. 37. En por lo menos tres ocasiones —en este caso, en el monte de la transfiguración y en el huerto de Getsemaní— Jesús invita al grupo más íntimo de discípulos a acompañarlo en eventos muy especiales. Serían los testigos para los demás y para nosotros.

V. 38. Probablemente, algunos de los que gritaban en la casa de Jairo eran profesionales a quienes se les pagaba por sus "servicios". Otros eran vecinos y familiares, incluyendo a la madre. Era un cuadro de caos, confusión y desesperación, como tantas veces se ve en un sepelio de familias que no confían en el Señor de la vida. El lamento se repetía al borde del sepulcro. Los dolientes se inclinaban sobre el cadáver, implorando una respuesta de sus labios silenciosos. Se golpeaban el pecho; se arrancaban el cabello, y rasgaban sus ropas.

Este no era un rito sujeto a ciertas reglas. Se hacía justo antes de que el cuerpo no se viera más. Las ropas debían romperse hasta el corazón, es decir, hasta que se viera la piel. La ropa rasgada debía llevarse durante treinta días, pero a los siete días podía coserse toscamente de manera que fuera aún claramente visible. Los flautistas eran imprescindibles. En la mayor parte del mundo antiguo el lamento de la flauta estaba inseparablemente relacionado con la muerte y la tragedia. Todo este ambiente privaba en torno a un funeral. Había cierto ambiente que provocaba alboroto y una actitud de derrota. Se necesitaba la intervención de Jesús para transformar la situación en victoria.

V. 39. Jesús primero intentó calmar el alboroto, indicando que ya no habría motivo de llorar, sabiendo lo que haría. La expresión: *La niña no ha muerto, sino que duerme* ha sido motivo de especulación. Algunos opinan que con esto Jesús estaba diciendo que, en efecto, la niña no había muerto, sino que estaba en un estado de coma.

V. 40. Lucas dice que ellos se burlaban de Jesús "sabiendo que ella había muerto" (8:53), es decir, habían comprobado su muerte. Jesús describió el caso de Lázaro, quien estuvo en la tumba cuatro días, como uno que duerme (Juan 11:11) y que él lo despertaría. El término "dormir" frecuentemente se usa en el N.T., al referirse a la muerte de un creyente, con clara esperanza de un "despertar" en la resurrección.

V. 41. El hecho de tocar a un leproso o un cuerpo muerto convertía al que lo tocaba en inmundo, según la ley del A.T. Sin embargo, Jesús frecuentemente extendió su mano sanadora en ambos casos. Sólo Marcos cita las palabras arameas *Talita, cumi,* idioma que los judíos habitualmente hablaban el primer siglo, y luego las traduce para sus lectores romanos. ¿Cómo logró entrar esta breve expresión aramea en el griego del N.T.? Sólo puede haber una razón: Marcos obtuvo su información de Pedro. La misma voz de autoridad con que mandó a Lázaro salir de la tumba, logra despertar a la niña de un profundo "dormir".

V. 42. Nótese el cambio acertado en el tiempo de los verbos. La niña se levantó, acción puntual, y andaba, acción continuada. Parece que de gozo siguió caminando alrededor de la casa para comprobar a todos que ya gozaba de plena vida. La expresión *quedaron atónit*os traduce un verbo que significa "estaban fuera de sí" o "en trance".

V. 43. Los milagros estaban despertando demasiada expectativa, de modo que la gente se agolpaba sobre Jesús, evitando que cumpliera su misión de enseñanza. Su misión básica era otra, "buscar y salvar a los pecadores". ¡Cuán difícil sería guardar como secreto una obra tan notable! El mandato hoy día es el de comunicar las buenas nuevas de salvación y, sin embargo, el testimonio de muchos es de sanidad física en vez de sanidad espiritual. La niña probablemente no había comido en mucho tiempo debido a su enfermedad. Necesitaría alimento.

Aplicaciones del estudio

1. Confianza en Jesús es el secreto para enfrentar los peligros de la vida sin temor, Romanos 8:28.

2. El hecho de que Jesús sea el Señor soberano sobre todas las situaciones de la vida debe infundir confianza en él, Marcos 4:40.

3. El milagro de la salvación por fe en Cristo debe predominar en nuestro testimonio, más que el relato de sanidad física. Jesús prohibió publicar la sanidad física, pero nunca la conversión.

Ayuda homilética

Jesús Presente
Marcos 4:35-41

Introducción: El viaje de Jesús y los discípulos en el barco puede ilustrar verdades valiosas en cuanto a nuestro "viajar" en el mundo.

I. Jesús presente pero ignorado (vv. 35-37).
- A. Discípulos que obedecieron, olvidaron quién era Jesús.
- B. Discípulos que enfrentaron la tempestad solos, ignorando que la presencia de Jesús daba seguridad.

II. Jesús presente y reprendido (v. 38).
- A. Discípulos que se acordaron de Jesús recién al darse cuenta de que eran incapaces de salir del peligro solos.
- B. Discípulos que malentendieron la inactividad de Jesús.
- C. Discípulos que acusaron a Jesús de indiferencia frente al peligro que les amenazaba.

III. Jesús presente y actuando (vv. 39, 40).
- A. Jesús responde positivamente a la reprensión de los suyos.
- B. Jesús calma dos tempestades: en el mar y en los corazones.
- C. Jesús aprovecha para enseñar una lección valiosa: el temor de los discípulos revela una falta de confianza en él.

IV. Jesús presente y admirado por los discípulos (v. 41).
- A. Jesús produce asombro por haber calmado la tempestad.
- B. Jesús lleva a los discípulos a preguntar: "¿Quién es éste?", indicando que no lo conocían plenamente todavía.

Conclusión: En contraste con los discípulos, tenemos la revelación plena de quién es Jesús y que él está presente con nosotros "hasta el fin del mundo" (Mat. 28:18-20). Por eso, podemos enfrentar todas las pruebas de la vida, y aun la muerte, con confianza y paz.

Lecturas bíblicas para el siguiente estudio

Lunes: Marcos 6:1-6
Martes: Marcos 6:7-13
Miércoles: Marcos 6:14-29
Jueves: Marcos 6:30-44
Viernes: Marcos 6:45-52
Sábado: Marcos 6:53-56

AGENDA DE CLASE

Antes de la clase

1. Preocúpese en dominar los pasajes del contexto. **2.** Documéntese con algunos comentarios o diccionario bíblico sobre las características del mar de Galilea y sus frecuentes tempestades. **3.** Documéntese también sobre las costumbres y organización de una sinagoga judía. Consiga fotos o láminas de alguna tormenta en el mar, así como de cualquier otro fenómeno natural, como un terremoto o un ciclón. **4.** Resuelva el ejercicio de la sección *Lea su Biblia y responda*.

Comprobación de respuestas

JOVENES: **1.** Las verdaderas son la c, d, f, y g. Las falsas son la a. b. y e. **2.** Pedro, Jacobo y Juan. **3.** Ellos habían comprobado que estaba muerta.

ADULTOS: **1.** Fuertes. **2.** Cansancio, confianza. **3.** Falta de fe. 4 y 5. Interpretaciones personales.

Ya en la clase

DESPIERTE EL INTERES

1. Hable del hecho de que Jesús dormía mientras los discípulos luchaban con la tormenta. ¿Cómo hubieran reaccionado los alumnos ante un hecho así? ¿Le hubieran despertado también y hablado de la misma forma? **2.** Inste a los alumnos a contar experiencias cuando han estado en apuros y alguna persona se hace la desentendida y no ayuda. **3.** Hable del hecho de que la idea de pasar al otro lado fue de Jesús. Ellos lo hacen por obedecerle a él. ¿Sabía Jesús lo que acontecería? ¿Qué opinan los alumnos? **4.** Muestre las láminas o fotos de fenómenos naturales y hable de cómo los desórdenes en la naturaleza afectan al hombre. ¿Es natural sentir miedo?

ESTUDIO PANORAMICO DEL CONTEXTO

1. Enfatice que todos los acontecimientos de este estudio se desarrollan en los alrededores del mar de Galilea, el cual es atravesado en barca por Jesús y los discípulos varias veces. **2.** Describa cómo el desencadenamiento de la tempestad les llena de temor y despiertan al Señor y cómo el resuelve el problema mostrando su poder sobre las fuerzas de la naturaleza. **3.** Hablen sobre el episodio del endemoniado gadareno, su liberación y el hecho de que los habitantes de la región pidieron a Jesús que se marchara de allí. **4.** Comente cómo en este caso, contrariamente a otros que Jesús pide no se divulguen, el Señor ordena al hombre sanado que cuente a su familia y conocidos las grandes cosas que ha experimentado. **5.** Mencione el caso de la mujer que tocó el manto de Jesús y fue sanada. **6.** Invite a los alumnos a contestar las preguntas de la sección *Lea su Biblia y responda* y proporciónеles tiempo para ello. Adultos: Compare las respuestas que son de interpretación personal.

ESTUDIO DEL TEXTO BASICO

1. Comience llamando la atención al hecho de que cruzar el mar en la noche fue una orden expresa de Jesús. ¿Es posible que a veces seguir a Jesús nos coloque en situaciones difíciles y desconcertantes? Explique por qué se formaban fácilmente tempestades en el mar de Galilea.

2. Enfatice el hecho de que Jesús dormía y permita a los alumnos se expresen sobre las razones o propósitos del Señor con esta acción.

3. Analice las palabras con que los discípulos le despiertan. ¿Revelan alguna queja o alguna acusación? ¿Revelan algún concepto sobre el poder del Señor? Estudien las palabras de Jesús a los discípulos y descubran las implicaciones de sus preguntas. ¿Cuál era la causa del temor, la potencia de la tempestad o la debilidad de su fe?

4. Hable sobre la pregunta "¿Quién es éste...?", y qué muestra del conocimiento que los discípulos tenían del Señor. Sintieron temor en la tormenta y sintieron temor después. Analice con los alumnos esos dos temores. ¿Había diferencia en ellos? ¿Por qué?

5. Pase seguidamente a la historia de la hija de Jairo y llame la atención al hecho de que este líder de la sinagoga no rechaza a Jesús sino que le busca y se postra a sus pies. Insista en que los de su casa creen que es inútil molestar al maestro.

6. Hable de cómo Jesús permite a Pedro, Jacobo y Juan experiencias especiales (le acompañan también en la transfiguración y en el Getsemaní). Mantener una comunión estrecha con el Señor posibilita bendiciones especiales.

7. Mencione la costumbre de la época de contratar plañideras profesionales. ¿La intensidad del dolor se demuestra con gritos y lamentaciones? A Jesús parece molestarle el alboroto y de alguna manera comunica que es absurdo. ¿Cómo debe comportarse un cristiano a la hora del dolor?

8. Señale el hecho de que los que estaban en la casa habían perdido toda esperanza y se burlaban de Jesús. El Señor no les permite presenciar el milagro. ¿No será esa la misma causa por la que no vemos más milagros? Comenten cómo el Señor resucita a la muchacha pero prohibió que se comentara el hecho.

APLICACIONES DEL ESTUDIO

Ofrezca a los alumnos las aplicaciones que se encuentran en el libro del maestro. Coméntelas y permita que los alumnos expresen sus opiniones. Luego pídales que lean las que aparecen en el libro del alumno. Pueden entre todos elaborar otras aplicaciones también.

PRUEBA

Que los alumnos realicen las actividades y que después compartan sus experiencias en las diferentes tormentas que les han azotado en la vida. ¿Alguien puede contar cómo en una ocasión, fuera de toda esperanza, el Señor obró en su vida transformándolo todo?

Estudio **32**

Unidad 7

Jesús, su ministerio a los enfermos

Contexto: Marcos 6:1-56
Texto básico: Marcos 6:1-6, 53-56
Versículos clave: Marcos 6:56
Verdad central: Jesús demostró su poder respondiendo a las necesidades de personas enfermas en situaciones tanto de incredulidad como de fe.
Metas de enseñanza-aprendizaje: Que el alumno demuestre su: (1) conocimiento del poder de Jesús y la respuesta de la gente que lo oía y veía, (2) actitud de reconocimiento del poder de Jesús para responder a las necesidades humanas.

Estudio panorámico del contexto

A. Fondo histórico:

Los familiares de Jesús. Sus hermanos, sus hermanas, sus padres. Estando en Nazaret, Jesús estaba entre familiares: su madre y por lo menos seis hermanos. El hecho de que llamaran a Jesús hijo de María nos dice que José ya había fallecido. Tenemos por lo tanto aquí la clave de uno de los enigmas de la vida de Jesús. Cuando Jesús murió tenía sólo treinta y tres años; pero no abandonó Nazaret hasta los treinta (Luc. 3:23). ¿Por qué tan larga espera? ¿Por qué permanecer en Nazaret habiendo un mundo que esperaba ser salvado? La razón era que José había muerto joven y Jesús había asumido el sostén de su madre y sus hermanos; y sólo cuando ellos estuvieron suficientemente crecidos para defenderse solos, él salió.

Los discípulos enviados de dos en dos. Jesús había seleccionado los doce, les había dado las primeras instrucciones y ahora los envía en una misión. "Dos en dos" (6:7) tendría el propósito de protección, ánimo mutuo y mayor fuerza de testimonio (Mat. 18:16; 1 Tim. 5:19).

Los espíritus inmundos. Los espíritus inmundos eran mensajeros de Satanás. Se posesionaban de las personas y se manifestaron a menudo en la presencia de Jesús y de los apóstoles. Jesús tenía autoridad sobre ellos y delegaba su autoridad a los apóstoles para realizar exorcismo.

Lo que significa el bastón (v. 8). Jesús manda a los discípulos llevar lo mínimo para el viaje de predicación. En su equipo debían llevar un "bastón" para protección contra animales y ladrones.

Sacudir el polvo de los pies. Este acto era una advertencia, no una maldición, a los que rechazaban el mensaje, indicando dos cosas: que ellos serían responsables ante Dios por el rechazo del evangelio y que los apóstoles no insistirían más con ellos (Hech. 13:51).

Ungir con aceite. El aceite de olivo era un medicamento usado para personas enfermas o heridas. El hecho de "ungir con aceite" sería un acto simbólico. Hay dos menciones en el NT (Luc. 10:34; Stg. 5:14).

B. Enfasis:

Poder y sabiduría en las enseñanzas de Jesús, 6:2. Jesús había salido de Nazaret como carpintero, ahora regresa como famoso maestro. "Poder y sabiduría" serían cualidades del Mesías (Isa. 11:2) y Pablo llamó a Cristo el "poder y sabiduría" de Dios (1 Cor. 1:24).

La familia de Jesús, 6:3, 4. En este momento la familia de Jesús consistía de su madre, María, cuatro hermanos, y dos o más hermanas. Durante su ministerio terrenal, sus hermanos no lo reconocieron como el Mesías (Juan 7:15); después de la resurrección, sí (Hech. 1:14).

La incredulidad de los hombres, 6:5, 6. El NT registra sólo dos ocasiones cuando Jesús se maravilló--aquí de la falta de fe de los de Nazaret y luego de la gran fe del centurión romano (Mat. 8:10).

Autoridad para hacer la tarea, 6:7-9. Toda autoridad fue dada a Jesús de parte del Padre (Mat. 28:18) y él delegó a sus discípulos esa autoridad para continuar el triple ministerio que él había comenzado.

Qué hacer frente al rechazo, 6:10-13. Frente al rechazo, el testigo está autorizado a hacer dos cosas: salir del lugar y dar una seria advertencia de la gravedad del acto— "sacudir el polvo... de los pies". Enojarse o condenarlos no es una opción (Luc. 9:54-56).

La fama de Jesús, 6:14, 15. La fama de Jesús, mayormente por los milagros que realizaba, corrió hasta el palacio del gobernador.

El temor de Herodes, 6:16-19. Herodes tenía jurisdicción sobre Galilea donde Jesús realizó la mayor parte de su ministerio. El había "silenciado" a Juan el Bautista, pero no a su propia conciencia. La fama de Jesús le llevó a sospechar que Juan había resucitado.

La muerte de Juan el Bautista, 6:20-29. Marcos incluye aquí el motivo y los detalles de la muerte de Juan, aunque el hecho sucedió meses antes (1:14). Juan había acusado a Herodes de incesto, pero éste sabía que Juan era justo y sólo quería retenerlo un tiempo en la cárcel. Por celos, su mujer aprovechó su necedad para lograr la muerte de Juan.

Jesús alimenta a cinco mil, 6:30-44. La importancia de este evento se ve en que es el único milagro relatado en los cuatro Evangelios. Se realizó en un lugar no habitado al este del mar de Galilea durante el primer retiro con los discípulos. Jesús buscaba un lugar tranquilo, lejos de Herodes, donde descansar y enseñar. Fue movido a compasión ante la multitud hambrienta y proveyó alimento.

Jesús caminó sobre el agua, 6:45-52. Este episodio es una buena ilustración de la naturaleza de la vida del discípulo: una serie de pruebas y la liberación de ellas por el Señor. Los discípulos habían obedecido al Señor y, sin embargo, se encontraban en una situación muy difícil. Jesús, siempre vigilando de lejos, viene caminando sobre el agua. Calma el temor de los discípulos y luego calma los vientos.

Jesús sana a muchos en Genesaret, 6:53-56. En Nazaret pudo hacer pocos milagros por la incredulidad de la gente, pero aquí, en la costa noroeste del mar de Galilea, hubo una recepción calurosa y mucha fe.

Estudio del texto básico

1 Poder y sabiduría de Jesús, Marcos 6:1-3.

V. 1. *Salió de allí* se refiere al lugar en donde resucitó a la hija de Jairo (Mar. 5:35-43), quizás una aldea no lejos del mar de Galilea. Seguido por sus discípulos, fue a su "tierra", en donde se había criado, esperando testificar a sus familiares y conocidos desde la niñez. Eso significaba que enfrentaría una prueba muy severa. Iba al pueblo donde estaba su hogar; y no hay críticos más severos de uno que aquéllos que lo han conocido desde niño. No se trataba de una visita privada, para ver a sus familiares. Llegó acompañado por sus discípulos, es decir, llegó como un rabí. Los rabinos andaban por el país acompañados por su pequeño círculo de discípulos, y Jesús llegó así.

V. 2. *Comenzó a enseñar en la sinagoga,* aprovechando la reunión de los fieles del pueblo. Es la última vez que se menciona, en este Evangelio, que Jesús haya estado en una sinagoga. *Atónitos* traduce un verbo que significa "pegar fuera de sí", o "estar fuera de sí". Estaban perplejos por lo sabio de sus enseñanzas y por el número y lo espectacular de los milagros que realizaba. Quizá Jesús relató algunos milagros que había hecho. A la gente le ofendía que un hombre de una procedencia como la de Jesús dijera e hiciera estas cosas. La familiaridad en muchas ocasiones se convierte en el mayor de los enemigos cuando debiera ser todo lo contrario.

V. 3. *Se escandalizaron,* o tropezaron, por el conflicto que había en su mente entre un mero carpintero que habían conocido desde la niñez y un sabio maestro y obrador de milagros que de repente aparece. No podían reconciliar al Jesús humano, a quien conocían, con el Jesús que obraba milagros. *Hermanos... hermanas* serían los hermanastros de Jesús. Para los escandalizados, Jesús era simplemente un carpintero. La palabra traducida carpintero es *tekton* que significa "el que trabaja en madera". Pero más que un simple operario, significa un artesano. Lo despreciaban porque era un trabajador, un hombre del pueblo, un hombre sencillo. Debemos evitar la tentación tan común de valorar a los hombres por lo que vemos en ellos externamente y comenzar a considerar su valor interno.

2 Incredulidad de la gente, Marcos 6:4-6.

V. 4. *No hay profeta sin honra* es un aforismo, o proverbio, que se usaba antes de Jesús (*cf.* también Juan 4:44; Luc. 4:24). Hay un modismo que dice: "la familiaridad fomenta desprecio". Juan dice que "a lo suyo vino, pero los suyos no lo recibieron" (1:11). Los suyos pensaban inclusive que Jesús "estaba fuera de sí" (Mar. 3:21). En una atmósfera de expectación, el esfuerzo más humilde puede llegar a inflamar los corazones. Es una atmósfera de frialdad crítica o suave indiferencia, las expersiones más inflamadas por el Espíritu pueden caer a tierra sin vida.

V. 5. No pudo hacer allí ningún hecho poderoso y Mateo (13:58) dice que la causa fue la incredulidad de ellos. El texto no dice que Jesús no quería, sino que ellos no creían. Hay una relación directa entre la fe de los necesitados y la operación del poder de Dios. Jesús se fijaba en la fe de los necesitados. En Nazaret hubo algunos necesitados que humildemente solicitaron su ayuda y los sanó. El resultado de todo esto es que Jesús no pudo hacer "obras de poder" en Nazaret. La atmósfera era mala, y algunas cosas no se pueden hacer cuando el ambiente no es lo que corresponde.

V. 6. *Estaba asombrado,* o se maravillaba, una acción continuada. El maravilloso Hijo de Dios se maravillaba de la falta de fe aquí y de la abundancia de fe del centurión romano luego (Mat. 8:10). Al ver la dureza de corazón de la mayoría, *recorría las aldeas de alrededor,* enseñando. Jesús nunca se quedaba donde no lo querían (*cf.* v. 11). El sabía que no puede haber una actuación positiva cuando los hombres se unen para odiar, o para criticar negativamente. Si se reúnen para negarse a entender, no entenderán. Si deciden tener una visión opaca o nublada de lo que se les dice, solamente eso es lo que podrán ver. Pero si se reúnen para amar a Cristo y para tratar de amarse los unos a los otros, entonces las cosas serán diferentes.

3 Respuesta de Jesús, Marcos 6:53-56.

V. 53. Después del milagro de caminar sobre el agua y calmar los vientos, Jesús y sus discípulos *llegaron a la tierra de Genesaret,* un distrito en la orilla noroeste del mar de Galilea.

V. 54. La popularidad de Jesús hacía imposible que se escondiera de las multitudes que clamaban por sanidad física. *En seguida le reconocieron* cuando salieron del barco. Jesús había dicho "al que a mí viene, jamás lo echaré fuera" (Juan 6:37). La gente reconocía a Jesús como obrador de milagros, reconocía su propia necesidad, creía que Jesús podría sanar sus enfermedades y estaba determinada a no dejar que la oportunidad de su presencia se escapara.

Algunas veces Jesús debe haber contemplado las multitudes con cierta tristeza, pues en ellas serían muy pocos los que no fueran con el propósito de obtener algo de él. Iban a mostrar sus demandas y exigencias. Tenían un concepto equivocado de lo que Jesús quería hacer.

V. 55. Al darse cuenta de que Jesús estaba cerca, *recorrieron toda aquella región* buscando a todos los necesitados y comenzaron a traer en camillas a los inválidos. Vemos el hermoso cuadro de personas generosas y compasivas que colaboraban en llevar a los necesitados a Jesús, como los que trajeron a un paralítico a él (2:1-12). Este versículo es un resumen de lo que sucedió a muchos enfermos de toda aquella región que recibió el toque sanador de Jesús.

V. 56. *Rogaban que sólo pudiesen tocar el borde de su manto.* En su desesperación los enfermos no pedían atención especial, sino el poder tocar su manto de paso. Es un caso de una fe deficiente, pues ellos probablemente pensaban que había poder sanador en su manto, pero Jesús honró esa fe que en algún sentido estaba dirigida hacia él (*cf.* 5:28). *Todos los que le tocaban quedaban sanos.* Ningún enfermo se fue a su casa decepcionado. En cierto modo es natural que las personas acudan a Jesús para recibir algo de él, porque son demasiadas cosas que sólo él puede dar. Pero siempre es vergonzoso recibirlo todo y no dar nada.

Aplicaciones del estudio

1. La fe en Jesús, de parte del necesitado, es un requisito para recibir la bendición de Dios. "Sin fe es imposible agradar a Dios." Dios no quiere forzar a nadie a recibir sus bendiciones y, por otra parte, se goza cuando sus hijos reconocen su necesidad y dicen: "Separados de ti nada podemos hacer."

2. Todos podemos "llevar" a los necesitados a Jesús para que él solucione sus problemas. La tarea básica de todo creyente es la de llevar (presentar) a personas necesitadas a Cristo. Una de las formas más bendecidas para el desarrollo del creyente es llevar a otros a los pies de Cristo. No solamente en el ámbito de la necesidad física o material, sino preponderantemente en relación con la salvación y la vida eterna.

3. Cuando otros rechazan nuestro testimonio, debemos entender que no están rechazándonos, sino a aquél que nos envió. Aceptar el rechazo con amabilidad y amor puede ser un testimonio convincente.

Ayuda homilética

Jesús presente
Marcos 6:53-56

Introducción: En nuestro texto Marcos describe lo que pasó cuando Jesús llegó a Genesaret. Jesús quiere hacerse presente en nuestro hogar y ciudad. Podemos colaborar en hacer su presencia una realidad.

I. Jesús presente hoy entre nosotros (v. 53).
  A. Jesús llega a nuestro medio por el Espíritu Santo. El dijo: "No os dejaré huérfanos, volveré a vosotros" (Juan 14:18).
  B. Jesús se hace presente en la alabanza, testimonio, enseñanza y predicación de su Palabra.

II. Jesús presente requiere la colaboración de muchos (vv. 54, 55).
  A. Los creyentes deben buscar a los necesitados.
  B. Los creyentes deben traer a los necesitados a Jesús.

III. Jesús presente soluciona problemas de la humanidad (v. 56).
  A. Jesús honra la fe débil y deficiente, si se dirige a él.
  B. Jesús tiene una solución para todos los problemas.

Conclusión: Ciertamente, Jesús está presente entre nosotros y estamos rodeados por necesitados. Nuestra tarea es llevarlos a él. Para llevar a otros a Jesús hay muchas maneras. Se puede hacer evangelismo personal, combinar el evangelio social con los otros aspectos, etc.

Lecturas bíblicas para el siguiente estudio

Lunes: Marcos 7:1-8
Martes: Marcos 7:9-13
Miércoles: Marcos 7:14-19
Jueves: Marcos 7:20-23
Viernes: Marcos 7:24-30
Sábado: Marcos 7:31-37

AGENDA DE CLASE

Antes de la clase

1. Repase todos los materiales de estudio. Considere todo el contexto y esté preparado para contestar preguntas acerca de la familia humana de Jesús. **2.** Coloque el mapa en el pizarrón para señalar a los alumnos cómo Jesús se mueve de la zona del mar de Galilea a Nazaret, donde había vivido. **3.** Prepare tres cartulinas con las palabras PREJUICIOS, INCREDULIDAD y SOLIDARIDAD. Colóquelas de manera que los alumnos puedan verlas al llegar a la clase. **4.** Dé un repaso a las diferentes costumbres que rodean el contexto de este estudio (sacudir el polvo de los pies, ungir a los enfermos con aceite, en qué consistía el equipaje de los predicadores itinerantes, etc.). **5.** Resuelva el ejercicio de la sección *Lea su Biblia y responda* del libro del alumno.

Comprobación de respuestas

JOVENES: **1.** a. En la sinagoga. b. No. c. Jacobo, José, Judas y Simón. d. No hay profeta sin honra sino en su propia tierra. e. Sólo unos pocos. f. De la incredulidad de ellos. **2.** Las verdaderas son la a, b, c, e, g, h.

ADULTOS: **1.** a. Sabiduría y poder. b. Incrédula. c. respuesta. **2.** Prejuicios. **3.** Incredulidad. **4.** Respuesta.

Ya en la clase

DESPIERTE EL INTERES

1. Divida la clase en tres subgrupos; entregando una cartulina diferente a cada uno, pídales preparen una lista sobre cómo afecta a la vida la palabra que les tocó. **2.** Comente el resultado de las listas y amplíenlas con el aporte de todos. **3.** Que los alumnos lean el texto básico y resuelvan el ejercicio de la sección *Lea su Biblia y responda.*

ESTUDIO PANORAMICO DEL CONTEXTO

1. Muestre en el mapa la ciudad de Nazaret y el recorrido que debe haber hecho Jesús con sus discípulos. **2.** Hable sobre las instrucciones que Jesús da a sus discípulos cuando los envía a predicar y el significado cultural de enviarlos de dos en dos. **3.** Mencione la muerte de Juan y explique que había sucedido antes, pero Marcos la narra ahora. **4.** Comente que Jesús reconoce la necesidad de descansar después de un esfuerzo especial (6:30). No se puede vivir la vida "a toda máquina". **5.** Cuente cómo de nuevo el temor de los discípulos ante las dificultades da ocasión a una manifestación del poder de Jesús. **6.** Motive un breve diálogo para hablar de la familia humana de Jesús, así como de las diferentes costumbres como el ungimiento con aceite en el caso de los enfermos. **7.** Si se presta la oportunidad, hable breve pero concisamente acerca del tema de los espíritus inmundos.

ESTUDIO DEL TEXTO BASICO

1. Pida al grupo que tenía la cartulina con la palabra PREJUICIOS que lea de nuevo su lista y vean si lo expresado por ellos coinciden en algo con lo sucedido en la sinagoga de Nazaret.

2. Analicen las expresiones sobre Jesús y discutan todos los sentimientos que expresaban. ¿Denotan alegría y admiración porque un coterráneo se ha convertido en un alguien famoso; o molestia, envidia e incredulidad? ¿Sucede así actualmente?

3. Pregunte a los alumnos si creen que Jesús reconoce el poder de los prejuicios o no. ¿Está Jesús de acuerdo con los prejuicios o simplemente reconociendo una triste realidad?

4. Insista en el hecho de que unos pocos fueron bendecidos. El precio de la incredulidad y los prejuicios siempre es caro.

5. Pida al grupo que tiene la cartulina INCREDULIDAD que lea de nuevo la lista y la compare con los hechos de Nazaret. Insista en la expresión "unos pocos" y comenten cómo la falta de fe es un obstáculo a la manifestación del poder del Señor. Analicen los sentimientos de Jesús ante estos hechos.

6. Señale en el mapa cómo Jesús, después de estar un tiempo enseñando por las aldeas en los alrededores, abandona Nazaret y regresa a la zona del lago donde tuvo tan buena acogida. Ahora dé la oportunidad al grupo con la cartulina SOLIDARIDAD. Comenten cómo el ayudar a otros puede significar una completa diferencia en sus vidas y sus problemas. ¿Tenían fe los que ayudaron a los enfermos a venir a Jesús?

7. Analice con los alumnos si vale la pena insistir en predicar en un lugar duro y hostil, cuando en otros lugares hay otra disposición. ¿Qué tiempo insistir y cuándo es el momento de marcharse? ¿Cómo puede saberse?

APLICACIONES DEL ESTUDIO

Pida a los tres subgrupos que desarrollen ideas de cómo vencer los prejuicios, la incredulidad y desarrollar la solidaridad en la obra del Señor. Lea las aplicaciones del libro del maestro y comenten las que se encuentran en el libro del alumno. Oren dando gracias al Señor por su poder que puede aun romper todas las barreras que los hombres levantan.

PRUEBA

Después de dar tiempo para que los alumnos realicen las actividades, solicite que compartan sus respuestas. Insista en acciones prácticas que pueden realizarse para ayudar a personas necesitadas a resolver sus problemas y conocer a Jesús. No olvide recordar a sus alumnos las lecturas bíblicas de la próxima semana.

Jesús escucha los ruegos de los necesitados

Contexto: Marcos 7:1-37
Texto básico: Marcos 7:24-37
Versículo clave: Marcos 7:37
Verdad central: Jesús responde a los ruegos de los necesitados cuando se acercan a él con fe.
Metas de enseñanza-aprendizaje: Que el alumno demuestre su: (1) conocimiento de la misericordia y el amor de Jesús que responde a los ruegos de los necesitados que se acercan a él con fe, (2) actitud de acudir con fe a Jesús cuando tenga alguna necesidad.

Estudio panorámico del contexto

A. Fondo histórico:

Manos impuras, según los fariseos. "Manos comunes" (gr.) se traduce "manos impuras"; lo que era "común" para los gentiles era impuro para los fariseos. Estos habían elaborado un rito especial para lavar las manos, muñecas y antebrazos. Más que una limpieza común, era un acto religioso y ceremonial para evitar un sacrilegio. *Los lavamientos de las copas, de los jarros y otros utensilios.* La limpieza ceremonial incluía los utensilios de la cocina y aun el "diván" donde quizá una persona contaminada se había sentado.

Tradición de los ancianos. Jesús contesta a la comisión de críticos, señalando que la "tradición de los ancianos" (v. 5) y la "tradición de los hombres" (v. 8), que es lo mismo, lleva a los hombres a invalidar "los mandamientos de Dios" (v. 8). La pregunta que surge casi de manera natural es: ¿Cuál era esa tradición de los ancianos que Jesús y sus discípulos no estaban observando? Originalmente para los judíos la ley significaba dos cosas: primera y sobre todas las cosas, los Diez Mandamientos, y segunda, el Pentateuco o los primeros cinco libros del Antiguo Testamento. El Pentateuco contiene una cierta cantidad de reglamentaciones e instrucciones detalladas; pero en cuestiones morales lo que se establece es una serie de principios que uno debe interpretar y aplicar. Es allí donde surgen los escribas. No se conformaban con el principio, sino querían definir esos principios, creando así la ley oral o, lo que es lo mismo, la "tradición de los ancianos". Esta serie de reglamentaciones, que fueron pasando de padres a hijos y que se escribieron mucho tiempo después de la época de Jesús, era considerada de igual autoridad que la ley de Moisés.

Corbán. Jesús llama a los líderes de Jerusalén "hipócritas", porque exteriormente pretendían honrar a Dios, pero su corazón estaba lejos de él. Presenta un solo ejemplo para ilustrar su acusación. El término arameo "Corbán" fue traducido por Marcos (v. 11). En vez de proveer para sus padres, según mandato de Dios, ellos declaraban que cualquier cosa que pudiera ser de beneficio a los padres ya había sido dedicada a Dios, "corbán", y que no podían dársela a ellos. En la práctica, no tenían que entregar lo dedicado a Dios. Era una manera de evitar obedecer la palabra de Dios.

Lo que contamina al hombre. Los fariseos hacían gran hincapié en evitar ciertas cosas exteriores para no contaminarse ceremonialmente. Jesús, en contraste, afirma que lo que contamina sale del corazón.

Tiro y Sidón. Jesús inicia el segundo retiro con sus discípulos para descansar y enseñarles, siempre en territorio gentil. Deseaba encontrar un lugar tranquilo, lejos de los líderes religiosos.

B. Enfasis:

La tradición de los ancianos, 7:1-4. "La tradición de los ancianos" era un cúmulo de interpretaciones y aplicaciones de la ley de Dios que los judíos habían elaborado durante siglos. "Ellos" (v. 2) probablemente se refiere a una comisión de inspectores que vino de Jerusalén para observar y criticar lo que Jesús hacía (*cf.* 2:18).

Los discípulos de Jesús y las tradiciones, 7:5-8. En varias ocasiones Jesús permitió y defendió a los discípulos, ante la crítica de los fariseos, cuando dejaban de lado las tradiciones de los hombres, pero insistía en que fuesen fieles a los mandamientos de Dios.

Diferencia entre lo externo y lo interno, 7:8-13. Durante todo su ministerio Jesús insistía en que Dios se interesa más en la condición del corazón del hombre, lo interno, que en los actos públicos, lo externo. Lo externo es importante, pero debe reflejar lo interno.

Lo que contamina al hombre, 7:14-23. Los fariseos ponían toda su atención en lo externo —limpieza de manos, utensilios, comidas, etc. —pero Jesús advirtió que estas cosas no contaminan moralmente. En el corazón nacen los pensamientos que contaminan al hombre ante Dios.

La fe de la mujer extranjera, 7:24-30. La mujer sirofenicia se enteró de que Jesús estaba cerca. Desesperada por la condición de su hija, demostró una fe persistente, humilde y sincera que Jesús elogió con "grande es tu fe" (Mat. 15:28), cosa que no dijo de ningún judío.

Jesús sana a un sordo y tartamudo, 7:31-37. Jesús y su séquito pasaron de Tiro y Sidón, ubicadas al noroeste de Galilea, al este del mar de Galilea, donde realizó su tercer retiro. Tocó con sus dedos los oídos sordos y la lengua muda: método variado, resultado feliz.

Estudio del texto básico

1 Jesús escucha la plegaria de una mujer gentil, Marcos 7:24-26.

V. 24. Jesús, buscando un lugar tranquilo, libre de las multitudes y de los líderes religiosos, fue a Tiro y Sidón, al noroeste de Galilea. Este fue el segundo retiro con sus discípulos. Sólo Marcos comenta su deseo de aislamiento. Según los fariseos, el contacto con gentiles contaminaba, pero Jesús no hizo caso a esa tradición de hombres.

V. 25. Cuando llegó la noticia de que Jesús estaba cerca, una mujer que tenía una necesidad urgente no demoró en llegar a él. *Vino y cayó a sus pies,* una posición de humildad, adoración y súplica. Es la posición que siempre obtiene la atención y favor de Dios. *Hija,* traduce un término que significa literalmente "hijita".

V. 26. *La mujer era griega... sirofenicia* es una aclaración a los lectores gentiles de que Jesús, siendo judío y dedicando la mayor parte de su ministerio a judíos, también incluía a los gentiles. Aunque en realidad esas ciudades fenicias eran en algún tiempo parte del reino de Israel. Cuando, bajo Josué, la tierra fue repartida entre las tribus, a la de Aser le tocó una porción... hasta la gran Sidón... y hasta la ciudad fortificada de Tiro (Jos. 19:28, 29). Nunca habían logrado subyugar ese territorio, ni habían entrado nunca en él. La actuación de Jesús es, además del hecho histórico, un símbolo. En donde el poder de las armas había sido impotente, el amor de Cristo había obtenido una victoria.

Cayó es un verbo puntual, pero *rogaba* es tiempo imperfecto, indicando una acción que continuaba. Jesús guardó silencio por unos minutos, mientras que ella persistentemente quedaba a sus pies rogando. Los discípulos protestaron: "Despídela, pues grita tras nosotros" (Mat. 15:23). Ellos se molestaban, Jesús se conmovió. ¡Qué contraste!

2 Jesús premia la persistencia, Marcos 7:27-30.

V. 27. *Deja primero* indica orden de prioridad, luego los gentiles tendrían su turno. *Pan de los hijos* se refiere a las bendiciones de Dios destinadas a los judíos. *Echarlo a los perritos* es una expresión que, a primera vista, parece un insulto. Conviene recordar dos cosas que tienden a suavizarla: "perrito" es un término cariñoso para el perrito de la casa. Segundo, el resultado final del encuentro indica que Jesús con esta expresión probablemente estaba probando la fe y sinceridad de la mujer.

V. 28. La mujer se humilla ante Jesús al punto de aceptar la posición de un perrito debajo de la mesa, razonando que aun ellos *comen las migajas de los hijos.* Está dispuesta a aceptar las sobras.

V. 29. La prueba que Jesús le hizo dio oportunidad a una de las expresiones de fe más hermosas en toda la Biblia. Jesús, que al principio se mostró remiso ante sus ruegos, pronuncia la sanidad de su hija *por causa de lo que has dicho.* Lo expresado por la mujer revela un grado inusual de fe, de modo que Jesús declara: "Oh mujer, grande es tu fe" (Mat. 15:28), cosa que dijo únicamente a gentiles.

V. 30. Al llegar a su casa, la mujer encontró a su hija sana y *el demonio había salido.* En este pasaje el "espíritu inmundo" (v. 25), o literalmente "no limpio", es lo mismo como "demonio" (vv. 26, 30). Al usar este término en el NT, se da a entender que Satanás y sus siervos son sucios y contaminan a los que caen bajo su poder.

3 Jesús todo lo hace bien, Marcos 7:31-37.

V. 31. *Atravesando el territorio de Decápolis* señala el distrito al este del mar de Galilea donde había sanado al endemoniado (5:19, 20), el cual contó a todos lo sucedido. "Decápolis" es un nombre que significa "diez ciudades", pues en un tiempo existieron. Jesús sigue buscando un lugar tranquilo donde descansar y enseñar a sus "alumnos".

V. 32. Aquí tenemos otro caso de amigos de un sordo y tartamudo que *le trajeron... y le rogaron* a Jesús que le ayudara (*cf.* 2:3; 8:22). El hombre no podía hablar; dependía de sus amigos para pedir ayuda. El verbo "rogaron" es de tiempo presente, indicando acción continua. Es el hermoso cuadro de hombres intercediendo por su amigo necesitado.

V. 33. *Y tomándole aparte* tenía el propósito de evitar distracciones (5:40). El toque en los órganos afectados tendría el propósito de animar la confianza del hombre y el escupir indicaría simbólicamente el librarse del impedimento en la lengua. Llama la atención el hecho de llevar a un lugar aparte al citado individuo. Las personas sordas siempre se sienten un poco confundidas. Por lo general es más molesto ser sordo que ser ciego. Un sordo sabe que no oye, y cuando alguien en un grupo le grita y trata de hacerle oír, en su turbación, se siente más impotente. Jesús muestra la más tierna consideración por los sentimientos de un hombre para quien la vida era muy difícil.

V. 34. *Mirando al cielo* Jesús señalaba al sordomudo que de allí vendría el poder para sanarlo. *Suspiró* expresa la profunda emoción de Jesús ante una condición miserable. Otra vez Marcos cita la expresión de Jesús en arameo, *¡Efata!,* y la traduce para sus lectores gentiles. El sordo entendería la palabra leyendo los labios de Jesús. Jesús nunca consideró al hombre meramente como un caso más; lo vio como un individuo. El hombre tenía una necesidad especial y un problema especial, y con la más tierna consideración Jesús lo trató en una forma que respetaba sus sentimientos, y de una manera que él podía entender.

V. 35. El cambio en el tiempo de los verbos es notable. *Fueron abiertos y desatada* señalan hechos definitivos y puntuales, una vez para siempre, mientras hablaba bien, o "rectamente", describe acción continuada, es decir, "habló y siguió hablando".

V. 36. Jesús intenta otra vez evitar la fama como sanador, u obrador de milagros. Buscaba tranquilidad para poder enseñar a sus discípulos, lo cual era cada vez más difícil por el clamor público.

V. 37. Obsérvese el paralelo entre *¡Todo lo ha hecho bien!* y Génesis 1, donde varias veces Dios declara que su obra de creación es "buena". Este veredicto de la multitud subraya la calidad de la obra que Jesús acababa de realizar. Son ahora los hombres los que se maravillan sin medida ante la "creación" y "recreación" de Jesús. Cuando Jesús vino trayendo sanidad a los cuerpos de los hombres y salvación a sus almas, volvió a empezar la obra de la creación. En el principio todo había sido bueno; el pecado del hombre lo había echado todo a perder; y ahora Jesús estaba trayendo de nuevo la hermosura de Dios al mundo que el pecado del hombre había afeado.

Aplicaciones del estudio

1. El silencio momentáneo de Jesús ante nuestra necesidad puede ser su manera de probar nuestra fe. Hay momentos cuando oramos y esperamos una respuesta inmediata a nuestras necesidades. Dios, mejor que nadie, sabe cuál es la mejor respuesta para nuestra vida. A veces es necesario esperar un tiempo determinado para recibir la respuesta.

2. La fe, humildad y la persistencia son cualidades que agradan a Dios y traen su bendición. En los actos providenciales de Dios estos elementos son parte de la respuesta que estamos esperando. Dios responde a la fe de las personas que se llegan a él buscando un acto de misericordia.

3. Los que traen a sus amigos necesitados a Jesús son parte vital del plan redentor de Dios. Traer a otras personas a los pies de Cristo no sólo se da en casos de sanidad física, sino también espiritual. De hecho, la palabra sanidad es igual en su significado más profundo a la palabra salvación.

Ayuda homilética

Una madre ante Jesús
Marcos 7:24-30

Introducción: Los Evangelios relatan muchos casos de personas necesitadas ante Jesús. En todos los casos de humilde súplica, Jesús, movido a misericordia, responde con una bendición de Dios.

I. Una madre con una necesidad apremiante, vv. 24, 25.
- A. Tenía a una hija posesionada de un demonio.
- B. No había encontrado ayuda en ningún otro lugar.

II. Una madre sin méritos propios, v. 26.
- A. Era una mujer y no pertenecía al pueblo judío.
- B. Era una mujer aparentemente sin el apoyo de un esposo.

III. Una madre probada, vv. 27, 28.
- A. Fue probada por el silencio y dichos de Jesús.
- B. Fue probada por la actitud de los discípulos (Mat. 15:23).

IV. Una madre bendecida, vv. 29, 30.
- A. Su fe fue elogiada por Jesús (Mat. 15:28).
- B. Su hija fue completamente restaurada.

Conclusión: Cuando enfrentamos una necesidad apremiante, si llegamos a Jesús con fe, humildad y persistencia, no tardará en contestarnos.

Lecturas bíblicas para el siguiente estudio

Lunes: Marcos 8:1-6
Martes: Marcos 8:7-13
Miércoles: Marcos 8:14-21
Jueves: Marcos 8:22-26
Viernes: Marcos 8:27-33
Sábado: Marcos 8:34-38

AGENDA DE CLASE

Antes de la clase

1. Domine todo lo narrado en el contexto y cada una de las demás partes del estudio y tenga el mapa a mano para localizar los lugares que se mencionan. **2.** Haga una lista recordando las veces anteriores que Jesús ha "chocado" con los escribas y fariseos. **3.** Escriba en el pizarrón o en una cartulina la siguiente pregunta: ¿Cómo acercarnos a Jesús cuando tenemos necesidades? **4.** Busque en un diccionario o manual bíblico las características de las ciudades de Tiro y Sidón. **5.** Resuelva el ejercicio de la sección *Lea su Biblia y responda* del presente estudio.

Comprobación de respuestas

JOVENES: **1.** A los territorios de Tiro y Sidón. **2.** Oyó hablar de él. **3.** Sirofenicia. **4.** Tenía una hija endemoniada. **5.** Unos amigos le trajeron. **6.** Metió sus dedos en las orejas, escupió y le tocó la lengua. **7.** No le hicieron caso. **8.** Qué todo lo hacía bien.
ADULTOS: **1.** Humildad, adoración y súplica. **2.** Bendiciones, Dios, judíos. **3.** Dios.

Ya en la clase
DESPIERTE EL INTERES

1. Llame la atención de la clase sobre la pregunta en el pizarrón o cartulina: ¿Cómo acercarnos a Jesús cuando tenemos necesidades?, y elaboren una lista de formas erradas de solicitar ayuda. **2.** Divida al grupo en dos y pídales que improvisen cada uno una dramatización que muestre personas en necesidad solicitando ayuda. Un grupo lo hará de la manera correcta, el otro de forma impropia. **3.** Dé oportunidad para que sus alumnos resuelvan el ejercicio de la sección *Lea su Biblia y responda*.

ESTUDIO PANORAMICO DEL CONTEXTO

1. Localice en el mapa Jerusalén y Genesaret para demostrar a los alumnos qué distancia habían recorrido los fariseos y escribas que ahora discutían con Jesús. **2.** Enfatice el hecho de que les preocupaba la observación de leyes ceremoniales. **3.** Insista sobre la diferencia que hace Jesús entre mandamientos de Dios y tradición, y sus enseñanzas sobre lo que contamina al hombre. **4.** Muestre nuevamente en el mapa la región gentil hacia la que Jesús se dirige y especule sobre los motivos que pueden haberle impulsado hasta allí.

ESTUDIO DEL TEXTO BASICO

1. Explique a los alumnos las características de la región de Tiro y Sidón, territorio eminentemente gentil. ¿Cómo es posible que Jesús prefiera ir allí para descansar y no deseara que nadie lo viese? ¿Pueden encontrar los alumnos alguna explicación a estos hechos?

2. Pida a dos o tres alumnos que hagan una pequeña representación de cómo la mujer sirofenicia escuchó de Jesús y como decide ella pedir ayuda.

3. Discutan sobre la actitud de la mujer a la hora de pedir ayuda. Cae a los pies de Jesús, le ruega, le contesta e insiste respetuosamente.

4. Comenten la respuesta de Jesús. ¿No parece a primera vista chocante? ¿Podía la mujer haberse ofendido por semejante respuesta? Explique cómo la inflexión de la voz, la mirada y la actitud general pueden hacer que una expresión insultante se convierta en una expresión cariñosa. Dé ejemplos.

5. Pregunte a los alumnos si creen que a Jesús le agradó la respuesta y el comportamiento de la mujer y por qué. Insista en que muchas veces en la vida las actitudes determinan el curso de los acontecimientos. ¿Qué hubiera sucedido si la mujer, ofendida con Jesús, se airara y marchara? Hable sobre la importancia de pedir ayuda de una forma humilde y sabia.

6. Señale en el mapa la región de Decápolis al sudeste del mar de Galilea y muestre cómo Jesús viajó hasta allí. Explique que Decápolis es una palabra griega que significa "diez ciudades", pero que demarca una región de límites indeterminados al lado oriental del río Jordán. En el Mapa V "El Ministerio de Jesús" en la sección Viajes Posteriores se ve claramente cómo Jesús desciende desde Sidón hasta allí.

7. Pida a un alumno que lea el pasaje de Marcos 7:31-37 donde se narra el episodio del sordomudo. Insista en el hecho de que sus amigos mostraron lo que es la verdadera misericordia porque no sólo le trajeron sino que rogaban a Jesús le sanara.

8. Ayude a sus alumnos a ponerse en el lugar del sordomudo y los sentimientos que debe haber expresado al hablar sin parar, como expresa el sentido del texto. También piensen cómo deben haberse sentido los amigos que le trajeron. Jesús pide que no proclamen el hecho, pero inevitablemente hacen todo lo contrario. ¿Puede un mudo callarse después de comenzar a hablar? ¿Pueden los amigos callarse la felicidad de verlo sano?

APLICACIONES DEL ESTUDIO

Permita que los alumnos saquen aplicaciones del estudio realizado. Luego compare sus conclusiones con las que se encuentran en los libros del maestro y de los alumnos. Comente las que no coincidan.

PRUEBA

Dirija a los alumnos a leer los ejercicios y hacerlos. Compartan las razones que tienen para estar convencidos de que Jesús puede ayudarlos en cualquier necesidad.

Estudio **34**

Unidad 7

Jesús ministra a sus discípulos

Contexto: Marcos 8:1-38
Texto básico: Marcos 8:27-38
Versículo clave: Marcos 8:34
Verdad central: Los discípulos de Jesús necesitaban reafirmar su fe y fueron ministrados amorosamente por el Señor para satisfacer esa necesidad.
Metas de enseñanza-aprendizaje: Que el alumno demuestre su: (1) conocimiento de la disposición de Jesús para ministrar a sus discípulos, (2) actitud de reafirmar su fe en Jesucristo como Señor y Salvador.

Estudio panorámico del contexto

A. Fondo histórico:

Otro milagro de multiplicación. Jesús alimentó a los cinco mil en el desierto al este del mar de Galilea (6:30-44); eran judíos que le habían seguido de Galilea. Aquí alimentó a cuatro mil más al sur y, al parecer, entre gentiles. Aunque algunos opinan que se trata del mismo evento, hay demasiadas diferencias para sostener esa conclusión. En este relato, más que tratar de determinar si se trata de uno solo o dos diferentes, veamos unos datos más importantes: Este acontecimiento se dio a orillas del mar de Galilea en la región llamada Decápolis. ¿Por que había tanta gente ese día? Indudablemente que la curación del sordo tartamudo llamó poderosamente la atención y propició el interés. Pero un comentarista ha hecho una sugestión más interesante. En Marcos 5:1-20 vemos la curación del endemoniado gadareno. Este hecho también tuvo lugar en Decápolis. En aquella ocasión la primera reacción fue pedirle al Sanador que saliera de esos territorios. Pero también vimos el deseo del sanado de ir en pos de su benefactor y éste lo envió a dar testimonio a sus parientes de las cosas que le habían sucedido. ¿Será posible que parte de esa gran multitud se debiera a la actividad misionera del endemoniado gadareno? ¿Tendremos aquí una muestra de todo lo que puede hacer por Cristo el testimonio de un hombre?

Las "señales", su importancia. Las señales eran obras milagrosas que apuntaban a Jesús como Hijo de Dios. Los fariseos que habían visto muchas señales, aquí piden una "del cielo, para probarle" (v. 11). Querían una señal que les convenciera de que venía de arriba, de Dios. La tendencia generalizada era buscar a Dios en lo anormal. Se creía que cuando arribara el Mesías sucederían las cosas más asombrosas y desconcertantes. La única señal que les daría sería la de Jonás (Mat. 16:4).

La "levadura" de los fariseos y de Herodes (v. 15). Aprovechando la mención de comida, Jesús advirtió de la hipocresía (Luc. 12:1) y doctrina (Mat. 16:12) de ellos que era como la levadura en la masa.

Ubicación de Betsaida y Cesarea de Filipo. Betsaida estaba en la tetraquía de Herodes Felipe, quien le había dado el nombre "Betsaida Julias" en honor de Julia, hija de Augusto. Estaba cerca del rincón nordeste del mar de Galilea. Cesarea de Filipo estaba ubicada en el Monte Hermón, territorio gentil, a unos 40 kilómetros al norte del mar de Galilea. No se debe confundir con la Cesarea sobre el Mediterráneo.

B. Enfasis:

La alimentación de cuatro mil, 8:1-10. Lo que se destaca aquí es la impotencia, o indiferencia, de los discípulos ante la necesidad de las multitudes. En contraste se nota la compasión que Jesús sentía por la gente. Compasión es un término fuerte que significa "el retorcerse de los intestinos", un dolor agudo ante un hecho muy lamentable.

Los fariseos piden una señal, 8:11-13. Los fariseos ya habían visto muchos milagros de Jesús. Aquí piden algo más espectacular para poder creer en él, aunque ya habían juzgado que obraba en poder de Satanás (3:22-30). Querían probarlo; buscaban más bien una ocasión para condenarlo. Les dio la señal de Jonás (Luc. 11:29-32). Cuando surgía algún Mesías, cosa que era muy común, atraía a la gente haciéndole promesas de señales asombrosas. Por ejemplo, prometían dividir las aguas del Jordán, como había sucedido en el pasado. Hubo uno que prometió derribar los muros de la ciudad con una sola palabra. Esa era la clase de señales que estaban pidiendo los fariseos.

La levadura de los fariseos, 8:14-21. Con una sola excepción (Mat. 13:33), la levadura se usa en la Biblia como símbolo del pecado o mala influencia (hipocresía, Luc. 12:1; mala doctrina, Mat. 16:12). Jesús los acusó de ambos. Para los judíos la levadura era el símbolo del mal. Era un pedazo de masa que se guardaba para que se fermentara y esa masa fermentada era la levadura. La fermentación se identificaba con la putrefacción y, por lo tanto, la levadura representaba el mal.

El ciego de Betsaida, 8:22-26. Jesús estaba en territorio gentil cuando sanó a este ciego. Lo llevó fuera de la aldea para evitar distracciones y publicidad. Es el único milagro que realizó en dos etapas. Quizá la falta de fe del ciego explica este caso curioso. En todo caso, Jesús nunca dejó un milagro "medio terminado". La ceguera era, y es todavía, uno de los grandes males del Oriente. Era causada por oftalmías (inflamación de los ojos o partes adyacentes) y en parte por el despiadado resplandor del sol.

La confesión de Pedro, 8:27-30. Este evento constituye un punto clave en el ministerio terrenal de Jesús (Mat. 16:13-20). La opinión de otros es importante, pero la confesión personal es lo que Dios quiere de cada uno de nosotros. Pedro, como vocero de los doce, confiesa que Jesús es el Mesías de Dios largamente esperado.

Jesús anuncia su muerte y su victoria, 8:31-33. Al ver que los discípulos ya entendían que era el Mesías, Jesús anuncia por primera vez el fin culminante de su ministerio: su muerte y resurrección. Faltaban de siete a diez meses para la realización de esta profecía.

Condiciones para seguir a Jesús, 8:34-38. Los tres sinópticos relacionan estos tres eventos: confesión de Pedro, anuncio de su muerte y resurrección y el precio del discipulado. No sólo Jesús moriría físicamente, sino sus seguidores tendrían que experimentar la "muerte" a sí mismos, el tomar su cruz, el negarse a sí mismos.

Estudio del texto básico

1 La confesión de Pedro, Marcos 8:27-30.

V. 27. Jesús finalmente se encuentra solo con los discípulos, en tierra gentil, bien al norte de Galilea, a la vista del hermoso monte Hermón cubierto de nieve todo el año. Deseaba probar la comprensión de sus discípulos, quienes habían caminado más de dos años con él, antes de seguir instruyéndolos. *—¿Quién dice la gente que soy yo?,* es una pregunta que introduce el tema.

V. 28. Los discípulos ofrecieron varias opiniones de la gente, todas reconociéndolo como un profeta *—Juan el Bautista, Elías,* "Jeremías" (Mat. 16:14), otro de los profetas. Cada uno de estos representaba un aspecto del ministerio de Jesús. Por ejemplo, Elías era obrador de grandes milagros. Herodes mismo pensaba que Jesús era Juan resucitado (6:14).

V. 29. *—Pero vosotros, ¿quién decís que soy yo?,* es la pregunta clave. La opinión de otros tiene cierto valor, pero lo que importa más que nada es la opinión personal de cada uno ante Jesús. El pronombre "vosotros" está en posición enfática en el texto original. Pedro, impulsivo y a menudo equivocado, aquí acierta en su contestación: *—¡Tú eres el Cristo!* Mateo agrega: "El Hijo del Dios viviente" (16:16). "Cristo" es la traducción al griego de "Mesías" (Heb.), que significa "Ungido". Este es el título más elevado que un judío podría darle. Los judíos esperaban que el Mesías sería otro gran libertador como Moisés. Para ellos, la visión del Mesías se limitaba a su nacionalismo extremo. Era muy difícil que pensaran en alguien que sería de bendición para todas las naciones de la tierra. Sus ideas eran violentas, destructivas, vengativas. Es cierto que terminaban con el reinado perfecto de Dios, pero a costa del derramamiento de sangre y de la exaltación de Israel a un sitio de privilegio y relevancia política por encima de los demás.

V. 30. *El les mandó enérgicamente* es un verbo que en otros textos se traduce "reprendió" o "reprochó". Es la forma más fuerte para prohibir algo, el no revelar esta verdad ya descubierta a ellos. No quería precipitar la confrontación con los líderes judíos antes del tiempo, ni despertar esperanzas falsas de una liberación política. No es extraño que Jesús tuviera que reeducar a sus discípulos en cuanto al significado del mesianismo; y no es extraño que al final fuera crucificado como hereje.

2 Jesús anuncia su muerte y su victoria, Marcos 8:31-33.

V. 31. *Era necesario que el Hijo del Hombre padeciese mucho...* es la primera de tres profecías (9:31; 10:32) de su muerte, instigada por los líderes religiosos: ancianos, principales sacerdotes y escribas. Probablemente se refería al Sanedrín. En el fondo de esta revelación seguramente estaba la profecía de Isaías 53. Algunos afirman que no es la confesión de Pedro el punto central de este episodio, sino la revelación de su muerte y resurrección. Es notable la precisión de los detalles que Jesús comienza a compartir con los suyos.

V. 32. *Les decía esto claramente,* o "libremente y con toda confianza", "sin pelos en la lengua". Pedro... comenzó a reprenderle con toda buena intención y con "sabiduría" humana, pero muy errado. "Reprenderle" es el mismo verbo (gr.) que Jesús usó en el v. 30. Pedro pretende ordenar a Jesús lo que debe hacer.

V. 33. Pedro había tomado a Jesús aparte para reprenderle (v. 32), pero Jesús ahora reprendió a Pedro delante de todos, usando la misma palabra. Jesús había felicitado a Pedro por su confesión de él como "el Cristo" (Mat. 16:17), pero muy pronto tuvo que reprenderle como mensajero de Satanás. En las palabras de Pedro Jesús percibía la voz del enemigo: —*¡Quítate de delante de mí, Satanás...!* Pedro estaba reaccionando con una actitud y sabiduría humanas. El tentador no puede llevarnos a un ataque más terrible que cuando nos ataca en la voz de aquellos que nos aman y que creen buscar sólo nuestro bien. Esto es lo que le sucedió a Jesús aquel día; por eso reaccionó tan severamente. El "primer papa", según algunos, se mostró tan falible como cualquier ser humano.

3 Jesús ayuda a entender el discipulado, Marcos 8:34-38.

V. 34. *Y llamó a sí a la gente* indica que habían llegado algunos, además de los discípulos, aun a este lugar remoto. *Si alguno quiere venir en pos de mí* es una frase de primera clase condicional que admite la realidad de la premisa. Jesús no dudaba el "querer" de los discípulos de seguirlo. *Si* puede traducirse así: "puesto que". Las tres condiciones del discipulado —niéguese a sí mismo, tome su cruz y sígame— incluyen un paso negativo y otro positivo. En efecto, quiere decir morir a la vida egoísta y a los deseos del mundo, pero luego seguir constantemente a Jesús. Primero Jesús, como guía, anunció su muerte y luego dijo que sus seguidores también.tendrían que "morir"

V. 35. Jesús presenta una paradoja, una aparente contradicción, del reino de Dios y el secreto de la vida abundante que Cristo vino a ofrecer. La vida es como un grano de trigo, si no cae en la tierra y muere, él solo queda (Juan 12:24).

Vv. 36, 37. "Ganar, ganar, ganar todo el mundo" es el afán del hombre incrédulo. Jesús dice que ése es un mal negocio, si en el proceso uno pierde su alma, o vida. El materialismo lleva a ese trágico fin. *¿Qué dará... en rescate por su alma?* es una pregunta que usa el concepto del mercado que significa: "¿Qué valor tiene la vida, o qué está dispuesto uno a pagar para asegurar su vida?"

V. 38. *El que se avergüence de mí...* es una frase de tercera clase condicional que considera probable que eso suceda. Esta advertencia de las consecuencias de negar a Cristo se relaciona con lo que antecede. Incluye todas las condiciones del discipulado.

Aplicaciones del estudio

1. La opinión que cada uno tiene de Jesús vale más que la de los demás. Es esa opinión la que determinará en un momento dado nuestro destino eterno.

2. La "voz" que intenta desviarnos del plan de Dios para nuestra vida proviene de Satanás. Muchas veces esa voz está revestida de cierta falsa piedad, pretendiendo usar el aparente amor como la justificación de ese desvío.

3. Ganar medio mundo y descuidar el alma es un mal negocio. En realidad es el peor negocio del mundo. No hay que olvidar que estamos envueltos en un asunto de vida o muerte, pero no temporal sino eterna.

Ayuda homilética

El discipulado cristiano
Marcos 8:34-38

Introducción: El llegar a ser un discípulo de Cristo implica tomar una decisión voluntaria para llegar a serlo, además, requiere que el discípulo cumpla con ciertas demandas que son propias de esa decisión.

I. La decisión de ser un discípulo cristiano, v. 34a.
- A. Es una decisión voluntaria —"si...quiere".
- B. Es una decisión personal —"si alguno quiere..."

II. La demanda para poder ser un discípulo cristiano, v. 34b.
- A. Negativo (dos aoristos): decisiones puntuales, decisivas.
  1. Negación de una vida egoísta.
  2. Levantar su cruz, símbolo de muerte.
- B. Positivo (imperativo tiempo presente): acción continuada.
  1. Seguir al Guía Divino.
  2. Seguirle todos los días, momento a momento.

III. La determinación desastrosa de rechazar el discipulado, vv. 35-38.
- A. Lleva a la pérdida irreparable de la vida egoísta.
- B. Lleva al abandono del Abogado celestial en el juicio final.

Conclusión: El hombre tiene sólo dos opciones: ser discípulo de Cristo y seguirlo diariamente, o rechazar el discipulado y condenarse a una vida egoísta aquí y el abandono de Cristo en el juicio final.

Lecturas bíblicas para el siguiente estudio

Lunes: Marcos 9:1-13
Martes: Marcos 9:14-32
Miércoles: Marcos 9:33-41
Jueves: Marcos 9:42-50
Viernes: Marcos 10:1-12
Sábado: Marcos 10:13-16

AGENDA DE CLASE

Antes de la clase
1. Repase en su mente todos los acontecimientos narrados en el contexto del estudio. **2.** Sitúe en el mapa los lugares mencionados en el estudio de hoy y el recorrido de Jesús. **3.** Durante la semana hable con tres o cuatro alumnos para que dramaticen las personas con las que la gente confundía a Jesús (Juan el Bautista, Elías, un profeta). **4.** Escriba en el pizarrón con letras grandes: ¡Tú eres el Cristo! **5.** Resuelva el ejercicio de la sección: *Lea su Biblia y responda* del estudio de hoy.

Comprobación de respuestas
JOVENES: **1.** Juan el Bautista, Elías, uno de los profetas. **2.** Tú eres el Cristo. **3.** Porque Jesús habló de que iba a padecer y a morir. **4.** a. negarse a sí mismo. b. tomar su cruz. c. seguirle.
ADULTOS: Respuestas personales.

Ya en la clase
DESPIERTE EL INTERES
1. Dé oportunidad para que los alumnos que se han preparado dramaticen acerca de su personaje y el grupo descubra quién es quién. **2.** Comenten qué cosas en común podían haber tenido ellos con Jesús para que las personas pensaran de ese modo. **3.** Señale a la expresión en la pizarra: ¡Tú eres el Cristo!, y pida a toda la clase que la lea en conjunto. **4.** Provea la oportunidad de que los alumnos resuelvan el ejercicio de la sección *Lea su Biblia y responda.* Adultos: Comparen las soluciones.

ESTUDIO PANORAMICO DEL CONTEXTO
1. Narre la alimentación milagrosa y lo que significa sobre la preocupación de Jesús por las personas y sus necesidades. **2.** Mencione el nuevo encuentro con los fariseos y la recomendación que ahora Jesús hace a sus discípulos sobre ellos. **3.** Cuente la curación del ciego y llame la atención a que fue una curación paulatina. **4.** Invite a sus alumnos a localizar en el mapa Betsaida, donde Jesús curó al ciego y la región de Cesarea de Filipos donde ocurrió la confesión de Pedro.

ESTUDIO DEL TEXTO BASICO
1. Dirija la clase a la lectura del texto básico, cuidando que participen todos. Pueden turnarse para hacer la lectura, o dividir en grupos para lectura alternada, o asignar a diferentes personas los papeles de Marcos, Jesús, Pedro y los discípulos.

2. Enfatice la enseñanza de que aunque es importante conocer lo que opinan los demás, lo definitivo es la creencia personal. La diferencia en nuestras vidas la hace no lo que los demás crean sobre Jesús y la vida cristiana, sino lo que creamos nosotros mismos.

3. Dedique un tiempo a comentar sobre las razones para la orden enérgica de Jesús de que no hablasen a nadie acerca de él. Esta orden de Jesús desconcierta un poco, máxime cuando después nos enviará "Id por todo el mundo y predicad...", pero debe ser entendida en cuanto a que aún no era el tiempo, y sobre todo, debido a que los mismos discípulos no daban muestras de haber entendido completamente la naturaleza de su misión.

4. *Comente con los alumnos y traten de entender* cuán extrañas serían para ellos las palabras de Jesús sobre su sufrimiento y muerte. Dado el concepto que tenían del Mesías, se resistían a asimilar que Jesús sufriría y moriría. Tanto se negaban a aceptar esas enseñanzas que indudablemente no prestaban atención, ni siquiera al anuncio de la resurrección. Es notable que ninguno de ellos la recordó cuando Jesús murió y fue sepultado.

5. *Demuestre cómo Pedro se vuelve un instrumento* de Satanás, inmediatamente después de confesar a Jesús como el Mesías. La comprensión humana siempre es débil y fugaz. ¡Ahora trata de evitar precisamente todo lo que es urgentemente necesario que ocurra! Esa era la personificación misma de Satanás tratando de hacer a un lado el plan más importante de la historia de la salvación.

6. *Mencione el hecho de que Jesús llamó a otras personas* además de los discípulos para enseñarles sobre el costo de seguirle a él. Jesús insiste en que sus seguidores, al igual que él mismo, tienen por delante sufrimiento y una cruz. Para ellos era imposible que el Mesías sufriera y él les enseña que el sufrimiento y la renunciación forman parte ineludible de la vida cristiana.

7. *Insista en que Jesús advierte que pase lo que pase* su causa será victoriosa. A sólo unas horas de su muerte, que en un sentido es la victoria de los escribas y fariseos sobre su persona, Jesús habla de cuando venga en la gloria de su Padre. Es un absurdo no abrazar una causa que tiene asegurada la victoria final.

APLICACIONES DEL ESTUDIO

Discuta con los alumnos el significado actual y todas las implicaciones de tomar la cruz, negarse a sí mismo y seguir a Jesucristo. Comente las aplicaciones que se hallan en el libro del maestro y después permita a los alumnos que lean las que se encuentran en sus libros. Oren pidiendo al Señor una verdadera comprensión del discipulado cristiano.

PRUEBA

Haga que los alumnos realicen las actividades y anímelos a compartir sus respuestas. Alguno puede contar en su experiencia lo que ha significado negarse a sí mismo. Otro puede explicar qué ha significado en su vida "tomar su cruz". Recuerde a los alumnos, antes de abandonar la clase, que lean sin falta las *Lecturas bíblicas para el siguiente estudio.*

Estudio **35**

Unidad 7

Jesús responde a la fe de los padres

Contexto: Marcos 9:1 a 10:16
Texto básico: Marcos 9:14-29; 10:13-16
Versículos clave: Marcos 10:14, 15
Verdad central: En diversas oportunidades Jesús ministró a hijos cuyos padres los presentaron a él para que los bendijera y los sanara.
Metas de enseñanza-aprendizaje: Que el alumno demuestre su: (1) conocimiento de la disposición de Jesús para ministrar a los padres que se interesan por el bienestar de sus hijos, (2) actitud de confiar en Jesús como la respuesta a sus necesidades.

Estudio panorámico del contexto

A. Fondo histórico:

El monte de la transfiguración. Este evento tuvo lugar durante el cuarto retiro, estando en la zona de Cesarea de Filipo, a unos 40 km. al norte del mar de Galilea, quizá en el monte Hermón. No podemos decir a ciencia cierta qué es lo que realmente pasó, sólo podemos tratar de entenderlo. Marcos nos dice que las ropas de Jesús se volvieron resplandecientes. La palabra que emplea (*stilbein*) es la que se emplea para el brillo del oro o bronce pulidos, o el acero bruñido, o el dorado resplandor del sol. Cuando el incidente llegó a su fin una nube los envolvió. En el pensamiento judío la presencia de Dios entró en el tabernáculo. Una nube llenó el templo cuando fue dedicado después que Salomón lo construyó. Y los judíos soñaban con que, cuando viniera el Mesías, la nube de la presencia de Dios retornaría al templo (Exo. 16:10; 19:9; 33:9; 1 Rey. 8:10).

Ubicación e importancia de Capernaúm. Esta ciudad era céntrica en las rutas comerciales de este a oeste y del norte al sur. Estaba ubicada sobre la costa noroeste del mar de Galilea.

La cuestión del divorcio en el tiempo de Jesús. En el primer siglo hubo dos escuelas de interpretación sobre el divorcio entre los judíos (véase Deut. 24:1). Ambas admitían el divorcio por iniciativa del esposo. La de Hillel lo admitía por casi cualquier defecto, mientras la de Shamai lo admitía sólo por adulterio.

La costumbre de bendecir a los niños. Los judíos tenían la costumbre de llevar a los niños a una persona de reconocida autoridad para obtener su bendición, o favor de Dios, por su intermedio (*cf.* Gén. 48:8-20). Normalmente el padre o abuelo realizaba el acto. También, cuando el niño cumplía ocho días era circuncidado y le ponían nombre (*cf.* Luc 1:59), y a los doce años se presentaba en el templo.

B. Enfasis:

La transfiguración, 9:1-8. Este evento tuvo lugar en combinación con la confesión de Pedro y el anuncio por Jesús de su muerte y resurrección. Jesús permitió que tres de sus discípulos lo siguieran al monte para observar su transfiguración , en presencia de Moisés y Elías, representantes de la ley y los profetas, con los que hablaba de su muerte (Luc 9:31). Ellos desaparecieron dejando a Jesús solo; él sería el cumplimiento de ambas administraciones. Como en el bautismo de Jesús, otra vez se oye la voz del Padre aprobándolo. Allí en el monte de la transfiguración Jesús tenía que tomar sus propias decisiones. Había decidido ir a Jerusalén, y eso significaba enfrentar la cruz. Es evidente que Jesús tenía que estar plenamente seguro de que estaba haciendo la voluntad de Dios antes de continuar. Allí, en la cumbre de la montaña, recibió una doble aprobación de su decisión. Moisés fue el legislador supremo de la nación de Israel. Elías fue el primero y más grande de los profetas; fue identificado como el profeta que trajo al mundo la voz de Dios. Estos personajes tan importantes, al reunirse con Jesús, estaban representando la ley y los profetas, dos de las instituciones fundamentales de la fe de los judíos. Ellos, con su presencia le decían a Jesús: "¡Continúa!" Veían en Jesús el cumplimiento de todo lo que ellos habían soñado en el pasado. Eso era importante para que Jesús siguiera caminando hacia la cruz.

Discusión sobre la resurrección, 9:9-13. Jesús ya había advertido a todos los discípulos que sería muerto y resucitaría al tercer día (8:31). Sin embargo, no les cabía la idea de la muerte de su maestro y, por lo tanto, el anuncio de su resurrección era un misterio. Creían en la resurrección en el día final, pero no antes.

Jesús sana a un muchacho, 9:14-27. Jesús había delegado su autoridad a los discípulos para echar fuera demonios en su nombre (3:15), pero en su ausencia fracasaron. Los reprendió por su falta de fe y procedió a echar fuera el demonio con su autoridad.

La incapacidad de los discípulos, 9:28, 29. Los discípulos no comprendieron su fracaso y pidieron a Jesús una explicación. El diagnóstico de Jesús era muy sencillo: falta de fe. Quiso enseñar a sus seguidores lo indispensable de depender de él en todo momento.

Estudio del texto básico

1 Jesús atiende a un padre acongojado, Marcos 9:14-22.

V. 14. Es sorprendente encontrar a los escribas en este lugar remoto. *Unos escribas que disputaban con ellos* por su fracaso de expulsar el demonio. ¿Por qué los escribas no lo intentaron? (*cf.* Mat. 12:27).

V. 15. Cuando llega Jesús, toda la atención se dirige a él. La gente *se sorprendió*, o se maravilló, de que en ese momento preciso él se hizo presente. Quizá también indica vergüenza de parte de ellos.

V. 16. *¿Qué disputáis con ellos?* es una pregunta dirigida a la multitud que corrió hacia él y le saludó. Mateo omite esta pregunta que podría indicar que Jesús ignoraba el tema de la discusión.

V. 17. El padre del muchacho endemoniado respondió a la pregunta de Jesús: *Maestro, traje a ti mi hijo...* El padre vino con la idea de presentar el caso a Jesús cuando éste estaba en el monte. Los nueve intentaron ayudarlo (*cf.* 6:13). Mateo emplea el título "Señor" en vez de "Maestro", e indica que el muchacho era "lunático"(17:15).

V. 18. El padre describe la desesperante condición de su hijo y termina con la triste noticia de que los *discípulos no pudieron,* literalmente "no eran fuertes". Lo habían intentado, pero fracasaron.

V. 19. *¡Oh generación incrédula!* expresa la exasperación de Jesús, mayormente hacia los nueve discípulos que habían fracasado. Es una de las más fuertes y lastimosas expresiones. Luego vuelve su atención de los discípulos al padre y muchacho necesitado: *¡Traédmelo!*

V. 20. *Y cuando el espíritu le vio...* El sujeto del verbo puede ser el demonio, o el muchacho mismo. El espíritu inmundo reconoció a Jesús e hizo todo el daño posible antes de ser expulsado del joven.

V. 21. *¿Cuánto tiempo hace que le sucede esto?* no es meramente una pregunta para obtener información; Jesús deseaba llevar al padre a confesar lo desesperado del caso, lo humanamente imposible.

V. 22. Es una descripción patética y desesperante del muchacho y de su padre. *Si puedes* indica no sólo un grado de duda del "poder" de Jesús, quizá por causa del fracaso de los discípulos, sino de su "querer". El leproso no dudaba de su "poder", sólo de su "querer" (1:40). El padre apela a la compasión de Jesús, no a algún mérito propio. *Ayúdanos* indica que el padre se sentía parte del mal de su hijo.

2 Jesús aumenta la fe de un padre incrédulo, Marcos 9:23-27.

V. 23. Jesús contesta, citando las mismas palabras del padre *¿Si puedes...?* En efecto, decía "yo puedo", el asunto es "si tú puedes creer". *¡Al que cree todo le es posible!* es un gran principio bíblico (*cf.* Mat. 21:22; Mar. 11:24), pero no un cheque en blanco. Nuestro pedido debe estar de acuerdo con la voluntad de Dios (1 Jn. 5:14).

V. 24. Sin un instante de demora, el padre "clamando a gritos", *diciendo, o* mejor, "decía" (acción continuada), *¡Creo! ¡Ayuda mi incredulidad!*. Pedía un aumento en su débil fe, eliminando toda duda (*cf.* Luc. 17:5). Reconoció que aun la fe era una gracia de Dios.

V. 25. *Jesús...reprendió al espíritu inmundo.* Se dirige al espíritu como a un ser inteligente. *Espíritu mudo y sordo* es una referencia a las manifestaciones del espíritu en el joven. El *Yo te mando* es enfático, en contraste con los discípulos que habían fracasado. *¡Sal...nunca más entres!,* solución definitiva. Expulsar a un espíritu inmundo no es garantía de que no vuelva (*cf.* Mat. 12:44).

V. 26. Una vez más, y como último intento de destruir al joven, el espíritu inmundo *desgarrándole con violencia...salió.* Resistiendo con todo su fuerza, no pudo menos que obedecer la voz de Jesús.

V. 27. *Le tomó de la mano... y él se levantó levantó,* acto de ternura. No tuvo miedo de ser contaminado de espíritus inmundos, ni de enfermos (1:31). Algunos textos antiguos agregan que "le entregó al padre".

3 La incapacidad de los discípulos, Marcos 9:28, 29.

V. 28. Los nueve discípulos esperaron un momento a solas con Jesús para pedirle una explicación más explícita por su fracaso (9:19). *¿Por qué no pudimos echarlo fuera nosotros?* "Nosotros" es enfático. Jesús les encomendó esta tarea y la habían practicado antes (3:15; 6:7, 13). Su fracaso y el éxito de Jesús les preocupaba seriamente. ¿Por qué, pues, habían fallado tan rotundamente esta vez?

V. 29. Los nueve discípulos o no habían orado, o habían orado sin fe. Jesús "pone el dedo en la llaga" al decir: *Este género con nada puede salir, sino con oración.* "Con oración" implica oración con fe. La oración no es garantía de poder para realizar milagros, pero es un factor vital en el proceso. Tiende a aumentar nuestra fe y nos pone en armonía con la voluntad de Dios. En algunos mss. antiguos se añade "y ayuno", pero es casi seguro que es un agregado posterior. Dios, a través de su Espíritu Santo otorga dones a los hombres, pero esos dones, puesto que son para la edificación de la iglesia, y no para el uso personal, deben estar saturados de oración. Si una persona no mantiene su contacto con Dios, no importa qué tan espectacular sea el don que tiene, éste pierde su razón de ser.

4 Jesús bendice a los niños, Marcos 10:13-16.

V. 13. Parece que los padres mismos presentaban a sus hijos a Jesús (Mat. 19:13). "Niños" es un término que abarca a los de dos o tres hasta doce años. *Pero los discípulos los reprendieron.* Quizá ellos querían proteger a Jesús de las demandas de las multitudes y pensaban que los niños no eran de tanta importancia como los adultos.

Era algo muy natural que las madres judías quisieran que sus hijos fueran bendecidos por un rabí importante y renombrado. Los llevaban ante un personaje así especialmente en el primer cumpleaños del niño.

V. 14. Jesús, ante tal actitud, expresó una fuerte emoción, se indignó, o "se dolió", o "se molestó". Respondió con un imperativo positivo, *dejad a los niños venir...*, y uno negativo, *no les impidáis.* Para ellos no eran de tanto valor como para molestar a Jesús. En cambio, Jesús los consideraba de gran valor, ¡eran símbolos del reino! Se refiere a su relación con sus padres —completamente dependientes, todo viene a ellos de pura gracia. Así, de los tales es el reino.

V. 15. *Cualquiera que no reciba el reino de Dios como un niño,* es decir, de pura gracia, como el niño de sus padres. *Jamás entrará* es una afirmación con doble negación, "no, no", en el texto original.

V. 16. *Entonces tomándolos en los brazos* revela dos cosas: el cariño de Jesús hacia los niños y la confianza de éstos hacia él. *Puso las manos sobre ellos y los bendijo* es lo que los padres pedían. "Los bendijo" es un verbo de acción continuada. Se encuentra una sola vez en el NT, y se traduce mejor "los bendecía fervientemente".

Jesús es la clase de persona que se interesa por los niños y por aquellos con quienes éstos simpatizan. Nos refleja a una persona que ve a los niños con una óptica distinta a la de la mayoría de las personas.

Aplicaciones del estudio

1. La fe en Jesús y su palabra es un factor indispensable para agradar a Dios y obtener su favor en nuestra necesidad. De hecho, hay que volver a recordar que sin fe es imposible agradar a Dios. ¿Cómo podríamos acercarnos a alguien en quien realmente no confiamos para pedirle que nos ayude en nuestras necesidades?

2. La oración sincera es el plan de Dios para nuestra comunión con él y para realizar maravillas en su nombre. Los discípulos tenían el privilegio dado por Dios de poder echar fuera demonios en el nombre de Cristo, pero habían olvidado que tenían que estar en comunicación con la fuente del poder que haría posible la liberación. "Separados de ti nada podemos hacer."

3. El aprecio y ministerio a los niños, en nombre de Cristo, siempre recibirá la aprobación de Dios. Si ministramos a los niños, estamos sembrando la semilla de lo que serán las generaciones de mañana. Pasamos mucho tiempo con los jóvenes y con los adultos tratando de cambiar cosas que podían haber cambiado cuando eran niños.

Ayuda homilética

Los niños ante Jesús
Marcos 10:13-16

Introducción: La actitud correcta hacia los niños, de parte de los padres y líderes religiosos, se ve en el trato de Jesús con ellos.

I. Los niños llevados a Jesús por los padres (v. 13a).
- A. Los padres deseaban la bendición de Jesús para sus hijos.
- B. Los padres presentaban sus hijos a Jesús.

II. Los niños menospreciados por los mismos discípulos (v. 13b).
- A. Los discípulos (líderes religiosos) reprendían a los niños.
- B. Los discípulos intentaban impedir que llegasen a Jesús.

III. Los niños valorados altamente por Jesús (vv. 14-16).
- A. Jesús se indignó con el menosprecio de los discípulos.
- B. Jesús señaló a los niños como símbolos del reino.
- C. Jesús recibió, abrazó y bendijo a los niños.

Conclusión: La actitud y acción de Jesús hacia los niños nos muestra el alto valor de los niños y la prioridad que deben tener.

Lecturas bíblicas para el siguiente estudio

Lunes: Marcos 10:17-22
Martes: Marcos 10:23-25
Miércoles: Marcos 10:26-31
Jueves: Marcos 10:32-34
Viernes: Marcos 10:35-45
Sábado: Marcos 10:46-52

AGENDA DE CLASE

Antes de la clase

1. Tenga a mano el mapa usado para estos estudios para que localice los sitios donde se desarrolla la lección de hoy. **2.** Busque fotos o láminas de niños y colóquelas alrededor del pizarrón. **3.** Escriba alrededor de las fotos el título del estudio: "Jesús responde a la fe de los padres". **4.** Resuelva el ejercicio de la sección *Lea su Biblia y responda* de este estudio.

Comprobación de respuestas

JOVENES: **1.** a. Disputando con los escribas. b. No habían podido liberar a un niño endemoniado. c. Jesús ordenó al espíritu inmundo que saliera. d. Que habían fracasado por falta de fe y oración. **2.** a. verdadera b. falsa. c. falsa. d. verdadera. e. verdadera. f. falsa.
ADULTOS: Preguntas de análisis e interpretación personal.

Ya en la clase

DESPIERTE EL INTERES

1. Llame la atención hacia las fotos o láminas de los niños y pregunte a los alumnos cómo creen que sería el mundo sin ellos. **2.** Ahora motívelos a recordar qué sienten cuando un niño en la iglesia se porta mal e interrumpe y molesta en el culto. ¿Pueden contar alguna experiencia? **3.** Discutan por qué causa creen que los discípulos impedían que los padres llegaran con sus niños a Jesús? **4.** Analicen los motivos que tendrían los padres trayendo a Jesús niños sanos. ¿Qué esperaban de él? **5.** Invite a los alumnos a resolver el ejercicio de la sección *Lea su Biblia y responda,* del estudio de hoy. Adultos: Compare las respuestas de los alumnos.

ESTUDIO PANORAMICO DEL CONTEXTO

1. Pida a algunos alumnos que lean en voz alta el Estudio Panorámico del Contexto. **2.** Anime a la clase a ubicar en el mapa el monte Hermón, sitio probable de la transfiguración y narre los acontecimientos allí ocurridos y llame la atención al hecho de que otra vez son Pedro, Jacobo y Juan los discípulos escogidos para una experiencia importante. **3.** Hable de la discusión con los escribas y el fracaso en echar fuera del niño el espíritu inmundo. **4.** Pregunte a los alumnos: ¿Cómo se sentiría el Señor al ver a sus discípulos discutiendo sobre quién era el más importante? Permitan que expresen libremente sus ideas. **5.** Pida a sus alumnos que hagan un resumen de las enseñanzas que Jesús impartió después de este hecho y antes del pasaje de la bendición a los niños.

ESTUDIO DEL TEXTO BASICO

1. Comente sobre el hecho de que los escribas y fariseos estaban aún en un lugar remoto (véalo en el mapa). ¿Perseguían a Jesús? Allá estaban no solamente discutiendo con Jesús sino con los mismos discípulos, aprovechando el fracaso de ellos en la liberación del niño endemoniado.

2. *Explique la frustración del Señor ante el fracaso de ellos.* Evidentemente Jesús manifiesta cansancio por la incapacidad de los discípulos, con quienes ya llevaba un buen tiempo de adiestramiento. Sus palabras aquí son realmente duras. ¿Cuántos de nosotros también hemos enfrentado ese tipo de experiencia en donde se manifiesta que a pesar de tantos años que hemos estado siguiendo a Jesús, no somos capaces de cumplir lo que él había dicho: "Mayores cosas haréis porque yo voy al Padre." ¿No se cansará también de nosotros el Señor? ¿Qué habrán sentido los discípulos al oír a Jesús hablar así? ¿Qué diríamos nosotros si nos dijera que nos falta fe?

3. *Haga notar cómo el espíritu inmundo se estremece* en la presencia de Jesús. La presencia de los discípulos no le había afectado, pero la presencia de Jesús es otra cosa. El padre se estremece ante el sufrimiento del hijo e implora desesperadamente a Jesús que les ayude.

4. *Comente cómo el Señor ayuda al hombre* a fortalecer su fe. Alguna fe tenía el padre atribulado y Jesús lo reconoce, de modo que el hombre implora a Jesús con una oración que se ha hecho famosa, porque demuestra la vulnerabilidad humana, pero a la vez la esperanza.

5. *Pregunte a los alumnos por qué creen* que los discípulos esperaron estar a solas con Jesús para pedirle explicación de su fracaso. ¿Ya sabrían? Con oración y ayuno indica que ellos necesitaban una mayor comunión con el Padre celestial para tener poder, no que tuvieran que realizar algún rito para convencer a Dios de que obrara.

6. *Diga a los alumnos que ahora imaginen la escena* de Jesús rodeado de niños y los discípulos tratando de impedirlo. Es fácil entender la indignación del Señor. Pida a un alumno que lea lo que dijo Jesús en los versículos 14 y 15, pero en el tono que Jesús debe haberlo dicho, porque el pasaje se lee generalmente de manera tierna y Jesús lo dijo indignado.

APLICACIONES DEL ESTUDIO

Lea las aplicaciones que usted tiene en el libro del maestro. Que un alumno lea las que tiene en su libro. Pida a la clase que elabore otras aplicaciones y elaboren entre todos una pequeña declaración sobre los derechos de los niños para acercarse y conocer a Jesús.

PRUEBA

Permita que los alumnos realicen las actividades y después compartan las experiencias que han tenido con respecto a niños. ¿Alguno ha guiado a un niño a Cristo? ¿Recuerdan en su infancia a personas que les ayudaron en el camino del Señor? Oren al Señor dando gracias por todos los que trabajan enseñando a los niños de Cristo.

Estudio **36**

Unidad 8

El camino del Siervo

Contexto: Marcos 10:17-52
Texto básico: Marcos 10:32-45
Versículo clave: Marcos 10:45
Verdad central: Lo que Jesús hizo durante su vida, y su muerte misma en la cruz, demuestran que vino a darse en servicio completo a la humanidad.
Meta de enseñanza-aprendizaje: Que el alumno demuestre su: (1) conocimiento de la vida y la muerte de Cristo como una muestra de servicio a la humanidad, (2) actitud de consagración al servicio a los necesitados en el nombre de Cristo.

Estudio panorámico del contexto

A. Fondo histórico:

El ojo de la aguja. La expresión: "Más fácil le es a un camello pasar por el ojo de una aguja, que a un rico entrar en el reino de Dios", ha sido objeto de interpretaciones fantasiosas. Por ejemplo, surgió en la edad media la idea de una pequeña puerta, llamada "ojo de aguja", en el portón de Jerusalén, y para que un camello pudiera entrar tendría que arrodillarse. En el primer siglo no se conocía tal cosa. Otros opinan que "camello" debe entenderse "soga", pues en griego son términos muy parecidos. Jesús más bien está usando una hipérbole para señalar que es imposible que un rico, que confía en sus riquezas, pueda entrar en la vida eterna (*cf.* v. 26). Se trata de la cita de un proverbio muy conocido precisamente por ser grotesco. El camello era el animal más grande en Palestina en ese tiempo.

Los hijos de Zebedeo. Es interesante mencionar que Mateo dice que el pedido que tradicionalmente le atribuimos a Santiago y a Juan en realidad lo hizo Salomé, la madre de ellos. Quizá el deseo de resguardar la imagen de los apóstoles hizo que Mateo pensara en la ambición natural de la madre. Una petición semejante no era digna de un apóstol. Sin embargo, hay que recordar que Jesús los había incluido en el círculo más íntimo de sus amigos, y eso podía haber hecho que su ambición pareciera justificada.

Bartimeo, hijo de Timeo. Vale la pena considerar algunas cosas que rodeaban el momento en que Bartimeo fue sanado por Jesús. Por ejemplo, cuando un maestro religioso distinguido iba en camino de la cuidad santa para celebrar alguna de las grandes festividades judías, por lo general lo acompañaba una multitud de seguidores, discípulos y estudiantes que escuchaban sus palabras mientras caminaban juntos. En la puerta norte de la ciudad estaba sentado un mendigo, nuestro personaje Bartimeo. Escuchó el ruido de los pasos de la multitud que se acercaba. De alguna manera se dio cuenta de que Jesús se estaba acercando al templo. Empezó a gritar para llamar la atención, cosa que molestó a los que estaban oyendo a Jesús. Sin embargo, como de costumbre, para Jesús la actitud del ciego era vista desde una óptica diferente. Eso fue básico para que el Maestro realizara uno de los milagros que más mencionamos entre los cristianos.

Jesús, Hijo de David. Este título, que Bartimeo el ciego le dio a Jesús (10:47), se encuentra en los tres sinópticos. Se refiere al Mesías quien daría "vista a los ciegos" (Isa. 61:1; Luc. 4:18). Marcos emplea el título dos veces, aquí y en 12:35. Bartimeo no desconocía quién era Jesús. Su insistencia en llamarlo Hijo de David, una y otra vez, reflejaba que estaba mencionando un título mesiánico. Sin embargo, esa idea hablaba de un Mesías conquistador, un rey de la línea de David que llevaría a Israel a recuperar su grandeza como pueblo. No se nos exige necesariamente que entendamos a plenitud quién es Jesús. lo que se nos pide es que tengamos fe. El cristianismo comienza en nosotros cuando reaccionamos frente a la persona de Jesús. Si nunca llegamos a ser capaces de elaborar teológicamente las cosas, esa respuesta verdadera: "lo único que sé es que antes era ciego y ahora veo", ese grito honesto que sale del alma es más que suficiente para dar testimonio.

B. Enfasis:

¿A quién servía el joven rico?, 10:17-22. El joven rico era esclavo de las posesiones materiales y las "servía" (*cf.* Rom. 6:16). Cuando Jesús le dio la oportunidad de tener "tesoro en el cielo", o vida eterna, con la condición de deshacerse de sus bienes, no aceptó la oferta, pues estaba esclavizado a las riquezas materiales.

El peligro de servir a las riquezas, 10:23-25. "Servir a las riquezas" significa dar prioridad a ellas como lo más importante en la vida, de modo que llegan a ser su "dios". Jesús advirtió a sus seguidores que es imposible servir a Dios y a las riquezas (Mat. 6:24).

Los primeros serán postreros, 10:26-31. En el reino de Dios los valores y las evaluaciones humanas se invierten. El joven rico, según el concepto humano, sería primero y los humildes seguidores de Cristo ocuparían el último lugar. En el reino de Dios se invierten.

El Hijo del Hombre será entregado, 10:32-34. Es la tercera vez que Jesús describe, con cada vez más detalles, su muerte, sepultura y resurrección (8:31; 9:31). Sabía exactamente lo que le iba a pasar y, sin embargo, "afirmó su rostro para ir a Jerusalén" (Luc. 9:51).

La pretensión de Jacobo y Juan, 10:41-45. Indicando una completa falta de comprensión de la naturaleza del reino de Dios, que Jesús recién había expuesto, estos dos hermanos se adelantaron para pedir lugares de preferencia y honor al lado de Jesús en su reino de gloria.

Jesús sana al ciego Bartimeo, 10:46-52. Acercándose al fin de su ministerio terrenal, Jesús sigue demostrando compasión por todos los que tenían necesidades y que clamaban pidiendo ayuda. Este es el último ministerio de Jesús antes de la "entrada real" en Jerusalén.

1 Jesús anuncia su muerte y victoria, Marcos 10:32-34.

V. 32. Jesús y sus discípulos *Iban...subiendo a Jerusalén* en la etapa final de su ministerio terrenal, una semana antes de su crucifixión. *Estaban asombrados, y tenían miedo los que le seguían*, incluyendo a los discípulos. ¿Qué es lo que produjo esta emoción? Quizá sabían de la hostilidad de los líderes religiosos, o recordaban las predicciones de Jesús de su muerte. Jesús habló a sus discípulos en privado.

V. 33. Jesús, por tercera vez (8:31; 9:31), describe en detalle lo que le iba a pasar en Jerusalén: *el Hijo del Hombre será entregado.* "Hijo del Hombre" es el título favorito de Jesús al referirse a sí mismo. Se nota que cada vez agrega nuevos detalles. Aquí les avisa que los líderes religiosos *le entregarán a los gentiles* (romanos), una evidencia más del rechazo total de parte de su propio pueblo.

V. 34. Por primera vez describe el trato que recibiría antes de la crucifixión: *se burlarán de él, le escupirán, le azotarán...* Esta es la forma más insultante y humillante de tratar a un preso, sobre todo escupirle en el rostro. Era un "juguete" para su diversión. Pedro habrá compartido estos detalles a Marcos. En todas los anuncios de su muerte, Jesús aseguraba que resucitaría después de tres días.

2 Un concepto equivocado del reino, Marcos 10:35-40.

V. 35. Parece inconcebible que *Jacobo y Juan,* los primeros discípulos y los más allegados a Jesús, en el contexto de la predicción de la muerte de su Maestro estuvieran pensando en provechos personales. Pidieron nada menos que un "cheque en blanco": *lo que pidamos.* Mateo indica que la madre de ellos fue la que hizo el pedido (20:20), quizá motivada por la ambición natural de una madre. En todo caso, los hijos estaban de acuerdo con el pedido de su progenitora. Además, parece ser que su madre, Salomé, era hermana de María, madre de Jesús (15:40; Juan 19:25). Quizá este parentesco les dio confianza para pedir esto.

V. 36. Con una pregunta: *¿Qué queréis que haga por vosotros?,* Jesús los obliga a definir su pedido antes de prometer algo. Su respuesta revelaría la superficialidad espiritual de sus ambiciones.

V. 37. Fue la ambición carnal, no lealtad a Jesús, la que los motivó a solicitar las posiciones más altas de honor en el reino. Quizá Juan pensaba que tenía derecho a esto por ser el discípulo amado (Juan 19:26), y los dos habían estado con Jesús en la transfiguración. Sin embargo, hay que darnos cuenta de que ellos, Santiago y Juan jamás dudaron de que Jesús se encaminaba no a una derrota, sino a una inminente victoria. La cruz es el comienzo de la gloria.

V. 38. *No sabéis lo que pedís.* Lucas comenta que ellos no entendieron lo que Jesús quiso decir cuando se refería a su muerte y resurrección (18:34). Tampoco entendieron la naturaleza del reino de Dios, que uno entra en la gloria por el sufrimiento. *Copa...bautismo* se refieren al sufrimiento y muerte (14:36; Luc. 12:50; 22:20). Es el uso de dos metáforas judías: En los banquetes reales, el rey acostumbraba ofrecer su copa a los invitados. El vaso se convertía, entonces, en una metáfora para referirse a la vida y la experiencia que Dios ofrecía a los hombres. El salmista dijo: "Mi copa está rebosando".

V. 39. Jesús había preguntado: *¿Podéis?,* y ellos, con mucha autoconfianza pero poca comprensión, contestaron: *Podemos.* El procede a advertirles que también tendrían que sufrir y quizá morir por su causa, *beberéis la copa... y seréis bautizados.* Los que desean reinar con él deben estar dispuestos a sufrir con él (Hech. 14:22; Rom. 8:17; 2 Tim. 2:12). Los discípulos sufrieron, algunos la muerte, por su fe.

V. 40. Jesús aquí declara su subordinación voluntaria y amante al Padre celestial (*cf.* 13:32). El repartirá los premios en el día final (2 Tim. 4:8), pero sólo de acuerdo con la voluntad del Padre. El lugar de honor en el reino es *para quienes está preparado.* Mateo agrega "lo ha preparado mi Padre" (20:23). No es asunto de privilegio personal, sino de la voluntad soberana de Dios.

3 El sentido de servicio en el reino, Marcos 10:41-45.

V. 41. *Los diez, comenzaron a enojarse con Jacobo y Juan.* Este dicho revela dos cosas: primera, Jacobo y Juan tuvieron que ver con la solicitud aunque su madre la habrá dirigido a Jesús; segunda, los diez les tenían envidia por haberles ganado la mano en la solicitud. El carácter del hombre se revela por lo que le mueve a la indignación.

V. 42. Jesús, en vez de reprenderlos, aprovecha la ocasión para mostrar el contraste entre el proceder de gentiles y de los hijos del reino. Realmente, es un reproche suave e indirecto para los dos y los diez. Se enseñorean y ejercen autoridad son dos verbos que describen un dominio absoluto, soberano. En el primero está la idea del señor soberano, y el segundo describe un despotismo total.

V. 43. Para el creyente no caben los términos del v. 42, porque Jesús es el único señor soberano. Luego Jesús señala la actitud y acción para *cualquiera que anhele hacerse grande* en el reino de Dios, *será vuestro servidor.* ¡Grandeza en el reino de Dios es grandeza en el servicio! Jesús no prohíbe el deseo de ser grande, sino que redefine el concepto de la grandeza. No hay mucha competencia allí.

V. 44. Jesús repite el mismo principio del reino en otras palabras, un paralelismo hebreo, común en el AT. El deseo de "hacerse grande" y el anhelo de *ser el primero* son conceptos sinónimos.

V. 45. Este es el broche de oro en el argumento de lo que es la grandeza en el reino. Jesús puso el ejemplo de su propia vida y ministerio. Es el Siervo Sufriente de Isaías 53:11, 12, y vino al mundo en función del servicio a favor del hombre. *Para servir* traduce un verbo del cual viene "diácono", uno que servía las mesas. *Para dar su vida en rescate por muchos* es una expresión cargada con conceptos del AT. "Rescate" es un término comercial de compra y venta, usado en relación con los animales ofrecidos por los pecadores y, en especial, en relación con el precio para librar a un esclavo. El NT considera la muerte de Cristo como rescate por los pecadores. *Por muchos*, o "en lugar de muchos", no se refiere a un número limitado, sino a un contraste con el precio de rescate por uno.

Aplicaciones del estudio

1. El camino a la gloria y utilidad en el reino suelen pasar por pruebas, sufrimiento y aun la muerte. Es una gran mentira premeditada el hecho de que muchas sectas seudocristianas anuncian caminos fáciles para aspirar a la vida eterna.

2. La grandeza en el reino de Dios es grandeza en el servicio. El ejemplo de Jesús es nuestro ejemplo (Fil. 2:5-11). Sí, hay oportunidades sin fin para que una persona llegue a ser grande. Esas oportunidades, sin embargo, siempre se darán en el ámbito de una vida de servicio.

3. Lo que mueve al hombre a la indignación revela su carácter. La indignación de los discípulos por la postura de Santiago y Juan revelaron que ellos entendían la posición de un siervo.

4. Hay que tener cuidado con nuestras pretensiones. Cuando Jesús les preguntó a Santiago y a Juan "¿Qué queréis que haga por vosotros?", ellos se apresuraron a responder sin reflexionar en la naturaleza y las consecuencias de su petición. El caso de Salomón fue lo opuesto ante la oferta de Dios.

Ayuda homilética

La grandeza en el reino de Dios
Marcos 10:35-45

Introducción: Hay mucha competencia por los lugares de honor, poder y grandeza en el mundo. Jesús enseña la naturaleza de la grandeza en el reino de Dios y se ofrece como el ejemplo máximo.

I. Es chocante con la ambición de creyentes carnales.
- A. Creyentes carnales desean ocupar posiciones de privilegio.
- B. Creyentes carnales se indignan cuando otros les ganan.

II. Es contraria a la práctica de hombres incrédulos.
- A. Hombres incrédulos desean enseñorear sobre otros.
- B. Hombres incrédulos usan cualquiera táctica para lograrlo.

III. Es conforme al ejemplo de Jesús.
- A. La grandeza de Jesús se vio durante su ministerio terrenal.
- B. La grandeza de Jesús se vio en su muerte "por muchos".

Conclusión: El creyente está tentado a seguir las ambiciones del mundo de ejercer autoridad sobre otros, de ser un señor soberano, dentro y fuera de la iglesia. Jesús nos desafía a una vida de servicio a los demás.

Lecturas bíblicas para el siguiente estudio

Lunes: Marcos 11:1-14
Martes: Marcos 11:15-26
Miércoles: Marcos 11:27-33
Jueves: Marcos 12:1-12
Viernes: Marcos 12:13-27
Sábado: Marcos 12:28-44

AGENDA DE CLASE

Antes de la clase

1. Preocúpese por repasar todas las lecturas del contexto y el estudio panorámico. **2.** Haga lo propio con el material correspondiente al *Texto básico*. **3.** Escriba en el pizarrón el siguiente título ¿AMBICION DE PODER O DESEO DE SERVIR? **4.** Prepare una hoja de papel y un lápiz para cada alumno. **5.** Resuelva el ejercicio de la sección *Lea su Biblia y responda.*

Comprobación de respuestas

JOVENES: **1.** Por las cosas que Jesús decía que le sucederían allí, también por el enfrentamiento que había sostenido con los escribas y fariseos. **2.** a. Sería entregado. b. Le condenarían a muerte. c. Le entregarían a los gentiles. d. Se burlarían de él. e. Le escupirían. f. Le azotarían. g. Le matarían. h. Resucitaría al tercer día. **3.** Debe ser el siervo de todos.
ADULTOS: Preguntas de interpretación personal.

Ya en la clase
DESPIERTE EL INTERES

1. Divida el grupo en cuatro y reparta los papeles y lápices que ha preparado. **2.** Pídales a dos subgrupos que elaboren una lista de acciones que deben hacer para lograr tener poder dentro de la iglesia, y a los otros dos, una lista de acciones que demuestran deseo de servir en la iglesia. **3.** Compartan las respuestas y discutan cuáles acciones encajan con el espíritu de Cristo. **4.** Dé oportunidad de resolver los ejercicios de la sección *Lea su Biblia y responda.* Adultos: Compare las respuestas.

ESTUDIO PANORAMICO DEL CONTEXTO

1. Relate la historia del joven rico y explique el significado de hipérbole del camello y el ojo de la aguja. **2.** Analice la respuesta de Jesús a la declaración de Pedro de que ellos habían abandonado todo por seguirle. Pregunte a sus alumnos: ¿Qué han dejado ustedes por seguir a Jesús, y qué esperan recibir a cambio? **3.** Utilice el mapa usado en lecciones anteriores para enseñar la ruta del camino a Jerusalén. **4.** Compruebe las soluciones de los alumnos al ejercicio de la sección *Lea su Biblia y responda.*

ESTUDIO DEL TEXTO BASICO

1. Insista en la atmósfera que reinaba en ese viaje a Jerusalén. Todos tensos y temerosos por las cosas que Jesús decía y los peligros que le asechaban. Pida a un alumno que pase al frente y escriba en el pizarrón o en un cartel respuestas a la pregunta: ¿Cómo describirían el camino que llevaba a Jesús a Jerusalén? Por supuesto, motívelos a pensar en las dificultades y peligros que tendría que enfrentar.

2. Enfatice cómo Jesús hace una predicción detallada de todo lo que habría de acontecerle. Haga ver a los alumnos cómo Jesús sabía cada detalle y llame la atención al hecho que él anuncia su resurrección una vez más y que los discípulos siempre ignoraron u olvidaron este anuncio.

3. Pida a tres alumnos que improvisen una dramatización. Uno hará de Jesús y hablará de los sufrimientos que espera padecer, otros dos harán de Jacobo y Juan y le harán su petición. Después pida a los observadores que manifiesten sus opiniones sobre la petición, y a los que hicieron de Jacobo y Juan que expliquen qué sentimientos experimentaron al hacerla.

4. Resalte el hecho de que Jacobo y Juan eran de los más allegados a Jesús. Esto hace mucho más deleznable su petición. Mencione el hecho de que Mateo dice que fue la madre de ellos quien hizo la mencionada petición. ¿Cuáles serían las razones que tenía Mateo para escribir así? ¿Cambia esa aparente discrepancia la fidelidad de los relatos?

5. Insista en el enojo de los demás discípulos. Discutan los motivos de éstos al enojarse. ¿Era acaso porque ellos sí habían entendido la naturaleza del reino de Dios y de lo que estaba sucediendo? ¿Sería que sus propias ambiciones habían sido amenazadas?

6. Resalte cómo Jesús no condena el deseo de hacerse grande, sino que dice la manera legítima de lograrlo. No es condenable la aspiración de hacer una obra loable y significativa, si el motivo es el servicio a los demás y no los privilegios o el engrandecimiento personal.

7. Pida a la clase que lea unida el versículo 45. Enseñe que los seguidores de Jesús deben también imitarle en su entrega y servicio a los demás.

APLICACIONES DEL ESTUDIO

Lean una por una cada aplicación que aparece tanto en el libro del maestro como en el del alumno. Coméntenlas y enriquézcanlas entre todos para mayor provecho del estudio. Recuerde que en el caso de las Aplicaciones hay que hacer notar lo siguiente: Hay aplicaciones en el libro de maestros, en el libro de adultos, en el libro de jóvenes, e inclusive en el Condensado. También hay que recordar que se pueden modificar las aplicaciones para enriquecerlas. Esta modificación se justificaría siempre y cuando ayuden a cumplir más ampliamente nuestros objetivos.

PRUEBA

Divida a la clase en parejas para que realicen las actividades de la *Prueba*. Después pídales que intercambien las respuestas y las comenten entre todos. No olvide recordar a los alumnos las lecturas bíblicas para el estudio de la semana próxima.

Jesús confrontado en Jerusalén

Contexto: Marcos 11:1 a 12:44
Texto básico: Marcos 11:8-10, 15-19, 27-33
Versículo clave: Marcos 12:10
Verdad central: Jesús fue confrontado por sus enemigos en Jerusalén con la intención de tenderle una trampa, pero él contestó con audacia e inteligencia.
Meta de enseñanza-aprendizaje: Que el alumno demuestre su: (1) conocimiento de la manera de actuar de Jesús al ser confrontado por sus enemigos, (2) actitud de valor al enfrentar las adversidades en el camino de la vida cristiana.

Estudio panorámico del contexto

A. Fondo histórico:

Significado de montar en un borriquillo. Jesús, como rey manso y humilde, escogió a un animal humilde de carga, de acuerdo con el carácter de su reino y profecía mesiánica (Zac. 9:9). No entró con la pompa y arrogancia de un rey o conquistador militar en caballo blanco.

Betania y la costumbre de Jesús de ir allí a menudo. Betania estaba ubicada a unos cuatro kms al este de Jerusalén, allí moraban Marta, María y Lázaro, íntimos amigos de Jesús. Es allí donde Jesús acostumbraba hospedarse cuando estaba en esa zona.

Los escribas y sus actitudes, 12:38-40. Los escribas y fariseos (*cf.* Mat. 23) eran conservadores y muy exigentes en cuanto a su interpretación de las demandas legalistas de la ley de Dios, pero muy lejos de las demandas morales de Dios en la práctica. Por estos, Jesús los denunciaba como hipócritas. Recibirán mayor condenación, porque "mayor oportunidad trae consigo mayor responsabilidad".

Acerca del tesoro. En la corte de las mujeres había trece cofres con una abertura metálica en forma de embudo donde echaban su ofrenda. Sobre cada cofre había una inscripción indicando el destino de las ofrendas. Estos cofres se llamaban "el tesoro" del templo.

Dos blancas. Estas dos monedas griegas de cobre, *leptón*, eran las más pequeñas y de menos valor. Jesús sabía sobrenaturalmente que eran todo lo que poseía la mujer.

La posición de los saduceos frente a la resurrección. Este secta judía componía el partido político, aristocrático, secular, favorable a Roma y con gran influencia, a pesar de gozar de poco apoyo popular. Aceptaban sólo la ley de

Moisés y “los escritos”. Rechazaban la existencia de ángeles, espíritus y vida más allá de la muerte.

B. Enfasis:

La entrada triunfal en Jerusalén, 11:1-11. Jesús inicia la etapa final de su ministerio terrenal con la entrada “real” en Jerusalén, conocido como “domingo de ramos”, siete días antes de su resurrección. Esta es la última etapa del viaje. A diferencia de lo que comúnmente creemos, no es la primera vez que Jesús, como adulto, visitaba Jerusalén. Juan, el escritor del cuarto Evangelio nos presenta a Jesús visitando con cierta frecuencia la ciudad (Juan 2:13; 5:1; 7:10). Jesús tenía la costumbre de asistir a todas las grandes festividades de la religión judía.

Jesús y la higuera sin fruto, 11:12-14. Esta es una “parábola en acción” en que Jesús maldice la higuera estéril que era símbolo de la nación de Israel que no había producido el “fruto” que Dios demandaba.

Jesús purifica el templo, 11:15-19. Parece que Jesús purificó el templo dos veces: Juan 2:13-20 lo ubica al principio de su ministerio terrenal, los sinópticos al fin. Es otra “parábola en acción”, un acto mesiánico, en que Jesús condena el comercio en el lugar sagrado.

Lección de la higuera seca, 11:20-26. Dos lecciones salen de la parábola en acción: Israel recibe la sentencia de Dios por desobedecer su plan y Jesús enseña a los discípulos la eficacia de la fe en la oración.

La autoridad de Jesús, 11:27-33. Los representantes del sanedrín querían saber la “naturaleza” y “fuente” de la autoridad con que Jesús estaba obrando, especialmente después de la purificación del templo.

Los labradores malvados, 12:1-12. Una parábola, o alegoría, en que Jesús describe el clímax de las relaciones de Dios con su pueblo —la paciencia y misericordia de aquél, la rebeldía y rechazo de éste.

Pregunta sobre el tributo al César, 12:13-17. Los fariseos se oponían a dar el tributo a César, pero los herodianos lo apoyaban. Pensaban que de cualquiera manera que contestara, un grupo podría condenarlo.

Pregunta sobre la resurrección, 12:18-27. Citando la ley del levirato (Deut. 25:5), los saduceos estaban seguros de que tenían una pregunta que Jesús, sosteniendo la resurrección, no podía contestar.

El gran mandamiento, 12:28-34. Una pregunta popular entre los escribas: ¿cuál mandamiento era el más grande de los 613 que ellos habían elaborado? Jesús contesta, citando el *“shema”* (Deut. 6:4, 5), relación vertical, y Levítico 19:18, la horizontal.

Jesús, hijo y Señor de David, 12:35-37. Después de una serie de preguntas de los líderes religiosos, Jesús mismo hace una pregunta, citando el Salmo 110:1, 5, que es un pasaje mesiánico.

Jesús denuncia a los escribas, 12:38-40. Se debe comparar este texto con Mateo 23 donde se extiende la fulminante denuncia de Jesús.

La ofrenda de la viuda pobre, 12:41-44. Ella dio menos que todos según la medida humana, pero más que todos según la medida de Dios. La moneda referida en este pasaje era un *lepton,* que significa literalmente delgada. Era la más pequeña de todas las monedas.

1 Jesús antes de ser confrontado, Marcos 11:8-10.

V. 8. Los discípulos echaron sus mantos sobre el borriquillo (11:7), como asiento para Jesús, y la multitud tendía *sus mantos por el camino, y otros cortaban ramas...*, formando una hermosa alfombra, expresando el deseo de honrar al Mesías que venía a ocupar su trono.

V. 9. Había llegado su hora y ya no procuraba evitar que la gente lo proclamara como Mesías-Rey. *¡Hosanna!*, que significa "salva ahora", y *¡Bendito el que viene en el nombre del Señor!* son términos mesiánicos frecuentemente citados (*cf.* Sal. 118:25, 26).

V. 10. Los discípulos y la multitud reconocían que Jesús había venido a cumplir las profecías mesiánicas del reino de *nuestro padre David,* pero estaban equivocados en cuanto a la naturaleza del reino. Todavía abrigaban la esperanza de un reino político-militar.

2 Jesús restaura la santidad del templo, Marcos 11:15-19.

V. 15. Después de la entrada triunfal, Jesús pasó la noche en Betania y volvió a Jerusalén el lunes de mañana. *Entró en el templo. Y comenzó a echar fuera a los que vendían y... compraban.* Este episodio tuvo lugar en el recinto de los gentiles. Trató en igual manera a ambos grupos: A los que vendían y a los que compraban. No era una venta común, sino de todo lo relacionado con los sacrificios en el templo. Los que venían de lejos no podían traer lo que necesitaban. Tampoco podían pagar los impuestos del templo con moneda extranjera y necesitaban cambiarla. Los negocios eran necesarios, pero no en el templo.

Volcó las mesas... La única ocasión cuando Jesús empleó fuerza física en su ministerio. ¡Qué cuadro! ¡Uno contra cientos! Y parece que nadie intentó resistirlo. Su aspecto era como para asustar. Vemos en el cuadro al Jesús varonil, valiente, temible. ¿Y manso?

V. 16. *Y no consentía que nadie cruzase por el templo...* Jesús quería que el templo fuese un lugar tranquilo, sin distracciones. Su intención era la de restaurarlo a su propósito y función originales.

V. 17. Jesús cita Isaías 56:7, indicando el propósito original del templo: *casa de oración para todas las naciones. Para todas las naciones* indica el propósito universal del templo. No sólo habían convertido el templo en un mercado, con el permiso implícito de los líderes religiosos, sino que la habían hecho *cueva de ladrones.* Con esta acusación Jesús agrega otro motivo de su indignación. Los vendedores y cambistas estaban explotando a los compradores.

V. 18. *Los principales sacerdote y los escribas... buscaban cómo matarle; porque le tenían miedo.* Estaban furiosos porque Jesús había desautorizado su permiso de los negocios en el templo y "tenían miedo" porque todo el pueblo estaba maravillado de su doctrina. Es decir, su autoridad como líderes religiosos estaba seriamente en juego.

V. 19. Después de los eventos del día *Jesús y los suyos salieron de la ciudad,* porque no había lugar seguro para ellos allí.

3 Jesús es confrontado, Marcos 11:27-33.

V. 27. *Volvieron a Jerusalén* el martes, después de pasar la noche en Betania, para iniciar el día más largo de actividades registradas. Los tres grupos del sanedrín, *principales sacerdotes, escribas y ancianos,* llegaron para confrontar directamente a Jesús. Es impresionante la facilidad con la cual estos grupos, que habitualmente tenían problemas de relación entre sí, se unen para luchar en contra de Jesús.

V. 28. Los líderes quieren saber: *¿Con qué autoridad... y quién te dio la autoridad?* Ellos constituían la autoridad máxima del pueblo y no lo habían autorizado. Jesús, con sus acciones, en particular la purificación del templo, había desafiado todo su sistema y autoridad.

V. 29. Jesús promete contestarles su pregunta si ellos primero contestan la de él. Le habían hecho muchas preguntas para tentarle y ahora él toma la iniciativa. A pesar de que Jesús tenía suficientes respuestas para la pregunta de los líderes religiosos, prefirió confrontarlos con su sentido real de autoridad, poniendo de manifiesto que una cosa es tener verdadera autoridad y una muy distinta es tener el poder. La autoridad se fundamenta en una vida de consagración y congruencia con la verdadera justicia. El poder puede llegar a ser arbitrario y ejercerse sin tener ninguna autoridad.

V. 30. *El bautismo de Juan, ¿era del cielo o de los hombres?* El pueblo en general reconocía a Juan como profeta de Dios y que éste había reconocido a Jesús como el Mesías. Si la autoridad de Juan era "del cielo", tendría la misma fuente que la suya. Al reconocer la autoridad de Juan, tendrían que reconocer la de Jesús.

V. 31. Los líderes se dieron cuenta de la intención de Jesús y se encontraban en un gran dilema. Si admitían que su autoridad era de Dios, tendrían que reconocer que la de Jesús también era de Dios. Una pretensión constante de los líderes religiosos es decir que Dios es la fuente de su autoridad. Con ese fundamento pueden iniciar una guerra santa o cualquier otro movimiento que aluda al sentido religioso de las personas.

V. 32. La única opción que les quedaba si rechazaban la autoridad de Juan como de Dios, sería de acusarle de ser un impostor, lo cual traería una reacción popular. Evidentemente estos personajes querían quedar bien con todos, menos con Dios. En nombre de la religión se pueden cometer graves injusticias.

V. 33. Ellos contestaron la pregunta de Jesús, diciendo: *No sabemos,* lo cual era una mentira, pues no lo reconocían como profeta de Dios. Sin embargo, no querían decirlo públicamente porque tenían temor del pueblo. Su problema no era su intelecto, sino su voluntad obstinada. Ya habían decidido matar a Jesús y nada cambiaría su determinación (v. 18).

Aplicaciones del estudio

1. Debemos responder con audacia e inteligencia a las trampas de los que tratan de hacernos caer en el error. Es natural que en muchas ocasiones los creyentes seremos confrontados con trampas y preguntas capciosas que tratarán de hacernos caer en contradicciones. Debemos estar preparados para responder a estas situaciones.

2. El templo, sin ser sacralizado, es un lugar especial. Debemos tener cuidado en dedicar el templo para los efectos de adoración y alabanza a Dios. No adoramos el templo, pero sí es necesario usarlo para lo cual fue dedicado. En la actualidad tendemos a construir edificios "multiusos" y eso incluye el santuario. Vale la pena revisar esa tendencia.

3. La verdadera autoridad de los hijos de Dios. La autoridad que tenemos para pedir a los hombres que respeten las cosas dedicadas a Dios vienen del propio Dios. Jesús tenía celo por la casa de oración y en eso fundaba su reclamo a los negociantes.

Ayuda homilética

Cuando se cambia el propósito del templo
Marcos 11:15-19

Introducción: El templo es el lugar dedicado a los encuentros que el pueblo de Dios tiene con él. Sin la pretensión de sacralizar el lugar, sí debemos respetar su significado y su propósito fundamental. Cuando se pervierte el uso del templo suceden varias cosas:

I. Se desvirtúa el sentido de santidad o uso exclusivo.
- A. Era un concepto en el Antiguo Testamento, Isaías 56:7.
- B. Era un concepto en el Nuevo Testamento.
- C. Debe llegar a ser un concepto en la actualidad.

II. Se abren las puertas de la secularización.
- A. Venta de objetos, abusos, negocios.
- B. La venta de la salvación.
- C. Venta de posiciones.

III. Se acarrean graves consecuencias.
- A. Se provoca la ira de Dios.
- B. Se anula el sentido de la presencia de Dios.
- C. Se afecta el desarrollo de la iglesia.

Conclusión: Para evitar las consecuencias que resultan de darle al templo un uso diferente del que tiene, es bueno hacer una reconsideración de lo que estamos haciendo hoy en día.

Lecturas bíblicas para el siguiente estudio

Lunes: Marcos 13:1-23
Martes: Marcos 13:24-37
Miércoles: Marcos 14:1-21
Jueves: Marcos 14:22-42
Viernes: Marcos 14:43-65
Sábado: Marcos 14:66-72

AGENDA DE CLASE

Antes de la clase
1. Revise concienzudamente todo el material de su libro de maestro. Asimismo analice el material del libro del alumno correspondiente. Sería muy útil considerar todas las aplicaciones que hay en los libros de los alumnos y el Condensado. **2.** Lea el contexto para que tenga claros todos los acontecimientos. **3.** Tenga a mano el mapa usado en estudios anteriores o colóquelo en un lugar visible. **4.** Consiga diferentes láminas sobre la entrada triunfal de Jesús en Jerusalén. **5.** Resuelva el ejercicio de la sección *Lea su Biblia y responda*.

Comprobación de respuestas
JOVENES: **1.** Tendieron sus mantos sobre el camino, cortaron ramas de los árboles, aclamaron a Jesús. **2.** A los que vendían y los que compraban. **3.** De haber convertido el templo en cueva de ladrones. **4.** a. ¿Con qué autoridad haces estas cosas? b. El bautismo de Juan, ¿era del cielo o de los hombres? c. Por temor al pueblo.
ADULTOS: Preguntas de interpretación personal.

Ya en la clase
DESPIERTE EL INTERES
1. Divida la clase en tres subgrupos y pídales que por unos minutos elaboren una descripción de cómo se siente una persona cuando es perseguida y hostigada por alguien. Puede usar como ilustración casos famosos como la muerte de la princesa Diana que fue muy presionada por los fotógrafos independientes. Contesten la pregunta: ¿Qué necesita una persona que está siendo hostigada y criticada constantemente? **2.** Comparta las respuestas y hablen sobre la relación de Jesús y los líderes religiosos. **3.** Discutan si la acción de Jesús de volcar las mesas fue un acto de violencia o una reacción a la violencia usada contra él. **4.** Pregunte: ¿Por qué echó Jesús a los que compraban? ¿Eran también culpables? ¿Se justifica el enojo manifiesto de Jesús? ¿Cuáles serían algunas acciones actuales que se parecen a las actitudes de los vendedores del templo en el día de Jesús? **5.** Pida a los alumnos que resuelvan el ejercicio de la sección *Lea su Biblia y responda*. Adultos: Compare las respuestas.

ESTUDIO PANORAMICO DEL CONTEXTO
1. Ubique en el mapa Betania y hable de la costumbre de Jesús de hospedarse allí a menudo. Marta, María y Lázaro eran amigos íntimos de Jesús. ¡Qué bueno que sus últimos días los pasó en un hogar así! **2.** Comente los incidentes de la entrada triunfal y el efecto que esta debe haber causado: a. en los discípulos, b. en los escribas y fariseos, c. en Jesús mismo. Deje a los alumnos opinar sobre esto. **3.** Haga un resumen de los enfrentamientos de Jesús con los escribas narrados en el estudio de hoy. **4.** Finalmente, narre el pasaje de la ofrenda de la viuda

e insista en el contraste que Jesús hace entre ella y los escribas. Haga una comparación entre el valor de lo que dio la viuda y lo que daban los ricos. Señale la importancia de las actitudes al presentar nuestras ofrendas.

ESTUDIO DEL TEXTO BASICO

1. Enfatice las enseñanzas de la entrada triunfal. Jesús había estado por tres años enseñando al pueblo y sanando todo tipo de enfermos. Pero una de las cosas más difíciles debe haber sido el tener que sufrir el asedio constante de los escribas y fariseos que le persiguieron durante todo su ministerio al tanto de todo lo que hacía y decía, buscando ocasión de condenarlo. La entrada triunfal era necesaria para que Jesús fuera reconocido públicamente por todo lo que había hecho y también, para ayudarle y animarle a enfrentar los sufrimientos horribles de su última semana de vida. Pregunte: ¿Pueden imaginar los sentimientos de Jesús en la entrada triunfal? ¿Qué creen que significa el hecho de que Jesús, según Marcos, después de ella sólo entra en silencio al templo, mira alrededor y se retira a Betania?

2. Estudie detalladamente el pasaje de la purificación del templo. Pregunte: ¿No sorprende un poco ver a Jesús realizando un acto de violencia en medio de una multitud, volcando las mesas? Insista en recalcar que Jesús no reacciona violentamente a acciones contra su persona. Ha sido hostigado constantemente y sería torturado después sin reaccionar de esa manera. Sin embargo, al ver el templo profanado lo vemos cómo en ningún otro momento. Trate de lograr que la clase se imagine espectadora de ese hecho. ¿Cuántas diferentes opiniones habría? Permita a la clase expresarse.

3. Enseñe cómo el acosamiento de Jesús por los escribas se recrudeció. La reacción de los escribas ante la entrada triunfal y la purificación del templo no se hizo esperar. Cuando Jesús vuelve a Jerusalén el martes, allí estaban listos y comienza un enfrentamiento en el que Jesús les fustiga también por medio de sus enseñanzas. Ellos insisten tratando de tenderle trampas para desacreditarlo ante el pueblo, pero cada ocasión es aprovechada por el Señor para hacer evidente el error de sus doctrinas y sobre todo la inconsistencia de sus propias vidas.

APLICACIONES DEL ESTUDIO

Pida a los alumnos que elaboren algunas aplicaciones del estudio sin leer las que están en su libro. Después, lean una a una las que aparecen tanto en el libro del maestro como en el de los alumnos y estudien cuáles coinciden y cuáles no.

PRUEBA

Dé tiempo para realizar las dos actividades propuestas y compartan las respuestas con toda la clase para provecho de todos. Oren juntos por sabiduría para enfrentar a los enemigos de la fe y también para vivir vidas que agraden al Señor. Recuerde las lecturas bíblicas.

Estudio **38**

Jesús a la sombra de la cruz

Contexto: Marcos 13:1 a 14:72
Texto básico: Marcos 14:22-36
Versículo clave: Marcos 14:36
Verdad central: Jesús estuvo dispuesto a morir en la cruz demostrando su amor por los hombres y su obediencia y aceptación de la voluntad del Padre.
Metas de enseñanza-aprendizaje: Que el alumno demuestre su: (1) conocimiento de la obediencia de Jesús y su aceptación de la voluntad del Padre, (2) actitud de obedecer la voluntad de Dios para su vida.

Estudio panorámico del contexto

A. Fondo histórico:

Los materiales del templo, 13:1. Este tercer templo (Salomón, Zorobabel, Herodes) era una maravilla de la época. El tamaño de los bloques de mármol (algunos 14 x 4 m) y la hermosura de los edificios produjo admiración en los discípulos de Galilea. Este templo se comenzó a construir en los años 20-19 a.de J.C., en la época de Jesús no estaba aún completamente terminado. Estaba edificado sobre la cumbre del monte Moriah. En lugar de nivelar la cúspide de la montaña se había formado una suerte de gran plataforma levantando muros de sillería maciza que encerraban toda el área. Sobre esos muros se extendía una plataforma, reforzada por pilares sobre los cuales se distribuía el peso de la sobreestructura. Josefo nos dice que algunas de estas piedras tenían trece metros de largo por cuatro de alto y seis de ancho. En realidad era una maravilla de edificio.

"La abominación desoladora". Quizá se refiere al águila romana que los romanos colocarían en el templo en 70 d. de J.C. La frase tiene su origen en el libro de Daniel (Dan. 9:27; 11:31; 12:11). La expresión hebrea significa literalmente: "la profanación que espanta". La frase se originó en relación con Antíoco. Es el mismo que trató de eliminar la religión judía e introducir el pensamiento griego y las costumbres griegas. Profanó el templo ofreciendo carne de cerdo en el altar principal, y estableciendo un prostíbulo público en los atrios sagrados. Delante del propio lugar Santo levantó una gran estatua de Zeus Olímpico y ordenó que los judíos la adorasen. La profecía de Jesús parece señalar que va a suceder lo mismo una vez más. Casi sucedió literalmente en el año 40 d. de J.C. Calígula era entonces emperador romano. Era epiléptico y no era muy cuerdo. El insistía en que era un dios. Oyó que en el templo de Jerusalén no había imágenes y proyectó colocar su propia estatua

en el lugar Santo. Sus consejeros le advirtieron que no lo hiciera, porque sabían que si lo hacía estallaría en Palestina una sangrienta guerra civil. El era obstinado, pero afortunadamente murió en el año 41 d. de J.C. antes de llevara cabo su plan de profanación.

Falsos cristos y falsos profetas. Como en nuestros días, hubo en aquellos días los que pretendían ser enviados especiales de Dios. Jesús advertía que engañarían a muchos con sus milagros, lo que efectivamente sucedió.

El perfume de trescientos denarios. Un denario era el salario de un día de trabajo para un obrero o soldado (Mat. 20:2). El valor del perfume representaba un año de sueldo de un obrero.

Judas Iscariote. Judas, nombre derivado de Judá, e Iscariote, nombre derivado del pueblo Queriot, era el único apóstol de Judea.

El nuevo pacto. Hubo varios pactos (alianzas o testamentos) entre Dios y su pueblo en el AT., en base a la sangre de animales. Dios hizo un nuevo pacto con base en la sangre preciosa de Jesucristo.

Getsemaní, lugar de presión. Se llama así porque era un lugar en el huerto de los olivos donde se exprimía el aceite de las aceitunas.

B. Enfasis:

La inminente destrucción del templo, 13:1, 2. Jesús predijo la destrucción del templo que sucedió en el año 70 d. de J.C.

Señales antes del fin, 13:3-13. Muchas de estas señales tenían que ver con la destrucción de Jerusalén en el año 70 d. de J.C., otras con el fin del mundo. "Antes" no quiere decir "inmediatamente antes".

La abominación desoladora, 13:14-20. Parece que Jesús se refería al águila romana colocada en Jerusalén por los romanos en el año 70 d. de J.C.

Falsos cristos y falsos profetas, 13:21-23. Jesús advirtió a sus discípulos que vendrían pretendidos mensajeros de Dios quienes harían grandes milagros. Los milagros no son la prueba concluyente de que alguien sea de Dios.

La venida del Hijo del Hombre, 13:24-37. Sea que esta sección se refiera al fin del mundo, o a la destrucción de Jerusalén en el año 70 d. de J.C. (v. 30), lo importante es estar siempre preparados.

Acuerdo para matar a Jesús, 14:1, 2. El grupo principal de líderes, representando el Sanedrín, no habiendo encontrado legítimo motivo, estaban dispuestos a "fabricar" uno para matar a Jesús.

Jesús ungido en Betania, 14:3-9. Fue María, hermana de Marta y Lázaro, quien ungió a Jesús (Juan 12:3), expresando su profundo amor por él y, sin saberlo, estaba preparándolo para la muerte (v. 8).

Judas ofrece traicionar a Jesús, 14:10, 11. Se discute el motivo que movió a Judas. Las treinta piezas de plata (Mat. 26:15) era el precio de sangre de un esclavo (Exo. 21:32).

Preparativos para la pascua, 14:12-16. Los discípulos y el dueño de la casa cooperaron con Jesús en los arreglos para la cena pascual. Seguramente. Jesús había arreglado de antemano para usar el lugar (11:1-3).

Jesús anuncia la traición de Judas, 14:17-21. Jesús advirtió a Judas y, a la vez, llevó a los demás discípulos a un autoexamen.

La cena del Señor, 14:22-26. La cena pascual marcaba el fin del viejo pacto, basado en la sangre de animales, y la cena del Señor el comienzo del nuevo pacto o testamento, basado en la sangre de Cristo.

Jesús anuncia la negación de Pedro, 14:27-31. Jesús anunció de antemano la falla de dos de los doce: Judas (v. 18) y Pedro (v. 30).

Angustia de Jesús en Getsemaní, 14:32-42. Jesús se angustiaba más por nuestros pecados que iba a cargar que por sus sufrimientos.

Jesús es arrestado, 14:43-52. Tal como había predicho varias veces, y conforme al plan del Padre, cada detalle iba cumpliéndose.

Jesús ante el Sanedrín, 14:53-65. Lo habían condenado antes de arrestarlo y ahora, a sabiendas, fabricaron acusaciones falsas.

Pedro niega a Jesús, 14:66-72. Pedro niega a Jesús tal como éste lo había dicho la noche anterior y, aun más, con blasfemias (v. 71). Cuando Pedro hubo negado la tecera vez a Jesús sucedió algo. Muy probablemente lo que sucedió fue esto: La noche romana estaba dividida en cuatro guardias, desde las dieciocho hasta las seis de la mañana. Al finalizar la tercera, a las tres de la mañana, se cambiaba la guardia. Al cambiar la guardia se daba un toque de corneta que era llamado *gallicinium*, o sea canto del gallo, en latín. Muy probablemente lo que sucedió fue que al hacer Pedro su tercera negación, las claras notas del toque de corneta resonaron en toda la ciudad silenciosa y cayeron en sus oídos, y recordó y estalló su corazón. No podía sucederle esto a un hombre de fantástico valor. Todo hombre tiene su punto de ruptura. Pedro lo había alcanzado, pero seguramente novecientos noventa y nueve de cada mil hombres lo hubieran alcanzado mucho antes.

Estudio del texto básico

1 El nuevo pacto, Marcos 14:22-26.

V. 22. *Tomó pan y lo bendijo: lo partió...* son las mismas palabras que describen la alimentación de las multitudes (6:41; 8:6). *Tomad; esto es mi cuerpo* es la base de grandes controversias. Todavía su cuerpo físico estaba intacto, así los discípulos entenderían que el pan era símbolo de su cuerpo, el "pan del cielo" (Juan 6:48 ss). Se usaban dos bendiciones en este acto: "Bendito seas, oh Señor, nuestro Dios, Rey del universo, que haces brotar el fruto de la tierra";. o "Bendito seas, Padre nuestro que estás en los cielos, que nos das hoy el pan que necesitamos". Sobre la mesa había tres círculos de pan sin levadura. Se tomaba y se partía en la mitad. En ese momento sólo se comía un poco. Era para recordar a los judíos el pan de aflicción que habían comido en Egipto y era partido para recordarles que los esclavos nunca tenían un pan entero, sino sólo migajas. Al partirlo, el jefe de la familia decía: "Este es el pan de aflicción que nuestros padres comieron en la tierra de Egipto. El que tenga hambre venga y coma. El que esté en necesidad, venga y celebre la Pascua con nosotros." (En la celebración moderna en tierras extrañas se agrega la famosa oración: "Este año la celebramos aquí, el año próximo en la tierra de Israel. Este año como esclavos, el año próximo como libres.")

V. 23. *Tomando la copa... les dio; y bebieron todos de ella,* con énfasis en "todos". Jesús partió el pan para cada uno, pero había una sola copa. Marcos aclara que todos participaron. Este evento se describe en los cuatro Evangelios, indicando su importancia.

Vv. 24, 25. *No beberé más del fruto de la vid* indica que Jesús tomó de la copa antes de pasarla a los demás. En el texto griego hay tres partículas de negación indicando un énfasis muy fuerte. *Fruto de la vid* se refiere al vino, no al jugo de uvas. *Hasta aquel día cuando lo beba nuevo* señala la reunión gloriosa para los suyos en el reino venidero. El reino se describe como una fiesta de amor, gozo y paz.

V. 26. *Después de cantar un himno,* siguiendo la práctica de cantar uno o más de los Salmos comúnmente el 113 a 118. Los salmos 113 a 118 se conocen como Hallel, que significa la alabanza de Dios. Todos los salmos incluidos en esta sección son de alabanza. Además, eran parte del antiquísimo material que un niño judío debía aprender de memoria en su infancia.

2 Jesús predice la negación de Pedro, Marcos 14:27-31.

V. 27. *Todos os escandalizaréis de mí* es la aplicación de otra profecía (Zac. 13:7). A pesar de todos los intentos de prepararlos, los discípulos, sin excepción, tropezarían no por persecuciones, sino por los eventos traumáticos que vendrían muy pronto (Juan 14:29).

Vv. 28, 29. *Pero después de haber resucitado* es una predicción que los animaría después de palabras tan sombrías. Ahora iría delante de ellos a la cruz, pero luego a Galilea. La cruz no sería el fin. Los cuatro Evangelios se unen otra vez para registrar esta afirmación impulsiva de Pedro. Se sentía más fuerte que todos.

Vv. 30, 31. *Esta noche, antes que el gallo haya cantado dos veces, tú me negarás tres veces.* "Tú" aquí está en contraste con "yo" (v. 29). Pedro se destacó a sí mismo como el más fiel, Jesús lo destaca en particular como el que le iba negar "tres veces" esa misma noche. *Aunque me sea necesario morir contigo, jamás te negaré,* indica la absoluta confianza que Pedro tenía en su propio valor, no dándose cuenta de que su negación implicaba que lo que Jesús había dicho no era verdad.

3 Jesús dispuesto a hacer la voluntad del Padre, Marcos 14:32-36.

V. 32. *Llegaron a un lugar que se llama Getsemaní,* un huerto de olivos a poca distancia. *Sentaos aquí, mientras yo oro.* Ellos se quedarían en la entrada del huerto; él iría más adentro a un lugar más privado.

Vv. 33, 34. *Tomó consigo a Pedro, a Jacobo y a Juan* como en otras ocasiones (5:37; 9:2), aunque normalmente oraba a solas (1:35; 6:46). Las expresiones: *comenzó a entristecerse y a angustiarse,* y *mi alma está muy triste, hasta la muerte,* expresan las emociones más profundas que Jesús sentía ante la perspectiva de la cruz. *Quedaos aquí y velad,* los tres discípulos más allegados serían testigos de su lucha. y evitarían las interrupciones.

V. 35. *Se postraba* indica angustia de alma. Normalmente oraban de pie, extendiendo las manos hacia el cielo (Luc. 18:11; 1 Tim. 2:8).

V. 36. Marcos, siguiendo el testimonio de Pedro, cita las palabras de Jesús *¡Abba, Padre, todo es posible para ti!* Abba es el término arameo para "padre" (gr.). Jesús hablaba arameo y griego. Todo es posible para Dios, pero no era posible realizar el plan eterno para la salvación del hombre y al mismo tiempo librar a Jesús de la cruz. *Copa* es el símbolo de sufrimiento y muerte (10:38, 39; Juan 18:11). *Pero no lo que yo quiero, sino lo que tú quieres* es un resumen de la vida terrenal de obediencia de Jesús y un modelo para nosotros hoy en día.

Aplicaciones del estudio

1. La cena del Señor es un tiempo para contemplar el precio de nuestra salvación (pasado) y la fiesta celestial con él (futuro).

2. La negación de Pedro debe ser una advertencia para nosotros de desconfiar en nuestra propia fuerza humana para sostenernos.

3. La oración de Jesús en Getsemaní es un modelo sin par para nosotros en nuestras oraciones. "No mi voluntad, sino la tuya."

Ayuda homilética

El costo de nuestra salvación
Marcos 14:22-26.

Introducción: Tenemos fotos de nuestros familiares y amigos que nos ayudan a recordarlos. Dios ha provisto una "foto" o símbolo, de la muerte de Jesús para recordarnos el costo de nuestra salvación.

I. El costo fue muy alto.
   A. La agonía de Jesús, Hijo de Dios en Gestsemaní.
   B. La agonía en los juicios y en la cruz —sangre derramada.

II. El costo fue suficiente para todos.
   A. La provisión alcanza para "muchos", es decir, "todos".
   B. La prvisión es eficaz para todos los que confían en él.

III. El costo se presenta gráficamente en la cena del Señor.
   A. La cena presenta el cuerpo herido, pan partido.
   B. La cena presenta la sangre derramada, vino en la copa.

Conclusión: La celebración de la cena del Señor es una ocasión para visualizar otra vez el alto costo de nuestra salvación y comunicar la esencia del evangelio en forma gráfica.

Lecturas bíblicas para el siguiente estudio

Lunes: Marcos 15:1-15
Martes: Marcos 15:16-32
Miércoles: Marcos 15:33-41
Jueves: Marcos 15:42-47
Viernes: Marcos 16:1-8
Sábado: Marcos 16:9-20

AGENDA DE CLASE

Antes de la clase

1. Haga un repaso de todo el material correspondiente en los diferentes libros (de maestros y de alumnos). **2.** Estudie en un diccionario o manual bíblico sobre el templo de Jerusalén, su historia y características. **3.** Busque láminas sobre el templo y colóquelas en el pizarrón. **4.** Escriba en el pizarrón: HAY UN TRAIDOR Y UN COBARDE ENTRE NOSOTROS. **5.** Procure conseguir un comentario de la serie de Willam Barclay sobre el Evangelio de Marcos (pp. 346-348) y estudie todos los pasos que se seguían en la celebración de la Pascua. **6.** Resuelva el ejercicio de la sección *Lea su Biblia y responda.*

Comprobación de respuestas

JOVENES: **1.** Tomó pan, lo bendijo, lo partió y dio a los discípulos. **2.** Tomó la copa, dio gracias y le dio a todos a beber. **3.** Que iba a morir con él si era necesario. **4.** Tres.
ADULTOS: Preguntas de interpretación personal.

Ya en la clase

DESPIERTE EL INTERES

1. Pida a la clase que cada uno lea el letrero en el pizarrón y lo comente al oído del que tiene al lado. **2.** Comente sobre la atmósfera que crearía entre los discípulos. **3.** Pregunte a los alumnos qué otros factores deben haber incidido en crear una atmósfera de tensión y tragedia entre ellos (la entrada triunfal, la purificación del templo, los enfrentamientos de Jesús, su reiterado anuncio de muerte). **4.** Borre el letrero del pizarrón y, con la ayuda de los alumnos, confeccione una lista sobre factores que incidieron en la traición de Judas, la negación de Pedro y el abandono y la huida de los discípulos. **5.** Resuelvan el ejercicio de la sección *Lea su Biblia y responda.* Adultos: Comparen las respuestas. **6.** Considere la posibilidad de hacer un simulacro de la cena del Señor y explicar cómo se celebraba a un principio y los elementos que se usaban en la celebración de la Pascua.

ESTUDIO PANORAMICO DEL CONTEXTO

1. Muestre las láminas del templo y hable acerca de sus características en los tiempos de Jesús. **2.** Hable del ungimiento de Jesús en Betania y su significado, así como la reacción que provocó este hecho en algunos. **3.** Enseñe sobre los preparativos necesarios para celebrar la cena pascual. Había por lo menos diecisiete pasos que se daban en la celebración de la Pascua: (1) La copa del *kiddush.* El padre de familia oraba sobre ella, y luego todos bebían de ella. (2) El primer lavamiento de manos. Lo hacía sólo la persona que oficiaría la fiesta. (3) Se comía una hoja de perejil o lechuga que se mojaba en agua salada. (4) Se partía el pan. (5) El relato de la historia de la liberación. (6) Se cantaban los Salmos 113 y 114. (7) Se bebía la segunda copa. (8)

Todos se lavaban las manos. (9) Se decía una acción de gracias. (10) Se comía un trozo de pan con hierbas amargas. (11) Seguía la comida propiamente dicha. (12) Se lavaban las manos de nuevo. (13) Se comía el resto del pan sin levadura. (14) Se bebía la tercera copa después de una acción de gracias. (15) Se cantaban los Salmos 115-118. (16) Se bebía la cuarta copa y se cantaba el Salmo 136. (17) Se decían dos breves oraciones. **4.** Pregunte: ¿Qué esperamos cuando solicitamos a alguien que nos acompañe en oración? Hablen sobre la experiencia de Jesús en Getsemaní.

ESTUDIO DEL TEXTO BASICO

1. Estudie sobre la cena conmemorativa. Pregunte a los alumnos qué conocen sobre la celebración de la Pascua judía y su significado. Insista en que era una celebración importante, que en esta ocasión adquiría sentido trágico por la inminente muerte de Jesús. Los discípulos realizan los preparativos como deben haberlo hecho en años anteriores. Comiendo la cena pascual, Jesús aprovecha e instaura una conmemoración, símbolo del nuevo pacto, que tenía que ver con su muerte y no con el cumplimiento de ritos. Dé énfasis a lo que significaba para Jesús "no la beberé más..."

2. Examine la predicción sobre la negación de Pedro. Ya Jesús había anunciado la traición de Judas y había creado desconcierto entre los discípulos. Inmediatamente después de instaurar la cena conmemorativa habla de que todos iban a flaquear. Insista en cómo Pedro acepta que los demás flaqueen, pero está seguro de sí mismo y su fidelidad, hasta el punto que se atreve rebatir a Jesús. Todos insisten en que no le negarán, sin embargo, todos huyen. Hable sobre la flaqueza y debilidad humanas, en contraste siempre con nuestra prepotencia.

3. Analice la angustia de Jesús en el Getsemaní. Pregunte: ¿Qué significa el hecho de que Jesús haya escogido a los tres íntimos para rogarles que le acompañasen de cerca y orasen por él? Elaboren entre todos respuestas a la pregunta: ¿Por qué la agonía tan intensa de Jesús si había nacido precisamente para cumplir los acontecimientos que vendrían? Insista en que jamás podremos comprender del todo, pero que el pasaje nos demuestra el alto costo de nuestra salvación.

APLICACIONES DEL ESTUDIO

Hablen de las aplicaciones en los diferentes libros (del Maestro y del Alumno).

PRUEBA

Pida a los alumnos compartan alguna experiencia que hayan tenido similar a la de Pedro y las lecciones que sacaron de ella. Oren pidiendo al Señor humildad y dependencia de él para no flaquear en los momentos cruciales de la vida, cuando se demande de nosotros una fidelidad absoluta y que a la vez pueda resultar costosa.

Jesús crucificado y resucitado

Contexto: Marcos 15:1 a 16:20
Texto básico: Marcos 15:31-39; 16:1-7
Versículo clave: Marcos 16:6
Verdad central: Jesús murió como siervo sufriente, pero resucitó como evidencia de que es el Hijo de Dios.
Metas de enseñanza-aprendizaje: Que el alumno demuestre su: (1) conocimiento de los eventos que rodearon la resurrección de Jesús y su trascendencia en el plan de salvación, (2) actitud de gratitud y esperanza porque Cristo se levantó de entre los muertos.

Estudio panorámico del contexto

A. Fondo histórico:

El Sanedrín. Era la corte suprema del pueblo judío, con control sobre la vida civil y religiosa, sujeto al gobernador romano. Estaba compuesto de 70 sumos sacerdotes, escribas y ancianos.

La costumbre de soltar un preso en la pascua. Con el fin de congraciarse con el publo, el gobernador romano ofrecía librar a un preso judío durante la pascua. Herodes había iniciado la costumbre. Sabemos muy poco de Barrabás. No era un ladrón, era un bandolero. No se dedicaba a pequeños hurtos o substracciones. Era un bandido y debe haber poseído una audacia salvaje que apelaba a la multitud, podríamos conjeturar lo que era. Palestina estaba llena de insurrecciones, era una tierra inflamable. En particular había un grupo de judíos llamados sicarios, que significa los portadores de dagas. Eran nacionalistas fanáticos y violentos. Estaban conjurados a matar y asesinar por cualquier medio. Llevaban la daga debajo de la túnica y la usaban cuando podían. Es probable que Barrabás fuera un hombre de esa calaña y, fanático como era, asesino, era un valiente, un patriota según su propio criterio, y es comprensible que fuera popular entre la multitud.

La crucifixión como método de castigo. Los romanos decapitaban a criminales romanos, pero crucificaban esclavos o extranjeros. Los judíos, en cambio, apedreaban o ahorcaban a los criminales (Jos. 7:25; Deut. 21:23).

La mirra. Era una droga amarga que servía para adormecer los sentidos; en este caso para amortiguar el sufrimiento.

Simón de Cirene. Cirene era una ciudad en el norte de Africa, al oeste de Egipto. Probablemente Simón era miembro de una sinagoga en Jerusalén compuesta por los que habían venido de Cirene. En Hechos 13:1 hay una lista de los hombres de Antioquía que despacharon a Pablo y Bernabé en su memorable primera misión a los gentiles. Uno de ellos es Simón, el que se llamaba Níger. Níger era el nombre común para un hombre de piel atezada procedente de Africa. Y Cirene está en Africa. Bien puede ser que nos encontremos ante el mismo Simón. Tal vez su experiencia en el camino al Gólgota inclinó para siempre su corazón hacia Jesús, haciendo de él un cristiano. Posteriormente habría sido un dirigente de la iglesia de Antioquía y uno de los instrumentos de la primera misión a los gentiles.

El velo rasgado. El velo separaba el lugar santo y el santísimo donde se pensaba que moraba Dios mismo. Una vez al año el sumo sacerdote podía entrar en la presencia de Dios. Con el velo partido, se daba libre acceso a Dios para todos, judíos y gentiles. También indicaba la abolición del sacerdocio oficial. Los hombres ya no necesitarían conjeturar y tantear. Podrían mirar a Jesús y decir: "Así es Dios. Dios me ama de esa manera."

José de Arimatea y el Concilio. Quizá Arimatea era Ramá. José, como Nicodemo, era miembro del Sanedrín y discípulo secreto. Los discípulos abandonaron a Jesús, pero estos se identificaron con él.

Cómo se sepultaba a los muertos. Envolvían el cuerpo en tiras de lienzos, aplicando especias aromáticas (Juan 19:39, 40), que atenuaban los olores del cuerpo en descomposición.

B. Enfasis:

Jesús ante Pilato, 15:1-15. Hubo tres juicios ante los judíos y tres ante los romanos: Pilato, Herodes, Pilato. Los judíos no podían aplicar la pena capital sin la anuencia romana. Pilato declaró inocente a Jesús cuatro veces (Juan 18:38; 19:4; Luc. 23:14).

Los soldados se burlan de Jesús, 15:16-20. Los soldados se divirtieron con Jesús en la forma más cruel e inhumana.

La crucifixión de Jesús, 15:21-32. Marcos aclara que este evento fue el cumplimiento del plan de Dios (v. 28; Luc. 22:37; Isa. 53:12; Sal. 22), no un accidente. Lo que Jesús mismo había anunciado tantas veces, y que fue el propósito de su venida, ahora llega a realizarse.

La muerte de Jesús, 15:33-40. La muerte de Jesús es un misterio insondable, porque, ¿cómo puede el mismo Dios morir? A la vez es la médula del evangelio, la provisión de Dios para el perdón de los pecados y la reconciliación del hombre con Dios (2 Cor. 5:18-21). Jesús murió a las tres de la tarde. Era viernes, y al día siguiente era sábado. Ahora bien, el día siguiente comenzaba a las seis de la tarde. Por lo tanto, cuando murió Jesús ya era el tiempo llamado de la preparación para el día de reposo, y no había tiempo que perder, porque después de las seis de la tarde entraría en vigor la Ley del sábado y no se podía hacer ningún trabajo. José de Arimatea procedió con toda celeridad. Con frecuencia sucedía que los cuerpos de los crucificados no eran sepultados, simplemente se les bajaba de la cruz y se dejaba que los buitres y los perros salvajes que merodeaban por allí dieran cuenta de ellos. A menudo los crucificados pendían de la cruz durante varios días antes de morir, y Pilato se asombró de que Jesús hubiera muerto solamente seis horas después de haber sido crucificado.

Jesús es sepultado, 15:42-47. Cuando el centurión comprobó la muerte física de Jesús, entre las tres y las seis de la tarde, Pilato le dio permiso a José de Arimatea para la sepultura.

La resurrección de Jesús, 16:1-8. La resurrección constituye la nota victoriosa y culminante del plan redentor de Dios. Pablo dice que si Cristo no resucitó, nuestra fe es inútil (1 Cor. 15:17).

Una conclusión del Evangelio, 16:9-20. Esta sección se llama la "terminación larga". Dos de los manuscritos griegos más antiguos e importantes la omiten, llevando a algunos eruditos a opinar que no era parte del manuscrito original. Es un resumen de datos de Juan 20; Lucas 24 y Mateo 28.

Estudio del texto básico

1 Los religiosos se burlan de Jesús, Marcos 15:31, 32.

V. 31. Dos elementos del Sanedrín, los sumos sacerdotes y los escribas, siguiendo el ejemplo de otros (vv. 29, 30), se burlaban de Jesús, diciendo: *A otros salvó; a sí mismo no se puede salvar.* Si descendía de la cruz, dejaba de ser el Salvador. Había enfrentado esta prueba en tres ocasiones anteriores (Mat. 4:6; 16:23; Mar. 14:36).

V. 32. *Descienda ahora de la cruz, para que veamos y creamos.* Los milagros realizados antes no les habían convencido, ni siquiera la resurrección posteriormente. No es asunto de ver para creer, sino de creer para ver (Juan 11:40). Marcos omite el caso del ladrón penitente (Luc. 23:40). Hubo muchos casos de crucificados que duraban varios días en la cruz antes de morir. La gente pensaba en la posibilidad de que Jesús durara lo necesario para considerar la posibilidad de bajarse de la cruz para demostrar su carácter divino.

2 La muerte de Jesús, Marcos 15:33-39.

V. 33. *Descendió oscuridad sobre toda la tierra* al mediodía. Hace recordar la novena plaga en Egipto (Exo. 10:22). También mostraba cómo sería el mundo sin "la luz del mundo", en densas tinieblas.

V. 34. Marcos cita la cuarta palabra de Jesús, desde la cruz, primero en arameo, el idioma que Jesús usaba normalmente, y luego la traducción para sus lectores romanos: *Dios mío, ¿por qué me has desamparado?* (Sal. 22:1). ¿Qué significa este grito? Ninguna explicación es totalmente satisfactoria. Parece que en ese momento la comunión eterna con el Padre se interrumpió. Sentía el abandono del pueblo, de los discípulos y del Padre celestial (2 Cor. 5:21).

V. 35. Algunos de los espectadores pensaban que llamaba a Elías. Parece ser que algunos de los judíos, en tono de burla, al oír *Eloi, Eloi,* decían que llamaba a Elías. El pueblo pensaba que Elías solía venir a ayudar a la gente de Dios en tiempos de extrema necesidad. Esta clase de espectadores tenía una suerte de curiosidad morbosa frente a la cruz. La terrible escena no lo movía a asombro o reverencia, ni siquiera piedad. Quería experimentar aun el mismo momento de la tragedia de la cruz.

V. 36. *Uno... empapó una esponja en vinagre... y le dio a beber.* Quizá esta acción fue motivada por la quinta palabra de Jesús: "Tengo sed" (Juan 19:28), o tal vez es otra burla por un soldado romano (Sal. 69:21). La ocasión es muy distinta a la anterior (v. 23).

V. 37. *Dando un fuerte grito, expiró.* Es la manera escueta que Marcos usa para describir el fin de la vida terrenal de Jesús. Juan agrega: "Consumado es" y "entregó el espíritu" (19:30), indicando control total de su vida hasta el fin. Lucas agrega algo importante cuando cita a Jesús: "Padre, perdónalos, porque no saben lo que hacen." "¡Padre, en tus manos encomiendo mi espíritu!" (Luc. 23:34, 46).

V. 38. El velo del templo se rasgó en dos, de arriba abajo. Este es uno de los cuatro fenómenos sobrenaturales que sucedieron cuando Jesús estaba en la cruz (oscuridad, terremoto, sepulcros abiertos). Significa acceso directo a la presencia de Dios para todos y abolición del sacerdocio oficial ¡Todo creyente es un sacerdote! (1 Ped. 2:9). Ya no hay quien pueda decir que no tiene acceso a la presencia de Dios, ya sea para rendirle adoración, o en la búsqueda del perdón de los pecados o solicitando obras de misericordia.

V. 39. *El centurión... dijo: ¡Verdaderamente este hombre era Hijo de Dios!* El centurión era un soldado romano que era responsable de una compañía de cien soldados (Mat. 8:5-13; Hech. 10:22; 22:26; 23:17, 23, 24; 24:23; 27:43). La manera digna en que Jesús murió, tan distinta a la de los demás, le impactó.

3 La resurrección de Jesús, Marcos 16:1-7.

V. 1. *Cuando pasó el sábado,* o sea, después de ponerse el sol el día sábado, o temprano el domingo, cuando sería posible hacer compras. Estas tres mujeres —dos Marías y Salomé— son las que estaban al pie de la cruz (15:40). Habían observado el lugar donde colocaron el cuerpo de Jesús (15:47). Su misión era una de amor y adoración, pero de un Jesús muerto, como muchos cristianos hacen hoy en día. Iban a completar el proceso de embalsamar el cuerpo muerto con aceites perfumados.

V. 2. *Muy de mañana, el primer día de la semana...* apenas salido el sol. Mientras que los discípulos estaban en Jerusalén lamentando los eventos ocurridos, las mujeres se pusieron en acción.

V. 3. *¿Quién nos removerá la piedra... del sepulcro?* Fue la pregunta de las mujeres, quienes recién se daban cuenta del obstáculo. Se daban cuenta de que no tendrían la fuerza suficiente para removerla. Cuando se habla de la entrada de la tumba, en realidad se trataba de la abertura. Enfrente de la entrada corría una acanaladura y en ella una piedra circular del tamaño de una rueda de carreta, y las mujeres sabían que no tenían las fuerzas suficientes para mover semejante piedra.

V. 4. *Vieron que la piedra ya había sido removida* a pesar de que era muy grande. Es decir, por su tamaño, se veía desde lejos.

V. 5. Nótese la descripción detallada, evidencia de un testigo ocular —*joven sentado, al lado derecho, vestido de una larga ropa blanca...*— quien lo había relatado a Marcos.

V. 6. Primero, el joven quiso calmar su temor: *No os asustéis.* Es una prohibición de continuar una acción ya iniciada. Segundo, les dio la gran noticia: *¡Ha resucitado! No está aquí.* La prueba del hecho era el lugar vacío donde había sido puesto el cuerpo muerto.

V. 7. Tercero, el ángel les dio una comisión: *Id decid a sus discípulos, y a Pedro...* El encargo era el de avisar que Jesús había resucitado y que iba a cumplir la promesa hecha antes de la crucifixión (14:28). "Y a Pedro", indica la posición de liderazgo que él ocupaba entre los apóstoles, dato que sólo Marcos menciona.

Aplicaciones del estudio

1. El creyente obediente podrá enfrentar pruebas, pero confiar en la victoria final. Jesús obediente, fue condenado y crucificado, pero Dios lo resucitó victorioso de la tumba.

2. El creyente que ignora las promesas de Dios ha de privarse de la paz y presencia de Dios. Las mujeres y discípulos sufrieron innecesariamente por ignorar la promesa de Jesús de resucitar.

3. El creyente no apreciará el valor de su salvación hasta que no llegue al pie de la cruz a contemplar la terrible muerte de Jesús. Vale la pena seguir compartiendo la historia de la salvación con todos sus detalles para ayudar a cada creyente a valorar debidamente lo que Jesús hizo en la cruz.

Ayuda homilética

Un centurión convertido
Marcos 15:33-39

Introducción: Una nota sorprendente en el N.T. es la actitud favorable de los centuriones romanos hacia Jesús y sus seguidores. A pesar de una formación militar y pagana, manifestaron un carácter noble.

I. El centurión cumplidor de su responsabilidad.
- A. Cumplió como capitán sobre cien soldados.
- B. Cumplió la orden de crucificar a Jesús y a los ladrones.

II. El centurión contemplaba cuidadosamente la muerte de los tres.
- A. Contempló para asegurar la muerte de cada uno.
- B. Contempló la manera distinta en que los tres murieron.

III. El centurión convencido de que Jesús era el Hijo de Dios.
- A. Convencido por las siete palabras de Jesús.
- B. Convencido por los cuatro fenómenos naturales.
- C. Convencido por la dignidad con que Jesús murió.

Lecturas bíblicas para el siguiente estudio

Lunes: Ezequiel 1:1-14
Martes: Ezequiel 1:15-28
Miércoles: Ezequiel 2:1-10
Jueves: Ezequiel 3:1-15
Viernes: Ezequiel 3:16-21
Sábado: Ezequiel 3:22-27

AGENDA DE CLASE

Antes de la clase
1. Documéntese sobre lo que era el Sanedrín y sus responsabilidades. **2.** Estudie también sobre el método de la crucifixión, su historia y características. **3.** Lea detenidamente todos los pasajes del contexto para que esté consciente de la grandeza de los acontecimientos que se estudiarán. **4.** Resuelva el ejercicio de la sección *Lea su Biblia y responda.*

Comprobación de respuestas
JOVENES: **1.** a. Los principales sacerdotes, los escribas y también los que estaban crucificados con él. b. A la hora sexta. c. Elías. d. Verdaderamente este hombre era hijo de Dios. **2.** a. María Magdalena, María y Salomé. b. Les preocupaba quién les removería la piedra. c. Que Jesús no estaba allí, que había resucitado. d. No.
ADULTOS: Preguntas de interpretación personal.

Ya en la clase
DESPIERTE EL INTERES
1. Confeccione en el pizarrón, con ayuda de los alumnos, una lista bajo el título: EVIDENCIAS DE CRUELDAD HUMANA EN LA CRUCIFIXION. **2.** Pida a los alumnos que narren si han visto alguna película sobre la crucifixión o si han leído algún artículo o estudio sobre las características de semejante costumbre para la pena capital. **3.** Comenten si han presenciado alguna ejecución y si hay evidencias de bondad o crueldad en la forma en que los países practican la pena de muerte. **4.** Llame la atención al hecho de que en el estudio de hoy contemplaremos una ejecución. **5.** Hable un poco con sus alumnos del énfasis que en la actualidad se está dando al asunto de los derechos humanos en la mayoría de los países. ¿Qué hubiera pasado si en los días de Jesús se hubiera analizado el caso que lo llevó a la crucifixión? ¿Se hubiera llegado a la conclusión de que era un juicio justo? **6.** Dé oportunidad para responder las preguntas de la sección *Lea su Biblia y responda.* Adultos: Compare las respuestas.

ESTUDIO PANORAMICO DEL CONTEXTO
1. Haga un relato detallado de los últimos acontecimientos de la vida de Jesús insistiendo en la crueldad del trato que el Señor recibió, así como del abandono de los suyos. **2.** Analice cómo fue posible que la multitud congregada frente al palacio de Pilato prefiriera la liberación de un ladrón y pidiera a gritos que Jesús fuera crucificado. **3.** Pregunte: ¿Dónde estaba la multitud que aclamó a Jesús en la entrada triunfal? **4.** Hable de las características de Pilato y del escarnio de los soldados. **5.** Mencione a Simón de Cirene y su oportunidad de prestar un servicio a Jesús.

ESTUDIO DEL TEXTO BASICO

1. Estudie el comportamiento de los principales sacerdotes y los escribas. Es impresionante la actitud de estos "líderes religiosos" que demostraron no tener un ápice de piedad. Acosan a Jesús por tres años. traman y conspiran para matarlo, logran lo que deseaban y encima de todo ello se burlan ante el sufrimiento del Señor, celebrando de ese modo su victoria aparente. Ignoraban que se estaba realizando la redención de la humanidad y que su actitud ante el condenado, de aparente victoria, les condenaría para toda la eternidad. Haga una reflexión de la actitud de los sacerdotes que eran en realidad los responsables de ayudar a los hombres a tener comunión con Dios. Indique a los alumnos que la palabra sacerdote proviene de la palabra "pontífice" que significa "hacedor de puentes". Esa era la misión de los religiosos, establecer puentes de comunicación entre los pecadores y el único que podía perdonar los pecados: Dios.

2. Enseñe reverentemente sobre la muerte de Jesús. El estudio de las últimas horas de Jesús sobre la cruz es estremecedor. La oscuridad que descendió es todo un símbolo. Insista en la expresión de Jesús cuando cargando los pecados del mundo se siente abandonado por el Padre. Comente que jamás entenderemos del todo lo que sucedió, pero que en ese momento cumbre se decidió la salvación del hombre. Hable del grito de Jesús al morir y del significado de la rasgadura del velo del templo.

3. Gócese en hablar de la resurrección. Hable de la fidelidad y el amor de las mujeres y del hecho inexplicable que nadie dio crédito a las enseñanzas de Jesús sobre su resurrección. Pregunte: ¿Dónde estaban los discípulos? ¿Por qué ninguno acompañó a las mujeres? ¿Cómo es posible que nadie haya recordado lo que él dijo? Hable del mensaje a Pedro, que evidencia el amor infinito del Señor y es consuelo y ayuda a nuestras infidelidades. Aunque no comprendamos del todo la grandeza de su obra, aunque no seamos del todo fieles, podemos estar convencidos de que el Cristo resucitado nos ama. Hable de algunos cambios significativos que se dieron después del evento de la resurrección de Jesús. Por ejemplo, Pedro se convirtió en una persona diferente después de ver al Cristo resucitado.

APLICACIONES DEL ESTUDIO

Lean en voz alta todas las aplicaciones, tanto las del libro del maestro como las del alumno y coméntenlas entre todos para enriquecerlas. Pregunte: ¿Cómo afecta a nuestra vida la resurrección del Señor?

PRUEBA

Realicen las actividades sugeridas y compártanlas para edificación mutua. Oren tomados de las manos dando gracias a Dios por la resurrección de Jesucristo. Pidámosle a Dios no olvidar sus promesas de victoria cuando estemos en medio de las pruebas y dificultades normales de la vida.

PLAN DE ESTUDIOS
EZEQUIEL

Escriba antes del número de cada estudio, la fecha en que lo usará.

Fecha **Unidad 9: Ezequiel: Llamado a una tarea difícil**

______ 40. Llamamiento de Ezequiel
______ 41. Israel juzgado por su pecado
______ 42. Idolatría, castigo y recreación

Unidad 10: Ezequiel: Vocero de juicio y de un comienzo nuevo

______ 43. La caída de Jerusalén
______ 44. Juicio y esperanza
______ 45. Responsables por nuestros actos

Unidad 11: Ezequiel: Mensajero de esperanza

______ 46. Restauración de Israel
______ 47. El valle de los huesos secos
______ 48. La presencia sanadora de Dios

EZEQUIEL
Una introducción

El escritor

El nombre de Ezequiel significa *Dios es fuerte,* o *Dios fortalece.* Ezequiel era hijo de un tal Buzi, de quien no se sabe nada. Ezequiel pasó su juventud en Jerusalén, donde actuó como sacerdote en los servicios del templo, y la prominencia de estos ritos en su obra profética viene de su recuerdo de las experiencias que había tenido en el santuario.

Ministerio de Ezequiel

No se sabe cuántos años predicó Ezequiel; posiblemente fueron más de veintidós años. Empezó su ministerio en 592, y la última fecha que menciona en su obra es el año 27 del cautiverio de Joaquín, que corresponde con el año 570 a. de J.C. (Ezeq. 29:17). Al empezar su ministerio de profeta, Ezequiel habría tenido aproximadamente 30 años de edad. Ya estaba casado, y tenía su propio hogar.

Circunstancias

Las circunstancias del llamamiento de Ezequiel las tenemos indicadas en los primeros tres capítulos de su obra. Recibió una comisión de Dios para llevar a cabo su ministerio entre el pueblo de Israel, pero sin esperanza alguna de lograr éxito entre ellos.

El mensaje

Hay dos ideas que caracterizan el mensaje de Ezequiel: La de la destrucción de Jerusalén, y la de la restauración de la nación.

La primera tesis que el profeta sostenía con todo el fervor de su alma, valiéndose de visiones, alegorías, parábolas, acciones simbólicas, etc., era la destrucción de Jerusalén. Así, de distintas maneras, trataba de hacer entender al pueblo que la ciudad tenía que ser destruida. En los primeros veinticuatro capítulos de su libro (que comprenden los mensajes pronunciados antes del año 586, fecha de la destrucción de Jerusalén), el tema central es la destrucción de la gran ciudad.

La segunda idea que es prominente en el mensaje de Ezequiel es la de la restauración de la nación otra vez a su tierra después de un cautiverio, y esta idea la encontramos en la última parte de su libro: capítulos 33-48. Los capítulos 25-32 (la segunda división) son una serie de profecías en contra de las naciones paganas, al estilo de Isaías y Jeremías pronunciadas en fechas diversas. Forman una especie de paréntesis o interludio en la obra, antes de la última parte que son los capítulos 33-48.

Los judíos rehusaron creer en ambos mensajes. Sin embargo, Ezequiel gozó de cierta fama entre ellos. Algunas veces los ancianos lo visitaron para averiguar la voluntad de Dios, como en 8:1, cuando los ancianos presenciaron el éxtasis del profeta al ser arrebatado en el espíritu a Jerusalén.

Estudio **40**

Unidad 9

Llamamiento de Ezequiel

Contexto: Ezequiel 1:1 a 3:27
Texto básico: Ezequiel 2:1-10; 3:1-3, 17-21
Versículos clave: Ezequiel 2:4, 5
Verdad central: Dios no se olvida de su pueblo en el cautiverio; Ezequiel es llamado a ser su vocero y centinela del pueblo que ha abandonado su fe.
Metas de enseñanza-aprendizaje: Que el alumno demuestre su: (1) conocimiento del llamamiento de Ezequiel y su tarea dada por Dios, (2) actitud de valorar cómo Dios busca constantemente al pecador, ofreciéndole perdón cuando se arrepiente.

Estudio panorámico del contexto

A. Fondo histórico:

Ezequiel, miembro de una familia sacerdotal, desarrolló su ministerio durante los trágicos años finales del reino del sur, o Judá (592-570 a. de J.C.). Parecía que la larga historia de Israel con el propósito redentor de Dios desde Abram (1900 a. de J.C.; véanse Gén. 12:3 y Exo. 19:5, 6) iba a terminar con la destrucción de Jerusalén por los babilonios (587/6 a. de J.C.). En tal crisis el Señor mandó dos profetas: Jeremías (626-580 a. de J.C.), quien viviría la agonía final de la nación en Jerusalén misma, y Ezequiel, quien estuvo en el exilio babilónico (ver la Introducción). Los dos anunciaron el juicio de Dios sobre el pueblo que había rechazado el pacto hecho en Sinaí (Exo. 19; 20). La única esperanza quedaba en el arrepentimiento y la obediencia a Dios.

Dios llamó a Ezequiel en el año 592, el joven pertenecía a una colonia israelita en Tel Abib. Su ministerio se divide en dos períodos marcados por la caída de Jerusalén: el primer lapso (1:1 a 33:20) se caracteriza por el anuncio de juicio y el llamamiento al arrepentimiento (592-587); el segundo (33:21 a 48:35) se marca por la prédica de consuelo y las promesas de restauración (587-570).

El libro de Ezequiel (con Isaías, Jeremías y los doce) pertenece a los profetas posteriores, la segunda subdivisión de los profetas, que a su vez es la segunda de las tres divisiones de la Biblia hebrea.

Respecto del mensaje de Ezquiel es digno de atención señalar los temas e imágenes que se anticipan: el buen pastor, el río de vida, la ciudad santa. A Ezequiel se le reconoce como el predicador del nuevo nacimiento y el corazón limpio, el profeta que anuncia el arribo de la era del Espíritu en la cual debe sobresalir la rectitud como una característica de los que cumplen la ley. En las palabras de Pablo: "los que no andamos conforme a la carne, sino conforme al Espíritu" (Rom. 8:4). Ezequiel fue profeta y sacerdote, y su visión de la restauración se concentra en el nuevo templo y sus ordenanzas de adoración. Aunque en realidad, los elementos visibles, externos, de la adoración son símbolos de la santidad interna.

El profeta-sacerdote toma como bandera el refrán de la ley de santidad de Israel: "Sed santos, porque yo, vuestro Dios, soy santo" (Lev. 19:2).

B. Enfasis:

La visión de la gloria de Dios. Ezequiel ("Dios fortalecerá", o "prevalecerá") como sacerdote desterrado soñó el templo de Jerusalén (1:3); sin embargo, como profeta hizo hincapié en la gloria de Dios, quien también se mantenía vigilante sobre su pueblo en el exilio (1:4, 22-28).

La visión de la soberanía de Dios. Por medio de una visión inaugural, Ezequiel comprendió que Dios es soberano sobre todo el universo y la historia: es omnipotente, con el poder y la habilidad de moverse donde quiere (1:12, 15-17, 20); es omnisciente, conoce todo lo que ocurre (1:18-20), y es omnipresente, está en todas partes (1:1, 4, 20, 26, 28). ¡Su presencia no se limitaba al templo de Jerusalén!

Una visión simbólica. Por límites del idioma humano, le costó a Ezequiel relatar lo que vio; por lo tanto, usa frecuentemente expresiones como "aparecía", "había algo como", "como si fueran", "semejante a", y "como el aspecto de". No vio el rostro del Señor (1:28, 29), ni trató de dar un modelo técnico de una carroza celestial. Usó la visión para dar el mensaje divino al pueblo desanimado: Dios existe, y es soberano de todo. Como tal, la visión llegó a ser central para la fe del remanente y para el Israel del futuro.

Con la deslumbrante manifestación de Jehovah, Ezequiel cae postrado en adoración (l:28c).

Estudio del texto básico

1 Enviado a los rebeldes de Israel, Ezequiel 2:1-7.

V. 1. La frase *hijo de hombre* (Heb. *ben'adam*), usada 87 veces en el libro, indica la debilidad humana en contraste con la majestad de Dios (ver Sal. 8:4); no obstante, Dios le da dignidad a su siervo al mandarle ponerse en pie para entablar un diálogo con él. Es la forma regular que usa Dios para referirse a Ezequiel. Son tres expresiones escalonadas: *hijo del hombre, ponte en pie, y hablaré contigo.* La gloria de Dios hace que Ezequiel se postre delante de él. Es la posición de humildad del que reconoce el señorío de la divinidad. Pero el mismo Dios le da a su hijo la alternativa de ponerse en pie. Se muestra aquí la disposición de Dios de dar a conocer claramente sus planes.

V. 2. *El Espíritu* de Jehovah penetra en la vida de Ezquiel. Esta expresión es prácticamente la misma, o significa lo mismo, que aquella usada en 1:3: "vino sobre mí la mano de Jehovah". Es la conciencia de esta profunda experiencia lo que le levanta y le inspira. Estos elementos hacen que él llegue a ser un portavoz de la palabra divina. Así que, hay esperanza para los rebeldes de

Israel, y al mismo tiempo encontramos unas lecciones:

1) Dios habla y el hombre tiene la capacidad para responder.

2) La visión de la gloria divina produce en el hombre una conciencia de pecado, reverencia y la necesidad de arrepentirse, elementos que son indispensables para llegar a tener comunión con Dios.

3) El menospreciarse es un pecado tanto como el magnificarse. En la experiencia de Ezequiel el hecho de ver la gloria de Dios le hizo postrarse delante de él. Cuando un hombre tiene este gesto de humildad Dios le elevará a una posición de dignidad. "Humillaos, pues,... para que él os exalte al debido tiempo" (1 Ped. 5:6).

V. 3. *Yo te envío a los hijos de Israel.* En primera instancia deberá dirigirse a los exiliados en Babilonia (3:11) quienes, a pesar de su actitud rebelde, formarán el remanente que traerá esperanza de la supervivencia nacional. Es un reflejo de la disposición de Dios para perdonar y restaurar. Dios siempre está buscando al hombre para acercarlo a él. La misericordia de Dios se renueva cada mañana.

Vv. 4, 5. Dios envía a su siervo a enfrentar a una gente rebelde, *de rostro endurecido y de corazón empedernido.* Aunque los oyentes no fueran receptivos al mensaje de Ezequiel, debía quedar de manifiesto que recibieron el mensaje. La responsabilidad del profeta es decirles a los hombres la voluntad divina. Si ellos no escuchan o no obedecen ya no es culpa del mensajero, llega a ser responsabilidad del recipiente.

Debe anunciar la verdad divina a la casa de Israel ya sea que le escuchen o no (ver Amós 3:7): *sabrán que ha habido un profeta entre ellos.* En aquel entonces, tal como hoy en día, las palabras cayeron en oídos ensordecidos. La historia se repite una y otra vez. Aunque el concepto de la historia por parte del pueblo de Dios no era cíclico, es decir, ellos no creían en la repetición constante de los eventos, no habían aprendido a superar sus constantes desvíos. Para el pueblo de Dios la historia es lineal, es decir, tiene un principio y se mueve hacia un final.

Vv. 6, 7. Tendrá una misión dura (entre *zarzas, espinos,* y temibles *escorpiones del desierto*); sin embargo, no debe tener temor del pueblo (de persecución e indiferencia) ni de sus palabras (de un fracaso aparente). ¡Es profeta llamado por Dios! Esta es una descripción metafórica de la condición de aquellas personas que decidieron voluntaria y conscientemente no escuchar la voz de Dios (ver. Isa. 6:9ss. Jer. 1:19). Una vez más se enfatiza la fuente de poder y autoridad del profeta: Dios mismo. *Tú hablarás mis palabras...* El mensaje no es de Ezequiel sino de Dios. El profeta no debe concebir su llamamiento como una oportunidad de sobresalir como persona, sino el momento de la historia cuando Dios usa su vida para llevar adelante su plan de salvación. Esa es la verdadera base de su proclamación: su mensaje es de Dios.

2 Alimentado para la tarea, Ezequiel 2:8 a 3:3.

V. 8. Se ha de escuchar y obedecer a Dios. Antes de comunicar el mensaje, el profeta tiene que discernir ampliamente el contenido de ese mensaje. Es trágica la influencia de "profetas" ignorantes que enseñan a sus seguidores cosas que ni ellos mismos entienden.

Vv. 9, 10. Se ha de "comer" (conocer/entender completamente) el *rollo de pergamino* (la palabra de Dios) *escrito por el derecho y por el revés* con *lamentaciones, gemidos y ayes*. Normalmente se escribía solamente por el lado derecho de un pergamino; entonces, el escribir sobre los dos lados indica un grado aun mayor de "ayes" por llegar. Es una manera de indicar que han sido demasiados los desvíos del pueblo de Dios. En la misma proporción será el castigo.

3:1. La palabra de Dios siempre es adecuada para las necesidades de todas las épocas. *Come* y *habla*. El mensajero no lleva su propio mensaje, sino el del Señor: después de llenarse de las verdades reveladas (comer), ha de convertirlas en sus propias palabras (hablar). Primero tiene que discernir (comer) todo lo que va a compartir. No puede proclamar un mensaje tan importante y de tanta trascendencia si él mismo no lo entiende a cabalidad. Puede ser que al estar presentando este mensaje se verá expuesto a preguntas acerca del mismo y debe tener la capacidad de responder correctamente.

Vv. 2, 3. *Dulce como miel*. La palabra de Dios es dulce (ver Sal. 119:103). Aun aquellos juicios que a simple vista tienen un sabor amargo, en realidad son como miel, porque en última instancia buscan que el hombre haga la paz con Dios y obtenga las bendiciones que resultan de esa relación.

3 Llamado a advertir, siendo centinela, Ezequiel 3:17-21.

Vv. 17. Una vez que ha transcurrido el periodo de siete días de silencio (v. 6), Dios llama a su siervo para que se convierta en centinela en relación con *la casa de Israel*. Su posición es de vigilancia. Deberá observar con cuidado la actitud del pueblo y con relativa facilidad descubrirá que éste es rebelde y está en un grave peligro. En realidad, Dios es el verdadero centinela, su capacidad de ser omnipresente y omnisciente le da la oportunidad de saber qué es lo que está pasando con su pueblo y cuáles son las soluciones viables.

V. 18. El mensajero debe advertir al pueblo con claridad de la existencia de una amenaza inminente (ver Ose. 9:8; Jer. 6:17). El centinela no es responsable por la reacción final de la gente. Si el Señor dice *al impío: ¡Morirás irremisiblemente!* y Ezequiel no le advierte de esta realidad, entonces la *sangre* del impío será demandada de su *mano*. A la vez que es una aclaración para el profeta, es también una manera de mostrarnos el sentido de urgencia de confrontar a los hombres con su realidad de pecado.

Vv. 19, 20. Del texto se presentan cuatro aspectos: 1) el centinela tiene la responsabilidad de advertir al impío (singular) del peligro; 2) al ser advertido, la responsabilidad por arrepentirse recae sobre el malvado; 3) el centinela es responsable de advertir a cualquier justo que se haya desviado del camino recto; 4) si se arrepiente el justo, ambos, el centinela y el justo vivirán.

V. 21. La actuación del centinela es sumamente importante. De ella depende la suerte del *justo*. Si el justo recibe la advertencia a tiempo y desiste de su intención de pecar, entonces *vivirá*. Al mismo tiempo, el centinela recibe bendición, porque también él será *librado*. Aquí nos enfrentamos con un cuadro de las enseñanzas del Nuevo Testamento en cuanto a las consecuencias del pecado y la única solución: "La paga del pecado es muerte mas la dádiva de Dios es vida eterna en Cristo Jesús..."

Aplicaciones del estudio

1. Cada persona es responsable ante Dios. Un refrán popular negaba la responsabilidad individual, culpando a los padres (18:1, 2). Aunque exista una influencia (ver Exo. 20:5, 6), no anula la responsabilidad individual (18:19-21, 23, 24).

2. Dios no quiere la muerte de nadie (33:11). Dios es justo: el pecado será castigado; a la vez, Dios es misericordioso: ofrece perdón al arrepentido y manda el aviso previo del castigo inevitable.

3. El mensajero debe proclamar el mensaje completo de Dios, tanto el de juicio como el de misericordia (33:6). Aunque haya fracasado la sociedad en general, cada persona queda responsable por sus acciones y puede ser redimida. El propósito principal en mandar al profeta es salvífico.

Ayuda homilética

El llamado de Dios
Ezequiel 2:1-5

Introducción: El llamado de Dios incluye los recursos para que el siervo cumpla con su responsabilidad. Todos los elementos necesarios para comunicar el mensaje de salvación forman parte del llamamiento.

I. Una visión de Dios suele acompañar el llamamiento.
- A. La visión de la gloria del Santísimo revela la debilidad y el pecado de los más dignos (p. ej. Moisés, Isaías, y Ezequiel).
- B. El que recibe el llamamiento tiene la opción de aceptarlo o rechazarlo.

II. El llamamiento hace hincapié en el mandato oral de Dios.
- A. Lo que se ve no es tan importante como lo que se oye.
- B. La visión no es "para el goce privado de uno, sino para servir" (ver Gén. 12:1, 2; Exo. 3:10; Isa. 6:9, 11; Eze. 3:4, 17; 33:7).

IV. Siempre hay una advertencia de un rechazo del mensaje. Dios siempre advierte el costo del discipulado.

V. Existe la seguridad de la presencia divina con el llamado (ver Exo. 3:12; Jue. 1:5; Jer. 1:8; Ezeq. 3:14; y Mat. 28:20).

Conclusión: No habrá éxito ni comodidades como se espera en el mundo; sino habrá reproches, incomprensión, y una cruz. No obstante, Dios promete una vida victoriosa con una comunión íntima con él.

Lecturas bíblicas para el siguiente estudio

Lunes: Ezequiel 4:1-17
Martes: Ezequiel 5:1-17
Miércoles: Ezequiel 6:1-14
Jueves: Ezequiel 7:1-9
Viernes: Ezequiel 7:10-19
Sábado: Ezequiel 7:20-27

AGENDA DE CLASE

Antes de la clase

1. Estudie con anticipación el texto bíblico, con los comentarios tanto en el libro del maestro como en el del alumno. **2.** Consiga un mapa del área de Israel y Babilonia para indicar al grupo la relación geográfica entre los judíos en Jerusalén y los del exilio. **3.** Haga un cartelón con las fechas mencionadas en el libro del Maestro y colóquelo en la pared para orientar y clarificar el estudio. **4.** Busque un dibujo de un centinela y/o descripción de su responsabilidad en el mundo antiguo. **5.** Estudie detalladamente el concepto de Dios visto en el capítulo 1 que es la base del llamamiento y ministerio de Ezequiel. **6.** Recorte unos dibujos, fotografías, o palabras que son símbolos muy conocidos por los alumnos por lo que representan. **7.** Conteste la sección *Lea su Biblia y responda* y compruebe sus respuestas.

Comprobación de respuestas

JOVENES: **1.** c; f; g, h. **2.** Sí, porque fue obediente a las instrucciones. **3.** a.

ADULTOS: **1.** Hijo de hombre. **2.** A los hijos de Israel. **3.** Una nación de rebeldes, gente de rostro endurecido y de corazón empedernido. **4.** Así ha dicho el Señor Jehovah. **5.** Dulce como la miel. **6.** Centinela para la casa de Israel. **7.** Oirás; palabras; boca; advertirás; parte.

Ya en la clase

DESPIERTE EL INTERES

1. Dé la bienvenida a todos los presentes destacando la presencia de visitas y el gozo de estudiar la Biblia juntos. **2.** Diga que hoy empezamos un estudio nuevo, de uno de los profetas más interesantes del Antiguo Testamento, Ezequiel. **3.** Pregunte qué responsabilidad tenían los profetas en Israel. **4.** Diga que los profetas anteriores habían hecho su labor en Israel o Judá. Ezequiel es profeta en exilio con los desterrados, y a distancia con los que quedan en Jerusalén. Hablen sobre la dificultad de su tarea. **5.** Usando el mapa explique la relación geográfica entre Babilonia e Israel.

ESTUDIO PANORAMICO DEL CONTEXTO

1. Llame la atención al título de la Unidad: "Ezequiel, llamado a una tarea difícil". Pregunte por qué fue tan difícil su tarea. Use el cartelón con las fechas mencionadas de la caída de Jerusalén y el exilio enfatizando la situación tan difícil para todos. Es importante "colocar" a Ezequiel geográfica y históricamente. **2.** Aclare que el libro de Ezequiel es uno de los cinco libros llamados de los "Profetas Mayores", título que tiene que ver con el largo del libro, no para distinguir la importancia de su mensaje de otros profetas.

ESTUDIO DEL TEXTO BASICO

Dé tiempo para leer el pasaje bíblico que van a estudiar y para responder a la sección *Lea su Biblia y responda*. Repase sus respuestas y aclare cualquier respuesta equivocada.

1. Enviado a los rebeldes de Israel, Ezequiel 2:1-7. Lean el pasaje y enfatice la rebeldía de Israel que había necesitado la acción de Dios llamando a su mensajero a este ministerio difícil. Hablen de las características del pueblo rebelde. Enfatice el mensaje de Dios al profeta para animarle en su tarea. Las palabras "Así ha dicho el Señor Jehovah" son como la "firma" de Dios al mensaje que ha dado a su mensajero. Los dos últimos versículos hablan de la dureza de los oyentes. Pregunte cuáles son los símbolos usados por Dios al describirlos. A pesar de esto cuatro veces el Señor asegura a Ezequiel que no debe temer, sino dé el mensaje al pueblo tan rebelde. Pregunte cómo es posible cumplir con el llamado de Dios a pesar del rechazo de las personas a las cuales había sido enviado.

2. Alimentado para la tarea, Ezequiel 2:8 a 3:3. Lean el pasaje y enfatice el significado del mensaje escrito por los dos lados, llenos de lamentaciones. Hablen del significado de la orden de que el profeta coma el rollo. ¿Qué beneficio tendría para Ezequiel? ¿Para nosotros al hacerlo también? Al describir el mensaje del rollo "dulce como la miel" ¿qué significado tendría para él?

3. Llamado a advertir, siendo centinela, Ezequiel 3:17-21. Lean el pasaje indicado. Usando el dibujo del centinela hablen de sus responsabilidades y anótenlas en la pizarra. Haga referencia a los versículos mencionados de otros profetas quienes también habían sido llamados a ser centinelas. Lean el versículo 17 e interpreten cuáles serían las responsabilidades de Ezequiel como centinela. Hablen de la importancia de la doble responsabilidad del profeta de amonestar tanto al creyente como a los que no lo son. Mencionen las razones porque la tarea de Ezequiel era difícil pero que podría traer tantas bendiciones. ¿Cómo, entonces, podría alcanzar un ministerio tan amplio? Enfatice la relación del profeta con Dios.

APLICACIONES DEL ESTUDIO

Lean con cuidado las aplicaciones y hablen cómo cada una de ellas se aplica a la vida personal.

PRUEBA

1. Divida el grupo en dos y dé a cada uno la responsabilidad de responder a uno de los incisos. Después compartan con el grupo entero sus respuestas. **2.** Terminen leyendo todos juntos Ezequiel 2:4-5. **3.** Dé gracias a Dios por su llamamiento a sus siervos y la misión encargada a cada uno.

Israel juzgado por su pecado

Contexto: Ezequiel 4:1 a 7:27
Texto básico: Ezequiel 5:1-10; 6:8-10
Versículos clave: Ezequiel 5:7, 8
Verdad central: Judá se rebeló contra Dios y no cumplió su misión a las naciones. El castigo fue su destrucción, siendo así ejemplo de la justicia y la integridad de Dios.
Metas de enseñanza-aprendizaje: Que el alumno demuestre su: (1) conocimiento de las maneras en que Judá se ha rebelado contra Dios y el castigo merecido por sus acciones, (2) actitud de valorizar la oportunidad de someterse al Señor hoy y de cumplir su voluntad.

Estudio panorámico del contexto

A. Fondo histórico:

La nación, Judá. El propósito divino de llamar a Abram y de constituir la nación de Israel era redimir al mundo (ver Gén. 12:3, Exo. 19:4, 5, y Juan 3:16). Sin embargo, el pueblo de Dios interpretó mal su llamamiento. Lejos de dedicarse a cumplir su responsabilidad de ser bendición a todas las naciones de la tierra quisieron ser superiores a los demás. Entendieron su misión como una de carácter terrenal. De allí que todos sus esfuerzos resultaron en un verdadero fracaso. Ezequiel entendía bien ese fracaso moral del pueblo (ver la Introducción a la Unidad): Judá seguía en los mismos caminos de muerte que había recorrido el reino del norte (destruido en el año 722 a. de J.C.). Corriendo la misma suerte que el reino del norte, en el año 587, Nabucodonosor rey de Babilonia destruyó Judá y dejó la capital, Jerusalén, totalmente en ruinas (2 Rey. 25:8-10, 12).

El profeta. En el año 598, el rey de Judá, un vasallo de Babilonia, se rebeló contra su amo e hizo alianza con Egipto. El rey Nabucadonosor invadió la tierra por segunda vez, y en 597 deportó al rey Joaquín a Babilonia con 10,000 cautivos de alto rango (2 Rey. 24:1-17). Entre ellos estaba Ezequiel, un joven sacerdote. En el año 592, el Señor llamó al joven a servirle también como profeta (1:1, 2). Ezequiel presenta el mensaje de Dios usando nuevos estilos literarios: pantomima, adivinaciones, alegorías y simbolismos. Predice que los lugares altos, los sitios de las flagrantes rebeldías contra Dios donde se practicaba la adoración a Baal con prostitutas sagradas, iban a ser destruidos. Enfatiza que el fin está cerca, no el día escatológico del fin del mundo.

Se ubican los capítulos 4-14 del libro en la época temprana de Ezequiel. Contienen actos simbólicos (pantomimas, caps. 4, 5) y oráculos de juicio (caps. 6-14). Aseguraba al pueblo rebelde del castigo venidero: la destrucción nacional era inevitable por causa del pecado.

B. Enfasis:

El asedio de Jerusalén, capítulo 4. Evidentemente el Señor le prohibió al profeta Ezequiel entregar oráculos públicos por un período (3:22-27); entonces, se comunicó en forma nueva y novedosa por medio de pantomimas o actos simbólicos. El primero de estos actos fue precisamente el asedio simbólico de Jerusalén (4:1-3). La tableta de arcilla es lo que llamaríamos un adobe o ladrillo cocido al sol que era muy común en Babilonia. Comúnmente esta clase de tableta se usaba para la llamada escritura cuneiforme, medían 60 cm. de ancho por 30 cm. de largo.

Las instrucciones de construir un muro de asedio y un terraplén procedían de la costumbre de usar estas facilidades para espiar a los sitiados. La palabra ariete se traduce literalmente taladrador. En nombre de Dios, Ezequiel les representa un muro de separación como de hierro entre el profeta y el pueblo. También se ilustra de esta manera el hecho de que Dios usa al pueblo caldeo como instrumento de castigo para su propio pueblo.

La idolatría del pueblo condenada, capítulo 6. Tanto los altares como los ídolos iban a ser destruidos. Se dirige un mensaje a las montañas como si fueran personas, y se da por entendido que el pueblo en sí ya no escucha las palabras que le hagan consciente de su pecado. Así también el profeta enviado a Jeroboam no se dignó dirigirse al rey sino al altar (1 Rey. 13:2). "Caigan vuestros muertos delante de vuestros ídolos..." Es una manera de decir: "los objetos (ídolos) de vuestra confianza serán testigos de vuestra ruina". Al mismo tiempo, el hecho de que un muerto sea literalmente echado frente a una deidad es una ofensa, una verdadera contaminación.

Los "lugares altos" destruidos y desolados, 6:6. Estos eran sitios de adoración a Baal con prostitutas sagradas de este culto pagano a la fertilidad. Era necesario que el pueblo se diera cuenta, de manera dramática, de que los ídolos no son dioses como ellos suponían, sino la mera obra de las manos de hombres (ver Isa. 40:18-20).

El v. 7 contiene una afirmación que es la frase más característica de Ezequiel, apareciendo más de sesenta veces en el libro: "Y sabréis que yo soy Jehovah." El es el castigador del pecado. Sin embargo, hay una mitigación de la severidad del castigo, aunque la vida de su pueblo estaría vinculada con el destierro. Al fin se lograría en el pueblo el propósito de los castigos de Dios, que es un verdadero arrepentimiento. Esto se logró parcialmente con la extirpación de la idolatría de entre los judíos desde el tiempo del cautiverio babilónico. Pero todavía se han de arrepentir de su pecado culminante, la crucifixión del Mesías; su arrepentimiento completo, pues es futuro, después de las pruebas de muchos siglos, las cuales terminarán con la predicha en Zacarías 10:9; 13:8, 9; 14:1-4, 11.

La condenación por no guardar el pacto, capítulo 7. Por no guardar el pacto hecho en Sinaí, Judá también sería castigado en el día del Señor. El pueblo creía que este día sería uno de juicio sobre sus enemigos, y un día de victoria para ellos. Su teología era equivocada.

1 La cabeza rapada, símbolo del cautiverio, Ezequiel 5:1-4.

V. 1. Ezequiel ha de simbolizar sobre su propia persona la destrucción de los habitantes de Jerusalén. El pelo y la barba eran símbolos de dignidad (ver 2 Sam.10:4, 5); el rasurarse la cabeza indicaba luto a causa de una catástrofe (ver Isa. 7:20; Jer. 41:5; 48:37). La *cuchilla* o "espada afilada" simbolizaba un invasor devastador. El profeta anuncia por medio de sus acciones simbólicas que la destrucción (muerte) de Jerusalén será penosa, humillante y total. El pesar y repartir los pelos (el pueblo) *por una balanza* indica un juicio justo.

V. 2. Se describen tres clases: 1) una parte será quemada (destruida por la peste, hambre, y holocausto en el asedio de Jerusalén [v. 12a]); una parte será golpeada con una espada (falleciendo en la defensa de la ciudad [v. 12b]); y la tercera será esparcida al viento (sobrevivientes esparcidos al viento [al mundo] por otra deportación [v. 12c]).

V. 3. Aunque la destrucción de Jerusalén será total, un pequeño remanente (*unos pocos en número*), purificado por el fuego, sobrevivirá. Algunos de estos se convertirán en el destierro (ver 6:8-10), "para que cuenten acerca de todas sus abominaciones entre las naciones a donde lleguen" (12:16). El remanente es un concepto que nos habla de la calidad en contraste con la cantidad.

V. 4. De los pocos sobrevivientes, algunos han de pasar por otro fuego: el remanente será pequeñísimo. (Antes de la caída de Jerusalén, se subordina Ezequiel el tema del remanente al del juicio divino; después de la caída, se lo convertirá en un tema principal.) Ahora, hace hincapié en una verdad central: nadie puede escapar del juicio y del horror venideros.

La doctrina del remanente está totalmente subordinada al mensaje de juicio hasta la caída de Jerusalén, después de la cual llega a ser su tema dominante.

2 Juzgado por rechazar la dirección de Dios, Ezequiel 5:5-10.

V. 5. La frase *esta es Jerusalén* elimina la posibilidad de interpretar los símbolos como una condenación de otra ciudad, como Babilonia. Además, se explica la razón por la grandeza de su destrucción: puesta *en medio de las naciones* (ver Isa. 19:23-25), Jerusalén debiera haber sido el centro geográfico y religioso para la salvación de las naciones (38:12). El Señor había salvado la nación (Israel) por la fe (Exo. 14:30, 31) y le dio una Ley (ética) moral (Exo. 20:1-17) para que fuese un instrumento de salvación (una luz) para el mundo (ver Isa. 1:2-4; 2:2-4; 49:6). La posición: *en medio de las naciones* no sólo es geográfica sino de privilegio (38:12).

V. 6. *Pero ella se obstinó contra* la Ley, los *decretos* divinos; entonces, su culpabilidad era mayor que la de los demás países en desechar a su Redentor y su ley. Cuanto más Dios trataba de concientizar a su pueblo acerca de su llamamiento especial, más profunda era la caída del pueblo. Por el hecho de sentirse "especiales" exageraban en sus acciones rebeldes. "Se ha rebelado contra mis ordenanzas o ha resistido impíamente a mis juicios", son expresiones de otros traductores que señalan la gravedad de pecado de Israel.

V. 7. En vez de ser un modelo de rectitud y justicia, el pueblo de Dios se convirtió en una nación tentadora de maldad y vergüenza, *comportándose con mayor turbulencia* que las demás *naciones*. Además, había adoptado las abominables prácticas religiosas de sus vecinos, "profanando" el santuario de Jehovah (v. 11). Al dejar a Jehovah y seguir tras dioses ajenos, se había convertido en una ramera religiosa. Aquí encontramos una implicación: las naciones que rodeaban a Israel anduvieron según la luz que tenían, pero Israel no tenía ninguna clase de luz. El pueblo de Dios tenía y reflejaba una pasión extravagante por los ídolos. Las naciones vecinas tenían religiones falsas, pero se comportaban más de acuerdo con sus creencias que el pueblo de Dios que tenía la verdadera religión. Israel no vivía de manera que glorificara el nombre de Dios, sino todo lo contrario.

Vv. 8-10. Los *actos justicieros* serán vistos por *las naciones,* y los "sobrevivientes" esparcidos en el mundo servirán de ejemplo y serán una vindicación de la santidad de Jehovah. Dios es soberano absoluto sobre todo el mundo y cumplirá su voluntad. Será peor que cualquier juicio anterior (Lam. 4:6; Dan. 9:12). La profecía incluye la destrucción de Jerusalén por los romanos y la final por el Anticristo (Zac. 13:8), como también la que había de llevar a cabo Nabucodonosor. Su condena por la maldad no terminó con la conquista de los caldeos. En el futuro habría un mal germinante, porque en su estilo de vida el pueblo denotaba una maldad que seguiría germinando una y otra vez.

La justicia de Dios se manifiesta en la expresión: "Cuantos más son los privilegios tanto más grande es el pecado por cuanto se abusa de los mismos."

3 Un remanente reconocerá la justicia de Dios, Ezequiel 6:8-10.

V. 8. El *remanente* será un testimonio al juicio divino: cumplirá con el propósito redentor entre las naciones.

V. 9. Los sobrevivientes se acordarán de Dios en el exilio. El *corazón adúltero* (la idolatría) se había apartado de Dios (*se prostituyeron tras sus ídolos*); iban tras lo que *sus ojos* veían y deseaban. Tal como Lot quien "vio" y "eligió para sí" la zona de Sodoma (Gén. 13:10, 11), así hacía habitualmente el pueblo. Las *abominaciones* se refieren al culto sexual adoptado del baalismo. Dios es quien quebrantará el corazón adúltero de sus hijos. Este quebrantamiento traducido en tristeza tiene como fin lograr que allí donde se encuentren los hijos de Dios se den cuenta de su error de dejar a Dios para seguir a dioses falsos. Al darse cuenta de su pecado dirán delante de los demás que quieren volver al Dios verdadero y ese será el testimonio necesario para que más naciones sepan que es bueno seguir a Dios. Pero el testimonio también incluye el aspecto negativo: no es bueno dejar al Dios verdadero una vez que se ha hecho el compromiso de seguirle.

V. 10. La frase, *sabrán que yo soy Jehovah* es característica de Ezequiel (vv. 7, 13 y unas 60 veces más): Dios es soberano absoluto, castiga con justicia, y quiere que las naciones le reconozcan como Salvador. El castigo y el destierro tenían un propósito salvífico. *¡No en vano he dicho que les haría mal!* Nada de lo que Dios haga carece de sentido. El mal que Dios hizo no es el reflejo de una frustración sino el deseo de una transformación.

Aplicaciones del estudio

1. El privilegio lleva responsabilidad (ver Amós 3). Elegido para ser un instrumento redentor mundial, el fracaso moral de Israel resultó en un castigo especial: "De todo aquel a quien le ha sido dado mucho, mucho se demandará de él" (Luc. 12:48b).

2. El "corazón adúltero" (los deseos interiores) y los "ojos prostituidos" (la mirad lasciva) producen los hechos exteriores. El hombre ve lo que quiere ver. Un cambio de conducta vendrá únicamente con una transformación interior producida por el arrepentimiento.

3. Dios asegura el futuro de Israel a pesar del fracaso de la nación. La fidelidad a Dios, la responsabilidad moral, y la supervivencia de un remanente purificado son elementos esenciales para una vida futura nacional. Dios expresa su amor en la cruz de Calvario; para los que anden en Cristo, se puede decir: "paz y misericordia sean sobre ellos, y sobre el Israel de Dios" (Gál. 6: 16).

Ayuda homilética

Una Sociedad en Bancarrota
Ezequiel 5:5-15; 6:25-27

Introducción: Puesto en medio de las naciones para ser un instrumento de redención, Israel rechazaba su razón de existir: sin darse cuenta era una sociedad en bancarrota. La ciudad Jerusalén, "la posesión [ciudad] de paz", se había convertido en la ciudad poseída por la violencia, la intriga y la maldad. ¿Hay similitudes con la sociedad moderna?

I. Una sociedad corrompida: desobediente a Dios.
- A. Ignora el pacto hecho con Dios
- B. Resiste los juicios divinos
- C. Rechaza la palabra y la admonición divinas

II. Una sociedad violenta.
- A. Una sociedad rebelde moralmente
- B. Una sociedad turbulenta (violenta)
- C. Una sociedad de gente mentirosa

III. Una sociedad con una religión degenerada.
- A. Adora a muchos dioses (una idolatría flagrante)
- B. Practica abominaciones sexuales

Conclusión: La sociedad en la época de Ezequiel era obstinada y condenada: ya muerta. ¿Y la nuestra?

Lecturas bíblicas para el siguiente estudio

Lunes: Ezequiel 8:1-18
Martes: Ezequiel 9:1-11
Miércoles: Ezequiel 10:1-7
Jueves: Ezequiel 10:8-22
Viernes: Ezequiel 11:1-13
Sábado: Ezequiel 11:14-25

AGENDA DE CLASE

Antes de la clase
1. Lea con cuidado los pasajes de este estudio y todo el material en las revistas del maestro y alumnos. **2.** Haga una lista de lo que Dios esperaba de Israel, y cómo acentuaron su pecado al no alcanzarlo. Fíjese especialmente en la misión de Israel a las naciones. **3.** En su concordancia mire las citas bíblicas que hablan del "Día del Señor" y hágase una lista de palabras que describan este día. **4.** Haga una tira de cartulina y escriba "El remanente... esperanza para Dios y el Pueblo". **5.** Complete y revise la sección *Lea su Biblia y responda.*

Comprobación de respuestas
JOVENES: **1.** Navaja de barbero; una balanza para pesar. **2.** a. Quemarla con fuego. b. Golpearlos con la espada alrededor de la ciudad. c. Esparcirlos al viento. **3.** Se acordarán de Jehovah, y se detestarán a sí mismos por su infidelidad.
ADULTOS: **1.** Cuchilla afilada; cabeza; barba; balanza; pesar; reparte. **2.** Jerusalén. **3.** Se obstinó contra los decretos de Dios, desecharon los decretos y no anduvieron según los estatutos de Dios. **4.** Ejecutaré actos justicieros en medio de ti, ante la vista de las naciones. **5.** Dejaré; remanente; naciones; escapen; esparcidos; países. **6.** Se acordarán de Dios en el exilio; se detestarán por las abominaciones que habían cometido; sabrán que Jehovah es Dios.

Ya en la clase
DESPIERTE EL INTERES
1. Dé la bienvenida a todos en el estudio de la Biblia enfatizando que estudiar la Biblia nos ayuda a prepararnos para vivir nuestra fe diariamente. **2.** Pida que los alumnos definan el pecado. Anoten sus ideas en una cartulina o en la pizarra. Guárdelas para compararlas con las del pasaje estudiado. **3.** Diga que en el estudio hoy veremos cómo Israel es juzgado y castigado por su pecado. Dios es justo y su justicia e integridad son constantes.

ESTUDIO PANORAMICO DEL CONTEXTO
1. Hablen de la tarea tan difícil de Ezequiel, de pronunciar el castigo de Dios contra su país que ya ha experimentado la derrota y la deportación de muchos de sus ciudadanos. Ahora Jerusalén será asediada y muchos más de sus ciudadanos llevados a la esclavitud o muertos. **2.** Repasen el material presentado en esta sección de las revistas del maestro y el alumno.

ESTUDIO DEL TEXTO BASICO
Lean los pasajes del texto básico. Dé tiempo para que los alumnos

contesten la sección *Lea su Biblia y Responda*. Repasen las respuestas y aclaren cualquiera de ellas.

1. La cabeza rapada, símbolo del cautiverio, Ezequiel 5:1-4. Hay mucho simbolismo en la Biblia, y Ezequiel es un maestro en su uso de ello. En tiempos cuando las personas no tenían sus propias Biblias o mensajes escritos estos símbolos hablaban en voz alta del mensaje dado por Dios. Anoten en la pizarra los símbolos del pasaje y use los comentarios en las revistas para aclararlos.

2. Juzgado por rechazar la dirección de Dios, Ezequiel 5:5-10. Hablen de la visión que Dios tenía para su pueblo, de sus bendiciones como pueblo y de su responsabilidad frente a las demás naciones. Su flagrante desobediencia de sus enseñanzas y de esta misión les ha llevado al momento de juicio y castigo.

Saque las listas que hicieron de las ideas del "pecado". Léalas y entonces pida que lean la cita bíblica de esta sección. Anote los que son considerados pecado por Dios. Compare las dos listas. ¿Hay diferencias entre ellas? ¿La lista hecha al iniciar el estudio es más específica? Enfaticen las enseñanzas de las acusaciones de Dios que indican que escogieron el camino del pecado a pesar de sus múltiples enseñanzas y amonestaciones. ¿Cómo va a castigarles Dios? Si el estudio terminara aquí, no habría ninguna esperanza, pero Dios tiene otro plan.

3. Un remanente reconocerá la justicia de Dios, Ezequiel 6:8-10. Saque la tira "El remanente - esperanza para Dios y el pueblo". Pregunte cuál es el significado de esta palabra. Lea con cuidado este pasaje y hablen de cómo puede ser esperanza para Dios y el pueblo. Enfatice la importancia de su formación religiosa. Sin ésta no podrían "acordarse" de Dios. ¿Cómo se desarrollará la justicia con que Dios juzgará a su pueblo? ¿Cuál es la base de su justicia? Enfatice que Dios es justo; se puede contar con su justicia siempre. Tengan una oración pidiendo que los que hemos oído la voz de Dios y recibido sus enseñanzas podamos seguirlas y cumplir su misión para nuestras vidas.

APLICACIONES DEL ESTUDIO

Lean con cuidado las aplicaciones en el libro del alumno. Den tiempo para que hablen de cada una, resaltando su importancia para la propia experiencia. Esta lección nos da una oportunidad de enfatizar la importancia de la responsabilidad personal frente a las bendiciones recibidas de Dios y la necesidad del estudio de la Palabra del Señor para cada uno.

PRUEBA

Pida que escogen uno de los incisos para contestar. Luego compartan sus respuestas con el grupo.

Anime a los alumnos a que investiguen para el próximo estudio cómo Dios seguirá guiando a su pueblo, preparando el camino tanto para su castigo como su re-creación como pueblo de Dios.

Estudio **42**

Unidad 9

Idolatría, castigo y recreación

Contexto: Ezequiel 8:1 a 11:25
Texto básico: Ezequiel 8:12-18; 11:14-20
Versículos clave: Ezequiel 11:18, 19
Verdad central: Dios prepara el camino para que su pueblo, purificado por su castigo, pueda regresar a la tierra prometida. Quitará su corazón pecaminoso de piedra y les dará un corazón de carne y un espíritu nuevo.
Metas de enseñanza-aprendizaje: Que el alumno demuestre su: (1) conocimiento de la promesa de Dios de dar un corazón nuevo a su pueblo purificado, (2) actitud de gratitud por esta dádiva en su vida y su compromiso de andar según los estatutos del Señor.

Estudio panorámico del contexto

A. Fondo histórico:

Las visiones simbólicas de las abominaciones del pueblo en Jerusalén, 8:1-18. El tiempo aquí referido probablemente fue el de agosto-septiembre de 592 a de J.C., catorce meses después que Ezequiel tuviera su visión inaugural (1:1). Ezequiel en sus visiones es llevado al templo y se percata de que allí ha sentado sus reales la idolatría. Aunque la noticia pudo haber sido dada de otra forma, esta descripción de las cosas también parece haberla recibido por medio de un don altamente sobrenatural que le concedía una segunda visión. La distancia entre Babilonia y Jerusalén hace que las visiones parezcan asombrosas, pero no es un episodio que no tenga paralelo en la Biblia (2 Rey. 5:26; 6:8-12; Isa. 21:6-10). La imagen del celo (es decir, una imagen que despierta el celo de Jehovah [v. 3]) podía ser una imagen de la diosa cananea Asera. El rey Manasés había colocado una imagen de esa clase (*semel*; se usa una palabra no común) en el templo, y posteriormente la había quitado (2 Cró. 33:7, 15). Pudo haber sucedido que volvieron a colocar el mismo ídolo.

La destrucción total de la ciudad de Jerusalén anunciada 11:14-25. La expresión: Tus hermanos se refiere a los compañeros de exilio de Ezequiel, procedentes de Judá; toda la casa de Israel son los descendientes de los deportados del reino del norte de Israel en 722 a. de J.C. (20:40; 36:10). Todos ellos estaban alejados de Jehovah. La mofa del remanente que todavía quedaba en Jerusalén refleja la antigua noción de que el poder de Dios se limitaba a su tierra; el que estaba lejos de esa tierra se consideraba echado de la presencia de él (1 Sam. 26:19). La promesa de Dios (v. 16) niega esa idea.

Por la culpabilidad del pueblo, se anuncian la salida de la gloria de Jehovah del templo y la próxima destrucción de la ciudad, la cual ocurrió en el año 587 a. de J.C.

B. Enfasis:

Las grandes abominaciones cometidas en el templo. Ezequiel se siente transportado en visiones a Jerusalén donde ve las abominaciones cometidas. Una de las consecuencias fatales del relajamiento de la relación con Dios es que los paganos se burlan de los hijos de Dios y a menudo cometen sacrilegio con las cosas dedicadas al culto. En 8:12 se mencionan las cámaras pintadas de imágenes. Esta expresión se refiere a las cámaras o cavernas en que había frescos, donde los ancianos estaban practicando extrañas formas de culto a los animales (v. 10). La declaración pudiera implicar que cada anciano tenía su propia cámara secreta en su casa, imaginando que Dios no podía ver lo que estaba haciendo.

El culto idolátrico en Jerusalén denunciado, capítulo 8. Se denuncia la idolatría encontrada en la ciudad santa: la adoración de "la imagen del celo", la adoración de figuras de reptiles y de cuadrúpedos, el culto a Tamuz, y la adoración al sol. Tamuz era una deidad babilónica, dios de la vegetación, cuya muerte en tiempo de extremo calor era lamentada anualmente, y cuya resurrección se celebraba en la primavera. El tiempo tradicional para el lamento era el cuarto mes (que precisamente llevaba el nombre de "Tamuz"), pero, puesto que la visión ocurrió en el sexto mes, el rito pudo haberse modificado entre los judíos de ese tiempo.

La visión de la destrucción de Jerusalén, capítulo 9. Los verdugos vendrán para destruir la ciudad, y la gloria del Señor saldrá de ella. Es una aparente contradicción el hecho que Dios mismo sea el que convoque a quienes van a destruir a su pueblo.

La gloria de Dios sale del templo, Ezequiel 9:3; 10:18, 19; 11:22-25. La presencia del Santísimo no quedará donde hay inmundicia.

El castigo contra los que pretenden adorar a Dios, pero secretamente adoran a dioses paganos. Siete verdugos, seis hombres y uno más con "útiles de escriba" (9:2), ejecutarán la ira de Dios sobre la cuidad (ver 2 Sam. 24:16; 2 Rey. 19:35; Apoc. 4:5; 8:2, 6). Indudablemente eran seres angélicos. Se pueden comparar con los siete ángeles que están delante de Dios (Apoc. 8:2, 6), de los cuales se nos dice que son ejecutores de la ira de Dios.

El juicio y castigo de los gobernantes, Ezequiel 11:1-13. Juzgados por Dios, los magistrados caerán a espada (11:2, 10). No se nos dice nada sobre la destrucción de la ciudad, sino que el ángel comisionado tomó fuego de en medio de los querubines (Is. 6:6) y salió. La visión era una profecía sobre los fuegos que realmente consumirán la ciudad en 587 a. de J.C. (2 Rey. 25:9); pero más significativa que la predicción es la revelación del Destructor: era el mismo Dios.

Estudio del texto básico

1 Abominaciones en el templo, Ezequiel 8:12-18.

V. 12. El culto idolátrico en Jerusalén incluía "el sitio de la imagen del celo" (v. 3), un ídolo en el templo. Posiblemente era de Asera, la diosa cananea de la fertilidad (ver 2 Rey. 21:7), que provocaba a Jehovah a celos (v. 3b; ver

Exo. 20:3-5). Además, había cultos abominables adicionales al estilo de los egipcio-babilónicos (v. 11).

El texto no indica con claridad el lugar de los cultos de los ancianos: es posible que cada uno tenía una cámara secreta en su propio hogar. De todos modos, pensaban que Jehovah no les veía. El dicho, *Jehovah ha abandonado la tierra* se refiere a la deportación de 597; por lo tanto, los ancianos creían que Dios les había abandonado y era legítimo adorar a otros dioses. Se justificaban a sí mismos y con su ejemplo guiaban al pueblo por el mal camino. Era el pensamiento corriente que cada dios tenía su ámbito de influencia determinado. La influencia de las distintas divinidades se concretaba a un área geográfica limitada, fuera de la cual no podían actuar. Esa influencia llegó a afectar a los hijos de Dios quienes pensaban que por estar fuera de su jurisdicción no tendrían su vigilancia.

Vv. 13, 14. La visión de las *abominaciones* (idolatría) sigue con mayores revelaciones. A la puerta norte del templo unas mujeres lloraban a Tamuz, un dios babilónico de la vegetación (similar a Baal en Canaán; será conocido más tarde como Adonis). Suponían su muerte durante el calor del verano y su resurrección cada primavera por medio de la obra de su cónyuge y hermana, Inanna, quien le traía vivo del otro mundo. Central en el culto eran supuestos ritos sexuales que ayudarían en el proceso total de la procreación.

Vv. 15, 16. Un nuevo avance de la visión revela aun mayores *abominaciones* idolátricas en el estilo de los egipcios, cananeos, y babilónicos. En el área del templo, *entre el pórtico y el altar,* el lugar donde se ofrecían oraciones a Dios (Joel 2:17), *veinticinco hombres* se postraron ante el sol,... *con sus espaldas vueltas hacia el templo de Jehovah.* La adoración del sol era una práctica común entre los cananeos, pero después fue reintroducida desde Asiria (2 Rey. 23:5, 11; Jer. 8:2). El hecho de dar las espaldas para adorar al sol ilustra la renuncia total a la adoración a Dios. Se acostumbraba orar mirando al templo (ver 1 Rey. 8:29, 35; Dan. 6:10); entonces, lo que hicieron era rechazar totalmente a Jehovah y substituir un culto nuevo en su casa (ver Deut. 4:19; Jer. 44:15-18).

V. 17. El llevar *la rama de la vid a sus narices* es una expresión enigmática, posiblemente relacionada con el culto de Tamuz (ver Isa. 17:10). Algunos sostienen que, por cuanto se usa el término rama *(zemora;* 15:2; Isa. 17:10), tal práctica representaba una obscenidad, al interpretar esa palabra hebrea como "hedor". Otros han notado que una acción similar grabada en los relieves asirios parece ser una indicación de reverencia y adoración.

V. 18. Del diluvio de idolatría, este último rito o gesto despectivo de la vid, era el colmo: sin más compasión, la ira divina vendrá, no obstante el grito tardío de una penitencia hipócrita.

2 Dios, el santuario en el cautiverio, Ezequiel 11:14-17.

Vv. 14, 15. Entre los oráculos de juicio, llegan unas palabras de esperanza: Dios es el santuario de ellos (v. 16), y ha de crear un Israel nuevo (v. 19).

Se dirige la palabra a los desterrados, y *a toda la casa de Israel,* es decir, a los del reino del norte deportados por los asirios en 722 a. de J.C. *Los habitantes de Jerusalén* consideraban a los deportados como alejados de Dios, por estar fuera de la tierra, y a sí mismos como los elegidos para poseerla. Creían que el poder de Jehovah se limitaba a Palestina (ver 1 Sam. 26:19; 1 Rey. 20:23). El concepto de la omnipresencia de Dios estaba en problemas. En realidad, encontramos pasajes que hablan claramente de este atributo divino (Salmo 139), pero debido a la influencia de las naciones paganas se llegó a creer aun por los mismos judíos que Jehovah tenía una área restringida de influencia.

V. 16. No se limita el poder de Jehovah: el exilio era producto suyo, y en este *breve tiempo* había sido *un santuario* para los desterrados. Estuvo con ellos, mientras que, por el pecado de los de Jerusalén, su presencia se había alejado de allí (vv. 22, 23). Entonces, de circunstancias tristes, se aprende una verdad teológica: ¡en todo el mundo Dios es el santuario de los suyos! Así que, la religión no es simplemente el cumplir con ritos formales: sin templo, un santuario provisto del hombre para Dios, se descubre que la religión es una relación dinámica con el Señor. La ausencia o presencia de Dios está más bien en relación directa con la actitud de su pueblo. Dios es santo y no puede habitar en medio del pecado.

V. 17. Un núcleo o remanente volverá del destierro para poseer la *tierra de Israel.* En medio de la angustia del anuncio del castigo a causa del adulterio espiritual, hay una promesa llena de esperanza: *Yo os reuniré... os recogeré... os daré una tierra.* En última instancia, tenemos que entender que la disciplina del destierro busca crear conciencia en el pueblo de Dios de las consecuencias de la infidelidad y la abundante misericordia del Todopoderoso.

3 El corazón de carne, dádiva de Dios a su pueblo arrepentido, Ezequiel 11:18-20.

V. 18. Un núcleo volverá arrepentido y purificado. Desde su regreso a Babilonia ellos han rechazado todo vestigio de idolatría. Pero la gloria de la *shekinah* se ha alejado; el arca no fue resturada, ni fue habitado el segundo templo por Dios en sentido estricto, mientras no llegara Aquel que lo hizo más glorioso que el primer templo (Hag. 2:9); aun entonces fue corta su estancia y terminó en su rechazo por el pueblo; de modo que el cumplimiento de la promesa tiene que ser todavía futuro.

V. 19. Dios creará un Israel nuevo, por medio de la dádiva de *otro corazón* y *un espíritu nuevo* (ver Jer. 24:7; 31:31-34; 32:39); pues habrá una voluntad nueva (*corazón de carne*) y una nueva energía divina (*espíritu nuevo*) para sostenerlo.

V. 20. *Pondrán por obra* la ley divina (los *estatutos* y *decretos*) y cumplirán con fidelidad las responsabilidades inherentes en el pacto. Entonces, *ellos serán mi pueblo, y yo seré su Dios.* Esto resultará en cambios de la naturaleza del pueblo, de su estilo de vida y de su relación con Dios.

Aplicaciones del estudio

1. Cualquier cosa, persona, o ideología que desposee al Señor de la vida es idolatría y provocará los celos divinos. El vocablo "celos" proviene de un verbo que significa adquirir posesiones: pertenecemos al Creador que nos ama. El expulsar a Dios de la vida por cualquier clase de ídolo es pecado y provocará su ira.

2. La salvación es don de Dios que resulta en tener otro corazón y un espíritu nuevo. En el Antiguo Testamento el corazón representa el sitio de la voluntad o razonamiento. El mundo corrompido no puede transformarse por medio de sus propios poderes creativos: un cambio radical (de mente y acciones) únicamente provendrá de Dios.

3. Jehovah es Señor de la naturaleza, de la historia y de los hombres. No se limita Dios a una zona geográfica. Aunque castiga y dispersa, es un santuario para los suyos en todo el mundo: es justo y misericordioso.

Ayuda homilética

Jerusalén juzgada
Ezequiel 8 a 11

Introducción: Jerusalén era una ciudad perversa (11:2).

I. La perversidad denunciada.
- A. La idolatría condenada (cap. 8).
- B. Los líderes acusados (8:12; 11:2, 6).
- C. Las leyes divinas abandonadas (9:9, 10; 11:12).

II. El juicio anunciado.
- A. El juicio contra la idolatría (8:18).
- B. La destrucción de los malvados (9:6; 11:21).
- C. La destrucción divina (9:6-22).

III. Los verdugos enviados.
- A. Los hombres (siete) del norte (9:8; ver Apoc. 8, 9).
- B. Los justos marcados (9:4; ¡la marca escrita es parecida en forma a una cruz!).

IV. La gloria fivina retirada.
- A. La gloria sale del templo (10:18, 19).
- B. La gloria asciende y se detiene (11:22, 23).

Conclusión: La gloria divina no habita en medio de la perversidad. Entonces, ¿hay esperanza? Sí: en un remanente purificado, con corazón y espíritu nuevos (11:16-20), y en la presencia de Dios con un pueblo obediente (ver 43:1-4).

Lecturas bíblicas para el siguiente estudio

Lunes: Ezequiel 12:1-20
Martes: Ezequiel 12:21 a 13:16
Miércoles: Ezequiel 13:17-23
Jueves: Ezequiel 14:1-11
Viernes: Ezequiel 14:12-23
Sábado: Ezequiel 15:1-8

AGENDA DE CLASE

Antes de la clase

1. Lea con cuidado los pasajes de este estudio, anotando los pensamientos principales. **2.** Lea los comentarios tanto en el libro del maestro como en el del alumno. **3.** Prepare un cartelón con el título de la lección; "Idolatría, castigo, y recreación". Deje espacio para anotar ideas que comprueban cada uno de estos conceptos del estudio hecho en clase. **4.** Busque algunas fotografías o recortes de la preparación y construcción de una carretera. Puede usar fotografías de maquinaria, del trabajo de ingenieros u otros trabajadores, de carreteras llenas de tránsito, u otras. **5.** Busque la palabra "santuario" en un diccionario bíblico, anotando las enseñanzas básicas de este concepto. **6.** Haga un cartelón con las palabras, "Dios, santuario en el cautiverio". **7.** Ore por los alumnos por nombre, que esta lección sea una de recreación de sus vidas. **8.** Complete la sección *Lea su Biblia y responda* y compruebe sus respuestas.

Comprobación de respuestas

JOVENES: **1.** "Jehovah no nos ve; Jehovah ha abandonado la tierra." **2.** Al atrio interior del templo. A la entrada del templo, entre el pórtico y el altar. **3.** Que no eran los escogidos de Jehovah.

ADULTOS: **1.** V. 12. Adoraban imágenes y decían que Dios no los veía. V. 14. Mujeres llorando (endechando) a Tamuz. V. 16. Daban sus espaldas al templo y adoraban el sol. **2.** "Mi ojo no tendrá lástima, ni tendré compasión. Gritarán a mis oídos a gran voz, pero no los escucharé." **3.** "¡Permaneced lejos de Jehovah! ¡Es a nosotros a quienes ha sido dada la tierra como posesión!" **4.** Otro corazón; espíritu nuevo; piedra; corazón de carne. **5.** Anden según los estatutos, guarden los decretos y los pongan por obra. **6.** Mi pueblo; su Dios.

Ya en la clase

DESPIERTE EL INTERES

1. Dé la bienvenida a los alumnos y a las visitas, felicitándoles por su interés en el estudio de la palabra de Dios. **2.** Pregunte por caminos interesantes donde han viajado. ¿Para qué sirve el camino? ¿Qué preparación necesita para lograr un buen camino? **3.** Saque las fotografías que ha traído para enfatizar la importancia de los caminos y la preparación necesaria para lograr un buen camino.

ESTUDIO PANORAMICO DEL CONTEXTO

1. Diga que Dios tenía un plan desde el principio para su pueblo, pero vez tras vez ellos lo rechazaron. En esta primera unidad hemos visto como Dios tenía que castigar a su pueblo por su idolatría, pero esto no era su "última palabra". A la vez él estaba preparando un camino de restauración para ellos; les iba a recrear, de hacerles nuevo, de darles un nuevo principio.

ESTUDIO DEL TEXTO BASICO

Dé tiempo para que contesten la sección *Lea su Biblia y Responda.* Comprueben las respuestas. Saque el cartelón "Idolatría, castigo y Recreación" y preséntelo como el título del estudio y céntrico a su interpretación. Diga que juntos van a buscar en el estudio palabras que describen cada uno de estos conceptos de la situación del pueblo de Israel.

1. Abominaciones en el templo, Ezequiel 8:12-18. La palabra abominación refuerza el concepto que Dios tiene de la forma como el pueblo que él escogió y guió rechaza sus enseñazas Anote las abominaciones bajo "Idolatría" y hablen del significado de cada una. ¿Qué es el resultado de haberlas cometido? Anote bajo "Castigo" las ideas encontradas en el v. 18. Debe enfatizar la severidad de los tres castigos mencionados, cada uno merecido por la idolatría del pueblo.

2. Dios, el santuario en el cautiverio, Ezequiel 11:14-17. Lea 11:13, enfatizando la pregunta patética de Ezequiel. En los vv. 14, 15 aclare que los israelitas creían que puesto que Dios les había llamado a ser su pueblo, no les dejaría bajo ninguna circunstancia. Así no se preocupaban por su pecado y por como rechazaban a Dios y sus enseñanzas. Es como si pensaran que tenían a Dios como prisionero, incapaz de responder frente a su pecado. El v. 16 da una idea radicalmente nuevo para el pueblo, Dios como santuario. Haga referencia a la tira "Dios, el santuario en el cautiverio" y la información que había sacado del diccionario bíblico. Muchos creían que Dios era poderoso solamente en Israel. Hablen de lo que este concepto nuevo significaba para el pueblo. Usando el cartelón, empiece su lista de cosas que Dios haría para recrear a su pueblo. Vv. 17, 18. Siga anotando lo que Dios está haciendo a favor de su pueblo para recrearlos.

3. El corazón de carne, dádiva de Dios a su pueblo arrepentido, Ezequiel 11:19, 20. Estos versículos son el corazón del estudio. Tome tiempo para enfatizar cada uno, anotándolas bajo "Recreación" en el cartelónque preparó. Subraye que esto es la renovación, la redención para el pueblo, y para nosotros. Pregunte por el resultado del nuevo corazón y la nueva y duradera relación con Dios.

APLICACIONES DEL ESTUDIO

Lean las aplicaciones y hablen con detalle sobre cómo son aplicables a las vidas de los alumnos. Esto es especialmente importante en este estudio por su enseñanza tan vital para el creyente.

PRUEBA

Divida el grupo en dos para que completen la prueba. Termine con una oración pidiendo que todas puedan vivir cada día siguiendo las instrucciones de Dios, fortalecidos por un corazón blando y un espíritu nuevo.

La caída de Jerusalén

Contexto: Ezequiel 12 a 15
Texto básico: Ezequiel 12:10-28
Versículo clave: Ezequiel 12:25
Verdad central: A pesar de que los judíos en Judá y en el cautiverio creían que Dios no destruiría Jerusalén, esto sí pasó por el pecado de su pueblo y su falta de arrepentimiento.
Metas de enseñanza-aprendizaje: Que el alumno demuestre su: (1) conocimiento de la caída de Jerusalén y su significado, (2) actitud de reflexionar sobre las advertencias de Dios para su propia vida.

Estudio panorámico del contexto

A. Fondo histórico:

Siguen las visiones de la destrucción y el exilio. Los actos simbólicos eran señales del futuro de Jerusalén y sus gobernantes (ver también 2 Rey. 25:4-7, Jer. 39:4-8; 52:7-11).

A partir del cap. 12 hasta el 15 se narran varios acontecimientos donde sobresalen:

El traslado típico de Ezquiel al destierro. La profecía de la prisión de Sedequías y de la pérdida de su vista. Conjetura incrédula de los judíos en cuanto a cuándo sucedería el acontecimento profetizado.

Ezequiel necesitaba recordar frecuentemente la perversidad del pueblo, para no desalentarse por causa del poco efecto producido por sus profecías. El "no ver" de ellos es el resultado de la perversidad. Eran ciegos voluntariamente. Las personas más interesadas en esta profecía eran los moradores de Jerusalén; y entre ellos fue transportado Ezequiel en espíritu, y obraba en visión, no exteriormente, los actos típicos. Al mismo tiempo la profecía simbólica tenía por motivo el advertir a los desterrados que estaban en Quebar el peligro de alentar esperanzas, como hacían algunos, en contraste con la palabra revelada de Dios.

En el cap. 13 sobresale el tema de los profetas falsos, su doctrina falsa, y el juicio de Dios resultante. Así como el cap. 12 , denunció las esperanzas falsas del pueblo, así éste denuncia a los dirigentes falsos, quienes alimentaban aquellas esperanzas. Como testigo independiente, Ezquiel en Quebar confirma el testimonio de Jeremías (caps. 29; 21; 31) en su carta llegada desde Jerusalén a los desterrados, contra los profetas falsos; de estos algunos eran verdaderos malvados, otros eran víctimas fanáticas de sus propios fraudes; por ejemplo Acab, Sedequías y Semaías.

El cap. 14 trata de las consultas hipócritas que son contestadas conforme a esa hipocresía. Además, se mencionan las calamidades que vendrán sobre el pueblo, sin embargo, hay un remanente que escapará de esas calamidades.

En el cap. 15 se pone énfasis en lo inútil de la vid como madera para simbolizar la inutilidad y la culpa de los judíos que pasarán de un fuego a otro. ¿Qué tiene la madera de la vid que la haga preeminente sobre las maderas del bosque? Nada. Lo contrario es la verdad. Los árboles dan madera útil para la construcción, pero la madera de la vid es blanda, quebradiza, torcida y rara vez larga; ni siquiera se puede hacer una percha para colgar los utensilios caseros (ej. Isa. 22:23-25). Su única utilidad es la de llevar fruto; y cuando no produce fruto no sólo no es mejor que los árboles sino inferior a ellos; de modo que si el pueblo de Dios pierde su excelencia distintiva por no llevar frutos de justicia, llega a ser más inútil que los mundanos (Deut. 32:32); porque ellos son la vid, el solo fin de su existencia es el de llevar fruto para la gloria de Dios (Sal. 80:8, 9; Isa. 5:1).

B. Enfasis:

La incredulidad del pueblo. Los mensajes anteriores de Ezequiel predicen la caída de la nación. El pueblo insiste en la idea de que Dios no es capaz de rechazar a su pueblo. De aquí en adelante (caps. 12-19) el profeta trata de las objeciones de los hombres que creían que la presente tempestad pasaría pronto, que no vendrían calamidades frente a ellos, y que mantenían la idea de que Dios jamás repudiaría a su pueblo. Mediante acciones simbólicas, alegorías y parábolas, Ezequiel les demuestra la necesidad moral de la cautividad. Da dos representaciones simbólicas de huida desde la ciudad asediada (12:1-20), disputa con falsos profetas (12:21 a 20), presenta a Israel como una viña estéril (cap. 15), y con una detallada alegoría recuerda la dilatada historia de Israel de infidelidad a su divino esposo (cap. 16). Vuelve a la metáfora de la vid para enfatizar la deslealtad de Sedequías (17), da respuestas a objeciones contra el castigo divino mediante un análisis de la responsabilidad individual (cap. 18), y prorrumpe en una endecha sobre los príncipes de Judá y sobre la misma Judá (cap. 19).

Oráculo contra los proverbios falsos del pueblo, Ezequiel 12:21-18. Se increpa el escepticismo del pueblo: 1) pasa el tiempo y no se cumplen los oráculos del inminente juicio divino (v. 22), y 2) se cree que la palabra es "para tiempos remotos" (v. 27; ver el Estudio del texto).

Oráculo contra los falsos profetas y profetisas, capítulo 13. Muchos de los profetas falsos no podían distinguir entre su propia palabra (corazón) y la de Jehovah. Se les acusa de profetizar "lo que hay en sus propios corazones" (v. 2); de andar "tras su propio espíritu" (v. 3b); de no haber visto nada (v. 3c); de ser profetas de hombres ("tus profetas"; v. 4); de ver vanidad y adivinar mentiras (v. 6), y de extraviar al pueblo (v. 10). Pues, serán descubiertos y destruidos por sus propias palabras falsas (vv. 14, 15). En cuanto a las profetisas (vv. 17-23), se les condena también por profetizar de "sus propios corazones" (v. 17), de practicar brujería (v. 18), y de emplear una especie de vuduísmo para ganancia propia (v. 19). Sacaban utilidad del miedo, superstición e ignorancia de una gente sencilla.

Oráculo contra los dirigentes de Israel, Ezequiel 14:1-11. La idolatría había apartado algunos de los ancianos de Dios (vv. 3a, 5b); aun así, vinieron al profeta (v. 1). Pero sin arrepentirse, no tenían el derecho de consultar a Jehovah (vv. 3c, 6); por lo tanto, en tales condiciones la visita al profeta era una burla contra Dios (v. 4).

Oráculo contra las falsas esperanzas, Ezequiel 14:12-23. Un remanente justo no salvaría a la nación infiel del juicio venidero; además, si estuvieron Noé (ver Gén. 6:8, 9), Job (ver Job 1:1, 42:7-10) y Daniel (Dan. 9:4-19; 10:11), tres héroes de la fe y oración, "ellos solos se librarían" del juicio. Pues, cada persona es responsable por su propia conducta: así será con Jerusalén. Sin embargo, aunque no se lo merece, quedará un remanente de la ciudad ("ellos saldrán") y los desterrados conocerían la justicia de los hechos divinos (vv. 21-23).

Estudio del texto básico

1 El profeta señala la caída de Jerusalén, Ezequiel 12:10-16.

En un acto simbólico (12:1-7) Ezequiel ilustró las condiciones terribles que caerían sobre Jerusalén durante el sitio y la destrucción venideros. La pantomima era para toda la casa de Israel en Jerusalén (v. 10), y para los rebeldes desterrados en el cautiverio (vv. 2, 9).

V. 12. Se predice la trágica realidad que ha de seguir al asedio de Jerusalén: la fuga, la pérdida de la vista, y la cautividad del rey Sedequías que ocurrió en 587 (ver v. 4 con 2 Rey. 25:4-7 y Jer. 52:7-11).

V. 13. La *red* de Dios: Nabucodonosor será el instrumento del Señor en el castigo de Judá. *Babilonia* será el destino final del rey donde morirá sin poder ver aquella tierra.

V. 14. El ejército de Judá será esparcido y diezmado.

Vv. 15, 16. Todos sabrán que Jehovah es Señor: el remanente esparcido lo contará, convirtiéndose en predicadores de la salvación divina; además, la verdad anunciada de antemano lo afirmará. El exilio no resulta ser una derrota para Jehovah, sino será una demostración de su justicia y señorío mundial. El pecado de Israel no cambia el propósito divino de redimir al mundo; por lo tanto, Dios les esparcirá para servirle en el mundo. Así que, se formará un núcleo del nuevo Israel y la apertura universal para la adoración a Jehovah.

2 La angustia del pueblo en la caída de Jerusalén, Ezequiel 12:17-20.

Vv. 17, 18. Ezequiel quiere cortar en los desterrados el peligro de añoranza ante la suerte próspera de los habitantes viviendo en Jerusalén, y, en el presagio-señal, avisar a los que están en Judá del terrible juicio inminente. El *temblor* significa el miedo o espanto, y el *estremecimiento* representa la angustia o ansiedad. Los traumas mentales y emocionales producen las condiciones físicas. *Pan* y *agua* eran los alimentos de un pueblo bajo sitio; indican el primer paso de la desolación total que vendrá durante el próximo asedio de los caldeos.

Vv. 19, 20. El profeta representa al pueblo: lo que hace él es lo que el pueblo hará al ver el país desolado. Esto también será una demostración de quién es Jehovah. Los judíos "en la tierra" de Caldea se sentían miserables al ser desterrados, y envidiaban a los judíos dejados en Jerusalén. Tierra de Israel, en contraste con "el pueblo en la tierra" de Caldea. Lejos de ser afortunados, como los desterrados en Caldea los consideraban, los judíos de Jerusalén eran verdaderamente miserables, porque todavía tenían lo peor por delante, mientras que los desterrados se habían escapado de las miserias del juicio que se aproximaba. La repetición constante de la idea de que el juicio estaba tardando en llegar se constituyó en un proverbio popular: "Los días se prolongan, y toda visión se desvanece." De este hábito escéptico testifican los profetas contemporáneos (Jer. 17:15; 20:7; Sof. 1:12).

3 Las falsas esperanzas no pudieron evitar la caída, Ezequiel 12:21-28.

V. 21. Ezequiel censura el escepticismo del pueblo sobre la inminencia del castigo, citando dos refranes populares que explican las razones por no creer en la palabra profética (vv. 22, 27). Los refranes son dichos proverbiales irónicos y de burla. Comienza diciendo: *Vino a mí la palabra de Jehovah...*

V. 22. *Los días se prolongan, y toda visión se desvanece:* es decir, pasa el tiempo y lo predicho no ocurre (ver el largo ministerio y condenaciones de Jeremías [626-570 a. de J.C.]; también, Miqueas hacía unos ciento cincuenta años atrás había predicho la destrucción de Jerusalén [Miq. 3:12]).

V. 23. Pronto no será usado más el refrán. Los contenidos de las visiones muy pronto dejarían de ser simplemente visiones y se convertirían en cruda realidad. Todos los que recitaban el refrán en tono de burla se iban a llevar una desagradable sorpresa.

Vv. 25-27. La palabra de Dios es siempre fiel: la destrucción de Jerusalén vendrá *pues en vuestros días.* El segundo refrán: algunos aceptan la verdad de la palabra profética. Sin embargo, piensan que se trata de una época futura muy lejana, *para tiempos remotos.*

V. 28. *No habrá más dilación para ninguna de mis palabras:* se ha acercado el tiempo de juicio para Judá. Las palabras divinas iban a ser puestas en práctica de inmediato. Al pronunciar amenazas, los profetas no fechaban normalmente su cumplimiento, porque tales profecías eran amenazas morales, contingentes que podían evitarse mediante el arrepentimiento y cambio de comportamiento (ej. Jon.; Jer. 18; 26:17-19; Joel 2:14, 18).

Aplicaciones del estudio

1. Es la gente, no la palabra profética, que fracasa. Se encuentran dos verdades centrales en los mensajes proféticos: el juicio vendrá sobre el pecado, y se logra el perdón por medio del arrepentimiento. Una demora en el advenimiento del juicio no significa que Dios es ineficaz, sino demuestra su paciencia, amor y misericordia. Pero todo se cumplirá (ver Hab. 2:3).

2. La visión (o profecía) falsa ha de fracasar. La adivinación lisonjera, en contraste con la profecía verídica, emplea elementos artificiales y dice lo que la gente quiere escuchar. Es una profesión u ocupación que rinde beneficios económicos para el practicante, y se la condena severamente en las Escrituras (ver Lev. 19:28; Deut. 18:14, 15; Jer. 8:11; 14:14; 28:1ss.).

3. Jehovah manda su palabra por medio del profeta y también la cumple (12:25, 28). La Biblia, se refiere a muchas formas del juicio divino que viene durante la vida: el hambre, la sed, la guerra, la peste, el exilio y la catástrofe son ejemplos. Un justo en una nación injusta sufrirá con los demás. También, después de la muerte, vendrá el juicio final para todos con el destino eterno el alma. Sin embargo, Dios es fiel en cumplir con su promesa de dar paz, a pesar de las circunstancias, y vida eterna a todos los que acuden con fidelidad.

Ayuda homilética

¿La voluntad del Hombre o de Dios?
Ezequiel 13:1-10

Introducción: ¿Cómo se distingue la voz del hombre de la de Dios? ¿Cómo conoceremos si es la voluntad de Dios? Nótense las siguientes observaciones a la luz de los profetas falsos (ver arriba: Enfasis):

I. Dios nunca contradice su palabra ni su naturaleza.
Nunca contradice Dios sus propósitos ya revelados, ni pedirá acciones que no concuerdan con su persona: el fin no justifica los medios.

II. Dios no pide que se haga algo que no concuerda con la habilidad y dones personales de uno.
Es posible, sin embargo, que Dios pida el desarrollo de dones latentes, aun desconocidos por uno.

III. Dios no manda actividades que sean dañinas (física o espiritualmente) a otros.

IV. ¿Quién recibirá la gloria, el beneficio por la actividad?

V. ¿Cuál será el resultado último de la actividad?
¿Será beneficio? ¿Ayudará en el futuro?

Conclusión: La voluntad del hombre, tal como el profeta falso "anda tras su propio espíritu": se centra en sí mismo. El profeta verídico se centra en Dios y su ética. El centro es lo que ayuda a distinguir la diferencia.

Lecturas bíblicas para el siguiente estudio

Lunes: Ezequiel 16:1-22
Martes: Ezequiel 16:23-43
Miércoles: Ezequiel 16:44-63
Jueves: Ezequiel 17:1-21
Viernes: Ezequiel 17:22-24
Sábado: Ezequiel 18:1-18

AGENDA DE CLASE

Antes de la clase

1. Lea los capítulos del *Contexto,* Ezequiel 12—15. **2.** Lea con cuidado los estudios en el libro del maestro y del alumno. **3.** Si tiene un compendio de la Biblia, o un libro de arquelogía que describe algo de la ciudad de Jerusalén en esta época, y las experiencias del exilio, sería de gran provecho. **4.** Haga un cartelón con el título "Jerusalén". Debajo y a la izquierda ponga "Vista por sus habitantes", y a la derecha "Vista por Dios". **5.** Traiga un pan duro y un vaso de agua a la clase. **6.** Busque la definición de violencia en el diccionario y de una concordancia anote pasajes que hablen de cómo Dios ve la violencia, entre ellos Génesis 6:11, Isaías 60:18 y Jeremías 6:6, **7.** Responda a la sección *Lea su Biblia y responda.*

Comprobación de respuestas

JOVENES: **1.** b; d. **2.** Serán esparcidos y diezmados entre las naciones. **3.** "Los días se prolongan, y toda visión se desvanece."
ADULTOS: **1.** El Señor Jehovah. **2.** A toda la casa de Israel. **3.** Quedará atrapado, llevado a Babilonia, y allí morirá. **4.** Serán esparcidos a todos los vientos, y morirán por la espada. **5.** Contarán de las abominaciones entre las naciones a donde lleguen. **6.** Será destruida, desolada de su plenitud. **7.** Prolongan, visión, desvanece. **8.** La palabra que hable se cumplirá.

Ya en la clase

DESPIERTE EL INTERES

1. Dé la bienvenida a todos los miembros de la clase y pídales que mencionen motivos para la oración. Tenga una oración por las cosas que han mencionado. **2.** Pregúnteles si les es difícil hacer planes para el futuro —un viaje, la jubilación, estudios adicionales, o cualquier otro. ¿Por qué tendemos a pensar que podemos hacerlo "mañana?" **3.** En el estudio de hoy veremos como los habitantes de Jerusalén no escucharan las advertencias de Dios porque no creían que algo malo podría pasar a ellos puesto que tenían una "protección especial" al ser el pueblo de Dios. Al no escuchar su voz y arrepentirse, vino el desastre.

ESTUDIO PANORAMICO DEL CONTEXTO

1. Repase brevemente las enseñanzas encontradas en esta sección. **2.** Saque el cartelón titulado "Jerusalén" y pida que anoten bajo cada subtítulo como Dios o el pueblo veía a su ciudad. Comprender que había estos dos puntos de vista es esencial al estudio. El pueblo era cegado por su propio pecado y su creencia que Dios no les caastigaría porque eran su pueblo. **3.** Hoy estudiaremos el mensaje claro de Dios, dado por medio de su vocero, del castigo que vendrá.

ESTUDIO DEL TEXTO BASICO

Dé tiempo para que cumplan la sección *Lea su Biblia y responda.* Aclare cualquier pregunta o duda.

1. El profeta señala la caída de Jerusalén, Ezequiel 12:10-16. Describa el mensaje de Dios hecho en pantomina por Ezequiel. Hablen del significado en el v. 12 de la humillación del gobernante y lo que va a pasar al rey y a sus ayudantes (vv. 13 y 14). Dios y sus actos justicieros serán conocidos por todos. Destaque la promesa de Dios como muestra de su gracia y amor hacia el remanente que sobrevivirá. Serán un testimonio los actos justicieros de Jerusalén (vv. 15 y 16).

2. La angustia del pueblo en la caída de Jerusalén, Ezequiel 12:17-20. Saque el trozo de pan duro y el vaso de agua y pregunte lo que significarían a las personas de aquel tiempo (guerra, asedio de la ciudad). Hablen del terror que están experimentando. ¿Qué significan estos símbolos? En el v. 19 enfatiza la razón del castigo, la violencia. Hablen de su sigificado, usando también los conceptos vistos en las citas mencionadas arriba. Dé énfasis al rechazo de Dios de cualquier acto de violencia contra otra persona y nuestro deber de no cometer violencia. Otra vez la desolación del pueblo demuestra los actos justicieros de Dios.

3. Las falsas esperanzas no pudieron evitar la caída de Jerusalén, Ezequiel 12:21-28. La incredulidad del pueblo se ve en dos refranes que repiten. El primero (v. 22) muestra su tranquilidad. ¿Cómo responde Dios a este? El segundo refrán (v. 27) y la respuesta "por tanto" enfatiza el rechazo de esta incredulidad y las "falsas promesas" con que el pueblo oye las amonestaciones de Dios. La última palabra es de él, ésta se cumplirá.

APLICACIONES DEL ESTUDIO

1. Tomen tiempo para reflexionar sobre cada una de las aplicaciones. Puede hacer esto en grupos pequeños, cada uno con una aplicación y luego informando al grupo grande de su reflexión. **2.** Termine esta sección con una oración por que podamos oír y creer la voz de Dios, y seguirle como él nos indica. **3.** Si usted considera que puede hacer algunas otras aplicaciones prácticas que correspondan de manera más particular a alguna situación, hágalo con confianza. Hay ocasiones en que el maestro tendrá que hacer una lista de sus propias aplicaciones para responder a las necesidades de su grupo.

PRUEBA

Contesten en el grupo entero las preguntas presentadas, enfatizando nuestro deber de oír y responder a las amonestaciones de Dios, arrepentirnos y hacer su voluntad. Anime a sus alumnos a seguir estudiando las lecturas bíblicas diarias a fin de que se preparen mejor para el siguiente estudio.

Estudio **44**

Unidad 10

Juicio y esperanza

Contexto: Ezequiel 16:1 a 18:18
Texto básico: Ezequiel 16:23-26, 48-52; 17:22-24
Versículo clave: Ezequiel 17:24
Verdad central: Jerusalén se había prostituido con otras naciones y religiones en lugar de ser fiel al Señor. Su destrucción es segura, pero el Señor da a su pueblo esperanza de un principio nuevo.
Metas de enseñanza-aprendizaje: Que el alumno demuestre su: (1) conocimiento del mensaje de las alegorías de juicio y esperanza, (2) actitud de valorizar las enseñanzas que Dios le da en su Palabra.

Estudio panorámico del contexto

A. Fondo histórico:

Continúan las alegorías que hablan de la seguridad del castigo para el pueblo por sus grandes pecados contra Dios. Jerusalén será destruido. (Se realizó en el año 587 a. de J.C.) Esta alegoría, como la del cap. 23, representa la relación entre el Señor y su pueblo en términos de una relación esposo-esposa (ej. Ose. 2; Jer. 2:1-3; 3:1-5). El Antiguo Testamento raras veces utiliza esta figura o el tema padre-hijo, en tanto que en las religiones cananeas y otras religiones politeístas, es prominente el casamiento entre divinidades y mortales en las que surgen los dioses y semidioses. Después de haberse extirpado la idolatría de la tierra de Israel, los escritores del Nuevo Testamento podrían eficazmente presentar la relación entre Dios y los redimidos, entre Cristo y su iglesia, bajo los símbolos de la paternidad y el maridaje.

Es posible que Ezequiel tomara una historia familiar y que la desarrollara como alegoría, en línea con los usos orientales.

Una niña abandonada de dudoso origen, Jerusalén, es dejada al lado del camino para que muera. Pero es rescatada por el Señor, que se convierte en su benefactor (vv. 1-7). Habiendo crecido hasta una hermosa juventud, es tomada en matrimonio por su benefactor que viene a ser su consorte real (vv. 8-14). La soberbia reina demuestra ser totalmente infiel, y se convirtió en una ramera con los cananeos y otros paganos (vv. 15-34). El castigo por esta conducta, que es descrito en los vv. 35-43, queda justificado, ya que su depravación es peor que la de sus hermanas, Sodoma y Samaria (vv. 42-52). Sin embargo, el Señor le da gloriosas promesas de restauración para las tres hermanas (vv. 53-58), prediciendo que la penitente Jerusalén experimentará una gloriosa reconciliación mediante un pacto eterno (vv. 59-63).

Tres elementos sobresalientes de la infidelidad del pueblo de Dios son: (1) la adoración a Baal y a Moloc y (2) las alianzas con las naciones paganas.

B. Enfasis:

Se usa frecuentemente la idea de Israel como la esposa de Dios en la relación del pacto, capítulo 16. Se expresa la razón por el juicio divino en Ezequiel 14:12-21. Ahora, a pesar de la presencia de algunos justos en la comunidad, se describe con términos matrimoniales la infidelidad espantosa de Jerusalén, la personificación del pueblo: se ha abandonado a Jehovah y el pacto (ver Ose. 2:2).

Había sido abandonada como niña, pero Dios la recoge y entra en un nuevo pacto con ella, dándole toda clase de bendición, Ezequiel 16:1-4. Por medio de una alegoría realista el profeta recuerda los primeros pasos del pueblo cuando, echado de la tierra egipcia, estuvo desamparado en el campo (desierto; ver Exo. 14; 16; 17). Más que la raíz étnica semítica, se destaca el origen amorreo-heteo, el cual hace hincapié en la genealogía inmoral y pagana que influía en la temprana vida nacional.

Sin embargo, ha cometido adulterio con los paganos, Ezequiel 16:1-4. Confiando en su propia riqueza y habilidad, Judá deja a Dios; prostituyéndose con las naciones acepta la idolatría de ellas. Los hombres frecuentemente son tan ciegos que no ven su culpa que es evidente a todo el mundo. "Jerusalén" representa a todo el reino de Judá. "Tu nacimiento", de Canaán: en la cual moraron Abraham, Isaac y Jacob antes de entrar en Egipto, y de donde recibiste muchas más de tus características innatas que de las virtudes de aquellos ascendientes.

Ahora ha sido abandonada por sus amantes, y por Dios, Ezequiel 16:23-52. Judá, la prostituta, da regalos a los egipcios, asirios y caldeos. Por lo tanto, vendrán sus amantes para tomar, destruir y después abandonarla. Por su infidelidad espiritual también Dios la ha abandonado.

La restauración del pacto por Dios, Ezequiel 16:53-63. Habrá poca esperanza para la gloria anterior; no obstante, Dios promete restaurar la cautividad de Jerusalén tal como la de Sodoma y Samaria. Sin embargo, las dos últimas ciudades todavía quedan en ruinas: no habrá restauración sin arrepentimiento. Así que, el juicio divino tiene un propósito redentor: al avergonzarse el remanente, Jehovah se acordará del pacto antiguo y lo restablecerá.

Alegoría de las águilas, Babilonia y Egipto, Ezequiel 17:1-24. Ahora se interpreta la historia contemporánea: la infidelidad del rey Sedequías. En el año 597 Nabucodonosor le puso sobre el trono de Judá como un vasallo. Ezequiel le recomienda la sumisión a Babilonia (ver también Jer. 27), y condena la alianza que hizo con Egipto contra los caldeos (vv. 11-21). Después, se concluye el capítulo con una parábola mesiánica de esperanza.

Estudio del texto básico

1 La alegoría de la esposa infiel, Ezequiel 16:23-26.

El capítulo 16 es el más extenso del libro e interpreta la historia. Previamente en el Antiguo Testamento se encuentran fábulas (ver Jue. 9:7-21 y 2 Sam. 12:1-15) y parábolas (ver Isa. 5:1-7 y Jer. 27:1-8); sin embargo, Ezequiel emplea una forma más extensa, la alegoría.

Con franqueza se expone la infidelidad de Judá con términos usados comúnmente en la época: no son inmodestos ni inapropiados. La palabra usada para la infidelidad tiene un doble significado: "fornicación" (una prostituta), o "idolatría" (un/a idólatra; ver 2 Rey. 9:22). El dejar a Dios es adulterio espiritual (idolatría); así que, por las abominaciones sexuales practicadas en muchos de los cultos paganos, el término puede significar las dos cosas en el mismo contexto.

V. 23. *¡Ay, ay de ti!* Esta exclamación parentética tiene un efecto terrible viniendo como un relámpago del juicio de Dios entre las negras nubes de la culpabilidad de Israel. Es una forma que se usa también en Apocalipsis para mostrar cuán lamentable será la condición de aquellos que se verán de una u otra forma bajo la disciplina o la ira de Dios. En el caso de Israel es más dolorosa la situación por el simple hecho que el pueblo de Dios no es ignorante de lo que se espera de él. Sí, es cierto que es un pueblo "especial", pero esa posición no le da derecho de quebrantar los términos del pacto; al contrario, es más responsable que los pueblos que no conocen a Dios.

V. 24. *Plataformas* y *lugares altos* son tipos de burdeles *en todas las plazas.* Se dedican a todos los cultos idolátricos de los paganos. Se podría traducir esta expresión como "cámara de fornicación" frecuentemente asociada con los ritos impuros de la idolatría; fronicación espiritual, en un "alto", correspondiendo a la "cámara de fornicación", se indica principalmente con alusión a la fornicación literal asociada con ella (Jer. 2:20; 3:2).

V. 25. Literalmente, *ofreciéndote,* en el hebreo es, "abriendo tus piernas a todos los que pasan". La nación elegida por Dios se ha convertido en una prostituta común. Las insinuaciones vergonzosas estaban todas de parte de Israel, pues las naciones idólatras nada ofrecían a su vez. Ella había cedido tanto que, como prostituta gastada, se cansaban de ella sus tentadores. Cuando la iglesia rebaja su testimonio a favor de Dios hasta los gustos carnales del mundo, con miras de conciliación, ella lo pierde todo y nada gana.

V. 26. Se prostituía con los poderes más grandes de la época: los egipcios, asirios (v. 28) y caldeos (v. 29). En vez de ser una luz redentora al mundo (ver Isa. 42:6), adoptaron la vileza pagana. En lugar de ser una influencia determinante para dar testimonio del único Dios verdadero, compartía toda suerte de idolatría. Las comparaciones son burdas y vergonzosas, pero son necesarias esas comapraciones para exponer con toda crudeza las consecuencias de la fornicación espiritual.

2 La vergüenza de Jerusalén y su castigo, Ezequiel 16:48-52.

V. 48. Además de Jerusalén, la infiel, la unión del padre amorreo y la madre hetea (v. 3) tuvo más descendientes: una hermana mayor, *Sodoma* (v. 46) y otra menor, Samaria (v. 51). La culpa de Judá fue mayor que la de Sodoma; porque estaba en medio de privilegios más elevados.

V. 49. La iniquidad de *Sodoma:* 1) *orgullo,* 2) *abundancia* que producía el ocio y prácticas inmorales extremas (ver Gén. 19), 3) la despreocupación por *el pobre y el necesitado.* Dos palabras indican la infamia de Sodoma: homosexualidad y sodomía. Dios, el que escudriña los corazones especifica como pecado de Sodoma no solo sus corrupciones notorias, sino la fuente secreta de ellas, "la soberbia", que provenía de la "hartura de pan", debida a la fertilidad del suelo (Gén. 13:10).

V. 50. *Cuando las vi, las eliminé.* Ayer como hoy, las consecuencias del pecado siempre serán trágicas. Dios no ha negociado con los hombres los términos del pacto. "La paga del pecado es muerte". Dios está al tanto de la maldad de los pecadores. *Cuando las vi.* El comportamiento de los hombres a nivel individual y social es del conocimiento de Dios. Con mucha mayor razón está al tanto de las acciones de sus hijos y de su pueblo.

V. 51. Samaria fue destruida por sus "abominaciones" en el año 722: dejó a Dios y abandonó el pacto. Sin embargo, el pecado de Jerusalén era aun más grande. No es necesario asumir que las obras de Israel eran de carácter peor que las de Samaria y Sodoma. Indudablemente, la atrocidad de la culpa de Israel se acentuaba por la unicidad del privilegio que tuvo esa nación de estar desposada con Jehovah (Am. 3:2). Judá mostró mayor ingratitud puesto que tenía los privilegios del templo, el sacerdocio y la sucesión regular de reyes.

V. 52. Jerusalén era inmoral tal como su madre hetea (v. 45), aunque se sentía mejor o superior a sus hermanas. De aquel que recibe mucho se requiere mucho: de las tres hermanas (ciudades) Dios había elegido a Jerusalén, y sus pecados eran más abominables que los de las otras.

3 La esperanza de un principio nuevo para un remanente, Ezequiel 17:22-24.

V. 22. *Un renuevo de la alta copa* es una referencia al Mesías y apunta hacia el futuro reino mesiánico de la línea davídica (ver Isa. 9: 6, 7; 11:1-5; Jer. 23:5, 6; 33:15). Cuando el estado de Israel parezca fuera de la posibilidad de recuperarse, el Mesías, Jehovah mismo de repente aparecerá en el escenario como el redentor de su pueblo (Isa. 63:5). Tomaré yo... Dios se pone a sí mismo en oposición a Nabucodonosor; "Tomó también de la semilla de la tierra... lo puso en un campo fértil..." (vv. 3, 5).

V. 23. Será plantado por Dios mismo en Sion, y su reino será universal, abierto a *toda clase de aves* (ver Isa. 2:2-4; Mar. 4:32). Nabucodonosor rompió un cogollo del cedro y se lo llevó a Babilonia, y lo que plantó murió. El Señor declara que él mismo arrancará un cogollo del alto cedro (la casa davídica; vv. 2, 3; Isa. 53:2) y lo plantará en un monte alto, a fin de que todos puedan verlo (Isa. 2:2; 11:10) y hallar protección bajo él (v. 23; Mat. 13:31, 32).

V. 24. Todos (*los árboles del campo*) reconocerán la soberanía de Jehovah (ver Dan. 4:12).

Aplicaciones del estudio

1. Durante la vida, el castigo divino tiene un propósito redentor (ver Heb. 12:5-11). Aunque justo, el castigo no es vengativo: Dios ama al pecador y no quiere la muerte de nadie (Eze. 33:11).

2. Los sobrevivientes de una crisis nacional deben aprender de la experiencia. No se debe ignorar lo que pasa en la vida: después de la muerte vendrá el juicio final. En aquel entonces será demasiado tarde para arrepentirse; así que, todos hoy deben aprender las lecciones de la vida y volcarse al Señor mientras que haya tiempo.

3. Dios es soberano y cumplirá con su propósito. Dios denuncia los males sociales; avisa del juicio venidero; ofrece la salvación, y actúa en la historia para cumplir con su propósito universal de redimir las naciones.

Ayuda homilética

El pacto acordado
Ezequiel 16:60 y Exodo 20:1-17

Introducción: El pacto acordado será el mismo hecho con Israel en Sinaí (ver Mat. 5:17). En ello, cada persona debe tener una relación correcta con Dios mismo, y una relación correcta en la sociedad.

I. La relación vertical con Dios (Exo. 20:2-8).
- A. Una relación personal con Dios:
  - 1) "No tendrás otros dioses delante de mí";
  - 2) "No te harás imagen" de ninguna clase para adorar, y
  - 3) "No tomarás [llevarás] en vano [livianamente] el nombre [la persona] de Jehovah tu Dios."
- B. Una adoración que magnifica a Dios y edifica al hombre: "Acuérdate del día del sábado para santificarlo."

II. La relación horizontal con la sociedad (Exo. 20: 9-17).
- A. El valor del hogar: "Honra a tu padre y a tu madre." De los padres los niños aprenden de Dios y cómo vivir en la sociedad.
- B. El valor de la vida: 1) "No cometerás homicidio", y 2) "No cometerás adulterio." La vida y la fuente de ella son sagradas.
- C. El valor de lo material y del nombre:
  - 1) "No robarás" ("No quitarás" el fruto de la labor personal).
  - 2) "No darás falso testimonio" ('no quitarás" el buen nombre de otro por medio de mentiras o chismes).
- D. El poder de los deseos: "No codiciarás" —la envidia destruye; el deseo que otros tengan lo mejor vivifica.

Conclusión: Se divide la Oración Modelo de Cristo (Mat. 6:9-13) de la misma manera como los Diez Mandamientos, y se emplea mucha de la misma terminología. Así que, los principios de la ética moral del pacto original siguen en vigencia en el pacto eterno acordado por Dios.

Lecturas bíblicas para el siguiente estudio

Lunes: Ezequiel 18:19 a 19:14
Martes: Ezequiel 20:1-49
Miércoles: Ezequiel 21:1-32
Jueves: Ezequiel 22:1-31
Viernes: Ezequiel 23:1-49
Sábado: Ezequiel 24:1-27

AGENDA DE CLASE

Antes de la clase

1. Lea los caps. 16, 17 y 18, anotando los repetidos esfuerzos de Dios de guiar y bendecir a su pueblo. **2.** Busque en el diccionario el significado de "alegoría". **3.** Traiga a la clase un recorte de una planta que está echando raíces como ayuda visual de la enseñanza de Dios de la esperanza del futuro para su pueblo. **4.** Traiga 2 ó 3 emblemas o símbolos reconocidos por todos: de productos comerciales, de equipos de deporte, del municipio u otro que comunique fácilmente lo que representa. **5.** Ore por que estas lecciones puedan tener un impacto en la vida diaria de sus alumnos.

Comprobación de respuestas

JOVENES: **1.** El pueblo se prostituyó. **2.** a. Samaria; b. Sodoma. **3.** a. el monte más alto... b. un cedro majestuoso... c. secara... floreciera.
ADULTOS: **1.** ¡Ay, ay de ti! dice el Señor Jehovah. **2.** Prostituta. **3.** Egipto; ira. **4.** Orgullo, aunque tenía abundancia, no daba ayuda a los necesitados, hicieron abominación. **5.** "¡...tus hermanas parezcan justas!" **6.** Un renuevo de un alto cedro. **7.** Crecerá (echará ramas, llevará fruto, se convertirá en un cedro majestuoso. Muchos párajos habitarán en él. **8.** Jehovah.

Ya en la clase
DESPIERTE EL INTERES

1. Dé la bienvenida a todos y felicíteles por su interés en estudiar la Biblia. **2.** Saque los emblemas y pregunte: "¿Qué le dicen?" "¿Comunican claramente lo que representan?" Dios usaba símbolos también para comunicar su mensaje por medio del profeta. En el estudio pasado vimos pantomima. En los pasajes de hoy Dios enseña por medio de alegorías. (Defínala.) En cada forma está enseñando cosas de gran importancia. Escuchémosle.

ESTUDIO PANORAMICO DEL CONTEXTO

1. ¿Le gusta la historia? El estudio de hoy es una lección histórica, desgraciadamente es una historia triste, la del pueblo de Jerusalén. No querían aceptar las consecuencias de sus propios hechos. Dios tenía que usar medios que despertarían su interés y escogió el de cuadros simbólicos para grabar sus enseñanzas en su conciencia. En el capítuo 16 Dios da 6 cuadros o escenas de la larga y triste historia de Israel. (Menciónelos brevemente.) **2.** En la Biblia frecuentemente se describe la relación de Dios y su pueblo como la de esposos. Cuando el pueblo (la esposa) deja a Dios por otros dioses, describe sus acciones como prostitución. Hablen de la alegría de las dos primeras escenas, contrastándolas con las que siguen.

ESTUDIO DEL TEXTO BASICO

Dé tiempo para responder a la sección *Lea su Biblia y responda.* Aclare cualquier pregunta o duda.

1. La alegoría de la esposa infiel, Ezequiel 16:23-26. Lean estos versículos y diga que Dios está enseñando por medio de alegorías con el fin de impactar al pueblo que no ha prestado atención a ningún mensaje suyo. Noten su dolor expresado en el "Ay, ay de ti". El colmo de colmos es que Israel no solamente se ha prostituido sino ahora ha construido "lugares altos" en las plazas donde se podrían practicar abiertamente los cultos a los dioses paganos. Israel no solamente practica la idolatría, se ofrece a cualquier nueva idolatría. El cuadro no podría ser más claro del rechazo de Israel de su Dios y su forma de vida.

2. La vergüenza de Jerusalén y su castigo, Ezequiel 16:48-52. Lean el pasaje con cuidado. En este cuadro Dios acusa a Jerusalén de ser aun más inmoral que sus dos "hermanas", ciudades conocidas por su flagrante inmoralidad y ya castigadas por Dios. El pasaje refleja la sorpresa de Dios aquí. Noten los distintos pecados de Sodoma que ha traído su destrucción (vv. 49, 50), especialmente su despreocupación frente a los necesitados cuando tenía abundancia.

La segunda hermana, Samaria (capital del reino del norte donde Amós y Oseas habían predicado contra su flagrante maldad y que había sido destruida hacía más de un siglo) no había hecho ni la mitad de los pecados de Jerusalén. Así, comparando a Jerusalén con estas, ellas parecen justas. Termine este cuadro con la fuerte admonición de Dios.

3. La esperanza de un principio nuevo para un remanente, Ezequiel 17:22-24. Saque la planta que ha traído y explique cómo uno puede tomar un retoño de una planta, y esta nueva planta llega a ser fuerte. Para enfatizar el mensaje de la esperanza Dios presenta una enigma. Lean juntos estos tres versículos. Noten que es Dios y nadie más que puede hacer este milagro. De este nuevo principio crecerá un majestuoso árbol. Todas las otras naciones reconocerán que Dios es el Dios de misericordia, de principios nuevos y de esperanza.

APLICACIONES DEL ESTUDIO

1. Lean y discutan cada una de las aplicaciones y cómo pueden adaptarlas a sus vidas. Dé especial atención a la falsa creencia de que puesto que somos creyentes nuestra lealtad es segura. **2.** Tenga una oración al Señor pidiendo que nos haga más conscientes de nuestro deber como seguidores de Dios.

PRUEBA

Que el grupo entero responda a uno de los indicadores. Procure distinguir claramente entre las razones de Dios de castigar a su pueblo y de darles esperanza para el futuro.

Responsables por nuestros actos

Contexto: Ezequiel 18:19 a 24:27
Texto básico: Ezequiel 18:19-32
Versículo clave: Ezequiel 18:20
Verdad central: Cada persona es responsable por su pecado, y por su búsqueda del perdón ofrecido por el Señor. Al arrepentirse, adquirirá un corazón y un espíritu nuevos como dádivas de Dios.
Metas de enseñanza-aprendizaje: Que el alumno demuestre su: (1) conocimiento de enseñanza bíblica de la responsabilidad de cada uno por su pecado, (2) actitud de apropiar esta verdad a su vida para obtener un corazón y un espíritu nuevos que Dios le ofrece.

Estudio panorámico del contexto

A. Fondo histórico:

Aunque Ezequiel llegó a Babilonia con la primera ola de exiliados, muchas de sus enseñanzas son en contra de Jerusalén y el juicio seguro de su destrucción. Tenía que enseñarles que no habría un pronto regreso a la ciudad, pero que Dios ofrecía un comienzo nuevo para cada uno, y la certeza del avivamiento nacional de Israel. Los contemporáneos del profeta alegaban que ellos estaban siendo juzgados por los pecados de las generaciones que les habían precedido. Ezequiel les declara que Dios no obra de ese modo, sino que él hace a los hombres responsables por sus obras. Este es uno de los principios fundamentales de la religión revelada. Ezequiel lo destacó de nuevo y ofreció detalles. Es indiscutible que se puede abusar de ese principio, especialmente si el hombre divorcia lo individual de lo social. Pero el profeta no comete ese error; usualmente tiene en mente a toda la nación, y en realidad es difícil reconciliar este capítulo con sus predicciones sobre la absoluta destrucción de Jerusalén (ver 5:12; 7:10-27; 11:7-12); así de real es la unidad que hay entre la nación y el profeta. Las enseñanzas de Ezequiel tienen muchas facetas y deben considerarse en conjunto para poder apreciarlas verdaderamente. El divorciar este principio del contexto conduce a los hombres a argüir que la condición del hombre refleja el juicio de Dios sobre él, de tal modo que la adversidad es fruto del pecado, y la prosperidad, resultado de la justicia. El libro de Job va en contra de este torcimiento de las enseñanza de Ezequiel.

B. Enfasis:

¿Para qué era el exilio? ¿Era el exilio una expresión de la ira divina que apaciguaría la pena de Jehovah por la infidelidad de Judá? ¡La respuesta enfá-

tica es "NO"! Debido a una teología errónea y la inmoralidad rampante, Ezequiel trata el propósito del juicio y el exilio en los capítulos 18—24.

Profecías contra Israel, capítulos 18 y 19. Se repite tanto entre los desterrados como entre los que estaban en Palestina un refrán contra la justicia de Jehovah: "los hijos sufren por la culpabilidad de los padres" (18:2; Jer. 31:29, 30). Por lo tanto, el profeta destaca la responsabilidad actual del pueblo en los capítulos 18 y 19.

Toda la comunidad es culpable. Cada individuo es responsable por sus actuaciones, Ezequiel 18. A pesar del juicio venidero sobre la nación, todavía Dios la ama (v. 23), y llama a los individuos al arrepentimiento (vv. 30-32).

Parábolas de la leona y de la vid, Ezequiel 19. Entona un lamento en forma parabólica por los gobernantes. Se refiere a la leona madre con cachorros regios (vv. 1-9), al rey Joacaz (v. 4) llevado a Egipto (2 Rey. 23:34), y a Joaquín (v. 5) llevado a Babilonia (2 Rey. 24:8-16; ver la introducción al libro). En el v. 10 Israel es comparado con una vid que era fructífera, pero es arrancada de raíz y trasplantada en el desierto. (587 a. de J.C.).

Profecías contra Jerusalén, Ezequiel 20—24. En los capítulos 20—24, se examina todo elemento de la sociedad, y se describe con detalles el castigo que se acerca.

Un catálogo de los pecados de Jerusalén, Ezequiel 22. Israel "se ha convertido en escoria en medio del horno" (v. 18): todos (los sacerdotes, los profetas, los magistrados, los gobernantes, y el pueblo de la tierra) son culpables. No se encuentra nadie que se pondrá en la brecha, intercediendo por la tierra (v. 30). Por lo tanto, el fuego de la ira de Dios ha de consumirlos (v. 31).

La historia de las dos hermanas (ver cap. 16), Ezequiel 23:1-49. Con franqueza, se presenta una alegoría que describe la apostasía y el castigo de los reinos del norte y del sur, representados por sus respectivas capitales, Samaria y Jerusalén.

Los últimos días de Jerusalén, Ezequiel 24:1-27. En el mismo día del comienzo del ataque contra Jerusalén, Ezequiel, en Babilonia, presentó la alegoría de la olla hirviente. Finalmente, por no purificarse de su inmundicia la ira de Jehovah cayó sobre la ciudad (v. 13). Al anochecer aquel día, murió la esposa del profeta, y el Señor le prohibió hacer duelo y gemir públicamente (vv.16-18). Era su última y más dramática pantomima: tal como Ezequiel, los exilados tampoco debían hacer duelo ni llorar por sus muertos en Jerusalén, sino hacerlo por sus propios pecados y pudrición (v. 23).

En cuanto a Ezequiel, las restricciones de su ministerio fueran levantadas por medio del dolor (ver 3:26; 24:27; 33:21, 22). La muerte de la delicia de su vida y la caída de Jerusalén constituyen la línea divisoria para su ministerio: ahora, en vez de ser un profeta del juicio divino se convierte en un vocero de esperanza para el futuro.

Estudio del texto básico

1 "El alma que peca, ésa morirá", Ezequiel 18:19, 20.

V. 19. En este v. encontramos el mensaje de la salvación individual. La retribución por el pecado recae sobre el pecador. La pregunta trata del refrán que puso en tela de juicio la justicia divina (v. 2): Los padres comieron las uvas agrias, y los dientes de los hijos sufren la dentera. El profeta respondió con el principio del pecado-castigo individual (vv. 3, 4): Jehovah tiene control sobre la vida del padre y del hijo, como individuos y como miembros de la sociedad. Al mismo tiempo, afirma que se salva el que practica la justicia divina; por lo tanto, el justo vivirá (vv. 5-9). Entonces, se demuestra que el justo por guardar y poner por obra los *estatutos* de Dios alcanza misericordia. Se rechaza el principio de la responsabilidad hereditaria, aunque no se niega la influencia de ello sobre las generaciones futuras (ver. Exo. 20:5, 6).

V. 20. Cada persona es responsable por su vida y será juzgada a la luz de ella. No le será imputado *el pecado del padre:* la retribución de cada una será sobre la base de su propia "justicia" o "injusticia". En este v. se elabora el principio: Todo hombre recibirá el justo castigo por su conducta. Ezequiel tenía en mente, de una manera fundamental, la venida del juicio contra Jerusalén y la restauración posterior; pero también consideraba que se le podía dar una aplicación general. El hecho de que los hijos sufrieran a causa de los pecados de los padres, si es que así fuera, haría que los penitentes se sintieran cómodos pues no estaban sufriendo por el mal propio sino el de otros. Esa situación los haría sentirse como mártires. Sería una manera de justificar su actual estilo de vida, el cual no tenían intención de cambiar. En respuesta, Ezequiel reitera la verdad de que cada uno será tratado según sus propios méritos.

2 "¿Acaso quiero yo la muerte del impío?", Ezequiel 18:21-28.

En el contexto se tratan tanto las generaciones como los individuos que son justos e impíos. Para vivir, es decir, seguir viviendo, se deben guardar los estatutos encontrados en la legislación moral o legal de Israel (ver v. 17). Así que, no se trata de la vida eterna (salvación) y la responsabilidad individual en el mismo sentido del Nuevo Testamento (tampoco las contradicen). Se oscila entre la vida colectiva nacional y la individual, y hacen hincapié en la responsabilidad moral del individuo para seguir viviendo, y en la retribución mal interpretada por la teología popular.

Vv. 21, 22. El impío puede vivir. Dos casos finales demuestran la equidad de Dios: (1) Se trata con el pecador penitente de acuerdo con su nueva obediencia, no según sus pecados anteriores. (2) El hombre justo que se torna de la justicia al pecado será castigado por éste, y su justicia anterior no le será de provecho. Ciertamente vivirá... La desesperación lleva a los hombres a una temeridad endurecida; Dios pues los atrae al arrepentimiento ofreciéndoles esperanza. Hasta aquí los casos tratados han sido de un cambio de mal a peor, o viceversa, en una generación en comparación con otra. Ahora se tratará del cambio de un individuo dentro del individuo mismo, un cambio interior.

El destierro de Babilonia dio una oportunidad para el arrepentimiento de aquellos pecados que habrían traído la pena de muerte sobre el perpetrador en Judea, si se hubiese aplicado la ley; así el destierro preparó el camino para el evangelio.

V. 23. El vivir requiere arrepentimiento, o el apartarse del mal camino. Un autor de apellido Kraetzchmar dice: "Este versículo es la más preciosa declaración en todo el libro de Ezequiel." En realidad, el deseo de Dios es que todo mundo venga al arrepentimiento. No se trata de un universalismo declarado. Se requiere del pecador que se arrepienta para poder alcanzar la gracia del perdón, pero lo que sí es categórico es que Dios nunca ha deseado la muerte de nadie. (Compare 1 Tim. 2:4; 2 Ped. 3:9.)

V. 24. *Acciones justas* anteriores no cancelan la maldad inherente en la vida del impío. La palabra *maldad* también significa "falsedad" o "deslealtad" y se la emplea en ofensas contra lo sagrado (ver 14:3 y 15:8).

Vv. 25-28. Cada persona será juzgada sobre la base de su condición inherente. La declaración enfática de Dios de sus principios de gobierno, no necesita más prueba que la simple declaración de él. Por sus pecados, por su maldad, que son las manifestaciones del principio de iniquidad; por eso serán juzgados los hombres. Hará vivir su alma... es decir, salvará al hombre por su arrepentimiento.

3 "¡Arrepentíos y vivid!", Ezequiel 18:29-32.

V. 29. Los reclamos del pueblo de Israel son altamente temerarios. ¿Cómo se atrevieron a decir que Dios es injusto? Es evidente que no tenían conciencia de su pecado. Aunque la justicia de Dios es claramente manifiesta, aunque hay un contraste muy marcado entre la santidad de Dios y la pecaminosidad del hombre, los mortales no quieren verla, se oponen a ella.

V. 30. El arrepentimiento (lit. "volver") es más que un sentimiento de lástima por la culpabilidad de uno; también incluye un acto de la volición de cambiar la manera de vivir. En vez de seguir el camino de la maldad (deslealtad moral) es dar vuelta y andar en la voluntad de Dios. Dios no se deleita en juzgarlos en su ira. Aunque el pacto que hizo con su pueblo exigía que sus hijos cumplieran su parte para poder gozar de los beneficios, Dios no se basó en eso para ejecutar inmediatamente su acción destructora.

Vv. 31, 32. El *corazón nuevo* y el *espíritu nuevo* son dádivas de Dios que acompañan el arrepentimiento y la fe (ver 11:19). No es que los arrepentidos se tornan perfectos al ejecutar ese acto de volverse. Lo que sí es cierto es que sinceramente desean alcanzar la perfección, para no estar habitual ni voluntariamente en relaciones amistosas con ningún pecado (1 Juan 3:6-9). Tener un corazón nuevo es una petición en base a lo que *debemos* hacer no en lo que *podemos* hacer. En realidad sólo Dios puede darnos un corazón nuevo (11:19; 36:26, 27). El mandato de hacer lo que los hombres no pueden hacer es para obligarlos a sentir su propia impotencia. Así no podían echar la culpa a otros como es la costumbre natural. De esa manera buscarían el Espíritu de Dios que puede hacer lo que el hombre no puede.

Echad de vosotros... Porque la causa del mal está con vosotros; vuestra única esperanza de escapar es la reconciliación con Dios (Ef. 4:22, 23).

Aplicaciones del estudio

1. El precio del pecado es muy elevado; si nunca se paga nunca se aprenderá la seriedad de él. Así que, el exilio tuvo el propósito de enseñar al individuo y a la sociedad colectiva el camino a la vida (18:31, 32). Por lo tanto, fue una expresión de la misericordia divina.

2. Cada persona es responsable por sus acciones. Aunque la herencia, el ambiente y la sociedad (buenos o malos) son influyentes, no son los únicos factores determinantes en la vida de una persona. Israel pecó a pesar de una historia y un ambiente favorables para una vida recta. Para el converso el no tener un ambiente favorable no descarta la posibilidad de tener una vida recta con Dios.

Existe un poder divino que supera la influencia de la herencia y el ambiente; además, todos poseen un libre albedrío personal. Por lo tanto, hay una responsabilidad individual que responderá o rechazará el movimiento del Espíritu Santo. Así que, no se le ata irremediablemente a las circunstancias fuera del control de uno.

3. Siempre se encuentra una sociedad rectas una generación fuera del paganismo. Por lo tanto, cada generación y cada persona tienen que reafirmar (o aceptar) el pacto divino.

Ayuda homilética

El propósito del juicio y el exilio
Ezequiel 18-24

Introducción: La teología popular entre los desterrados culpaba a los padres por su alejamiento de Palestina. No reconocían su propia culpa, y pensaban que Dios era injusto en su trato con ellos. Entonces, Ezequiel enfocó el propósito del juicio divino y el exilio.

I. Revela la naturaleza de la justicia divina (18:23-32).
II. Ilustra la naturaleza de la retribución y la responsabilidad individual (18:20-22).
III. Llama al arrepentimiento y al establecimiento del pacto nuevo (20:37).
IV. Ofrece una oportunidad para la purificación y limpieza (22:17-22; 24:1-14).
V. Resulta en ser un tiempo de luto y reflexión (24:15-27).

Conclusión: El pecado es penoso: Dios es justo, y la maldad será castigada. A la vez, Dios es amor: disciplina y perdona al penitente. Por lo tanto, el propósito de exilio era redentor. ¡Hoy, Dios no ha cambiado: todavía disciplina a los suyos para purificarlos!

Lecturas bíblicas para el siguiente estudio

Lunes: Ezequiel 25 a 26
Martes: Ezequiel 27 a 28
Miércoles: Ezequiel 29 a 30
Jueves: Ezequiel 31 a 32
Viernes: Ezequiel 33 a 34
Sábado: Ezequiel 35:1 a 36:38

AGENDA DE CLASE

Antes de la clase

1. Lea con cuidado el capítulo 18 de Ezequiel que es la base de este estudio. El resto de los pasajes del contexto (19—36) están en las lecturas diarias. **2.** Prepare tres tiras de cartulina con los puntos del estudio. **3.** Reflexione en cuanto a la responsabilidad personal y cómo podemos aceptar responsabilidad por nuestros actos y seguir más fielmente al Señor. **4.** Este estudio se presta para llegar al corazón del mensaje del profeta. Ore por que pueda ser de especial significancia para cada alumno

Comprobación de respuestas

JOVENES: **1.** ...peca; ...morirá; ...hijo; ...pecado; ...padre; ...hijo; ...justicia; ...injusticia. **2.** a. Apartarse de todos sus pecados. b. Guardar todos los estatutos. c. Practicar el derecho y la justicia. **3.** Si el justo hace injusticia, por ello morirá, y si el impío se aparta de la maldad y practica la justicia vivirá.

ADULTOS: **1.** "El alma que peca, ésa morirá." **2.** Si se aparta de su pecado, guarda sus mandamientos y practica la justicia, vivirá, no morirá. **3.** Recordadas, transgresiones, justicia, vivirá. **4.** "¿Acaso quiero yo la muerte del impío?" **5.** Vivirá, aparta, caminos. **6.** Por ellos morirá. **7.** Mira, aparta, transgresiones, cometió, vivirá, morirá. **8.** Echad sus transgresiones, adquirir un corazón nuevo y un espíritu nuevo. **9.** Quiero, muerte, Señor Jehovah, vivid.

Ya en la clase

DESPIERTE EL INTERES

1. Dé la bienvenida a todos. Pídales que mencionen sus peticiones y tenga una oración a favor de éstas. **2.** Note el título de la unidad y pregunte por los dos estudios que hemos tenido en ella. Puede ser que éstos han sido difíciles, pero hoy el énfasis va a ser en tres palabras directas de Dios que reflejan enseñanzas de gran valor para nuestras vidas ahora y en la eternidad. **3.** Demos gracias al Señor por su Palabra y su amor hacia nosotros.

ESTUDIO PANORAMICO DEL CONTEXTO

1. Ezequiel sigue dando el mensaje de Dios al pueblo que tanto ha rechazado al Señor y su mensaje. A pesar de su misión tan desanimadora continúa hablando con valentía frente a la obstinada falta de atención del pueblo. **2.** Los capítulos 18 y 19 refutan la excusa presentada por el pueblo de que los hijos sufren por el pecado de los padres. **3.** Los capítulos 20-24 contienen oráculos contra Jerusalén y contra cada elemento de su sociedad. **4.** Los capítulos 25-32 dan oráculos contra otras naciones, seguidos por oráculos de esperanza desde el capítulo 32 hasta finalizar el libro. Tendremos tres estudios de esta última sección en la próxima unidad.

ESTUDIO DEL TEXTO BASICO

Dé tiempo para que contesten la sección *Lea su Biblia y Responda*. Aclare cualquier duda de las respuestas.

1. "El alma que peca, ésa morirá", Ezequiel 18:19, 20. Saque la tira con esta frase y colóquela frente al grupo. Repase brevemente las tres situaciones presentadas en el cap. 18 para demostrar esta enseñanza. Pida que lean Exodo 20:5, 6 que es la base bíblica que están usando para excusarse de su propia responsabilidad. No hay duda de que los pecados de los padres influyen en la vida de sus hijos y nietos, sin embargo, aquí Dios nos da otra enseñanza de gran valor. Cada uno es responsable por sus propias decisiones y acciones.

2. "¿Acaso quiero yo la muerte del impío?", Ezequiel 18:21-28. Saque la tira con esta pregunta y colóquela al lado de la otra. Seguramente decían que Dios era injusto y que no debía castigar al pueblo. Pregunte: "¿Cuál será el caso del impío que se arrepienta de sus pecados?" (vv. 21, 22). A Dios no le gusta la idea de castigar (véase Juan 3:17) sino quiere que todos puedan seguirle fielmente y tener vida. Pregunte por el justo que comete maldad (v. 24) y su fin.

A pesar de la búsqueda de Dios del arrepentimiento de su pueblo algunos le acusan de que su camino es incorrecto. Dios responde que es al revés, el camino de ellos es incorrecto. El pasaje termina con una invitación (v. 28) que demuestra el corazón de Dios y el camino que todos deben tomar.

3. "¡Arrepentíos y vivid!", Ezequiel 18:29-32. Saque la tira con estas palabras y colóquela con las otras dos. A pesar de la búsqueda de arrepentimiento y la dádiva de vida ofrecida por Dios la gente sigue diciendo que los caminos de él son incorrectos. A pesar de su repetida acción Dios les invita a arrepentirse y a volver de su pecado. En el v. 31 hable de las dos acciones necesarias: "echad" y "adquirid". Pregunte por lo que tienen que hacer en cada caso y quién tiene que cumplir cada acción. Enfatice que Dios es el único que puede dar el corazón nuevo y el espíritu nuevo. Comenten sobre este cuadro tan conmovedor de la pregunta en el v. 31 y la respuesta/afirmación de Dios en el v. 32. Dios nos implora "¡Arrepentíos y vivid!"

APLICACIONES DEL ESTUDIO

Lean y consideren cada una de las aplicaciones. Hablen de cómo puede presentar este mensaje y enseñanzas con más fervor a otros.

PRUEBA

Pida que la mitad del grupo conteste una de las partes y la otra la otra. Compartan las respuestas y decisiones que han tomado en este estudio. Repasen las tres tiras de nuevo.

Estudio **46**

Unidad 11

Restauración de Israel

Contexto: Ezequiel 25:1 a 36:38
Texto básico: Ezequiel 36:22-38
Versículos clave: Ezequiel 36:26, 27
Verdad central: El nombre santo de Dios será honrado por todas las naciones cuando su pueblo se purifique y reciba de él un corazón y un espíritu nuevos.
Metas de enseñanza-aprendizaje: Que el alumno demuestre su: (1) conocimiento de los cambios que habrá en Israel cuando sean purificados por Dios, (2) actitud de valorizar los cambios efectuados en su propia vida y su compromiso en dar evidencias diarias de su corazón y su espíritu nuevos.

Estudio panorámico del contexto

A. Fondo histórico:

Con el capítulo 25 empieza la segunda parte del libro en la cual se pronuncian oráculos contra las naciones vecinas de Israel (25—32), también se anuncia la restauración del pueblo (33—39). Dios es Dios de todas las naciones, no solamente de Israel que ha sido castigado: todas serán castigadas por sus acciones contrarias al carácter de Santo de Dios. Pero, por otra parte, es el Redentor de todos y empleará a su pueblo redimido como instrumento para la salvación universal.

Las denuncias contra Jerusalén son completas. Antes de ofrecer sus predicciones sobre la restauración de dicha ciudad (33—48), el profeta inserta un conjunto de oráculos contra los enemigos de Israel (aunque algunos de esos oráculos corresponden a un periodo posterior), para indicar que todas las naciones hostiles tendrán que ser quebrantadas, antes que pueda restablecerse la gloria a Israel.

B. Enfasis:

En contraste con Jeremías (50—51), Ezequiel, al anunciar el juicio divino contra los enemigos tradicionales de Israel, no incluye a Babilonia. Posiblemente era para evitar represalias contra los desterrados.

Profecía contra Amón, Moab, Edom, Filistea, Ezequiel 25. Son naciones pequeñas que rodeaban a Palestina. Se las condena por la opresión y rapiña contra la tierra de Israel. Aunque en la invasión babilónica Amón se unió con Edom y Moab, y con otros, para persuadir a Ezequías de que se rebelara (Jer. 27:1-11); en la caída de Jerusalén ellos se apoderaron de las ciudades de Israel (Jer. 49:1ss.), e instigaron el asesinato de Gedalías (Jer. 40:14). Ezequiel no hace mención de estas cosas, sino de su maliciosa alegría por la calamidad de Israel (vv. 3, 6). Note que en el v. 3 el profeta habla de la desolación de Jerusalén como si fuera un evento pasado.

Contra Moab (25:8-11). Jeremías denuncia a Moab por su arrogancia y por su rebelión contra Dios y su escarnio del pueblo de Israel (Jer. 48:25ss.) Sofonías dice que los moabitas afrentaron a los judíos (Sof. 2:8). Ezequiel los denuncia por su burlesco rechazamiento del reclamo que hacía Israel, en el sentido de que se le permitiera ser una nación separada, en vista de su relación con Jehovah (v. 8).

Contra Edom (25:12-14). La denuncia es por la malicia de Edom contra Israel en la caída de Jerusalén. Compare Ezequiel 35:10-15; Abdías 10-16; Salmo 137:7.

Contra los filisteos (25:15-17). Fuera de este pasaje no tenemos ninguna información sobre la conducta de estos vecinos. Hubo un tiempo en que los quereteos habían formado parte de la guardia personal de David (2 Sam. 8:18; 15:18; 20:7).

La destrucción de Tiro y lamento por él, Ezequiel 26:1 a 28:26. Tratan de la destrucción de la ciudad (26:1-21), con un lamento por ella (27:1-36), y de la caída del rey (28:1-19).

Israel será restaurado. Un breve interludio que predice que Israel será restaurado a su territorio, Ezequiel 28:24-26.

Profecía contra Egipto, Ezequiel 29:1 a 32:32. Se pronuncian siete oráculos contra Egipto, el enemigo más antiguo de Israel. Se refiere a dos males históricos: el cautiverio egipcio y el éxodo (29:12), y la explotación repetida de Israel por medio de alianzas engañosas (30:20-26; ver 1 Rey. 12:2; 2 Rey. 18:21; Isa. 30: 3, 7, y Jer. 37:1-10).

Un repaso de oráculos dados previamente, Ezequiel 33:1-29. Esta parábola se basa en la costumbre de colocar un atalaya sobre el muro de la ciudad en tiempos de peligro, para que vigilara la aproximación del enemigo. Esta responsabilidad es la que tiene en mente en la parábola en forma fundamental. Como el atalaya tiene la responsabilidad de avisar cuando hay peligro, el pueblo debe responder. Ezequiel, al anunciar la disposición de Dios para restaurar a su pueblo es, a los ojos de Israel, como un cantor de amores.

Los pastores del pueblo han sido malos, ahora Dios mismo será el pastor de su pueblo, Ezequiel 34:1-32. Sigue la defensa del juicio divino contrastando los pastores malos (falsos) con el pastor bueno, Dios mismo (v. 11), quien llegará. Dios pondrá sobre ellos "un solo pastor, mi siervo David,... príncipe en medio de ellos" (vv. 23, 24): el "siervo-príncipe" vendrá de la casa de David (Isa. 11:1-5), mientras que Jehovah será el "rey". El príncipe será un nuevo tipo de rey/pastor, el Mesías, cuyo cuidado sin egoísmo ha de contrastar con el egoísmo de los pastores malos. ¡En Cristo se cumplió la profecía más allá de la esperanza de Ezequiel!

La restauración de Israel, Ezequiel 36 y 37. Con lógica se desarrollan los oráculos de esperanza: 1) se restaura el gobierno (cap. 34); 2) se elimina la oposición (Edom) a la restauración (cap. 35); 3) se restaura la tierra (cap. 36), y 4) viene la restauración del pueblo, Israel (cap. 37). Ezequiel era un teólogo sistemático (¿el primero?).

1 Dios obra a causa de su santo nombre, Ezequiel 36:22, 23.

V. 22. Muchos aspectos del capítulo 36 anticipan el evangelio de Cristo. La liberación (salvación) no viene por causa del hombre, sino por la del *santo nombre* de Jehovah (por la gracia y el poder divinos). En el Antiguo Testamento el nombre representa a la persona, quien es; Israel, de su parte, había *profanado* el nombre (la naturaleza) de Dios por el pecado. El nombre de Israel estaba ligado con el de Jehovah (v. 21); la condición de ellos, por lo tanto, reflejaba el honor de su Dios. Las naciones pensaban irremediablemente que el infortunio de Israel se debía a la debilidad de Jehovah.

V. 23. El propósito del exilio era mostrar la verdad de Dios a las naciones, y la liberación del remanente lo confirmaría. El medio (o instrumento) que Dios emplea en el mundo es su gente. Si la naciones vecinas de Israel pensaban que Jehovah era débil, llegaría el momento cuando se demostraría todo lo contrario. La restauración de Israel a la bienaventuranza en su propia tierra haría que todos comprendieran que el gobierno de Jehovah se caracteriza por la santidad, y no por la debilidad, y así su nombre será reverenciado por todos. Este concepto es integral en el pensamiento de Ezequiel y del más alto grado moral. La purificación del pecado, aunque se describe con el lenguaje ritual (v. 5), representa la renovación espiritual.

2 Las múltiples dádivas de Dios en la restauración, Ezequiel 36:24-32.

V. 24. El poder de Dios les traerá nuevamente a su tierra. Cumplirá su propósito salvífico en dos aspectos: (1) restaurará a su pueblo a su tierra (2) y mostrará su salvación a todas las naciones.

V. 25. El primer requisito para la restauración es espiritual, un renuevo por medio de una limpieza interior: Dios perdona al penitente. Los ritos para purificar requerían agua. A la vez el pecado era limpiado con sangre (ver Lev. 14 y Núm. 19), el símbolo de vida (ver Gén. 9:4; Lev. 17:11, 14). Sin embargo, un rito físico no hará la purificación: ésta no vendrá por un acto sacerdotal, sino por un hecho de Dios mismo. Ultimamente Dios llegó al mundo en la persona de Jesús quien, por su sangre, limpia de toda iniquidad (Isa. 52:15; 1 Cor. 6:11).

V. 26. Dios dará una nueva naturaleza (modo de ser). En Ezequiel, el *corazón* representa el sitio de la volición (la "mente" hoy); el *espíritu* indica la totalidad de la vida interior. Dios quitará el *corazón de piedra* (duro, frío, y muerto; ver 11:19; Jer. 31:31-33), y dará uno *de carne* (flexible, caliente, y viviente).

V. 27. El perdón, un nuevo modo de ser, y una actitud nueva no son adecuados para guardar los *decretos* divinos. Así que, Dios da "el Espíritu" (ver Hech. 2:1-4) para poder hacerlo.

Vv. 28-30. Después de las bendiciones espirituales vendrán las materiales: la restauración de la tierra y el bienestar físico. Los resultados de la regeneración de Israel serán: su permanente ocupación de la tierra (v. 28a); una relación de pacto con Dios (v. 28b); protección contra la recaída en la idolatría (v. 29a); todas las necesidades quedarán cubiertas (vv. 29b, 30); y humillación y arrepentimiento con respecto a los pecados del pasado.

Vv. 31, 32. Todos estos beneficios no podrán comprarse con dinero, ni con sacrificios. Son por pura gracia (v. 22).

3 Las naciones sabrán que Dios ha actuado, Ezequiel 36:33-38.

Vv. 33-35. Dios es fiel: habla y cumplirá lo dicho. A través de toda la historia Dios ha demostrado su fidelidad. Sucedía con frecuencia que el pueblo fallaba en cumplir la parte del pacto que le correspondía y quería justificarse diciendo que Dios se había alejado de ellos.

En esta promesa el profeta recuerda que Dios, una vez que haya purificado a su pueblo, añadirá bendiciones como son: la reconstrucción de las ruinas que han sido consecuencia de las devastaciones sufridas. También promete que las *ciudades* serán *habitadas*. La misma *tierra* que ha sido abandonada y no ha dado su fruto volverá a ser *cultivada* y causará sorpresa para todos aquellos que las habían visto estériles. Será tan abundante la cosecha que los que vean este portento dirán: Esta tierra ha venido a ser *como el Edén*. Las ciudades que se veían abandonadas han llegado a ser como ciudades *fortificadas* y además se ve movimiento en ellas porque han vuelto a ser *habitadas*. Los incrédulos llegarán a conocer que el Dios de Israel es todopoderoso, fiel y veraz.

Todo esto será posible cuando el pueblo de Dios haya sido purificado.

V. 36. El propósito de Dios es redentor: los hechos suyos no son fines en sí, sino medios para la redención mundial. Los redimidos vienen a ser sus instrumentos para la salvación de los demás. El pueblo de Dios desde un principio había aprendido del poder de su palabra. Por eso Jehovah dice: *He hablado y lo haré*. Fue por el poder se su palabra que dijo: Sea la luz y fue la luz. En el Nuevo Testamento fue el poder de la palabra de Jesús que hizo que el mar estuviera en calma. La promesa de restauración dada por medio de Ezequiel se cumplirá a su tiempo. Las naciones paganas sabrán que el único Dios verdadero es quien ha hecho todo esto.

Vv. 37, 38. *"Aún he de ser buscado..."* Todavía hay esperanza para el pueblo de Dios. Jehovah vaticina que llegará un día cuando ellos volverán a buscar el rostro de Dios. La búsqueda que sus hijos hagan de Dios traerá su amplia recompensa: los hombres serán multiplicados. Las ciudades que se veían desoladas serán rahabitadas y florecerán en todos los aspectos.

Aplicaciones del estudio

1. El pecado es algo terrible. Según Ezequiel 36, 1) contamina al individuo y la sociedad (v. 17), 2) trae juicio y sufrimiento (v. 19), y 3) produce vergüenza: Israel llegó a ser un objeto de burla en el mundo (v. 20).

2. El Nuevo Testamento aclara la doctrina de la salvación: es un don de Dios (Ef. 2:8; Juan 3:16); es eterna (Juan 10:27-29; Heb. 5:9, 7:25; 9:12), y la seguridad de ella la otorga el Espíritu Santo quien mora dentro del creyente. Puede haber una experiencia superficial que no soportaría la prueba del tiempo (ver Mat. 13:4-6; 1 Juan 2:19). Así que, desde un punto de vista humano, al paso del tiempo se irá demostrando la realidad de la experiencia de salvación. El fruto demostrará la esencia de esa experiencia.

3. Los hijos de Dios son testigos puestos por Dios para anunciar la palabra divina donde estén. Al anunciar el mensaje, el hijo de Dios cumple con una de las responsabilidades más importantes de la vida cristiana.

Ayuda homilética

Los pecados de Egipto
Ezequiel 29:2-7; 30:18; 31:10; 32: 2, 12

Introducción: Se presenta el faraón como la personificación de la nación egipcia. ¿Cuáles eran sus pecados más condenables? ¿Cómo juzga el Señor una nación en su trato con las demás naciones?

I. La deificación de sí mismo (29:3).
- A. Se condena la adoración de dioses ajenos (Exo. 20:3); el ponerse como el objeto de adoración es aun peor.
- B. El deseo por obtener sabiduría absoluta, poder y posición conducen al paso fatal de creerse dioses, y como consecuencia exponerse al juicio divino.

II. La falta de confiabilidad (29:6, 7; ver Isa. 36:6).
Se hacían alianzas egoístas y después no cumplían con ellas (ver 2 Rey. 18:21 y Isa. 36:6; Jer. 37:1-10).

III. El orgullo personal (30:18; 31:10; 32:12).
El orgullo contribuye al paso de creerse dioses.

IV. La maldad personal (32:2).
- A. Egipto se consideraba a sí mismo "un león de las naciones", un símbolo real, un rey sobre todas las demás naciones.
- B. Jehovah le veía como un "monstruo de los mares", un símbolo de caos o desorden que enlodaba "sus corrientes".
- C. Los faraones eran malvados y violentos: no se podían predecir sus acciones ni controlarlos.

Conclusión: Los pecados de Egipto se asemejan a los pecados que están cometiendo hoy en día las grandes naciones que persisten en su búsqueda de poder y riqueza. Dios toma en cuenta estas actitudes y a su debido tiempo juzgará a cada una de ellas.

Lecturas bíblicas para el siguiente estudio

Lunes: Ezequiel 37:1-14
Martes: Ezequiel 37:15-28
Miércoles: Ezequiel 38:1-16
Jueves: Ezequiel 38:17-23
Viernes: Ezequiel 39:1-29
Sábado: Ezequiel 40:1-49

AGENDA DE CLASE

Antes de la clase

1. Busque fotografías o recortes de un campo que ha sufrido un desastre, en que se muestre desolación, destrucción, aridez y muerte: y otros en que se muestra abundancia, hermosura, verdor y vida. Puede combinarlos en "antes" y "después". **2.** Tenga un mapa del Medio Oriente del tiempo del exilio para que puedan ver la relación geográfica de Babilonia y Israel y sus vecinos. **3.** Lea los capítulos 25—32 para poder entender cómo el juicio de Dios va contra los que le han desobedecido y contra aquellos que han sido crueles con el pueblo de Israel. **4.** Haga una tira con el título de la unidad: "Ezequiel: mensajero de esperanza" para colocar frente al grupo para este estudio y los dos que vienen. **5.** Complete la sección *Lea su Biblia y responda.*

Comprobación de respuestas

JOVENES: **1.** a. Tomaré; b. reuniré; c. purificaré; d. daré; e. quitaré; f. pondré; g. pondré; h. y haré; i. libraré; j. multiplicaré. **2.** Se acordarán de sus malos caminos y se detestarán a sí mismos.

ADULTOS: **1.** Israel, el santo nombre de Dios. **2.** Profanado el santo nombre de Dios en las naciones donde habían llegado. **3.** Tomarles de las naciones y traerles a su propia tierra. **4.** Esparcirles agua pura; purificarles de sus ídolos; un corazón nuevo, un espíritu nuevo; quitará el corazón de carne, dará un corazón de carne; serán su pueblo; productos del campo y quitará el hambre. **5.** Purifique, todas vuestras iniquidades, habitadas, ciudades, reconstruidas, ruinas. **6.** Citar el versículo.

Ya en la clase

DESPIERTE EL INTERES

1. Dé la bienvenida al grupo y diga que hoy empezamos nuestra última unidad de estudios de Ezequiel. **2.** Llame la atención a la tira con el título de la unidad y pregunte si hasta ahora, en los estudios habíamos visto a Ezequiel esperanzado. **3.** Enfatice que en esta última sección del libro veremos al profeta en una luz diferente, esperanzado y con una visión positiva del futuro.

ESTUDIO PANORAMICO DEL CONTEXTO

1. Utilizando el mapa mencione brevemente los oráculos contra los vecinos de Israel, especialmente Egipto (capítulos 29—32). Hablen de las razones de Dios para castigarles. **2.** Mencione que la tercera sección del libro empieza con el capítulo 33, hablando de la restauración de Israel. **3.** Brevemente mencione el capítulo 34 y el cuadro de Jehovah como pastor de Israel y el pacto de paz que va a establecer con su pueblo.

ESTUDIO DEL TEXTO BASICO

Dé tiempo para que completen la sección *Lea su Biblia y responda.* Aclare cualquier pregunta.

1. Dios obra a causa de su santo nombre, Ezequiel 36:22—23. Enfatice el amor que Ezequiel siente por su tierra y el dolor que siente frente a la manera en que el pueblo ha profanado el nombre de Dios. No deje pasar la oportunidad de hablar también del dolor que Dios siente. La restauración del pueblo no resultará por su propio mérito, sino a causa del santo nombre de Dios. Hablen de lo que significa el nombre en el antiguo Testamento y cómo habían profanado el nombre de Dios. Después del castigo merecido del pueblo Dios les restaurará a su tierra. Todo el mundo reconocerá que es solamente Dios quien pudo haber hecho algo tan grande.

2. Las múltiples dádivas de Dios en la restauración, Ezequiel 36:24-32. Hable del acto simbólico de esparcir agua para purificarles para que puedan volver a su tierra. El corazón nuevo y el espíritu nuevo significan el cambio total que Dios efectuará en ellos. La presencia del Espíritu de Dios significará un cambio en su lealtad. Habrá una relación íntima y especial. Saque los recortes de "antes" y "después" y hablen de la diferencia entre las dos situaciones. ¿Cuál es la causa del cambio? Enfatice que al llegar a este estado tan bendecido no deben caer en la tentación de pensar que solos hayan podido lograr esto. Es solamente por la gracia de Dios.

3. Las naciones sabrán que Dios ha actuado, Ezequiel 36:33-38. Otra vez puede referirse a los recortes de "Antes" y "Después". Todo el mundo va a reconocer que es Dios quien ha efectuado un cambio tan grande después de la desolación tan terrible. Van a verlo como un "Jardín de Edén". Mencione cómo termina esta sección: "Yo, Jehovah, he hablado y lo haré." Es como una firma; va a ser realidad. El remanente puede contar con esto.

APLICACIONES DEL ESTUDIO

Divida al grupo en tres y pida que cada grupo considere maneras en que podrían facilitar el desarrollo en sus propias vidas de la aplicación asignada Tenga un breve informe de cada grupo para el grupo entero.

PRUEBA

1. Pida a los presentes que individualmente desarrollen su respuesta a una de las dos pruebas. **2.** Pida que un voluntario comparta su respuesta a la primera prueba, y otro a la segunda. Si otros quieren compartir sus ideas en cuanto a la prueba que han desarrollado, podrían hacerlo. **3.** Termine dando gracias a Dios por el don del nuevo corazón y el nuevo espíritu que nos ha dado.

El valle de los huesos secos

Contexto: Ezequiel 37:1 a 40:49
Texto básico: Ezequiel 37:1-14
Versículo clave: Ezequiel 37:14
Verdad central: Frente al desánimo del pueblo de Israel, Dios les da la visión de la restauración personal y nacional. Sabrán que es Dios quien ha hecho este milagro.
Metas de enseñanza-aprendizaje: Que el alumno demuestre su: (1) conocimiento de la visión de la restauración nacional dada por Dios, (2) actitud de valorizar su restauración personal y su compromiso de vivir guiado por su Espíritu.

Estudio panorámico del contexto

A. Fondo histórico:

La visión de los huesos secos es una de las más conocidas de Ezequiel.

Israel, la nación, quedaba como muerta, sin esperanza alguna, y esta visión mostraba que aún podría tener nueva vida por el Espíritu de Dios, Ezequiel 37:15-23.

La visión proyecta la unión de los dos reinos caídos, Judá e Israel (Efraín), en un pacto eterno de paz con Dios.

B. Enfasis:

Profecía contra Gog y Magog. Dios triunfará sobre los enemigos de su pueblo y restaurará a Israel a su hogar, Ezequiel, 38:1—39:29. Los capítulos 38 y 39 la unidad literaria de la restauración (caps. 33—37), y la organización de la comunidad nueva (caps. 40-48). Tratan de la oposición a las fuerzas de maldad, y la victoria final de Jehovah. Después del restablecimiento de la nación en la edad mesiánica (38:8), Gog, el príncipe soberano de una coalición de naciones (38:2), vendrá del norte (38:6,15) con el propósito de "tomar botín" y "hacer saqueo" (38:12). Jehovah destruirá el ejército invasor (38:22) que resultará en el reconocimiento mundial de la gloria y santidad de Dios (38:23; 39:27—28; se encuentra este bosquejo básico también en Zacarías, Daniel y Apocalipsis). Finalmente, se termina la sección volviendo al tema de Israel restaurada (ver 20:41; 28:25; 34:13, 22; 36:24) y segura en la patria (39:25-29).

Se han sugerido muchas interpretaciones variadas de estos complicados y enigmáticos capítulos. Sin embargo, parece mejor tratarlos en el contexto ezequieliano. Por consiguiente, los enemigos nombrados representan los extremos geográficos del mundo de aquel entonces, y no se refieren a naciones modernas metidas en una cifra profética. No parece que la lucha final se entablará con armas primitivas tales como las enumeradas (38:4, 15; 39:9). Así que, se presentan los capítulos más bien como una parábola profética en vez de ser una alegoría detallada del futuro: se asegura la victoria final de Jehovah.

La restauración del templo (esto continúa en los caps. 41 y 42), Ezequiel 40:1-49). Después de terminar los oráculos proféticos, la influencia sacerdotal ezequieliana surge. Con gozo se anuncia la organización comunal para el día nuevo: será una teocracia construida alrededor del templo y difundida en la presencia de Jehovah. En contraste con el escenario triste de los capítulos 8-11, la gloria del Señor vuelve a la "nueva ciudad santa" y llena el templo (43:2-7). Se presenta la organización en tres cuadros generales: el nuevo templo (40:1 a 43:12); el culto en el nuevo templo (43:13 a 46:24); la nueva ciudad santa con el templo céntrico (caps. 47; 48). Central en la presentación es la obediencia absoluta a la ley de Dios.

Tal vez conviene una advertencia: el Señor reveló a Ezequiel unos principios vitales y eternos. Sin embargo, no parece que son prescripciones legales para la adoración cristiana, ni son planos detallados para la edificación de un templo nuevo: no son descripciones para tiempos normales (ver cap. 47). Apocalipsis 21:9 a 22:5 los interpretan en el contexto del reino de Dios después de la derrota de Satanás (Apoc. 19). Entonces, la tarea nuestra es entender los principios en su contexto original y ponerlos por práctica ahora. Pues, con fe se prepara para entrar en la gloria de la ciudad de Dios donde se le adorará eternamente.

Estudio del texto básico

1 La promesa de vida a los huesos secos, Ezequiel 37:1-6.

El capítulo 37 trata de la restauración política de Israel ya muerta (vv.1-14), y la reunión de los doce tribus (Judá e Israel=Efraín; vv.15-23).

Con la visión de los huesos secos volviendo a la vida el Señor, por medio de Ezequiel, proclama a Israel la venidera resurrección de su vida nacional (vv. 1-14). Predice, por el acto simbólico de unir dos varas la unión futura de los dos reinos bajo una sola cabeza, David (vv. 15-28).

La visión de los huesos secos (1-14) constituye el *haphtarah* (lectura de los profetas) para la Pascua y su sábado en la sinagoga. Todas la iglesias han hecho uso de este pasaje en la adoración pública y privada.

Tres etapas en el avivamiento de Israel se presentan al ojo del profeta: (1) el nuevo despertamiento del pueblo, la resurrección de los muertos (37:1-14). (2) La reunión de los miembros de la comunidad, antes hostiles, cuyas contiendas habían afectado todo el cuerpo (37:15-28). (3) La comunidad así restaurada es bastante fuerte para hacer frente a los ataques de Gog, etc. (38 y 39).

V. 1. Los asuntos tratados, pues, no fueron literales, sino en visión: *en espíritu.* En contraste con la experiencia antes en el valle (3:22, 23), se llena el valle con huesos *muy secos* (v. 2; ¿el mismo valle?). En la primera recibe un oráculo de juicio, y en la segunda uno de esperanza. Los huesos representan a la nación Israel (v. 11); pues, se trata una pregunta pertinente hecha por la gente: ¿cómo, pues, viviremos? (33:10c); *nuestros huesos se han secado* (v. 11). El pasaje no enseña específicamente una resurrección general de la muerte como se encuentran en Isaías 26:19 y Daniel 12:1-3: se refiere a la resurrección de Israel como nación, y su regreso a Palestina. Sin embargo, si no hubiera existido tal creencia, ¿por qué hubiera empleado ese concepto?

V. 2. *Muchísimos* [huesos] *sobre la superficie* parece indicar un campo de batalla cruenta: Israel había sido destruida totalmente por un ejército invasor (Babilonia). Es la reunión de los miembros de la comunidad, antes hostiles, cuyas contiendas habían afectado a todo el cuerpo.

V. 3. Según el hombre natural, ¡los huesos no vivirán! Para Ezequiel, tal posibilidad queda totalmente en la sabiduría e intervención providencial del Señor. Hablando humanamente, hay cosas que son imposibles, pero la fe deja la cuestión de la posibilidad en las manos de Dios, para quien nada es imposible (Deut. 32:39). Es símbolo de la fe cristiana que cree en la futura resurrección de los muertos a pesar de todas las aparentes dificultades en contra porque Dios lo ha dicho (Juan 5:21; Rom. 4:17; 2 Cor. 1:9).

V. 4. Un instrumento humano proclama la palabra divina la cual tiene el poder inherente para cumplir con su propósito. Profetiza... —Proclámales la palabra vivificadora de Dios. A causa de este poder innato de la palabra de Dios para efectuar sus propósitos, se dice que los profetas hacen aquello que profetizan como pronto para hacerse (Jer. 1:10).

Vv. 5, 6. El *espíritu (ruach,* "viento", "soplo") de Dios es lo que da vida (v. 10; Gén. 2:7; 6:17); también, es la fuerza sobrenatural que se apodera de Ezequiel (v. 1). Isaías, que tiene el mismo mensaje (Isa. 26:19), se refiere primariamente a la restauración de Israel. Por la misma prueba de mi divinidad que daré en hacer revivir a Israel sabrán que soy Jehovah.

2 El soplo del espíritu vivifica los cuerpos inmóviles, Ezequiel 37:7-10.

Vv. 7, 8. La primera señal de vida es *ruido.* Tal vez se refiere al decreto de Ciro o al ruido de la demostración de los judíos como motivo de su liberación y regreso. La segunda demostración se refiere a la organización; se juntan los huesos y son cubiertos con tendones, carne y piel pero carecen vida, el *espíritu,* el soplo de vida. Hasta aquí se estaban uniendo sólo como esqueletos desagradables. El hecho de cubrirlos les da una apariencia distinta. Pero la falta del espíritu da a entender que Israel, como sucedió más tarde, como fue el caso de la restauración de los cautivos de Babilonia, volverá a Judea inconverso al principio (Zac. 13:8, 9). Un hombre puede asumir todas las apariencias de vida espiritual, y sin embargo no tenerla, y así estar todavía muerto delante de Dios.

Vv. 9, 10. La tercera señal, y más importante, es el *espíritu* que da vida. Jehovah otorga el espíritu al mando de Ezequiel para el bienestar del pueblo elegido: todavía había una función misionera para Israel en el mundo (v. 28). Israel ha de ser juntado desde los cuatro cabos de la tierra (Isa. 43:5, 6; Jer. 31:8), así como fueron esparcidos a todos los vientos (Eze. 5:10; 12:14; 17:21;

Apo. 7:1, 4). ¡Sí, semejante honor Dios concede a la palabra divina, aun en la boca del Hijo de Dios! (Juan 5:25-29). Aunque este capítulo no es una prueba directa de la verdad de la resurrección de los muertos, en efecto es una prueba indirecta porque presupone el hecho futuro como hecho reconocido por los judíos creyentes, y así fue hecha el símbolo de su restauración nacional.

3 Dios colocará al pueblo de nuevo en su propia tierra, Ezequiel 37:11-14.

Se explica al profeta el significado de la visión.

V. 11. *Toda la casa de Israel:* los huesos simbolizaban los sobrevivientes de los dos reinos, el del norte (Efraín=Israel, cayó en 721) y el del sur (Judá, recién destruido). A los desterrados les parecía que el exilio era su cementerio; habían perdido toda esperanza. El profeta cita con frecuencia dichos populares (11:13; 12:22, 27; 16:4; 18:2; 20:49; 36:20). La declaración de la casa de Israel es el equivalente a decir: "Nuestra esperanza se ha perdido (Isa. 49:14); nuestro estado nacional está tan lejos de poder resucitar, como lo es para los huesos sin meollo el reanimarse." *Somos del todo destruidos...* (talados) —Es decir, en cuanto nos toque a nosotros. No hay en nosotros nada que dé esperanza, como rama seca "talada" del árbol, o como un miembro cortado del cuerpo.

Vv. 12-14. *Pueblo mío...* Es una antítesis de lo que habían dicho: "No tenemos esperanza." La esperanza que ya casi se había desvanecido, si se consideran a sí mismos, es para ellos segura en Dios, porque él los mira como pueblo suyo. Su relación pactada con Dios garantiza que él no permitirá que la muerte reine en ellos permanentemente. Cristo hace que el mismo principio sea la base sobre la cual descansa la resurrección literal. Dios había dicho: "Yo soy el Dios de Abraham..." Dios tomando como suyos a los patriarcas, se obliga a hacer para ellos todo cuanto puede hacer en su omnipotencia: siendo él el Dios siempre viviente, es necesariamente el Dios, no de los muertos, sino de personas vivientes, es decir, de aquellos cuyos cuerpos, su amor pactado le constriñe a resucitar nuevamente, él puede y porque puede lo hará. Los llama "mi pueblo" al recibirlos en su favor. La figura queda alterada de aquellos muertos en el campo de batalla a aquellos muertos en las tumbas. *Os haré subir de vuestras sepulturas...* Jehovah promete sacarles de sus *sepulcros* y restaurarles a la tierra de Palestina. Les vivificará por medio de su *Espíritu:* es Señor sobre todo el mundo. Los sacará de los tenebrosos lugares de su cautiverio a la tierra de Israel. El Espíritu del Señor es el que da vida, él es el Espíritu regenerador. Aquí el profeta no está hablando de la resurrección corporal.

Aplicaciones del estudio

1. La vivificación de Israel muerta era tarea espiritual. Por lo tanto, se encuentra el cumplimiento últimamente en el Mesías, un vástago "del tronco de Isaí" (Isa. 11:1), cuyo reino es espiritual y eterno.

2. La palabra de Dios es un poder creativo (Gén.1:3), y el ministerio profético es librarla. El poder de ella no reside en la autoridad humana que la entrega, sino es inherente en sí misma, y una vez soltada corre su historia independiente. Siempre provoca una respuesta: nunca volverá al Señor vacía (ver Heb. 4:12, 13).

3. Existen tres señales de vida para la iglesia moderna: actividad ("ruido"), organización y el "espíritu" de Dios que vivifica. La vitalidad orgánica depende de la integración de las tres; si se preocupan por las dos primeras y descuidan la última, no habrá vitalidad. Se aparecerá como un cadáver, orgánicamente perfecto, pero sin evidencia de vida.

4. A pesar de la rebeldía de sus hijos, Dios sigue teniendo misericordia. Esa misercordia divina tiene dos propósitos: (1) obrar misericordia con su pueblo y (2) Mostrar al mundo sus hechos poderosos.

Ayuda homilética

El bárbaro externo e interno
Ezequiel 39:1-4, 25-29

Introducción: Se ve la realidad de los serios problemas humanos reflejados en los reportajes noticieros. Son producidos, ayer y hoy, por los bárbaros con y sin civilización.

I. Una amenaza externa de los no civilizados (39:1-4).
- A. Una gente de lejos, extraña, y numerosa (38:4, 5, 15).
- B. Una gente bárbara y rapiñadora (38:12).
- C. Una gente guerrera y cruel.
- D. Una gente que se opone a Dios y su rectitud.

II. Una amenaza por interna de los civilizados (39:25-29).
- A. Una gente cercana, conocida, y numerosa (¿hoy?).
- B. Una gente brutal y egoísta (¿hoy?).
- C. Una gente violenta y anarquista (¿hoy?).
- D. Una gente que se rechaza a Dios y su rectitud.

III. El juicio y esperanza de ayer y de hoy.
- A. El juicio divino contra todo barbarismo (39:3, 4, 23).
- B. La esperanza para todos (39:25; 36:26).

Conclusión: ¿Cuál barbarismo es el más grande contra un pueblo: el externo o el interno? ¿Cuál es la solución?

Lecturas bíblicas para el siguiente estudio

Lunes: Ezequiel 41:1 a 42:20
Martes: Ezequiel 43:1 a 44:14
Miércoles: Ezequiel 44:15 a 45:25
Jueves: Ezequiel 46:1-24
Viernes: Ezequiel 47:1-23
Sábado: Ezequiel 48:1-35

AGENDA DE CLASE

Antes de la clase

1. Lea con cuidado los pasajes bíblicos y los comentarios tanto en el libro del maestro como en el del alumno. Ore por los alumnos por nombre, especialmente por los que necesitan una restauración personal. **2.** Traiga un hueso seco o un dibujo de un hueso seco. **3.** Haga un cartelón con el título “El pueblo de Israel”. Ponga una línea divisoria por la mitad y a la izquierda escriba “Cómo se consideraban”, y a la derecha, “Lo que Dios hará a favor de ellos”. **4.** Contesten la sección *Lea su Biblia y responda.*

Comprobación de respuestas

JOVENES: **1.** b; d; f. **2.** Toda. **3.** Se ha perdido nuestra esperanza.
ADULTOS: **1.** La mano de Jehovah vino sobre mí; me llevó... me hizo pasar. **2.** Afuera, en medio de un valle que estaba lleno de huesos. **3.** Muy secos. **4.** ¿Vivirán estos huesos? Oh Señor Jehovah, tú lo sabes. **5.** Señor Jehovah, huesos, yo hago, espíritu, vosotros, viviréis. **6.** Los huesos se juntaron y subían sobre ellos tendones y carne. **7.** Entró, vida. **8.** Pondrá su Espíritu en ellos, vivirán, les colocará en su propia tierra, sabrá que es Jehovah quien lo ha hecho.

Ya en la clase

DESPIERTE EL INTERES

1. Dé la bienvenida al grupo y diga que hoy vamos a estudiar una de las más interesantes visiones de Ezequiel: el valle de los huesos secos. En el estudio previo habíamos hablado de la promesa de Dios de la restauración del pueblo a Jerusalén. Ahora el profeta habla de las situaciones que van a acompañar este hecho. **2.** Tenga una oración pidiendo al Señor que cada persona pueda estar consciente de su necesidad de restauración personal y abierta a la dádiva de Dios para realizarla.

ESTUDIO PANORAMICO DEL CONTEXTO

1. Haga un breve repaso de esta sección, evitando la tentación de hacerla el estudio básico, sino enfatizando el hecho de que frente al ataque del nuevo adversario Dios actuará con fuerza contra ellos (38:22). La frase “sabrán que yo soy Jehovah” repetida dos veces (38:23 y 39:7) demuestra la importancia de este concepto para Dios, y debe ser céntrica en la comprensión de este pasaje. **2.** El capítulo 40 habla del templo que van a construir. Para Ezequiel el sacerdote, este templo tendría que ser un templo ideal para esta nueva edad ideal. Hablaremos más del templo el último estudio de esta unidad.

ESTUDIO DEL TEXTO BASICO

Dé tiempo para que contesten la sección *Lea su Biblia y responda*. Aclare cualquier pregunta.

1. La promesa de vida a los huesos secos, Ezequiel 37:1-6. Probablemente la visión más conocida de Ezequiel tiene enseñanzas especiales para nosotros. Noten que es la visión del Señor, su mano poderosa salva. Lean los vv. 1-3. Saque el hueso seco que ha traído y pregunte "¿Puede tener vida este hueso?" "¿Cómo lo describiría?" Lean los vv. 4-6. "¿Qué va a hacer Dios con los huesos secos?" Enfatice el proceso tal vez simbolizando que una restauración tan grande no se hace instantáneamente sino que requiere los pasos necesarios. Para el Señor es importante que el resultado va a ser "Y sabréis que yo soy Jehovah".

2. El soplo del espíritu vivifica los cuerpos inmóviles, Ezequiel 37:7-10. Lean el pasaje. El viento es simbólico del Espíritu de Dios. Dios muestra otra vez el proceso de la nueva vida, la restauración que va a ocurrir para ellos. El cuerpo sin el aliento de vida (Gén. 2:7) es muerto. El número de personas que tienen vida es grande, como un ejército. Su responsabilidad será de hacer la voluntad del Señor, obedeciendo sus mandatos y cumpliendo su visión para Israel como su mensajero al mundo.

3. Dios coloca al pueblo de nuevo en su propia tierra, Ezequiel 37:11-14. Lea el v. 11. Saque el cartelón titulado "El pueblo de Israel" y pida que los alumnos indiquen los tres puntos de este versículo que describen cómo Israel se consideraba, anotándolos bajo "Cómo se consideraban". Hablen del profundo sentido de que ya ni había vida ni esperanza. Los vv. 11-13 demuestran que Dios va a traer a los desterrados de Judá y de Israel a su tierra de nuevo. Lea el v. 14 y pregunte: "¿Cuáles son las tres cosas que Dios dice que va a hacer a favor de este pueblo muerto?" Escríbalas en el cartelón bajo "Lo que Dios hará por ellos". Hable del contraste, de lo que significa una restauración nacional y personal. Diga que como Dios lo ha hecho antes, lo puede hacer hoy, enfatizando la última parte del v. 14.

APLICACIONES DEL ESTUDIO

Lean y consideren las tres aplicaciones y dé oportunidad a las personas de pedir la restauración y la renovación que solo Dios puede dar.

PRUEBA

Individualmente completen uno de los incisos. Separe tiempo para que algunos voluntarios compartan con el grupo sus respuestas. Diga que con el próximo estudio sobre "La presencia sanadora de Dios" terminaremos el estudio del profeta Ezequiel. Anímelos que no lo pierdan.

Estudio **48**

Unidad 11

La presencia sanadora de Dios

Contexto: Ezequiel 41:1 a 48:35
Texto básico: Ezequiel 45:8-10; 47:1-12; 48:35b
Versículo clave: Ezequiel 47:12
Verdad central: La esperanza cumplida de la nueva vida dada por Dios se verá en sus acciones de justicia, en su mensaje sanador y en su presencia constante con su pueblo.
Metas de enseñanza-aprendizaje: Que el alumno demuestre su: (1) conocimiento de las maneras en que Dios, por su presencia sanadora, trae salud a su pueblo, (2) actitud de afirmar la presencia sanadora de Dios en su propia vida y de compartir este mensaje con otros.

Estudio panorámico del contexto

A. Fondo histórico:

La esperanza de volver a Jerusalén estaba muy relacionada con la restauración del templo, que está descrita con detalle en los capítulos 40—43, y que no llegaría a ser una realidad hasta el tiempo de Zorobabel (de la línea de David) durante los años 520-516 a. de J.C. (Neh. 7). Aunque el segundo templo era modesto en comparación con el de Salomón y lejos de lograr la magnitud del edificio descrito por Ezequiel, los profetas Hageo y Zacarías lo veían en términos mesiánicos como un presagio de la gloria del reino universal de Jehovah (Hag. 2:3-9, 21-23; Zac. 2:6-13; 3:8 [Jer. 23:5, 6]; 4:6, 7).

B. Enfasis:

Las dimensiones del templo, las murallas y sus puertas, Ezequiel 40:1 a 42:20. Para los desterrados los planos del templo servían como una fuente de ánimo y esperanza; hoy, parecen algo extraño y de poca importancia. Entonces, conviene analizarlos brevemente:

1) el muro alrededor del templo tiene tres puertas (al oriente, sur y norte);
2) adentro el muro hay un atrio exterior que también tiene su muro con tres puertas; además, enfrente del templo mismo se encuentra otro atrio, el interior;
3) se divide el templo en tres secciones: el vestíbulo, el lugar santo y el lugar santísimo;
4) se mide todo en "codos" (de los llamados grandes que equivalen a 52,58 centímetros [20,7 pulgadas] cada uno) y "cañas" (equivalentes a seis codos, o unos 3,15 metros [10 pies con 4 pulgadas] cada una);
5) las medidas iguales hacen hincapié en la santidad del lugar (ver: los

muros de la ciudad son cuadrados, el área del templo es cuadrada, el altar es cuadrado, etc.);

6) el grueso de los muros indica la separación entre lo santo (sagrado) y lo profano (secular, 42:20);

7) se construye el templo sobre terrazas: hay siete gradas (escalones) para subir a las puertas exteriores; se ascienden ocho gradas más antes de entrar en las puertas interiores, y hay diez gradas adicionales para entrar en el templo mismo. En cuanto al altar, está construido sobre tres niveles, cada uno más pequeño que el otro.

La gloria de Dios vuelve al templo, Ezequiel 43:1-12. Especialmente el v. 9. Al completar el santo templo, Jehovah vuelve, tal como salió (vv. 2, 4, 5; 10:18, 19; 11:23), para habitar con su pueblo purificado (ver 1 Rey. 8:27; Apoc. 21:3).

Regulaciones para el servicio del templo, Ezequiel 43 a 46:24. Después de volver Jehovah, se cierra la puerta oriental del santuario (44:1, 2). Dios es el Rey de la comunidad religiosa: es una teocracia. Dios gobierna por medio de sus siervos, los sacerdotes: no habrá profetas. El gobernante [lit. príncipe (37:25)] es una autoridad civil (44:3) que provee lo necesario para los cultos (cap. 46). Los sacerdotes enseñan la ley y juzgan al pueblo.

Las aguas sanadoras salen del templo, Ezequiel 47:1-12. (Ver la discusión en el estudio que sigue.)

Estudio del texto básico

1 La presencia de Dios vista en actos de justicia, Ezequiel 45:8-10.

V. 8. Los *gobernantes* [príncipes] no deben oprimir al pueblo como antes: se prohíbe el despojo de la clase humilde. Para sus ingresos, se les da una asignación de tierra como si fueran una tribu. Esto tiende a impedir la avaricia de los poderosos en la vida social.

V. 9. Se les manda substituir la *violencia* y *destrucción* por el *derecho y la justicia* [lit. "justicia y rectitud"]. Por las tristes experiencias que tuvieron en el pasado, de aquí en adelante los nuevos gobernantes deberán hacer por lo menos tres cosas que son urgentes y que son en gran parte la consecuencia de los malos gobiernos: (1) Deberán eliminar la *violencia.* Uno de los peores males que enfrenta una sociedad es precisamente la *violencia.* No se puede progresar en otras áreas de la vida si se vive bajo el temor de esa lacra (Amós 3:6; Jer. 6:7). (2) Deberán hacer *justicia* (Jer. 22:3, 15; 23:5). El problema de la inadecuada impartición de la justicia, y la violación de los derechos humanos siempre ha sido un freno para el progreso y un elemento de presión para mantener al pueblo bajo un yugo ignominioso. (3) Deberán desechar las imposiciones (Eze. 46:18; 1 Sam. 8:14; Isa. 5:8; 1 Rey. 21:9).

V. 10. La *justicia* significa el cumplir con la norma recta establecida, y el príncipe ha de velar por la administración escrupulosa de ella en el comercio: las *balanzas* son la medida de los sólidos; *el efa,* la de áridos o sólidos; y *el bato,* la de líquidos.

2 La presencia de Dios vista en el río que sale del templo, Ezequiel 47:1-6.

V. 1. El profeta es llevado del atrio exterior (46:21) al vestíbulo del templo (40:48, 49). Allí ve una corriente de aguas que manan de debajo del umbral del templo hacia el oriente, pasando al sur del altar (v. 1), y al sur de la puerta exterior del oriente (v. 2). El caudal parece que sale del lugar santísimo; así que, la fuente es divina. En contraste con las ciudades principales de la antigüedad, Jerusalén no fue edificada sobre un río; sin embargo, de ella, sale el río de la vida. Del templo, la habitación de Dios, el río fluye al lado del altar; en el Nuevo Testamento, se ve el sacrificio del Cordero, Dios mismo, cuyo sangre vertida en Jerusalén es la que da vida al mundo.

Vv. 2-6. A 1.000 codos de la puerta, las aguas sólo cubren los tobillos (v. 3), pero al cabo de 4.000 codos se transforman en un río (*nahal*) lo suficientemente profundo como para poder nadar en él (vv. 4, 5). La puerta al oriente está cerrada (44:2); entonces, el profeta da vuelta por fuera del muro para estar frente al templo. El caudal es pequeño al salir por el lado sur; sin embargo, aumenta impresionantemente al fluir por la tierra árida, sin tener ningún ninguna fuente que lo alimente *no se podía cruzar, porque la aguas habían crecido* (v. 5). Así es la obra de Dios en las vidas de los que a él acuden: el río de la vida no tiene tributarios, y su crecida se debe a su naturaleza y fuente original. (La iglesia crece por el evangelismo de persona a persona hasta llegar a ser un río profundo.)

Buscando en las cosas de Dios hallamos algunas fáciles de entender, como las aguas hasta el tobillo; otras más difíciles, como las aguas hasta la rodilla o los lomos; aun otras fuera de nuestro alcance, de las cuales sólo podemos adorar la profundidad (Rom. 11:33). La sanidad de las aguas del mar Muerto aquí corresponde a: "no habrá más maldición" (Apoc. 22:3; Zac. 14:11).

3 La presencia de Dios vista en la tierra sanada, Ezequiel 47:7-12.

V. 7. En la ribera crecen *muchísimos árboles*. No solamente un árbol de vida como el Edén (Gén. 3:2), sino muchos; para proveer alimento y medicina inmortal al pueblo de Dios. Ellos mismos vienen a ser "robles de justicia" (Isa. 61:3), plantados al lado de las aguas, y que llevan fruto para la santidad (Sal. 1:3).

Vv. 8-10. *Arabá* es el nombre todavía dado al valle del Jordán y a la llanura al sur del mar Muerto. "La mar" es vista cubriendo con sus aguas las ciudades de las llanuras: Sodoma y Gomorra. En sus aguas bituminosas (que tienen semejanza al betún), se dice, no se halla vida animal ni vegetal. Pero ahora la muerte ha de ceder lugar a la vida en Judea y por todo el mundo, lo que está simbolizado por la sanidad de estas aguas llenas de muerte que cubrían las ciudades condenadas. Dos arroyos, por esto algunos comentaristas opinan que las aguas del templo de dividían en dos ramales, desembocando el uno en el mar oriental o mar Muerto, el otro en el mar occidental o Mediterráneo. *Desde En-guedi hasta Eneglaim será un tendedero de redes... En-guedi* significa "fuente del cabrito" al oeste de mar Muerto, fue el refugio de David contra Saúl. *Eneglaim* quiere decir "fuente de dos becerros" en los límites con Moab cerca de donde el Jordán entra al mar Muerto.

V. 11. Se preserva lo mejor de lo anterior: quedan lugares *para salinas*. Se sabe que la región referida tiene tales hoyos y ciénagas. Los árabes toman la sal que se junta en estos hoyos para su uso personal y para sus rebaños. *No serán saneados...* Los que no son alcanzados por las aguas salutíferas del evangelio, por su propia negligencia y mundanalidad, serán entregados a su propia amargura y esterilidad (Apoc. 22:11). A menudo se usa la palabra "salinidad" para expresar amargura o esterilidad (Sal. 107:34; Sofo. 2:9); terrible ejemplo para otros en el castigo que sufren (2 Ped. 2:9).

V. 12. En la alegoría, el *río* representa el eterno reino de Dios. El Señor provee lo necesario para los suyos: en sus riberas *toda clase de árboles* (un reino universal) *cada mes darán sus nuevos frutos para comida y sus hojas para medicina.* (El reino es victorioso ahora, y al final de la historia vencerá contra las fuerzas unidas de maldad.)

En lugar de la "vid de Sodoma y uvas ponzoñosas" de Gomorra (Deut. 32:32), nauseabundas y malsanas, florecerán árboles de virtud vivificante y sanadora semejantes en propiedades y más abundantes en número que el árbol de vida del Edén (Apoc. 2:7; 22:2; 14).

Sus hojas nunca se secarán... Esta expresión habla no sólo del carácter inagotable de la medicina celestial del árbol de la vida, sino también señala que las gracias de los creyentes son inmortales (Sal. 1:3; Jer. 17:8; Mat. 10:42; 1 Cor. 15:58).

4 La presencia de Dios vista en el nuevo nombre para Jerusalén, Ezequiel 48:35b.

V. 35b. *JEHOVAH ESTA ALLI...* el nombre nuevo para Jerusalén, 1) refleja la salvación nueva y la naturaleza de la ciudad; 2) corresponde al nombre mesiánico Emanuel, que significa "Dios con nosotros" (ver Isa. 7:13; Mat. 1:23); 3) testifica de la salvación de Aquel que habita en la ciudad, y 4) se apunta al destino y la seguridad del Israel nuevo.

Mientras que se espera el cumplimiento último de la ciudad nueva (ver Apoc. 21—22), existen algunos aspectos de la comunidad nueva de Ezequiel que son relevantes para cada generación.

Aplicaciones del estudio

1. Existe el pecado en la comunidad y el sacrificio por ello continúa (43:19-23). El pecado de un sector de la sociedad al final de cuentas afecta a la comunidad entera. Muchas lecciones de la historia nos han mostrado esa realidad.

2. Se eleva el reconocimiento de la santidad de Dios y se respeta la presencia divina en la comunidad. Cuando Dios obra en favor de su pueblo y lo restaura a un sitio de privilegio, entonces el pueblo da testimonio del poder y la misericordia de Dios. De esa manera el incrédulo se da cuenta de la presencia actuante de Dios en la comunidad.

3. No se encuentra un sumo sacerdote: Dios está. La comunidad tiene acceso directo a Dios mismo.

4. Se simplifican los rituales encontrados en el Pentateuco (ver: menos días santos, no muebles o símbolos de Jehovah en el templo, no se enaltece el gobernante).

5. No existe un lugar en el templo para el arca con su propiciatorio, y no se menciona un día de la Expiación.

Observaciones del Nuevo Testamento: Cristo salva del pecado y constituye el Israel nuevo; es nuestro Sumo Sacerdote; el Espíritu Santo es Dios con nosotros; en la adoración, se magnifica a Aquel crucificado y resucitado, y él es la propiciación de nuestros pecados.

Ayuda homilética

La eficacia del río de la vida
Ezequiel 47:6-12

Introducción: el río fluye adentro del desierto árido de Judea y transforma la zona. ¿Cuáles son sus resultados?

I. Fertilidad (v. 7).

El agua transforma el desierto: "en la ribera del río había muchísimos árboles".

II. Vida (vv. 8-10).

A. El agua del río sana el mar Muerto (Salado) y produce vida abundante: "habrá muchísimos peces".

B. ¡Donde corre el río de la vida habrá vida, aun donde hubiera iglesias muertas!

III. Fecundidad (vv. 11, 12).

A. Quedarán algunas salinas para el bienestar de la zona: Dios preserva lo que es bueno del pasado.

B. Mientras tanto, las aguas sanadoras producirán fruto constantemente en las riberas del río. De los árboles habrá fruto "para comida", y "medicina" de sus hojas.

Conclusión: ¡Con Dios, nada es imposible!

Lecturas bíblicas para el siguiente estudio

Lunes: Daniel 1:1-21
Martes: Daniel 2:1-13
Miércoles: Daniel 2:14-35
Jueves: Daniel 2:36-49
Viernes: Daniel 3:1-18
Sábado: Daniel 3:19-30

AGENDA DE CLASE

Antes de la clase

1. Lea con cuidado los pasajes bíblicos y los comentarios en los libros del maestro y el alumno. **2.** Puesto que este es el último estudio del profeta Ezequiel repase brevemente estas nueve lecciones para ayudar al grupo a afirmar su aprendizaje y tener una visión más completa del libro. **3.** Escriba en un cartelón, o en el pizarrón los títulos de las tres unidades. **4.** Traiga una ramita de un árbol que tiene uso medicinal. **5.** Ore por sus alumnos que puedan recibir una bendición especial en este estudio que enfatiza los actos justicieros, el poder sanador y la presencia constante de Dios con sus seguidores. **6.** Resuelva la sección *Lea su Biblia y responda,* comprobando sus respuestas.

Comprobación de respuestas

JOVENES: **1.** a. oprimirán; b. apartad; c. actuad; d. dejad; e. tendréis. **2.** a. De debajo del umbral. b. Pasaba por el lado sur del altar. c. Muchísimos árboles. **3.** Jehovah está allí.

ADULTOS: **1.** Apartar la violencia, actuar según el derecho y la justicia, dejar de expulsar de sus propiedades, tener balanzas justas. **2.** Del templo. **3.** Muchísimos árboles. **4.** Serán saneadas. **5.** Todo ser viviente, río, vivirá. **6.** Son comestibles, sus frutos no se acabarán. Frutos para comida, hojas para medicina. **7.** Jehovah está allí.

Ya en la clase

DESPIERTE EL INTERES

1. Dé la bienvenida a los alumnos y llame la atención al cartelón para el repaso del estudio. **2.** Hablen brevemente de cada unidad para enfatizar las enseñanzas primordiales de cada trimestre. **3.** Pida a dos o tres personas que compartan algo de lo que han aprendido en este estudio incluyendo cambios en sus actitudes hacia el profeta mismo.

ESTUDIO PANORAMICO DEL CONTEXTO

1. Ezequiel era sacerdote, así para él el templo sería de máxima importancia, y utiliza bastante espacio para describir en detalle cómo debe ser construido, algunos de sus días festivos, los cultos y las responsabilidades de los sacerdotes. **2.** Pregunte: "¿Qué es una teocracia?" Explique que para Ezequiel esto sería la forma política ideal.

ESTUDIO DEL TEXTO BASICO

Diga que hoy estudiamos tres aspectos de la nueva vida que iba a experimentar el pueblo en su restauración: la presencia de Dios en actos de justicia, en su presencia sanadora, y en un nuevo nombre para Jerusalén.

1. La presencia de Dios vista en actos de justicia, Ezequiel 45:8-

10. Dios es justo y espera que su pueblo haga actos de justicia tanto en el nivel nacional (45:8 y 9) como en lo particular, en el mercado (45:10). Para los hebreos la tierra era el don de Dios, él mismo les había guiado a la "tierra prometida" y había indicado el territorio específico que cada tribu debía ocupar. Sacarles de allí era violencia y este acto era rechazado por Dios.

2. La presencia de Dios vista en el río que sale del templo, Ezequiel 47:1-6. El templo iba a tener una responsabilidad adicional con el río que salía del lugar santísimo. Este pasaje habla del río cuyas aguas fluían tan abundantemente que no se podría medirlo.

3. La presencia de Dios vista en la tierra sanada, Ezequiel 47:7-12. El agua del río que salía del templo pasaba por el desierto y sanaba las aguas salinas y éstas se llenaron de peces que sirven para comida. Noten que los pantanos quedarían para salinas, para proveer sal para el pueblo.

Diga: el plan de Dios para su pueblo cuenta con su presencia sanadora, abundancia y salud. Saque la ramita que ha traído y pregunte por su valor medicinal. Olvidamos que los árboles son parte de las bendiciones de Dios. En la restauración la renovación particular iba a ser una realidad.

4. La presencia de Dios vista en el nuevo nombre para Jerusalén, Ezequiel 48:35b. Las últimas palabras del libro son de un nuevo nombre para Jerusalén. Hablen del significado del nombre en el Antiguo Testamento y la importancia de un cambio de nombre. "Jehovah está aquí" sería un constante recordatorio de su realidad. Dios había salido del templo a causa del pecado del pueblo y su rechazo de él; ahora con la restauración de su pueblo promete su presencia de ahora en adelante, guiándoles a hacer actos justicieros, a recibir las múltiples bendiciones del campo, de los ríos, la salud personal y para la tierra, y a gozarse del nuevo nombre para su ciudad restablecida. Ezequiel era un profeta "distinto a los demás". Sin su ministerio seguramente el pueblo en exilio hubiera sido totalmente asimilado por los babilonios y no hubiera tenido ningún concepto de cómo podría volver a Jerusalén. Ezequiel es mensajero de esperanza para ellos y ¡para nosotros!

APLICACIONES DEL ESTUDIO

Lean cada uno de los tres puntos y hablen en el grupo de cómo pueden aplicarlos a sus vida.

PRUEBA

Divida al grupo en dos y pida que cada grupo haga uno de los incisos. Dé tiempo para que den un informe breve de sus respuestas. Ahora empezamos a estudiar al profeta Daniel. Muchas personas hablan de este profeta sin conocimiento adecuado. Nuestro estudio nos dará una perspectiva distinta. Termine con una oración dando gracias a Dios por Ezequiel y su ministerio al pueblo en exilio, y a nosotros.

PLAN DE ESTUDIOS
DANIEL

Escriba antes del número de cada estudio, la fecha en que lo usará.

Fecha **Unidad 12: Daniel, ejemplo de fidelidad y servicio**

______ 49. Fidelidad, a pesar del peligro
______ 50. La protección de Dios
______ 51. La oración de Daniel
______ 52. Visión y esperanza

DANIEL

Una introducción

El escritor

El nombre de Daniel significa *Dios es mi juez*. El libro de Daniel fue producto del exilio, y fue escrito por el mismo Daniel. Notamos que habla en primera persona y afirma que la revelación se le hizo a él personalmente (Dan. 7:2, 4ss.; 8:1ss.; 9:2ss.). Puesto que el libro presenta unidad, se deduce que el autor de la segunda parte (cap. 7—12) tiene que haber sido el mismo que compuso la primera (cap. 1—6). El segundo capítulo, por ejemplo, es preparatorio para los capítulos 7 y 8, los cuales desarrollan el contenido del segundo más plenamente, y claramente lo presuponen.

Daniel fue llevado a Babilonia entre los cautivos hebreos llevados allá por Nabucodonosor en la primera deportación en el año cuarto de Joacim. Como él y sus tres compañeros se llaman "muchachos", no habría tenido más de doce años, cuando fue puesto en preparación, según la etiqueta oriental, para ser un cortesano. Recibió entonces un nombre nuevo: Beltesasar que significa "príncipe favorecido por Bel".

Estructura del libro

Una revisión superficial pudiera presentar una división del libro en dos partes principales, cada una de ellas tiene seis divisiones, de un capítulo cada una: 1—6, las historias de Daniel; 7—12, las profecías de Daniel. Como es usual en estos bosquejos tan perfectos, sin embargo, es que esta visión bipartita es más aparente que real.

Todo Daniel es un libro de profecía. Esto, desde la perspectiva bíblica, significa meramente que su autor era un profeta (Mat. 24:15). De allí, en tanto que la profecía bíblica incluye la predicción, se trata más que de predicciones. Puede relacionarse con eventos en el pasado, en el presente o en el futuro. Se presenta siempre desde una perspectiva moral y espiritual determinadas.

Daniel es el primer gran libro de apocalipsis. Es propiamente un nombre para todas las Escrituras, especialmente de sus secciones predictivas.

Marco histórico

Ezequiel y Daniel fueron escritos en el exilio, un nombre usualmente dado al periodo durante el que los judíos del reino de Judá fueron deportados, después de la destrucción de su templo y de su ciudad capital y nación por Nabucodonosor. Esta destrucción tuvo lugar en tres etapas: La primera, el 605 a. de J.C., cuando Nabucodonosor hizo rendir a Joacim y se llevó rehenes, entre ellos a Daniel y a sus tres compañeros. Más tarde, en el 597 a. de J.C., en otra expedición a Palestina, después de ciertos actos de rebelión de Joacim y Joaquín. Finalmente, en 587 a. de J.C., después de un prolongado asedio, Nabucodonosor destruyó la ciudad y el templo y dispersó a toda la comunidad judía (2 Rey. 25:1-7; Jer. 34:1-7; 39:1-7; 52:2-11).

Estudio **49**

Unidad 12

Fidelidad, a pesar del peligro

Contexto: Daniel 1:1 a 3:30
Texto básico: Daniel 1:3, 4, 8; 3:10-18, 21, 26, 27
Versículo clave: Daniel 3:17
Verdad central: La experiencia de Daniel y sus amigos al enfrentar el peligro, nos demuestra que Dios premia la fidelidad de sus hijos.
Metas de enseñanza-aprendizaje: Que el alumno demuestre su: (1) conocimiento de la experiencia de Daniel y sus amigos frente al peligro (2) actitud de fidelidad a Dios a pesar de las circunstancias adversas.

Estudio panorámico del contexto

A. Fondo histórico:

El libro de Daniel es uno que siempre ha interesado a los estudiantes de la Biblia. Antiguamente los hebreos lo colocaron en su Biblia dentro de los "Escritos". Más adelante en la traducción griega, la Septuaginta, el libro fue colocado dentro de los profetas, después de Ezequiel.

En la batalla de Carquemis en 605 a. de J.C., Nabucodonosor derrotó a Egipto y toda el área quedó bajo su control, incluyendo a Siria y Palestina. Unos ocho años más tarde Judá se rebeló contra Babilonia, pero fue derrotada. Su templo fue saqueado y parte de los utensilios sagrados llevados a Babilonia y colocados en sus templos al servicio de su dios Marduc. Hay que notar que "el Señor entregó en su mano" al rey y el botín (Dan. 1:2). A pesar de sus muchas oportunidades de dejar sus caminos pecaminosas, el pueblo había continuado olvidándose de su Dios. Su derrota había sido total.

Como costumbre de los victoriosos Nabucodonosor llevó cautivos a Babilonia a ciertos jóvenes judíos de buen linaje y porte para servirle en el palacio, entre ellos Daniel y sus tres amigos. Los capítulos 1 a 4 son colocados en el reino de Nabucodonosor rey de todos los caldeos (babilonios) durante los años 605 a 561 a. de J.C.

Hay dos opiniones en cuanto a la fecha de la composición del libro. La primera, que fue escrito durante la misma vida y época de Daniel en Babilonia. La segunda, que fue escrito en los tiempos de Antíoco Epífanes en el siglo segundo a. de J.C., tiempo de gran persecución del pueblo de Dios. Recordar la fidelidad de Daniel y sus amigos en condiciones difíciles podría animarles en su dificultad. Se divide el libro en dos secciones: los capítulos 1—6 son historias de la vida de Daniel y sus amigos en el cautiverio babilónico, y los capítulos 7—12 tratan de las visiones de Daniel y la promesa de Dios de su salvación en los últimos días. La última parte del libro es literatura apocalíptica, visiones raras, con símbolos de números, animales y figuras extrañas. Este tipo de literatura era especialmente significativo en tiempos de persecución, cuando era necesario hablar con palabras no entendibles para los de afuera puesto que éstos podrían causar daño al grupo perseguido. A la vez, estas mismas palabras simbólicas, entendidas por el grupo perseguido, les traían esperanza y seguridad.

B. Enfasis:

La introducción del libro (1:1-6) contiene tres elementos vitales: 1) se presenta el cuadro histórico y religioso del libro: un poder pagano se esfuerza por remover toda evidencia de la religión hebraica y reemplazarla con deidades y prácticas paganas (vv. 1, 2); 2) se identifica el conflicto del libro: ¿Es Jehovah, o un dios pagano, el soberano?, y 3) se ofrece el primer conflicto de la fidelidad: el resistir la idolatría y la tentación del poder humano (vv. 8-21).

Trato especial para personas especiales. Se escogieron dotados jóvenes judíos para servir al rey babilónico: los nombres de Daniel y sus amigos fueron cambiados por nombres babilónicos, recibieron alimentación de la mesa real, y fueron educados en "la escritura y lengua de los caldeos" (1:3-7). Aunque al rey le interesaba tener a estos jóvenes destacados de los pueblos conquistados en su corte, quería cambiar su identidad, como un tipo de "lavado cerebral".

La comida y vino de la mesa real (1:5). Contenía comida no permitida al judío fiel a las leyes de Dios. Así Daniel pidió que les permitiera que comiesen solamente legumbres y bebiesen agua (1:12, 13). Su petición fue concedida por el inspector, con resultados positivos (1:15, 16). En cada caso se ve la bendición de Dios en las relaciones de Daniel y sus amigos con los funcionarios y con el rey.

Los sueños de Nabucodonosor. En el capítulo 2 Dios revela la interpretación del sueño de Nabucodonosor a Daniel, resultando en el agradecimiento de aquél con nombramientos especiales para Daniel y sus amigos. Este capítulo es típico de la literatura apocalíptica con la estatua hecha de distintos elementos representando distintas eras históricas; también con la seguridad de que en los días posteros Dios establecerá su reino que será universal y durará eternamente.

La fidelidad de los jóvenes judíos. El capítulo 3 presenta el bien conocido relato de Sadrac, Mesac y Abednego cuando rechazan adorar la estatua de oro hecha por el rey, y son echados al horno ardiente. Salen sin ningún daño, protegidos por Dios. Su fidelidad es compensada por Dios, y por el rey.

Estudio del texto básico

1 Fidelidad frente a las tentaciones del poder, Daniel 1:3, 4, 8.

Vv. 3, 4. La Biblia refleja la costumbre de los tiempos cuando los conquistadores trajeron a jóvenes destacados de la casa real para servirle. La descripción de estos jóvenes presenta el joven ideal: buen porte, buen físico, capacidad intelectual, personas preparadas para asumir liderazgo. Se había escogido a los mejores jóvenes *para servir en el palacio del rey.* El rey había encargado al jefe de sus funcionarios, seguramente el mayordomo de su palacio, que trajese a estos jovenes para que les enseñase la escritura y la lengua de los babilonios. Seguramente con buen orgullo nacional el rey no consideraba sus conocimientos previos adecuados. Para servirle en la corte, tenían que aprender el lenguaje y la literatura caldeas. Tenían que hacerse caldeos; caldeos aptos para servir al rey. El curso de estudio era de *tres años* (v. 5) con exámenes orales finales (vv. 18, 19).

Los nombres de Daniel y sus amigos eran compuestos con el nombre del Dios hebraico; se los cambiaron a nombres nuevos compuestos de deidades babilónicas. Le dio a *Daniel* (Heb. "Dios es mi juez") el nombre *Beltesasar* ("Que Bel [dios principal babilónico] lo proteja", ver 4:8); a *Ananías* ("Jehovah me ha sido misericordioso"), le llamó *Sadrac* ("Al mando de Aku" [dios lunar]); a *Misael* ("¿Quién es lo que Dios es?") le conoció como *Mesac* ("¿Quién es lo que Aku es?"), y a *Azarías* ("Jehovah ha ayudado") le puso *Abed-nego* ("siervo de Nebo"). El rey esperaba educarlos en tres años para que le sirvieran a él y a sus dioses; los jóvenes le resistían con un poder interior.

V. 8. Se consideraba el *corazón* como el sitio del raciocinio, el órgano que controlaba la voluntad de una persona. *El no contaminarse con* (ver Isa. 57:1) significa no exponerse a la impureza ceremonial por desobedecer la palabra de Jehovah (ver Deut.14; Lev. 20:24-26). Además, posiblemente la comida y bebida hubieran sidos relacionadas con el culto idolátrico babilónico.

El plan del rey era que estos jóvenes selectos podrían comer de los manjares y del vino de su mesa. Sin duda era la mejor comida y vino del reino, pero Daniel los veía como elementos que podrían contaminarle. Los judíos tenían leyes estrictas en cuanto a la comida que podrían comer y cómo tenía que ser preparada. (Ver Deut. 12:23, 24; 14:3-21; y Lev. 11: 4-12.) Probablemente esta comida y vino habían sido presentados a los ídolos y así serían considerados contaminados por los judíos fieles.

2 Fidelidad, cualquiera que sea el resultado, Daniel 3:10-18, 21.

Una prueba de fidelidad vino con la orden de adorar la estatua de oro hecha por el rey (vv. 1, 2), probablemente para conmemorar sus victorias. El no hacerlo llevaba la pena de ser echado "dentro de un horno de fuego ardiendo" (v. 6).

Vv. 10-12. En contraste con los otros jóvenes judíos (1:4), se destaca la fidelidad religiosa de los tres amigos de Daniel: su fe era más que una expresión ceremonial (ver 1:8). Nótense también los prejuicios y celos de "algunos hombres caldeos" (v. 8). Usando las mismas palabras del decreto acusaron a Sadrac, Mesac y Abed-nego de desobediencia y falta de respeto y honor al rey.

Vv. 13, 14. El rey, enfurecido, mandó que trajesen a los tres. *Con ira y con enojo,* literalmente "con furia y enojo encendido" (ver v. 19). El rey no les condenaba por palabras de terceros; les preguntó directamente si *es verdad* lo que le habían dicho.

V. 15. Parece que el rey no quería castigarles y les ofreció la oportunidad de cambiar su posición. *Ahora pues, ¿estáis listos?...* porque si no rinden homenaje a la estatua serán echados al horno ardiente. *¿Y qué dios* (clase)... *os libre de mis manos?* (Ver Isa. 36:19, 20; 37:10-12). Se relacionan el rey y su dios: si la imagen es del rey o del dios, igualmente se invoca al dios. Esto no harían los jóvenes judíos, aunque estaban dispuestos a servir al rey como buenos administradores de la provincia de Babilonia.

Vv. 16, 17. Los tres reponden inmediatamente con una seguridad abrumadora bajo las circunstancias. No es el asunto de hombres, es asunto de Dios quien responderá con hechos, no con palabras. Ellos saben que tienen enemigos en la corte. Si son echados al horno ardiente, su Dios *a quien rendimos culto* puede librarles tanto del horno como de la mano del rey.

V. 18. Confían en Dios y no necesitan la clemencia del soberano. No dudan que Dios puede librarlos, pero no saben si lo hará. De todas formas saben que no rendirán homenaje a la estatua levantada. Creen que los ídolos son huecos; solo Dios vive, y es él quien tiene poder para salvarles.

V. 21. El rey enfurecido ordenó que se calentase al horno siete veces más de lo acostumbrado y los tres que se habían presentado ante el rey con sus ropas oficiales son echados al horno. Normalmente quitan la ropa de los condenados antes de su ejecución; posiblemente el echarlos dentro del horno completamente vestidos indica que no podían esconderse atrás del nombramiento oficial.

3 La fidelidad de Dios, respuesta a la fidelidad humana, Daniel 3:26, 27.

Parece que la furia del rey es tan grande que quiere asegurarse de la destrucción de estos siervos que le habían retado de tal manera, así va al horno para verificar. Pero grande es su sorpresa al mirar dentro del horno y ver a cuatro figuras, una cuyo aspecto "es semejante a un hijo de los dioses". Reconoce que algo sumamente inesperado ha ocurrido. Su Dios les ha salvado y les ha acompañado con su mensajero.

Vv. 26, 27. A la orden del rey "salieron de en medio del fuego" y él llamó a todos sus consejeros y oficiales para presenciar este milagro. El fuego que mató a los caldeos fornidos (v. 22) no se había enseñoreado de ellos ni había alterado su ropa (ver v. 19 —la ira del monarca había alterado *la expresión de su rostro*). La fidelidad de los tres había sido premiada por la fidelidad de Dios. Dios libró a los jóvenes del horno excesivamente calentado (v. 22) por medio de *su ángel* (v. 28).

Aplicaciones del estudio

1. No todo sale siempre como esperamos. Aunque se ven las bendiciones excepcionales de Dios en las vidas de Daniel y sus amigos, esto no garantiza que cada situación de la vida saldrá tan favorable. No obstante, los relatos de su fidelidad a Dios en un mundo hostil animan a los fieles en todas épocas: Dios está con los suyos en todas las circunstancias, tanto en las de la vida como en la muerte.

2. Un nombre nuevo: una nueva persona. La costumbre antigua de dar nombres nuevos al iniciar una nueva estación o etapa en la vida indica la posibilidad de un cambio radical de una persona. Ya que se tiende vivir de acuerdo con el nombre (reputación/fama) de uno, sea bueno o malo, Nabucodonosor esperaba que nombres nuevos e instrucciones superiores cambiarían a los jóvenes hebreos.

3. Fidelidad a pesar de todo. A pesar de las evidentes ventajas circunstanciales de la inesperada vida en el palacio, Daniel no renunció a su fe, y, con riesgo, se propuso mantenerse fiel a Dios, costara lo que costara. ¡En Dios, la fuerza interior era más poderosa que la presión exterior de contaminarse con el mundo y sus placeres!

Ayuda homilética

La fe de Daniel
Daniel 1:1-21

Introducción: El rey de Babilonia quiso eliminar la religión de Jehovah del mundo. Sin embargo, Dios aseguraba la supervivencia de la fe verdadera por medio de algunos jóvenes. ¿Qué clase de fe era la de Daniel?

I. Era una fe personal, sumisa a Dios, y a su reino.
- A. No se sustentaba en lo que los demás pensaran.
- B. No se dejaba influir por los demás.

II. Era una fe leal a Dios.
- A. Era una lealtad absoluta en todos los lugares y situaciones
- B. Era una lealtad valerosa en tiempos peligrosos
- C. Era una lealtad racional y sabia
  - a. Reconoció el peligro del relativismo
  - b. Rechazó la amenaza de una tolerancia transigente
  - c. Sabiamente evitó la maldición de la apatía y mediocridad

III. Era una fe moral y obediente a las prácticas religiosas reveladas anteriormente.

Conclusión: Era una fe 1) que gozaba por ser obediente, 2) que glorificaba a Aquel quien controla el futuro, 3) que hacía lo mejor posible bajo cualquier circunstancia, y 4) que confiaba en el horario de Dios, no en el del hombre. ¿Qué clase de fe tiene usted?

Lecturas bíblicas para el siguiente estudio

Lunes: Daniel 4:1-18
Martes: Daniel 4:19-37
Miércoles: Daniel 5:1-9
Jueves: Daniel 5:10-31
Viernes: Daniel 6:1-18
Sábado: Daniel 6:19-28

AGENDA DE CLASE

Antes de la clase

1. Lea 2 Reyes 24:1-17 para entender mejor el contexto histórico del estudio. **2.** Lea Daniel caps. 1—3. **3.** Estudie las secciones en los libros del maestro y del alumno. **4.** Haga una tira con el título de la unidad, "Daniel, profeta de fidelidad y servicio" y colóquelo en la pared para los cuatro estudios. **5.** Si hay láminas bíblicas de Daniel y sus amigos, podría usarlas para "animar" la discusión. **6.** Este libro atrae interpretaciones que van más allá de lo que la Biblia indica. Procure evitar polémica en las clases. **7.** Ore por cada alumno que al estudiar juntos Dios les guíe a ser más fieles, cualesquiera sean las circunstancias. **8.** Resuelva la sección *Lea su Biblia y responda.*

Comprobación de respuestas

JOVENES: **1.** instruidos, hermosos, sin defectos, nobles. **2.** b. f. **3.** Los sátrapas, los intendentes, los gobernadores y los altos oficiales del rey. ADULTOS: **1.** No tuviesen ningún defecto, bien parecidos, instruidos en toda sabiduría, dotados de conocimiento, poseedores del saber y capaces para servir en el palacio del rey. **2.** No contaminarse con la comida ni el vino del rey. **3.** No rinden culto a los dioses del rey ni a su estatua. **4.** Pregunta si es verdad, y si están dispuestos a rendir culto a su dios y a la estatua. Si no, serán echados al horno ardiente. **5.** Dios puede librarles. **6.** Ilesos.

Ya en la clase

DESPIERTE EL INTERES

Dé la bienvenida y diga que hoy empezamos cuatro estudios del profeta Daniel. Pregúnteles lo que saben de Daniel, pero no dé demasiado tiempo a este repaso. Si tiene alguna lámina podría mostrarla para reforzar la memoria de algún evento del libro. Llame la atención al título de la unidad, la fidelidad de Daniel y sus amigos al Señor a pesar del peligro personal, y cómo él siempre estaba con ellos.

ESTUDIO PANORAMICO DEL CONTEXTO

1. Diga que el libro de Daniel se divide en dos partes, la primera que habla de las experiencia de Daniel y sus amigos en la corte babilónica, y la segunda de las visiones de Daniel. Cada parte enfatiza la necesidad de vivir con fe y esperanza, a pesar de las dificultades que le rodean. Dios es fiel y está presente con sus seguidores aun en la peor situación. **2.** Mencione el trasfondo histórico que se encuentra en 2 Reyes 24 y lean Daniel 1:1—2. Hablen de lo difícil que sería ser llevado prisionero a otro país y tener que adaptarse a distintas costumbres. **3.** Pida que resuelvan *Lea su Biblia y responda* y aclare cualquier duda.

ESTUDIO DEL TEXTO BASICO

1. Fidelidad frente a las tentaciones del poder, Daniel 1:3, 4, 8. Lean los versículos indicados y pregunte: ¿Cuál era el fin de traer a jóvenes de las naciones conquistadas a la corte? ¿Qué cosas hacía el rey para destruir su nacionalidad y hacerles más controlables y aptos para servirle? Noten que los nuevos nombres dados por el rey cambian los que demuestran fidelidad a Dios por los que indicaban fidelidad a los dioses paganos. Enfatice el v. 8 y la peligrosa decisión de Daniel en su estado de esclavo. Mencione su sabiduría en la forma de dirigirse al jefe, y cómo Dios bendijo su fidelidad y la de sus amigos. Lean Daniel 1:17-20.

2. Fidelidad cualquiera que sea el resultado, Daniel 3:10-18, 21. Lean los versículos y hablen del orgullo del rey. Noten los celos de los caldeos y cómo aprovechan la oportunidad de denunciar a los tres judíos que no adoraban la estatua hecha por el rey. El rey les da una oportunidad a rendir culto a su dios. La respuesta de los tres (Daniel no está mencionado aquí) es el punto central de esta sección. "Si es así", y son echados al horno, Dios puede librarles; "y si no", no van a rendir culto a un dios ajeno. Hablen de su valentía y de los factores que habían producido una fidelidad así. ¿Cómo podríamos desarrollar esta clase de fidelidad?

3. La fidelidad de Dios, respuesta a la fidelidad humana, Daniel 3:26,27. Contraste el orgullo del rey al echar a sus tres siervos al horno, y su miedo en el v. 24. Dios protege a los tres por su fidelidad enviando a su mensajero para estar con ellos. Salen ilesos. El poder de Dios es más grande que el orgullo del rey más poderoso y es más grande que el fuego ardiente. El rey, supersticioso, pero no creyente, alaba al Dios de los judíos y prohíbe "hablar mal" de él. El prospera a los tres judíos en sus puestos administrativos, pero la enseñanza mayor es cómo Dios bendice la fidelidad de sus siervos frente a las circunstancias tan difíciles.

APLICACIONES DEL ESTUDIO

Lea las aplicaciones con cuidado. Pida que mencionen situaciones en sus vidas donde les es difícil ser fieles a Dios y sus enseñanzas. ¿Qué puede aprender de los ejemplos de este estudio para apropiárselos a su propia situación?

PRUEBA

Dirija al grupo a que completen una de las pruebas y que compartan sus respuestas con el grupo.

Estudio **50**

Unidad 12

La protección de Dios

Contexto: Daniel 4:1 a 6:28
Texto básico: Daniel 6:6-23
Versículos clave: Daniel 6:10
Verdad central: La maldad y las maquinaciones del hombre no pueden obstaculizar la protección de Dios para sus siervos que le son fieles.
Metas de enseñanza-aprendizaje: Que el alumno demuestre su: (1) conocimiento de las maneras en que Daniel se mantuvo fiel a Dios, (2) actitud de comprometerse a ser fiel a las enseñanzas del Señor en toda circunstancia, confiando en su protección.

Estudio panorámico del contexto

A. Fondo histórico:

Muchos monarcas de la antigüedad tenían sueños de grandeza, imaginándose que eran los "señores del mundo entero". En sus sueños, y seguramente en la realidad, Nabucodonosor (604-561 a. de J.C.) se consideraba así. El capítulo 4 empieza como una carta del rey para relatar un sueño que había tenido y que le preocupaba grandemente. Nadie pudo interpretárselo hasta que vino Daniel, a quien el rey le había dado un nombre como el de su dios y le había hecho "jefe de los magos" (nombre dado a un sabio o alguien de alta estima). El rey reconocía que Daniel tenía poderes especiales para interpretar sueños, pero consideraba este don como "espíritu de los dioses santos", no como el poder dado por Dios.

Daniel interpreta el sueño con valentía, pero se nota la compasión que tiene para el rey (vv. 19, 27). El árbol frondoso es Nabucodonosor y va a ser cortado por un poder más grande que él. Tendrá un período de locura de "siete tiempos" (un tiempo indefinido), pero volverá en sí y será restaurado a su trono. No se debe considerar al rey como "creyente" por los edictos mencionados en este capítulo. Era un rey pagano con muchos dioses, y aquí solamente reconoce al poderoso Dios de Daniel como obrador de milagros.

El capítulo 5 se coloca en el reino de Belsasar (556-539 a. de J.C.), cuando el rey, totalmente borracho, ordena que saquen los utensilios del templo, traídos como botín de Jerusalén (1:2), para tomar su vino en ellos. (No se debe confundir el nombre dado a Daniel, Beltesasar, con el nombre de este rey, Belsasar.) El hecho de usar estos utensilios sagrados en esta orgía y culto a su dios, era un sacrilegio para Dios. En aquella misma hora, una mano escribe tres palabras en la pared, y el rey lleno de miedo grita pidiendo que alguien se lo interprete. Conocedor del sacrilegio, Daniel rechaza los regalos prometidos por el rey, y declara que tanto él como Nabucodonosor se habían "levantado contra el Señor" (5:23). Entonces interpreta el sueño en forma clara y precisa (5:25-28). Dios entregará el reino a los medos y a los persas. Y aquella misma noche fue muerto Belsasar y Darío, de Media, tomó el reino.

Se coloca el capítulo 6 en el tiempo de Darío (probablemente 522-486 a. de J.C.) cuando los sátrapas con intriga preparan una trampa para Daniel. A pesar de ser echado al foso de los leones Daniel es protegido por Dios. Darío reconoce el poder de Dios al protegerlo, y Daniel es prosperado para continuar en su servicio.

B. Enfasis:

Integridad de Daniel. Daniel había sido traído a Babilonia cuando era joven; en estos capítulos vemos su servicio a tres reyes, a cada uno con distinción. A pesar de la falta de condiciones óptimas para desarrollar su relación con Dios, sigue fiel a él, siguiendo sus enseñanzas y demostrando su integridad en la manera en que servía a los reyes y su corte.

Dios es soberano. Frente a Nabucodonosor Daniel afirma que "el Altísimo es Señor" y que él da los reinos a quien quiere (4:17). Sin duda es por su continua fidelidad que el rey habla del Dios de Daniel como el que hace tan grandes milagros (4:34 y 37).

Una lección de la historia. Frente a Belsasar y sus invitados Daniel habla con valentía del poder del "Altísimo Dios". Le hace recordar lo que había pasado a Nabucodonosor, y le acusa de no humillar su corazón sabiendo todo esto, sino de haberse ensoberbecido contra el Señor, "pero no has honrado al Dios en cuya mano está tu vida, y a quien pertenecen todos tus caminos" (5:23).

Prioridades claras de Daniel. El capítulo 6 tiene mucha semejanza con el capítulo 3. Aquí Daniel es confrontado con un complot para destruirle, pero prefiere afrontar la muerte antes que cometer un acto de idolatría. Su relación con el rey Darío demuestra de nuevo su fidelidad e integridad en su servicio a estos reyes.

Estudio del texto básico

1 La fidelidad de Daniel para orar, Daniel 6:6-10.

Al iniciar su reino, Darío confrontó un período tumultuoso con varias revueltas. Constituyó "sobre el reino a 120 sátrapas" (6:1), o "protectores del reino". Eran administradores de provincias de varios niveles (ver Est. 1:1; 8:9), y le aseguraban el control financiero sobre el imperio "para que no fuese perjudicado" (v. 2c). Sobre estos puso "tres ministros (de los cuales Daniel era uno)" (v. 2). Por la integridad y capacidad de Daniel, "el rey pensaba constituirle sobre todo el reino" (v. 3, ver a José en Egipto, Gén. 41:39-41). Entonces, Daniel se encontró atrapado en una conspiración política por el poder: el favor del rey produjo celos en los otros ministros, y buscaban alguna falla en Daniel para desacreditarle. Al no hallar nada (v. 4), usaron la fidelidad de él a "la ley de Dios" (ver Esd. 7:12, 14) como el medio de lograr sus propias ambiciones. Como consecuencia, se puso la fe de Daniel a prueba.

Vv. 6. 7. El texto no dice cuántos de los sátrapas estuvieron. La Septuaginta indica solamente dos, y ellos con sus familias fueron castigados (v. 24). Si fuese así, se le presentaron al rey como los representantes de todos los demás oficiales, y de esta manera la ausencia de Daniel no llamó la atención. Sugieren una ley religiosa (ver v. 5) que podría unificar al país dividido por revueltas (ver v. 1). Sería una campaña de lealtad a Darío, y por un período de treinta días el rey sería el representante único de la "deidad" (cualquiera que sea). Muchos reyes del Medio Oriente cazaban leones, y, posiblemente, estos eran guardados para el deporte del monarca. En vez de una jaula, se empleaba un foso grande con una entrada cerrada con "una piedra" (v. 17); lo echaron al foso (v. 15, y lo sacaron v. 23).

V. 8. Se hace hincapié en que *la ley de medos y persas* era absoluta e irrevocable (ver Est. 1:19). Usamos esta frase aún hoy día para indicar lo mismo.

V. 9. Parece que el rey no se daba cuenta de la malicia de estas personas en las cuales tenía confianza. Seguramente su propio orgullo le había cegado a la posibilidad de su complicidad. ¡Qué bueno tener esta manifestación de su poder y la sacralización de su posición! Ya era ley de medos y persas.

V. 10. Seguramente Daniel se daba cuenta de lo que estaba detrás de este edicto, pero aun frente a la prohibición y sus consecuencias, entró en su casa para *orar como lo solía hacer antes.* Daniel tomó la decisión de seguir *la ley de Dios,* aunque era en contra del edicto real.

En este pasaje se nota la forma de orar de los judíos que estaban fuera de Jerusalén. *Tres veces al día* frente a la ventana abierta hacia Jerusalén y puestos de rodillas oraba a Dios. La primera oración se hacía temprano en la mañana, la segunda a las tres de la tarde, y la tercera al atardecer. La fidelidad de Daniel no dependía de las condiciones que le circundaban, sino de su relación íntima con su Dios. No iba a buscar una pieza interior de la casa para orar, pero ante su ventana abierta como era su costumbre durante estos largos años de cautiverio.

2 Daniel acusado a causa de su fidelidad, Daniel 6:11-15.

V. 11. *Hallaron a Daniel rogando.* Era la segunda parte de la trampa (ver el v. 7); sabían que Daniel haría lo que solía hacer. Daniel sabía lo que significaba para él como miembro de la corte del rey. No solamente perdería su puesto, sino su vida.

V. 12. Vienen al rey con su plan para eliminar a Daniel. Para hacerlo, enredaron al rey citándole el edicto que él había firmado y haciéndole afirmar que como la ley de medos y persas no podía ser abrogada estaba obligado a cumplir su compromiso. Ya estaban listos para dar el último golpe.

V. 13. Insidiosamente, culparon a *ese Daniel* como judío, *uno de los cautivos,* desleal al rey, e irrespetuoso. Habían visto que *tres veces al día* hacía *su oración.*

V. 14. Ahora el rey sabía que había sido usado por los sátrapas que tenían celos de Daniel y la confianza que el rey tenía en él (Lea vv. 3-5). Reaccionó con *un gran disgusto,* o sea el informe no le fue agradable. *Se esforzó* todo el día para librar a su fiel ministro Daniel, pero no pudo librarle.

V. 15. Los conspiradores habían atrapado al rey por su propia naturaleza y con sus propias leyes. Ahora, para finalizar su plan, forzaron al rey a cumplir con su edicto. Antes le había parecido tan beneficioso para unir al país y para asegurar su puesto de rey-dios; ahora le iba a costar a su fiel ministro.

3 Testimonio de fidelidad desde el foso de los leones, Daniel 6:16-20.

V. 16. A pesar del gran afecto que el rey tenía para Daniel, no pudo hacer nada para salvarle, pero sabiendo de la fe de Daniel en que su Dios había hecho otros milagros, el rey pone su esperanza en el Dios que Daniel sirve continuamente, *él te libre*. Al echar a Daniel en el foso de los leones, el rey espera que el Dios de Daniel haga lo que él quiso pero no pudo hacer.

V. 17. El foso fue cerrado con una piedra y sellado. Entraba aire y algo de luz; sin embargo, nadie podría rescatar a Daniel, tirar comida para los leones, ni pasarle un arma para defenderse.

Vv. 18-20. El rey *pasó la noche* muy desconcertado: no comió, no se divirtió y no durmió. Al amanecer fue *apresuradamente al foso,* y *llamó a voces... entristecido.* Tenía esperanza en la liberación de Daniel de los leones, pero no pudo estar seguro. Noten cómo se refiere a Dios como *el Dios viviente. Tu Dios, ¿te ha podido librar?* El rey reconoce que Daniel es siervo de Dios en primer lugar, y aunque es siervo del rey también, él no ha podido librarle. ¿Podría hacerlo su Dios?

4 La fidelidad de Dios para salvar, Daniel 6: 21-23.

V. 21. Desde la oscuridad del foso Daniel le responde al rey en el estilo cortesano. Nótese el contraste con el apuro y la angustia del llamado del rey y la respuesta tranquila de Daniel.

V. 22. *El ángel,* o mensajero de Dios (ver 3:28), fue el siervo divino quien también libró a los tres amigos del horno (3:28). Dios *cerró la boca de los leones* porque Daniel era *inocente* ("limpio", ver Sal. 51:7, o "sin culpa") ante el Señor, y delante del rey.

V. 23. La alegría del rey es grande, y cuando sacan a Daniel del foso no encuentran ninguna lesión en él. La enseñanza y el testimonio es claro; se ha confiado en Dios, y Dios ha respondido salvándole.

Como resultado de esta experiencia el rey firma un mensaje que envía a todos los pueblos dentro de su dominio alabando al Dios de Daniel, como *el Dios viviente.* El testimonio del rey es que "él salva y libra, él hace señales y milagros en el cielo y en la tierra" (v. 27). Para el rey el gran milagro ha sido la salvación de Daniel del poder de los leones.

Aplicaciones del estudio

1. A veces hay una diferencia entre el "ser legal" y el "ser recto". En su complot contra Daniel los ministros hacían todo legalmente; sin embargo, lo que hacían era destructivo, egoísta y malvado. En ocasiones podemos hacer cosas que legalmente están bien pero que no son de bendición para otros.

2. Fueron selladas las piedras del foso de Daniel y el sepulcro del Señor (Mat. 27:66). Sin embargo, en ambas ocasiones la gloria de la luz de Dios brilló. El mundo, con su oscuridad, maldad y muerte nunca tendrá la última palabra. ¡El camino de Dios es vida, no muerte!

3. Hay tres preguntas críticas que se hacen a Dios: ¿Sabes lo que pasa a los tuyos en el mundo? ¿Te preocupas por los daños y sufrimiento de ellos? ¿Puedes hacer algo para librar y vindicarlos? La respuesta de Daniel es "SI": Dios sabe, se preocupa y obra en este mundo tanto como en aquel que vendrá.

4. En el Antiguo Testamento el foso (la tumba) es un símbolo del Seol (el lugar de los muertos; ver Sal. 30:3; 143:7). Al confrontar Daniel la muerte (el foso de los leones) Dios le salvó; a los ministros Dios les castigó. Dios es el único que libra de la muerte, y está atento a la súplica del penitente.

Ayuda homilética

La vida de oración de Daniel
Daniel 6:11

Introducción: Los asociados de Daniel hicieron algunas peticiones a Darío, el rey pérsico; solía Daniel orar tres veces por día al Rey de reyes. Daniel tenía una relación íntima con Dios, y una vida profunda de oración. ¿Cuáles son algunas lecciones de su vida de oración?

I. Oraba directamente a Dios.

II. Tenía un plan definido para la oración.
- A. Había un lugar específico donde oraba.
- B. Había un horario fijo para la oración.
- C. Había una disciplina en la oración: oraba hacia Jerusalén.

III. Oraba reverentemente.
Se humillaba ante Dios, arrodillado.

IV. Oraba por convicción personal.
- A. No oraba por ser un mandato legal.
- B. No oraba por ser cosa popular.
- C. No oraba para recibir beneficios personales.
- D. Daba gracias a su Dios: la oración brotaba de su relación con Dios.

Conclusión: Daniel vivía bajo la ley de Dios que tenía (tiene) prioridad sobre cualquier ley humana, y el Señor escuchaba sus oraciones. Al contrario, los ministros con sus familias murieron por razón de su propia trampa (su ley y sus dioses eran inadecuados). ¿Tiene la ley de Dios prioridad en su vida?

Lecturas bíblicas para el siguiente estudio

Lunes: Daniel 7:1-14
Martes: Daniel 7:15-28
Jueves: Daniel 8:15-27
Viernes: Daniel 9:1-19

AGENDA DE CLASE

Antes de la clase
1. Lea con cuidado los capítulos 4—6 de Daniel, anotando ideas específicas que pueden ayudarle en el desarrollo de la clase. **2.** Ore por que a cada alumno este estudio de fidelidad les ayude en las decisiones que tengan que tomar diariamente. **3.** Haga dos cartelones iguales con el título "Dos Estilos de Vida". Ponga debajo a la izquierda, "Los reyes paganos" y a la derecha, "Daniel". Apunte características de cada uno para contrastarlas, usando un cartelón para capítulos 4 y 5, y el otro para capítulo 6. **4.** Resuelva la sección *Lea su Biblia y responda.*

Comprobación de respuestas
JOVENES: **1.** c. **2.** Sintió un gran disgusto. **3.** Sí, porque ya lo había salvado anteriormente.
ADULTOS: **1.** Foso de los leones; petición, dios, hombre. **2.** Entró en su casa para orar al Señor. **3.** Que Daniel no ha hecho caso al rey sino tres veces al día ha hecho oración a Dios. **4.** "¡Tu Dios, a quien tú continuamente rindes culto, él te libre!" **5.** "Porque delante de él he sido hallado inocente."

Ya en la clase
DESPIERTE EL INTERES
Dé la bienvenida a todos y diga que hoy vamos a estudiar una de las más conocidas historias del Antiguo Testamento, la de Daniel en el foso de los leones. (Si ha conseguido láminas de esta experiencia, puede mostrarlas y hablar brevemente de ellas.) Pero hay mucho más en la historia. Hay que analizar las situaciones que han llevado a Daniel a esta experiencia. ¡No se llega al foso de los leones fácilmente! Veámoslo.

ESTUDIO PANORAMICO DEL CONTEXTO
1. Repase el hecho de que Daniel había sido llevado cautivo de Jerusalén a Babilonia. Su fidelidad a Dios rechazando hacer lo que podría contaminarlo, ha sido bendecida. **2.** Dios le ha dado gran sabiduría y el poder de interpretar sueños, cosa que ha hecho para Nabucodonosor. Como resultado el rey le ha dado regalos y una alta posición en su corte. **3.** No procure dar detalles sobre los sueños; nuestro estudio enfatiza la fidelidad de Daniel, y de Dios. Mencione el sueño de Nabucodonosor en el cap. 4. **4.** El siguiente ejercicio debe hacerse rápidamente para no tomar demasiado tiempo del estudio del texto básico, o podría prepararlo de antemano si le parece mejor y repasar lo anotado en la clase. Lean Daniel 4:4, 5; 19; 27; 30; 36; 37 (este versículo demuestra superstición religiosa, no creencia en Dios) y escriban en el cartelón las

características vistas del rey y las de Daniel. **5.** Continúe con el rey Belsasar y Daniel en Daniel 5:1-5; 6, 7; 9; 17-20; 22. Enfatice las diferencias entre estos dos reyes y Daniel. **6.** Resuelvan juntos *Lea su Biblia y responda.*

ESTUDIO DEL TEXTO BASICO

1. La fidelidad de Daniel para orar, Daniel 6:6-10. Lean como trasfondo Daniel 6:1-7, notando los celos y el complot de los sátrapas. Lean los vv. 8-10 y apunten en el segundo cartelón las características del rey y de Daniel. Mencione la fidelidad de Daniel durante los largos años en la corte. Oraba como "solía hacer". Su fidelidad a Dios y las normas de su fe continuaron todos los años de cautiverio.

2. Daniel acusado a causa de su fidelidad, Daniel 6:11-15. Lean los versículos citados. El complot ya estaba llegando al fin esperado. El rey estaba dominado por su propio orgullo y vanidad. Daniel se caracterizaba por su fidelidad, y no iba a procurar salvarse orando a un dios pagano. Continúe anotando las características del rey y de Daniel.

3. Testimonio de fidelidad desde el foso de los leones, Daniel 6:16-20. Lean los versículos, y enfatice el dolor del rey, y su deseo de que su Dios salve a Daniel.

Noten que el rey menciona dos veces que Daniel rinde culto a Dios continuamente. Anoten las características del rey y de Daniel que encuentre en estos versículos.

4. La fidelidad de Dios para salvar, Daniel 6:21-23. Lean el pasaje. Enfatice la respuesta de Daniel al rey. Es Dios quien ha demostrado su inocencia con su poder. Note la alegría del rey y el resultado final en el v. 28. Termine anotando las características de Daniel y el rey. Compare a los dos destacando la sabiduría y la fidelidad de Daniel frente a la debilidad del rey más poderoso del mundo en aquel entonces. Hablen de la fidelidad de Dios con los que son fieles a él, salvándoles, y bendiciéndoles grandemente.

APLICACIONES DEL ESTUDIO

Divida al grupo en tres, asignando a cada uno una aplicación para discutir cómo aplicar este punto a sus vidas. Después de tres minutos, fórmense en el grupo grande y que cada grupo informe del resultado de sus deliberaciones.

PRUEBA

Divídanse en parejas y completen uno de los incisos. Termine con una oración pidiendo fuerza y sabiduría para ser fiel al Señor en todo momento.

La oración de Daniel

Contexto: Daniel 7:1 a 9:27
Texto básico: Daniel 9:3-19
Versículo clave: Daniel 9:19
Verdad central: Daniel, basándose en la relación del pacto, ora a favor de su pueblo, confesando su pecado y pidiendo la misericordia y el perdón de Dios.
Metas de enseñanza-aprendizaje: Que el alumno demuestre su: (1) conocimiento de la esperanza que Daniel tenía en la misericordia y el perdón del Dios del Pacto, (2) actitud de valorizar y apropiar estas acciones de Dios en su vida diaria.

Estudio panorámico del contexto

A. Fondo histórico:

Los primeros seis capítulos de Daniel relatan episodios de su vida y de sus compañeros en Babilonia, donde son esclavos pero a la vez son miembros de la corte, siervos del rey. Su fidelidad en tiempos de prueba es bendecida por Dios.

Al llegar a la segunda mitad del libro se ve un cambio. Ya no son experiencias de Daniel en la corte, sino es Daniel que tiene sueños o visiones y Dios envía a su mensajero para ayudarle a entenderlos. Estos capítulos tienen un contenido apocalíptico, es decir, hablan de acontecimientos que tienen que ver no solamente con lo actual sino con el futuro lejano, el futuro escatológico, de los últimos tiempos.

El género literario apocalíptico era muy popular entre 200 a. de J.C. y 200 d. de J.C., y durante tiempos de la persecución de los judíos por otros. Sus autores esperaban el fin inmediato de la historia en el cual el bien triunfaría y el mal sería juzgado. Utilizando sueños y visiones, palabras crípticas (con significado oculto), simbolismo con números, animales y figuras raras, entre otros, el propósito de esta clase de literatura era de consolar y animar al pueblo, asegurándoles de la presencia de Dios con ellos en el presente y el futuro, y de ayudarles a mantener su confianza en Dios durante una persecución severa.

Los últimos capítulos de Daniel responden al tiempo de Antíoco Epífanes (175-163 a. de J.C.), quien había profanado el templo de Jerusalén (reconstruido entre 520 a 515 a. de J.C.; ver Hageo y Zacarías), y quien prohibió los cultos y otras prácticas ordenados por Dios. Los macabeos, patriotas judíos, encabezaron una rebelión contra el rey asirio, debido a atrocidades, restableciendo la santidad del templo y de los cultos. El pueblo tenía necesidad de oír el mensaje de esperanza que en estas horas tan difíciles para que pudiesen ser fieles a Dios y saber que él estaría con ellos. El ejemplo de Daniel y sus amigos era una clara indicación del poder de Dios actuando a favor de sus seguidores fieles.

B. Enfasis:

La guerra contra los santos. El capítulo 7 tiene una estrecha relación con el capítulo 2. Cuatro bestias grandes y pavorosas suben del mar y una tras otra devoran y destruyen todo en su alrededor. Muchos eruditos creen que el cuerno que "hacía guerra contra los santos y los vencía" es Antíoco Epífanes que había hecho toda clase de persecuciones contra el pueblo de Dios, con el fin de terminar con su fe y práctica. Pero finalmente Dios establecerá un reino "que no será destruido" (7:13, 14 y 27. Se da la interpretación general de la visión en 7:15-27). Daniel queda preocupado frente a esta visión.

La visión del carnero y el macho cabrío (8:1-12). Otra vez la visión del fin es muy semejante al capítulo 7. Seguramente el cuerno quebrado del macho cabrío (v. 8a) se refiere a Alejandro Magno que murió en el año 323 a. de J.C. Es reemplazado por cuatro cuernos (v. 8b), probablemente los cuatro generales que le seguían. El pequeño cuerno (v. 9) que crece rápidamente sería Antíoco Epífanes que tenía ilusiones de conquistas y poder. Daniel termina preocupado y enfermo por la visión (v. 27). Como costumbre de esta clase de literatura Dios le ordenó que la visión fuera guardada (cerrada) porque era para un tiempo futuro (8:26).

En cada visión (caps. 2, 7 y 8), la actuación de la cuarta bestia es incapaz de destruir al pueblo de los santos. Turbado, Daniel cambia de estilo literario, ofreciendo esperanza al pueblo que sufre bajo el látigo de Antíoco Epífanes.

El capítulo 9 consiste en tres secciones: una introducción a la oración de Daniel; la interpretación de la profecía de Jeremías de los setenta años de cautiverio (Jer. 25:11, 12; 29:10), y la esperanza para el tiempo posterior a la persecución.

Estudio del texto básico

1 La confesión del pecado del pueblo, Daniel 9:3-10.

Frente a las visiones apocalípticas de los dos capítulos anteriores, y seguramente recordando lo indescriptible de las abominaciones de Antíoco Epífanes, Daniel viene a Dios en oración para saber cómo y cuándo va a cumplirse la profecía de Jeremías de los setenta años de desolación de Jerusalén. Al hablar del regreso del pueblo a Jerusalén habla del pueblo buscando a Dios en oración. "Me buscaréis y me hallaréis, porque me buscaréis con todo vuestro corazón" (Jer. 29:13).

La primera parte de Daniel capítulo 9 es una oración litúrgica: se confiesa el pecado del pueblo, se reconoce la justicia de Dios, y se suplica la restauración del "santuario desolado" (v. 17).

Es posible interpretar los "setenta años" del profeta Jeremías (25:11, 12; 29:10-13) literalmente como números específicos; sin embargo, no hay indicios de cuándo iniciar el período. Nabucodonosor hizo cuatro invasiones de Judá (en 605, 597, 587, y 582 a. de J.C.), y el edicto de Ciro para el regreso llegó en el año 538 a de J.C. Entonces, ningún cómputo concuerda precisamente con el regreso. Por lo tanto, parece mejor interpretar los años a la luz del Salmo 90:10: "Los días de nuestra vida son setenta años", es decir, el número general para la vida humana. Después de la deportación en 597 a. de J.C., Jeremías avisó a los desterrados que se asentaran en Babilonia (29:5): el regreso en 538 a. de J.C., después de la vida de aquella generación, cumplirá la profecía.

V. 3. *En oración y ruego.* Según Jeremías, el pueblo debiera orar y arrepentirse (29:12, 13). Entonces, Daniel expresó una oración por ellos, usando elementos tradicionales: *ayuno, cilicio y ceniza* (ver Exo. 34:28; Neh. 9:1; Jon. 3:5, 6). Estas prácticas demuestran la gravedad de la situación y el reconocimiento de Daniel de los graves pecados del pueblo, tanto en Jerusalén como en el exilio.

V. 4. *Dios grande y temible* (ver Deut. 7:9, 21; Neh. 1:5; 9:32). La presencia del Señor produce un sentir de pavor y reverencia. Sin embargo, Dios es más que poderoso; también *guarda el pacto y la misericordia* [Heb. *hesed*]. La misericordia y fidelidad de Dios forman la base para su poder y la adoración que merece (Ex. 19:5, 6 y Deut. 7:9, 10). Daniel contrasta la fidelidad de Dios con la infidelidad del pueblo (ver Deut. 7:11), pero es en la promesa de misericordia que Daniel tiene su confianza. Con este versículo se empieza la oración de Daniel que se divide en dos partes: (1) la confesión de los pecados del pueblo (vv. 4-16); y (2) la súplica pidiendo el perdón de Dios, no por sus méritos sino por la misericordia de Dios (vv. 17-19).

V. 5. Los términos usados ilustran la maldad del pueblo (ver 1 Rey. 8:47): 1) *pecado* significa "faltar o errar al blanco"; 2) *iniquidad* indica "torcer algo", "doblarse", o "ser perverso"; 3) *impiedad* refleja la maldad como "violencia y delitos contra la ley civil" tanto como "injusticias éticas"; 4) *rebeldes* se refiere a "acciones atrevidas de sublevación o de desobediencia" contra una autoridad establecida; 5) *apartado* indica una "apostasía" o el "renegar" de Dios.

V. 6. *Tus siervos los profetas* (ver 2 Rey. 17:13, 14; Jer. 29:19; Esd. 9:10, 11). Daniel reconoce los grandes pecados de su pueblo que a pesar de los mensajes que Dios ha enviado por sus profetas, no le han escuchado ni obedecido.

Vv. 7, 8. La confesión, *tuya es, oh Señor, la justicia,* indica que la acción de Dios era *recta* (vindicada legalmente), y la del pueblo era equivocada. Se contrasta *la justicia* de Dios con *la vergüenza* del pueblo, la cual seguía *en el día de hoy.* Aun en el destierro, *en todas las tierras,* el pueblo era una *vergüenza* en vez de ser una luz para la justicia divina.

V. 9. La *misericordia y el perdonar* son del Señor. La única esperanza para el pueblo era acudir a la gracia divina.

V. 10. *No hemos obedecido la voz de Jehovah.* Dios les hablaba por medio de los profetas (ver Deut. 4:8; Jer. 26:4, 5) pero el pueblo había rechazado andar en sus caminos.

2 El castigo del pueblo ha sido merecido, Daniel 9:11-14.

V. 11. Todo el pueblo *ha transgredido la ley de Dios,* a pesar de conocer *la maldición y el juramento escritos en la ley de Moisés* (ver Lev. 26:14-32; Deut. 28:15-68; Jos. 8:31).

V. 12. Posiblemente, el *tan gran mal* se refiere a la destrucción de Jerusalén en 587. También el sacrilegio de Antíoco sobre el templo y el pueblo sería otro.

Vv. 13, 14. Por no aprender Israel las lecciones escritas y las de la historia, Dios era *justo* en lo que hizo (ver Jer. 12:1). La calamidad es tal como Moisés había anunciado. Pero a pesar de esta tragedia (1) no han impolorado el favor de Dios, (2) no han vuelto de sus maldades, (3) ni han prestado atención a la verdad de la palabra del Señor.

3 Súplica por la restauración de Jerusalén, Daniel 9:15-17.

V. 15. No se basa la súplica sobre los méritos del pueblo, sino sobre la misericordia divina. *Con mano poderosa* Dios libró a su pueblo de la esclavitud egipcia (ver Exo. 14:30, 31; Deut. 6:21; Jer. 32:21), uno de los hechos más importantes para el pueblo hebreo de todo tiempo. *Como en este día,* probablemente se refiere al tiempo de Antíoco Epífanes. Otra vez viene la confesión *hemos pecado, hemos actuado impíamente.*

V. 16. En vez de ser una ciudad de paz y luz, Jerusalén era una *afrenta* al mundo. Se hizo la súplica a favor de la ciudad sobre el fundamento de Dios mismo, *por amor de ti mismo, oh Señor* (ver 8:13; 9:27; 11:31; 12:11). Daniel implora a Dios pidiendo que se aparte su ira y su furor de sobre la ciudad de Jerusalén, el santo monte de Dios. Sufren no solamente abominaciones en el templo y en la ciudad, pero tambien sufren el desprecio de los otros pueblos.

V. 17. Daniel pide que Dios restaure el templo que ha sido asolado. En este tiempo de Antíoco Epífanes las más horribles abominaciones habían ocurrido en el mismo templo. Se había colocado una estatua de Zeus y frente a los altares se sacrificaban cerdos y otros animales considerados impuros por los judíos. Ahora Daniel pide a Dios que haga resplandecer su rostro sobre el templo de nuevo.

4 La misericordia de Dios, base de respuesta y cuidado, Daniel 9:18, 19.

V. 18. La oración de Daniel termina implorando la atención total de Dios, su oído y sus ojos. Para hacerlo aun más dramático pide que Dios incline su oído para oír y que abra sus ojos para ver. Daniel insiste en que no pidan esta bendición confiados en sus propias justicias, porque han pecado y han rechazado a Dios vez tras vez; su ruego es hecho confiando en las muchas misericordias de Dios. La misericordia es la manifestación más grande de la bendición de Dios en el Pacto. Sin la misericordia de Dios no había esperanza.

V. 19. Por causa de su nombre y su *gran misericordia* (ver Sal. 119:156), se le suplica a Dios que escuche, perdone, atienda y actúe a favor de Jerusalén y del pueblo. Sin la ayuda directa de Dios, la ciudad amada por Dios y su pueblo llamados por su nombre quedarán eliminados totalmente.

Aplicaciones del estudio

1. En su falta de entendimiento acerca del futuro, Daniel prestó aten-

ción a la fuente primaria de la sabiduría, la escritura, "la palabra de Dios dada a Jeremías", y se dirigió a Dios mismo en oración.

2. Elementos necesarios para acercarse a Dios. Daniel no se acercó a Dios sin hacer un esfuerzo propio que incluía 1) un estudio cuidadoso de la verdad ya revelada, 2) una reverencia profunda, 3) una oración sincera, 4) una mente abierta, y 5) un deseo fervoroso de servir a los suyos.

3. Dios demuestra su poderío más claramente en ser misericordioso y clemente. Estas características de Dios dadas en el pacto con su pueblo son la base de la sobrevivencia del pueblo y de la persona.

Ayuda homilética

La misericordia de Dios y el pacto
Daniel 9:4, 5, 18, 19

Introducción: La misericordia (heb., *hesed*) es el vínculo que liga estrechamente a Jehovah con su pueblo por medio del pacto; también, es lo que forma la comunidad del pacto.

I. El significado de *hesed*.
Significa "la misericordia", "el amor bondadoso", "el favor afectuoso", "la gracia inmerecida", y "una lealtad mutua".

II. El empleo de *hesed* y el pacto.
A. Por amor Dios toma la iniciativa y ofrece su *hesed*, la gracia (9:4; ver Deut. 4:37, también Exo. 34:6-7).
B. Se debe responder a Dios con *hesed*, o con piedad, amor leal, y fidelidad (9:5; ver Ose. 6:4, 6).
C. Hacia los demás, debe comportarse con *hesed*, o con lealtad [integridad] (ver Jue. 1:24; Miq. 6:8).

III. Se encuentran los tres aspectos de *hesed* en el "pacto" con Israel (ver Exo. 19-20).

Conclusión: En el Nuevo Pacto (Testamento) se expresa (*hesed*) por medio de la gracia y el amor (*agape*). Las tres verdades en el empleo son eternas y vitales en los dos Pactos (Testamentos).

Lecturas bíblicas para el siguiente estudio

Lunes: Daniel 10:1-21
Martes: Daniel 11:1-12
Miércoles: Daniel 11:13-30
Jueves: Daniel 11:31-39
Viernes: Daniel 11:40-45
Sábado: Daniel 12:1-13

NOTA

Apreciable maestro, este fue el penúltimo estudio del libro que tiene en sus manos. Le animamos a tomar las debidas providencias para tener los materiales necesarios para el siguiente ciclo de estudios.

AGENDA DE CLASE

Antes de la clase

1. Lea con cuidado capítulos 7—9. Son capítulos difíciles de entender, así lea con cuidado la información en los libros para maestros y para alumnos. **2.** Si tiene un diccionario de la Biblia o una Biblia de estudio que tenga artículos en cuanto a la "literatura apocalíptica", léalos. **3.** El estudio principal se basa no en las visiones, sino en la oración de Daniel a favor de su pueblo y su preocupación por el significado de la profecía de Jeremías 25:11, 12. Lea este pasaje. **4.** Prepare un cartelón con el título, "La oración de Daniel", y debajo 1. "Confesión"; 2. "Súplica"; y 3. "Confianza", dejando espacio entre ellos para apuntar en la clase evidencias de cada paso. **5.** Ore por cada alumno para que este estudio sea de apoyo para ellos en su vida de oración. **6.** Resuelva la sección: *Lea su Biblia y responda.*

Comprobación de respuestas

JOVENES: 1. a. pecado. b. iniquidad. c. impíamente. d. rebeldes. e. apartado de tus mandamientos. f. obedecido a tus siervos. g. obedecido a la voz de Jehovah. **2.** a. justicia; vergüenza. b. todo... transgredido... apartándose... escuchar.

ADULTOS: **1.** Señor Dios, buscándole, oración, ruego, ayuno, cilicio, ceniza. **2.** ¡Oh Señor, Dios grande y temible, que guarda el pacto y la misericordia para con los que le aman y guardan sus mandamientos! **3.** Vea los versículos 5 y 6 para la lista total. **4.** Israel, transgredido, ley, escuchar, voz. **5.** Que se aparte la ira de Dios sobre Israel, que resplandezca de nuevo su rostro sobre el templo. **6.** La gran misericordia de Dios.

Ya en la clase

DESPIERTE EL INTERES

1. Dé la bienvenida a cada persona. **2.** Pida al grupo que defina "la oración". ¿Por qué oran? ¿Para qué oran? ¿Cuándo oran? ¿Cómo oran? Discutan sus respuestas brevemente. **3.** Diga que hoy vamos a ver una oración de Daniel que sale de su preocupación por la persecución de su pueblo. Este estudio puede enriquecer nuestra comprensión de lo que es la oración. **4.** Pida a Dios que este estudio sea de inspiración, de desafío y de orientación para todos.

ESTUDIO PANORAMICO DEL CONTEXTO

1. Los últimos seis capítulos del libro son la sección apocalíptica. Las visiones de los capítulos 7 y 8 son preocupantes para Daniel porque hablan en forma apocalíptica de la situación histórica y de los acontecimientos que su pueblo afrontará. En cada caso Dios está con ellos; da su promesa de victoria final y la seguridad de que su reino va a establecerse. **2.** Evite dar demasiado tiempo a esta sección porque el énfasis principal es en la oración de Daniel. Sin embargo, use el material en los libros de maestros y adultos para dar un breve resumen de las visiones en los capítulos 7 y 8. **3.** Resuelvan juntos la sección: *Lea su Biblia y responda.*

ESTUDIO DEL TEXTO BASICO

1. La confesión del pecado del pueblo, Daniel 9:3-10. Lea Daniel 9:1, 2 y Jeremías 29:10-13 para dar el trasfondo del pasaje. Daniel, conocedor de los escritos de Jeremías quiere saber cuándo terminarán "los setenta años" de desolación y persecución de Jerusalén. Saque el cartelón titulado "La oración de Daniel" y pregunte: "¿Cómo confiesa Daniel el pecado del pueblo?" Anótelos en el cartelón bajo "Confesión". ¿En qué características de Dios espera Daniel?

2. El castigo del pueblo ha sido merecido, Daniel 9:11-14. Que alguien lea este pasaje. Dios había indicado al pueblo hebreo desde su fundación el castigo por no obedecerle. Son detallados en Deuteronomio 28:15-45 y Levítico 26:14-33. Seleccione unos breves versículos para demostrar esta verdad, pero no lea todo el pasaje. Anote en el cartelón cómo Daniel confiesa los pecados en esta sección también.

3. Súplica por la restauración de Jerusalén, Daniel 9:15-17. Lean estos versículos, y hable de la importancia de la intervención de Dios en el éxodo de Egipto. Daniel pide que Dios haga un milagro tan grande retornando a Jerusalén y al templo. Mencione las abominaciones hechas por Antíoco Epífanes. Anote en el cartelón las súplicas de Daniel.

4. La misericordia de Dios, base de respuesta y cuidado, Daniel 9:18, 19. Lean estos dos versículos. Comenten sobre el ansia de Daniel en su oración. Llame la atención a los verbos "inclina, escucha, perdona, atiende, y actúa". En este contexto de urgencia, ¿en qué está puesta la confianza de Daniel? Apunte sus respuestas en el cartelón debajo de "Confianza". Llame la atención a que la misericordia de Dios es la manifestación más grande de su amor, el amor del pacto.

Revise el cartelón y lo que ha aprendido de cómo orar. Enfatice que uno puede y debe orar confiadamente aun en las angustias más grandes. Repitan juntos Daniel 9:19.

APLICACIONES DEL ESTUDIO

Lean las aplicaciones y hablen de sus significado para sus vidas. Tenga un tiempo para oraciones breves de gratitud por lo que han aprendido de la oración de Daniel.

PRUEBA

Conjuntamente haga el primer inciso en esta sección. Diga que hay solo un estudio más de Daniel. ¡No se lo pierdan!

No olvide conseguir sus materiales para la siguiente serie de estudios.

Estudio **52**

Unidad 12

Visión y esperanza

Contexto: 10 a 12
Texto básico: Daniel 10:2, 5-12; 12:1-4, 12, 13
Versículo clave: Daniel 12:3
Verdad central: La visión de Daniel en medio del desánimo del pueblo nos enseña que Dios siempre tiene un mensaje de esperanza para su pueblo.
Metas de enseñanza-aprendizaje: Que el alumno demuestre su: (1) conocimiento de tres maneras en que Dios ha infundido esperanza a su pueblo desanimado, (2) actitud de confianza en las promesas de Dios.

Estudio panorámico del contexto

A. Fondo histórico:

Los tres últimos capítulos de Daniel son semejantes a las visiones de los capítulos 7—9. El contenido que se ha visto en los capítulos anteriores se ve también aquí. Cada capítulo da una perspectiva distinta del contenido de la visión. En el capítulo 10 tenemos el prólogo, en el capítulo 11 la visión en sí, y en el capítulo 12 el epílogo de la visión. La visión es de los últimos días, pero empieza con su propia época.

El capítulo 10:1 indica el tiempo en "en el tercer año de Ciro, rey de Persia" (ver Dan. 1:21). Es difícil hablar de datos históricos precisos, pero probablemente sería 536 a. de J.C. Como se ha indicado antes muchos eruditos creen que el libro fue escrito en los tiempos de Antíoco Epífanes, utilizando el contexto histórico de Daniel para demostrar cómo él había podido sobrevivir una situación tan difícil y mantenerse fiel al Señor. Su experiencia era "buenas nuevas" de esperanza para los hebreos que estaban sufriendo los horrores cometidos por Antíoco en 168 a. de J.C.

La interpretación de la visión coloca el contexto histórico en los tiempos de los Tolomeos (gobernantes de Egipto 332-80 a. de J.C.) y los Seléucidas (gobernantes de Siria 332-64 a. de J.C.), los cuales luchaban entre sí por el control de Palestina. Se enfoca específicamente sobre la época del reino de Antíoco IV (Epífanes, 175-163 a. de J.C.) de Siria, y la revuelta judaica de los Macabeos (167-165 a. de J.C.). La caída final de Antíoco Epífanes es segura.

Al comenzar el capítulo 11, se habla de los eventos del reino de Antíoco III (223-187 a. de J.C.), y sus actividades de conquista. Después, se enfocan las actividades de Antíoco Epífanes (175-163 a. de J.C.) quien se había ido contra Roma, pero fue derrotado. Avergonzado empezó una nueva campaña, la de "helenizar" (imponer la cultura griega) al pueblo judío, persiguiéndolos y procurando acabar con su fe. El mensaje de las visiones es que Dios es soberano, y tomará las decisiones que determinarán el resultado de la historia.

B. Enfasis:

Daniel es confrontado con una figura sobrehumana. Su aspecto es tan brillante y resplandeciente que le deja temblando de miedo. Con su ayuda Daniel se da cuenta de que Dios envía a sus ángeles a consolar, corregir, e instruir a sus siervos en el tiempo de peligro y desesperación, porque Dios está siempre con su pueblo y a favor de ellos. A la vez Dios va a juzgar y castigar la maldad y a los malos que la llevan a cabo.

Daniel tiene la visión de un ángel enviado por Dios en respuesta a sus peticiones. El ángel había sido impedido por "el príncipe del reino de Persia", pero Miguel, el ángel de los judíos, es decir el "ángel patrón" o custodio del país de Israel (10:13), intervino para que el mensajero llegara hasta Daniel.

El énfasis principal de estos tres capítulos es que Dios es el Dios de la historia, y que él estará con su pueblo en su aflicción. Hay esperanza; por eso hay que mantenerse fiel al Señor; hay que "continuar (fiel) hasta el fin" (12:13a).

Daniel 12:2, 3 da la referencia más clara y positiva de la resurrección que se halla en el Antiguo Testamento. Estableció la confianza en que Dios iba a premiar a los fieles, pero el fin de los malos sería "vergüenza y eterno horror" (12:2c).

Estudio del texto básico

1 Dios responde a la aflicción de Daniel, Daniel 10:2, 5-9.

Daniel, ya anciano, quiso saber el significado de la visión recibida que solo vendría por medio de una revelación. "El conflicto grande" era lo que iba a ocurrir durante la época final de las visiones (ver 8:25; 9:26, 27).

V. 2. Para obtener una revelación, observó las prácticas ascéticas o rituales de costumbre (ver v. 12). *Duelo* también significa "ayuno" (ver v. 12; Mat. 9:14, 15), y duró *tres semanas* (también v. 13). El ayuno no fue completo: no comió "manjares delicados [lit. 'pan de delicadezas']", sino fue una dieta de pan y agua (ver Deut. 16:3). "Carne, vino y el ungirse con aceite" eran elementos de lujo (ver 2 Sam. 14:2).

V. 5. El Señor le responde y llegó *un hombre vestido de lino*, un ángel sin ser identificado. Antes se le había aparecido Gabriel (8:16; 9:21), y posiblemente fuese él. Sin embargo, por los detalles resplandecientes de éste, algunos autores de la iglesia primitiva lo identificaron como el Señor Jesucristo (ver Apoc. 1:12-16). Un *vestido de lino* era ropa de sacerdotes.

V. 6. El aspecto del ángel en esta visión o teofanía (aparición de Dios o de su mensajero) era brillante y singular (ver Eze. 1:5-28 y Apoc. 1:12-16); sus palabras eran *como el estruendo de una multitud* (ver Isa. 13:4; Apoc. 1:15). Al principio Daniel no le entendió, sino escuchó algo como la reverberación de un sonido profundo.

V. 7. A la manifestación de lo sobrenatural, los hombres *huyeron* (ver la experiencia de Saulo, Hech. 9:3-7), pero solamente Daniel ve al hombre.

Vv. 8, 9. Daniel queda solo. La visión le enervaba, *mi vigor se convirtió en debilidad* (ver 8:17, 18); sin embargo, ahora pudo entender el habla del ángel. Al oír las palabras del mensajero, Daniel cae de rodillas mudo. (Compare con Hech. 9:4; Eze. 1:28b; Apoc. 1:17.)

2 El corazón dispuesto a entender el mensaje, Daniel 10:10-12.

V. 10. El ángel le tocó y le hizo (ayudó) ponerse *temblando* sobre las rodillas y las manos. Había caído *adormecido sobre* su *rostro* (v. 9). Sin la ayuda del ángel no tendría fuerzas para empezar a levantarse.

V. 11. El dicho, *hombre muy amado* (ver también 9:23), le dio seguridad y se puso de pie temerosamente. Aunque esto tiene que haberle dado confianza, todavía está lleno de miedo ante la visita celestial. El ángel enfatiza que había sido enviado a Daniel, y que debe prestar atención total a sus palabras. Así, se pone de pie para recibir el mensaje.

V. 12. *Desde el primer día* (del ayuno) Dios había enviado su mensajero. Frente al temor que se sienten en encuentros así, le dice a Daniel, *no temas.* Se explica la razón por su demora en el v. 13. El mensaje que trae trata de lo que iba a acontecer *en los últimos días* (v. 14). El propósito de la visión era dar esperanza al pueblo oprimido.

3 La esperanza de la resurrección, Daniel 12:1-4.

En la visión del capítulo 11 se habla de las guerras y persecuciones que van a ocurrir en el Medio Oriente, pero especialmente de las abominaciones hechas por un "hombre vil", seguramente refiriéndose a Antíoco Epífanes (v. 21). Termina diciendo que el hombre tan malvado llegará a su fin "y no tendrá quien le ayude" (11:45).

V. 1. *En aquel tiempo* ocurre dos veces en el versículo, enfatizando el aspecto futuro de la visión. Vendrá después del fin del rey del norte, o sea Antíoco Epífanes (11:45). Algunos lo interpretan como una referencia al fin de todo tiempo. Aun así, las lecciones de los versículos son iguales (ver *Aplicaciones del Estudio* abajo). *Se levantará Miguel,* el ángel patrón (custodio) de Israel (ver 10:21; 8:17-26). Su responsabilidad es de ayudar a su pueblo. *Tu pueblo* son los judíos de la época de Daniel. *Será tiempo de angustia* [tribulación] *como nunca fue...* (ver Jer. 30:7; Mar. 13:19; Apoc. 16:18).

Inscritos en el libro (de la vida) probablemente se refiere a los judíos fieles viviendo el tiempo de congoja (ver Exo. 32:32; Mal. 3:16; Apoc. 3:5).

V. 2. ¿Qué pasará con aquellos que murieron durante las persecuciones de Antíoco? La respuesta es la primera clara indicación en el Antiguo Testamento de una resurrección individual. *Muchos* no niega la enseñanza en el Nuevo Testamento de una resurrección de todos: es el gérmen de la doctrina de la resurrección general. Probablemente se refiere específicamente a los judíos en la época de Antíoco. *El polvo de la tierra* representa la tumba; *los que duermen,* los muertos (ver Jer. 51:39); *serán despertados,* indica que tendrán vida. Los fieles (los justos y los mártires) tendrán *vida eterna;* los infieles (apóstatas) conocerán *vergüenza y eterno horror.*

V. 3. *Los entendidos*, los *hasidim* y los que *enseñan justicia* van a recibir la vida eterna. Los fieles han demostrado su lealtad a Dios y a su pueblo en sus actos sabios, aunque muchos habían caído *a espada y a fuego* durante la persecución (11:33, 35). Estos, *los entendidos,* resplandecerán en la eternidad. También *los que enseñan justicia a la multitud,* los maestros que han enseñado fielmente, resplandecerán como las estrellas.

V. 4. Termina la visión; se manda cerrar y sellar *el libro hasta el tiempo del fin* (ver 8:26; 9:24). Probablemente se indica el fin de Antíoco, que será tiempo de liberación para los oprimidos. La literatura apocalíptica muchas veces fue sellada y guardada hasta el tiempo de su cumplimiento. Ahora pues, se puede decir con Juan que no son selladas las palabras de la profecía de este libro; ¡Adora a Dios! (Apoc. 22:10, 9c).

4 Una bendición y una promesa, Daniel 12:12, 13.

V. 12. A Daniel le manda que espere con paciencia la revelación y desarrollo de los eventos del futuro, aun su propia muerte. Ya no habrá más visiones ni explicaciones. Al continuar las persecuciones, algunos serán purificados por su fidelidad.

Los impíos continuarán actuando impíamente; son ciegos a todo mensaje espiritual. Al contrario, los sabios entenderán y estarán dispuestos a seguir la enseñanza de Dios como han hecho antes. Feliz aquella persona que mantenga su fe viva durante la persecución; llegará al tiempo de la restauración. Hay muchas interpretaciones de los 1.290 días y los 1.335 días, pero parece que la primera se refiere al período de persecución aguda de Antíoco Epífanes, y los 45 días adicionales se refieren a la consumación del tiempo.

No hay claridad del significado de un día en la literatura apocalíptica, como de muchos otros elementos usados en esta clase de literatura. Uno pierde una bendición grande si insiste en interpretaciones precisas de todos estos elementos de los escritos apocalípticos. Dios nos ha revelado muchísimas cosas, sin embargo, otras quedan *escondidas.* Lo maravilloso de este libro es la fidelidad demostrada, en tiempos de persecución, fidelidad tanto de Dios a sus siervos, como de ellos a él.

V. 13. La última respuesta a la pregunta de Daniel: "¿Cuándo será el final de estas cosas?", es que continúe *hasta el fin. Descansarás* seguramente se refiere a su muerte, pero la promesa es que se levantará para recibir su heredad *al fin de los días.* La fidelidad de Daniel ha sido ejemplar en el pasado; hay que continuar fiel *hasta el fin.*

Aplicaciones del estudio

1. El Señor se comunica con personas dispuestas. Estas personas 1) son humildes ante él, 2) dedicadas a entender, 3) disciplinadas y persistentes en buscar la verdad, 4) atentas a los mensajeros mandados por Dios, y 5) creen la verdad entregada.

2. Se notan las siguientes verdades señaladas acerca de Dios: 1) es soberano, 2) controla los tiempos, 3) cumplirá con sus propósitos, y 4) su reino es eterno.

3. Las verdades centrales de Daniel transcienden las barreras del

tiempo: 1) Dios castigará la maldad en todo tiempo; 2) habrá una final que ha de venir; 3) los fieles sufrirán en el porvenir; 4) la esperanza en la victoria final era y será necesaria; 5) la resurrección es una verdad gloriosa.

Ayuda homilética

Lecciones de la vida de Daniel

Introducción: Al saber lo que Dios hizo específicamente en el pasado da un indicio de lo que hará en futuras situaciones similares. Una tragedia de la humanidad es su inhabilidad de aprender de la historia. Hoy, si estuviera Daniel, ¿cuáles lecciones nos enseñaría?

I. ¿A quién se debe servir, a Dios o al hombre?
- A. Hay un conflicto eterno entre la rectitud de Dios y la perversidad humana.
- B. En todas las épocas, cada persona tiene que decidir si vivirá por los principios revelados por Dios, o por los designios de los incrédulos.
- C. Hay que tener una base para determinar lo que es bueno o malo, y solo Dios puede indicar el camino recto. ¡Se debe optar por Dios!

II. ¿Para qué servir a Dios?
- A. ¿Para recibir bienes materiales, fama, o poder personal? ¡No!
- B. Le servimos por la naturaleza del amor que nos rescata y la relación que tenemos con él. Los fieles a Dios sirven a los demás con una mejor rectitud que aquellos que le rechazan para otra forma de cultura pagana o agnóstica.

III. ¿Tienen influencia las personas en la sociedad?
- A. Una persona corrupta en un lugar bueno puede destruir en poco tiempo lo que ha costado años construir.
- B. En contraste, una persona buena puede mantener, corregir, edificar, evitar o aun rescatar de la destrucción.

IV. ¿Se preocupa Dios por los suyos?

¡Sí! Dios ama a los suyos, y manda a sus ángeles (mensajeros) para el beneficio de ellos.

Conclusión: Dios usa seres humanos como instrumentos: confía en nosotros. Al poner nuestra confianza en el Señor, él nos ayuda a servirle con fidelidad.

Lecturas bíblicas para el siguiente estudio

Lunes: Esdras1:1-4
Martes: Esdras 1:5-11
Miércoles: Esdras 2:1-19
Jueves: Esdras 2:20-42
Viernes: Esdras 2:43-60
Sábado: Esdras 2:61-67